T5-AMY-537

Giving
happy names
to boys
by
Tamiya Norio

世界にはばたく　男の子の名前

田宮規雄　著

高橋書店

本書の使い方

漢字から考える！

「正」という字を使いたい場合

おすすめ漢字800
（231～311ページ）

意味もチェック！

ここから選ぶ

「正」に合う漢字を探す

音から考える！

「あきと」という名前をつけたい場合

音から選ぶ名前1200
（65～173ページ）

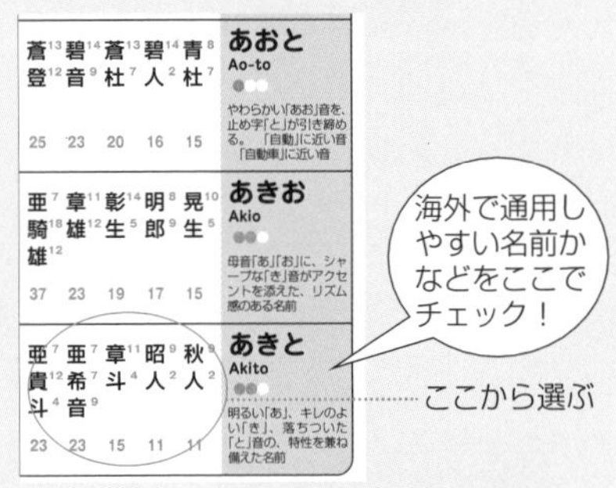

自分で漢字の組み合わせを考えるなら

音から引く漢字一覧
（177～208ページ）

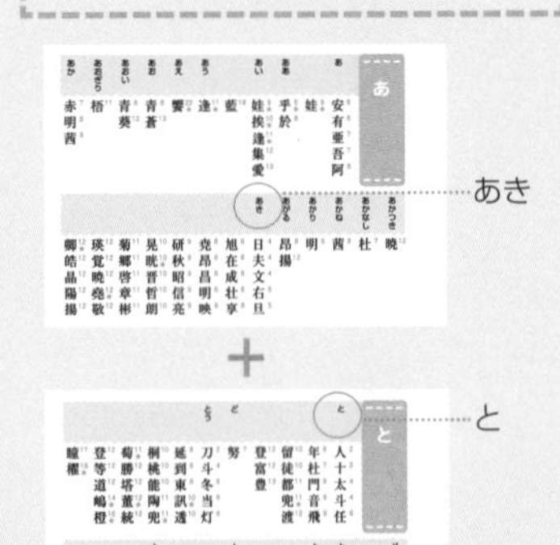

画数と運勢をチェック

漢字の意味をチェック

画数と運勢をチェック

本書はどんなこだわりからも名前を選べ、考えられる構成になっています。本書を活用して、ぜひ、すてきな名前を贈ってあげてください。

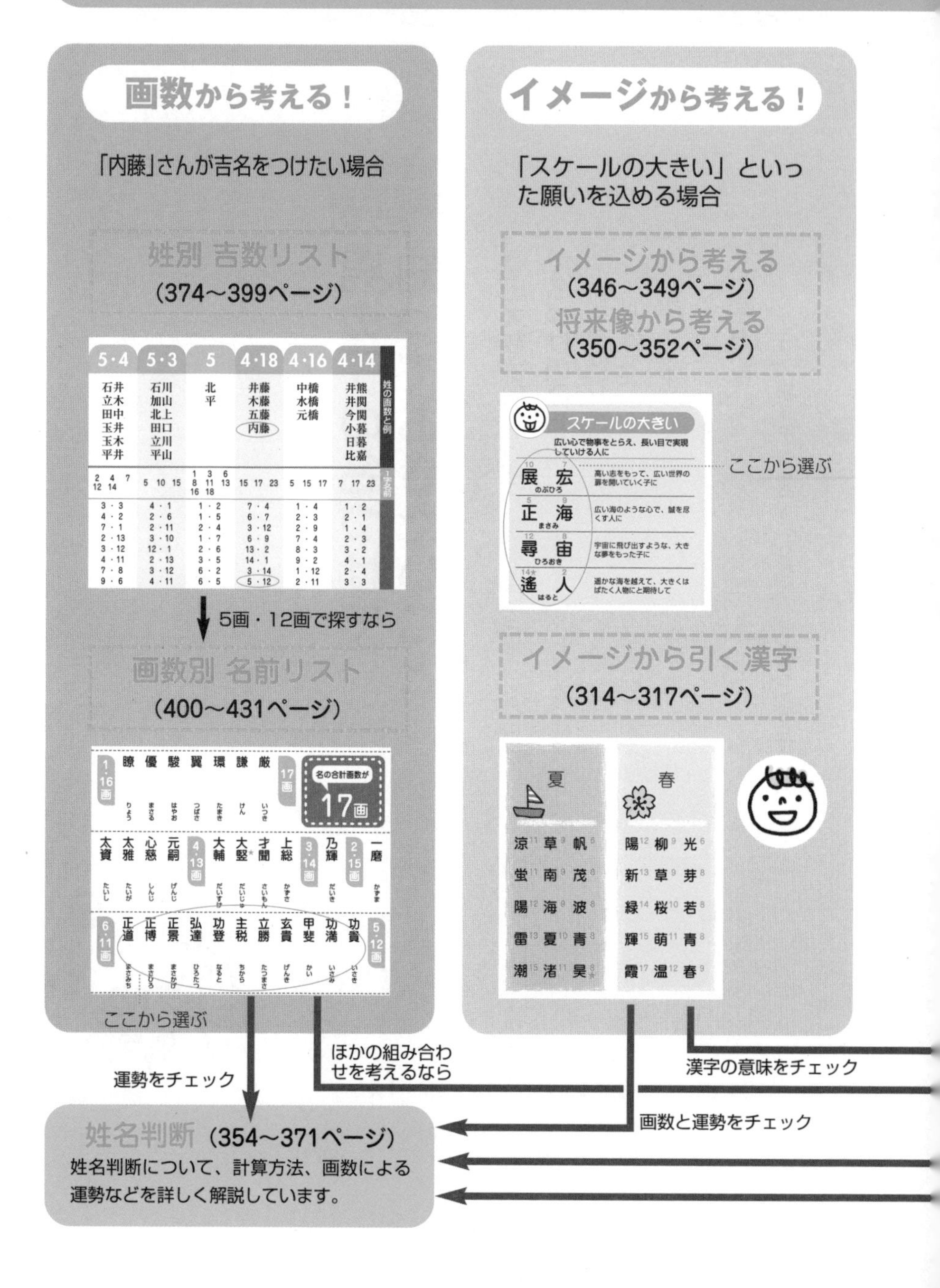

もくじ

第1章 男の子の名づけで知っておきたいこと

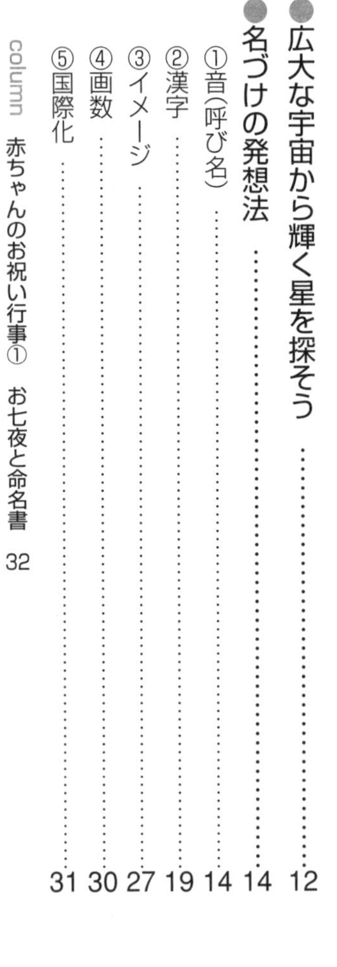

第2章

世界にはばたく男の子の名前 ……… 33

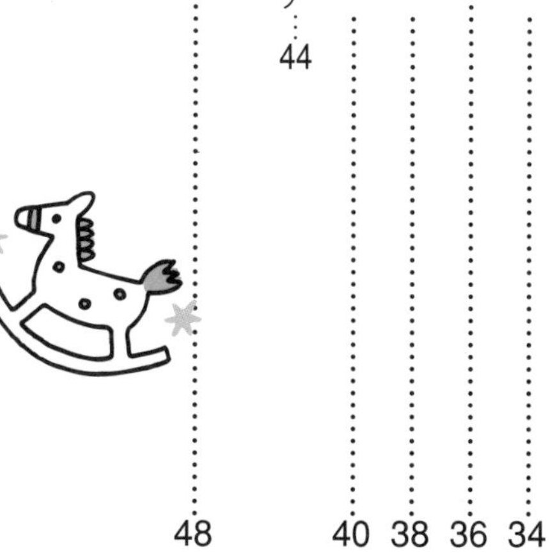

第3章

音から考える ……… 49

第4章 こだわり名づけ体験談

第5章

漢字から考える …… 225

第6章

夢を託す こだわりの名前

第7章

第8章

第1章

男の子の名づけで知っておきたいこと

広大な宇宙から輝く星を探そう

名づけとは、広大な宇宙に輝く一つの星を探す作業。わが子にふさわしい星を求め、出発です！

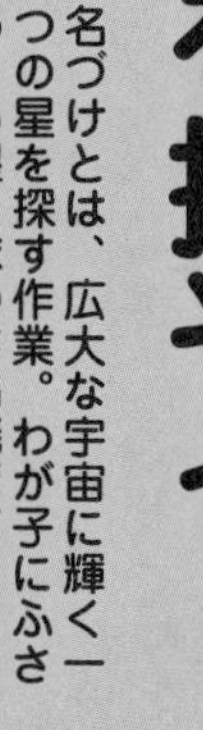

赤ちゃんの輝く将来を考えて

インターネットをはじめとする通信機器の急速な普及に伴い、世界を身近に感じる機会が多くなりました。自宅や会社にいながらにして、世界中から情報を収集できる時代の到来です。

外資系企業で働く人や、海外で活躍するスポーツ選手も少なくありません。さらなる世代を担う赤ちゃんの名前に国際感覚が求められるのも、ごく自然なことといえるでしょう。実際、「賢人（ケント）」や「真秀（マシュウ）」など、海外で通用する音をもち、日本でもしゃれたイメージを与える名前の人気が高くなってきています。

また、かつて好まれた強さやたくましさ、男らしさをストレートに取り入れた名前から、最近では優しさや躍動感を感じさせる名前へと、全体的な人気の傾向にも変化が見られます。

名前は両親からの最初のプレゼント

名前は、一生にわたって使い続けていく、大切なものです。それは、パパとママが赤ちゃんに贈る、最初のプレゼントでもあります。とくに男の子の場合、将来も姓が変わる可能性は低いので、姓と名前とのバランスがとても大事になってきます。そのことを充分に踏まえたうえでの発想やアプローチが、必要といえるでしょう。

実際、名前は無数にあるといっても過言ではありません。現在、名前に使える漢字は、常用漢字1945字と人名用漢字778字に旧字体205字を加えた、計29

28字あります。これにひらがなとカタカナが加わって、合計で3000字強の文字が使えることになり、ほぼ無限に組み合わせが考えられる計算となります。名づけという作業は、その膨大な候補の中から、赤ちゃんにふさわしいたった一つの名前を選び出すことにほかなりません。まさに、広大な宇宙から、一つの星を見つけるに等しいでしょう。

かわいいわが子のために、最高のプレゼントを選ぶ……名づけは、パパとママにとってもビッグイベントといえるでしょう。それだけに、どこから手をつけてよいのか、戸惑ってしまうかもしれません。また、力みすぎて袋小路に入り込んでしまったり、夫婦の意見が合わず喧嘩になってしまったり、ということもあるでしょう。

しかし、心配はいりません。本書では、名づけのためのさまざまな発想法を紹介しています。

また第2章では、国際社会を意識した名づけについて、解説や実例を載せました。豊富な実例を参考に、とびっきりの一つを見つけ出すのもよし、各章の発想法に沿って、夫婦で考えるのもよし。名づけというビッグイベントを、おおいに楽しんでください。それは、赤ちゃんがパパとママにくれたプレゼント、親としての最大の特権でもあるのですから。

名前は両親からの
最初のプレゼント
海外でも通用する
名前がいいなあ。
優しいイメージの
名前がいいなあ。
ゆうと
悠人
マシュウ
ケント
いおり
庵
すやすや

名づけの発想法

まずは発想法を整理してみましょう。いろいろなアプローチを駆使し、最高の名前を見つけましょう。

名づけを助ける5つの発想法

名づけは、いわば創作活動ですから、漠然と考えていても、なかなか思いつくものではありません。何か手がかりやヒントが必要です。

名づけのための発想法には、大きく分けて、音(呼び名)、漢字の意味、イメージ、画数、国際化の5つがあります。

1 音(呼び名)

名前は書き記す機会以上に、呼んだり呼ばれたりすることのほうがはるかに多く、名前の印象の大半は、音に左右されます。音から名前を考える、具体的な発想法や手がかりは第3章に譲るとして、ここでは発想のチェックポイントを挙げておきます。

発音上の同姓同名を減らすには

同姓同名というと、漢字表記の一致と考えがちですが、発音上の同姓同名になってしまうケースもあります。たとえば、「伊藤」と「伊東」、「川口」と「河口」などは、発音は字は違っても耳から入れば、まったく同じです。こうした姓に、人気の高い呼び名「ユウキ」などとつけると、発音上の同姓同名が生じやすくなります。

名づけの代表的な発想法

まず呼び名を考え、あとから字を当てはめる方法で、今の名づけの主流となっています。妊娠6か月目くらいから赤ちゃんの名前を考え始めるママが多いようですが、おなかの赤ちゃんに呼びかける際にも、名前が決まっていれば、いっそう愛情が込められます。「ユーくん」など、愛称から入ってもよいでしょう。あとはその愛称に合った名前のバリエーションを考え、字を当てはめていくようにします。

ひらがなやカタカナを用いた名前もありますが、男の子の場合、やはり圧倒的に多いのは漢字の名前です。漢字は、その成り立ちから見ても、実に多彩な意味を秘めています。最近では、意味をあまり気にかけない、音優先の名前も見受けられますが、ネガティブな意味をもつ漢字は、やはり名前にはおすすめできません。使おうと考えている漢字は、一度辞典などで意味を確認しておいたほうがよいでしょう。気に入った漢字を使う以外に、親や祖父母の名前から1字もらうなど、家族で同じ漢字を共有するといった考え方も、よく見られます。

赤ちゃんの生まれた季節や夫婦の思い出、こんなふうに育ってほしいといった願いなどを名前に織り込む方法です。パパとママの共通の趣味にちなんだ名前も、人気があります。手がかりは豊富といえるでしょう。

名づけにおける画数とは、姓名判断のことです。自分の名前の画数は気にしない人でも、いざ赤ちゃんの名前となると、やはり気になってくるようです。とくに男の子の場合、姓名は一生変わらずつきあっていくことが多いため、なおさらのことでしょう。どの程度こだわるかは人によってまちまちですが、画数は今や「呼び名」に次ぐ、名づけの大きな要素となっています。占い的な要素というより、名づけの発想法の一つとして、利用してみてもよいでしょう。

これからの社会では、活動の拠点を海外に置いたり、ビジネスシーンで外国人を相手にしたりする機会も、ますます増えてくるでしょう。その際、外国人にとって発音しづらい名前であったり、奇異な意味をもつ音の名前、性別を間違えやすい名前などは、スムーズなコミュニケーションの障害になりかねません。①の音や③のイメージと合わせ、考慮しておきたいポイントです。

日本人に多い姓 ベスト10

第 1 位	佐藤
第 2 位	鈴木
第 3 位	高橋
第 4 位	田中
第 5 位	渡辺
第 6 位	伊藤
第 7 位	山本
第 8 位	中村
第 9 位	小林
第10位	加藤

（インターネット「苗字館」調べ）

男の子の名前 ベスト10

第 1 位	陸
第 2 位	大翔
第 3 位	大輝
〃	蓮
第 5 位	翼
第 6 位	悠斗
第 7 位	翔太
第 8 位	海斗
〃	空
〃	優太
〃	陽斗

男の子の名前の読み方 ベスト10

順位	読み方
第 1 位	ハルト
第 2 位	ユウト
第 3 位	コウキ
第 4 位	ユウキ
第 5 位	リク
第 6 位	ユウタ
第 7 位	リョウタ
〃	カイト
第 9 位	ハルキ
第10位	ソウタ

（明治安田生命調べ）

発音上の同姓同名を減らすには

　右は、日本人に多い姓ベスト10と、2006年の男の子の、人気名前ランキングです。時代を反映した人気名前は、たしかにスマートな印象を与えますが、同時に多く見られて平凡になってしまう恐れもあります。とくに、日本人に多い姓に人気名前をつけると、幼稚園や学校で同姓同名の子にあいやすくなります。どうしても人気名前をつけたい場合は、少しアレンジを加えるなど、工夫してみるとよいでしょう。人気名前の「翔太（ショウタ）」も、「翔平」や「翔吾」、「翔也」とすればかなりイメージが変わり、ユニークな名前になるのです。

　もちろん、必ずしも同姓同名がいけないというわけではありませんが、名前には「個の識別」という重要な役割もあります。できればオリジナリティーを主張できる名前を考えたいものです。

音のもつイメージを取り入れる

　名前の音にもイメージがあり、時代ごとに好感度の高い音が変わります。ここ最近の傾向としては、「ユウキ」や「ユウト」など「ユウ」

の音が男の子の名前に人気です。音感がやわらかく優しい印象であること、発音に対応した漢字が多く、バリエーションをもたせやすいことなどが、その理由でしょう。また、今は男の子に優しさが求められている時代であるといえるかもしれません。

母音にも、それぞれにイメージがあります。たとえば「アキラ」と聞いたとき、明朗活発で知的なイメージを抱くのではないでしょうか。これが母音のもつイメージです。

母音のイメージは、おもに左図のようにいわれています。「アキラ」は、ア段とイ段の子音で構成されているため、前述のようなイメージになるというわけです。

ほかに、拗(よう)音・促(そく)音・撥(はつ)音もイメージをつくりやすい音です。

「拗音」とは、「リョウタ・シュウヘイ・リュウセイ」などに含まれる、小さな「ャ・ュ・ョ」のことです。人気名前にも多く見られ、音楽的で流れるようなイメージをもっています。

「促音」とは、「テッペイ・イッセイ」のような、小さな「ッ」のことです。一瞬息を詰めたあとに吐き出すような、瞬発力や集中力を感じさせる、躍動感に満ちた音です。促音は、愛称を別にすれば、女の子の名前にはまず見られません。男の子の名前に特有の音といってもよいでしょう。

「撥音」とは「ン」のことで、きっぱりと言いきるような歯切れのよさがあります。「ケン・レン・シモン」など、洋風の響きをつくるのも特徴です。

各段の音のもつイメージ

ア段	明朗 活発 開放的
イ段	知的 デリケート クール
ウ段	情熱的 内向的 持続性
エ段	慎重 努力 忍耐力
オ段	温和 優しい 穏やか

濁音を入れすぎない

濁音とは、文字どおり濁った音です。濁音には、姓名に重量感や威厳をもたせる効果もありますが、多すぎると、いかめしい印象になります。「板藤」という、濁音を2つ含む姓の場合を考えてみましょう。「板藤弦三（バンドウ・ゲンゾウ）」よりも「板藤健也（バンドウ・ケンヤ）」としたほうが、ずっとすっきりした印象になります。目安としては、濁音は姓名合わせて2音まで、と考えておきましょう。

硬い音感のカ・サ・タ行

「カサカサ」「カタカタ」といった擬音語からもわかるように、カ・サ・タ行は乾いた硬い音感をもっています。そのため、使いすぎると耳障りな響きの名前になってしまうので、注意が必要です。「ササキ・タカシ」や「カクタ・トシキ」も、「ササキ・ユウヤ」「カクタ・ノリオ」などとすれば、耳から受ける印象は、ずいぶんやわらかくなります。

また、カ・サ・タ行の音が多くなりすぎると、発音がしづらいという問題点も出てきます。

音のダブりに注意

姓名の音は多くの場合、全部で10音にも満たないものです。その中でいくつも同じ音が重なっていると、いかにも不注意で名づけてしまったかのような印象を与えかねません。

とくに「タカハシ・タカシ」や「ハシモト・モトキ」のように、2音以上のダブりがあると、発音しづらくなってきます。名前ばかりを集中して考えていると、こうしたことも起こりがちです。名前を思いついたら、一度姓と合わせてかな書きにしてみることをおすすめします。音のダブりは1音くらいにとどめるとよいでしょう。全体を通し、発音しづらくないかもチェックしましょう。

「音」からのまとめ

- □ 発音上の同姓同名を減らす
- □ 音のもつイメージを取り入れる
- □ 濁音を入れすぎない
- □ 硬い音感のカ・サ・タ行を入れすぎない
- □ 音のダブりは1音程度に

2 漢字

漢字を選ぶときの基本

呼び名や発音から名づけに入ったとしても、どう表記するかを決めて、初めて名前が完成します。漢字を考えるに当たってのチェックポイントを、以下に述べます。

翔って字を使いたいんだ
じゃあ止め字を組み合わせてみよう!
翔太
翔平
翔人
ずいぶんイメージがかわるね!!
うんうん
どれにしよう♥

「止め字」を上手に用いる

「悠太」「涼太」など、「太」の字は男の子の名前に多く見られます。「翔太」の「太」や「悠斗」の「斗」などは一般的に「止め字」と呼ばれます。止め字は名づけの基本中の基本ともいえるテクニックで、使いたい漢字が決まっているときには、とくに便利です。

人気の止め字には、ほかにも「人」「輝」「哉」などがあり、最近では新感覚の止め字も、かなり増えてきました。一覧表を318~320ページに掲載したので、参考にしてください。

1字名は慎重に

シンプルでスピード感にあふれた1字名は、時代性にも合い、人気を集めています。明治安田生命発表(2006年)による男の子の人気名前を見ても、ベスト10中、4つが1字名でした。人気があるということは、言い換えれば平凡に見えてしまうことにも通じるので、漢字は慎重に選びましょう。1字名はアレンジが難しそうに思われますが、人気の名前をチェックして、それ以外の字を用いるように

> **人気の1字名前**
>
> 蓮　颯　翔　陸
> 翼　匠　輝　悠
> 優　樹　葵　空
> 陽　諒　楓　凌
> 新　歩　航　駿
> 遼　柊　海　響
> 聖　塁　巧　碧

すれば、個性的な名前がつけられます。最近人気の1字名には、右のようなものが挙げられます。

難しい姓には読みやすい名前を

平凡になることを恐れるあまり、凝りすぎた名前にしてしまうのも考えものです。とくに何と読むのかわかりにくい難しい姓の場合、名前に凝りすぎると、常にフリガナや説明が必要になるなど、社会生活にも不便をきたしてしまいます。たとえば、「食芽賀（シカマ）」姓。知らない人は、まず読めないでしょう。この姓に「都太」などと名づけると、初対面の相手には、まったく読めない姓名となってしまいます。名前は、謎かけではありません。赤ちゃんが将来、快適な社会生活を送ることができるように配慮してあげましょう。

また、こうした難しい姓には、かえって人気名前やシンプルな名前が生きてきます。平凡になる心配のない、長所を引き立てる名前を考えましょう。

迷いが生じる複数読み

多くの漢字は、複数の読み方をもっています。たとえば、「角田」という姓は、「カクタ・カドタ・ツノダ」などと読めます。こうした姓に複数の読み方ができる名前をつけると、たとえ難しい字を用いていなくても、何と読んでいいのか迷ってしまうことになります。

「裕紀」の場合、「ユウキ・ユキ・ヒロキ・ヒロノリ」など4通り以上の読み方ができるため、角田姓と組み合わせると、実に12通り以上の

角田裕紀
カクタユウキ
カドタヒロキ
ツノダヒロノリ
カクタユキ
……どれ？

読みが可能になってしまいます。場合によっては、性別まで間違えられることにもなるでしょう。

複数の読み方ができる姓の人は、スムーズに読める名前を考えたほうがよいでしょう。

「名乗り」はほどほどに

漢和辞典を見ると、漢字には音訓読み以外に「名乗り」という項があります。辞典によっては「人の名」ともあるとおり、名前のみに許された読み方で、「一」を「カズ」と読むことなどがこれに当たります。しかしこれも、一般的なもの以外は、なかなか読めないものが少なくありません。

前述の「都太」ですが、「都」の名乗りには「イチ・クニ・サト・ヒロ」があるので、「イチタ」「クニタ」「ヒロタ」などの読み方が考えられます。

名乗りは、辞典に載っているからと、無理に探し出してまで用いるものではありません。一般的なもの、読みが類推できるものにとどめておいたほうが無難でしょう。

２００４年に大幅に追加された人名用漢字の中にも、名乗りをもつものが多くあります。漢和辞典を選ぶ際には、追加された人名用漢字に対応しているかどうかも気をつける必要があります。

本書では、第5章でそれらの漢字についても名乗りを取り上げているので、参考にしてください。

置き換えの起こりすい姓は注意

「山村」「村松」といった姓は、それぞれ「村山」「松村」に間違われてしまうことがあります。こうした置き換えが起こりやすい姓に、同様に置き換えが起こりやすい名前を合わせると、人に名前を正しく覚えてもらえない恐れがあります。

たとえば、「正和」「弘晃」などの名前は、前後の漢字を入れ替えても名前として成立するので、置き換えが起こる可能性があります。

置き換えの起こりやすい姓の場合、とくに、「航太」「勇斗」のように、止め字でまとめた名前にすると安心です。

字を当てるときの工夫

とくに、つけたい名前の音が決まっていて、あとから漢字を当てはめる場合、ストーリー性をもたせたり共通するイメージを含む漢字を集めたりすることも、よい手がかりになります。

たとえば、「ヒデキ」に漢字を当てたいなら、「日出紀」としてもよいのですが、「日出輝」とすると、名前自体が一まとまりとして意味をもちます。「明日翔（アスカ）」「鈴音（レオン）」なども、同様にイメージのまとまりがあります。

また、「爽気（サワキ）」「流泉（ルイ）」といったさわやか系、「矢馬兜（ヤマト）」「誉士毅（ヨシキ）」といった武士系というように、同じイメージの漢字を集めたりしても、まとまりのよい名前ができます。

これらの名前には、その意味や由来を説明しやすいという利点もあります。将来、本人が自己紹介するときにも役立つことでしょう。

姓と名の字面のダブりに注意

ほとんどの男の子の名前には、漢字が使われています。漢字がもつ意味のチェックはしても、意外に忘れがちなのが、姓名の字形のバランスです。名前ばかりを単独で考えていると、姓とのバランスが悪かった、という問題も起こりかねないので、気をつけましょう。

たとえば、名誉や栄光の象徴でもある月桂樹にちなんで「桂樹」と名づけたいと思った場合、姓が「梅村」なら、考え直したほうがよいかもしれません。姓も名も「木ヘン」ばかりで、いかにもバランスが悪くなってしまうからです。姓と名の部首のダブりは、意外に見落としがちです。

また、部首は違っても、「梅村」という姓に「蓮」や「柚太」という名前を合わせると、姓名の中で植物名がいくつも出てくることになってしまいます。植物には季節感をもつものも多く、春を思わせる「桜田」姓に冬のイメージの「柊人」とつけたりすると、季節がばらばらで違和感を覚える組み合わせになります。

ほかに、「土屋圭壱」の「土」の字形、「金田鉄夫」の「金属」の要素など、ダブりはいろいろなところで生じます。名前を考えたら、必ず姓と合わせて書き出してみましょう。

数字の入った姓

「一ノ瀬」「二宮」「三浦」といった、数字を含む姓があります。こうした姓の場合、名前には数字を入れないほうがよいでしょう。「一ノ瀬幸一」「三浦一輝」といった姓名は、落ちつかない印象を与えるだけでなく、縦書きにすると罫線で仕切られているように見られてしまいます。
また、「千田万沙人」のような数字のダブりも同様で、特定の要素ばかりが姓名の中で重なると、うるさい印象になってしまいます。

姓名の「縦割れ」を避ける

「縦割れ」とは、姓名を構成する漢字が、すべて左右に分かれてしまうものをいいます。「北村拓弥」などがそうで、縦書きにしたときに、すべての字が「ヘン」と「ツクリ」に分かれるため、ばらばらな印象を与えてしまいます。縦割れの姓の場合は、「北村卓也」のように、名前には左右をつなぐ線のある漢字を取り入れると落ちつきます。

北村拓弥
わぁ!!
これじゃ真ん中から割れちゃうね
北村卓也
これならいいね♥

字形が偏っていないか

たとえば「田口由吾」のような姓名を見たとき、どんな印象をもつでしょうか。縦横の線ばかりが目立ち、まるで定規を使って書いたかのような印象があります。「田口雄吾」のように、1字替えただけでも、ずいぶん見え方が変わってきます。
同様に、「大木未来」は線対称で左右にはねた形ばかりが続き、落ちつきませんが、「未来」は別の字を当てるなどのアレンジが難しい名前です。こうしたケースでは、最初に決めた名前にこだわりすぎずに、ほかの候補を再考することも大切でしょう。

名前の文字数は？

最も多いのは2字名ですが、1字や3字の名前もあります。名前の文字数は、姓の文字数とのバランスを考えて決めましょう。1字姓に1字名を合わせると、寸づまりな印象を与えるので、2字名か3字名がよいでしょう。1字姓3字名はバランスが悪いと思われがちですが、名前の文字数が多いぶん、安定感が出ます。2字姓には、1字名・2字名・3字名のいずれもよく合います。3字姓の場合、1字名は頭でっかちで不安定な印象になり、3字名では全体的に長すぎる感じがします。2字名でまとめるのがよいでしょう。

名前の適正文字数

1字姓

森 卓
1字名だとつまった印象に…

森 卓也

森 亜紀彦
2字名や3字名が安定する

3字姓

佐々木 卓
頭でっかちな印象に…

佐々木 亜紀彦
長すぎる印象に…

佐々木 卓也
2字名が安定する

画数のバランスを考える

男の子の名前の画数は、10～20画台が最も多く見られます。同様に、姓名を合わせた画数は、20～30画台が最多域です。こうしたことを押さえておくと、「小川」のような少画数姓（10画未満）や、「藤嶋」のような多画数姓（25画以上）に合わせる名前を考えるときに役立ちます。姓名の画数が少なすぎたり多すぎたりすると、見た目のバランスが悪くなるので、合計の画数が標準の範囲内に収まるよう、調整しながら考えるのも一案です。

画数差がある姓の名づけ

姓を構成している漢字に画数差（10画以上）がある場合には、それを踏まえて名前の漢字の配置を考えたほうがよいでしょう。たとえば、「大橋」は3画・16画と、画数に差があります。「大橋駿希」とすると、真ん中だけが重くなってしまいますが、「大橋寿輝」のように、画数の多い字と少ない字が交互にくるように配置すると、バランスよく落ちつきます。

「多画数漢字」の使い方

「多画数漢字」とは、15画以上のものをいいます。標準的な姓名の合計画数が20～30画台であるのに、多画数漢字は2つ重ねただけで30画以上になってしまいます。多画数漢字を使いたいときは、1字名にしたり、組み合わせる字を15画未満のものにしたりするほうが、字面がよくなります。

16画の「樹」を止め字に用いて「トシキ」と名づけたい場合には「駿樹」(＋17画)とするより、「俊樹」(＋9)としたほうがすっきりと見えます。

ひらがな名前・カタカナ名前

女の子には目立つ「ひらがな名前」も、男の子にはほとんど見られません。それだけに、個性的に見られるというメリットもあります。

なじみの深い「孝」も「タカシ」とすれば、新鮮な印象になります。人気名前の「翼」を、「つばさ」とアレンジする手もあるでしょう。

歌手の氷川きよしさんや野球のイチロー選手のように、もとは聞きなれた名前でも、表記を工夫することで、視覚的なインパクトは大きく変わります。

「漢字」からのまとめ

- □「止め字」から発想する
- □読みにくい姓には、読みやすい名前を
- □複数読みできる姓には読みやすい名前を
- □「名乗り」の使用は、ほどほどに
- □置き換えの起こりやすい姓は注意
- □ストーリー性をもたせて字を当てる
- □姓名の、字面のダブりに注意
- □数字を含む姓には、数字のない名前を
- □姓名の「縦割れ」を避ける
- □字形の偏りを避ける
- □名前の文字数は姓とのバランスを考えて
- □画数のバランスを考えて文字を配置する
- □「多画数漢字」は入れすぎない

3 イメージ

赤ちゃんが生まれた季節や新婚旅行の思い出の地、夫婦の共通の趣味、こうなってほしいという願い——これらに基づいて名前を考えるのが「イメージ名づけ」です。

生まれた季節を取り入れる

生まれた季節で、赤ちゃんの名前を考える人は多いようです。日本の四季については、俳句の分け方にならうのがよいでしょう。

季節を名前に取り入れたいときには、季語辞典が便利です。折々の季節を映し出す、美しい日本語を見つける助けとなるでしょう。生まれ月の異名を参考に、「睦夫」「卯一郎」「皐太郎」など、男の子らしい名前を考えることもできます。

旧暦の月名

一月	睦月	むつき
二月	如月	きさらぎ
三月	弥生	やよい
四月	卯月	うづき
五月	皐月	さつき
六月	水無月	みなづき
七月	文月	ふづき
八月	葉月	はづき
九月	長月	ながつき
十月	神無月	かんなづき
十一月	霜月	しもつき
十二月	師走	しわす

四季の区分

春	3、4、5月
夏	6、7、8月
秋	9、10、11月
冬	12、1、2月

地名を生かす

日本の地名には、そのまま名づけに使うことのできる美しい響きをもつものも少なくありません。地図のほか、地名辞典などもあるととても便利です。まずは、故郷や思い出の地などから考えてみてはいかがでしょうか。名前になりそうな国内の地名の一部を示したので、参考にしてください。

また、外国の地名から発想してもよいでしょう。新婚旅行で訪れた国や場所を思い出しながら名前を考えるのも、楽しい作業です。倫敦(ロンドン)・紐育(ニューヨーク)・西班牙(スペイン)・濠太剌利(オーストラリア)など、パソコンの変換キーで漢字表記の出せる地名もあります。これらをアレンジして、「倫太郎」「敦夫」「育雄」「大牙」「豪太」といった名前を考えることもできます。

響きの美しい地名

千歳	ちとせ（北海道）
日高	ひだか（北海道）
矢吹	やぶき（福島県）
桐生	きりゅう（群馬県）
清澄	きよすみ（千葉県）
珠州	すず（石川県）
穂高	ほだか（長野県）
天竜	てんりゅう（静岡県）
伊吹	いぶき（滋賀県）
門真	かどま（大阪府）
天理	てんり（奈良県）
瑞穂	みずほ（島根県）
八雲	やくも（島根県）
出雲	いずも（島根県）
世羅	せら（広島県）
秋芳	あきよし（山口県）
日向	ひゅうが（宮崎県）

夫婦の趣味を生かす

パパとママの共通の趣味を名前に取り入れる方法も、人気があります。サーフィンやサッカー、野球、登山、音楽、絵画、といったモチーフから、イメージできる漢字や音を名前に入れ込んでいくのです。赤ちゃんが大きくなったら、いっしょにスポーツや演奏を楽しみたい、と夫婦で名前を考える作業は楽しく、心がウキウキするものでしょう。

趣味に関することだけに知識は豊富で、イメージできる言葉はたくさんあるかもしれませんが、用字用語辞典などがあるといっそう便利です。「真凛」「波輝」「柊斗」「剛琉」「塁」「峰雪」「拓人」「奏也」「彩斗」「恒星」など、自由にイメージをふくらませてみましょう。

子どもへの願いを託す

赤ちゃんへの夢や願いを名前に託す場合、重宝するのが類語辞典です。まず、どんな子に育ってほしいかを、じっくり考えます。「思いやりのある子に育ってほしい」「社会人として成功を収めてほしい」「健康が第一」など、いろいろあるでしょう。このときの注意点は、あれもこれもとあまり欲張りすぎないことです。テーマはシンプルなほうが、かえって発想が広がり、よい名前が生まれます。

ここでは「社会人として成功してほしい」を例として取り上げてみましょう。キーワードの「成功」を類語辞典で引くと、「成就・達成・貫徹・成し遂げる・完成・切り抜ける・立身出世・栄達」などの類語が載っています。これらをもとに、「一成」「就斗」「達成」「徹」「完吾」「立樹」「出」「栄太」といった名前を考えることもできるでしょう。

また、夫婦で連想ゲームのように発想を広げていくのも楽しいでしょう。キーワードをもとにして、ふたりで思いつく言葉を出し合っていきます。あとはその言葉をヒントに、名前をつくっていくのです。このようにして考えた名前は愛着もひとしおでしょう。

「イメージ」からのまとめ

- □生まれた季節を取り入れる
- □地名を生かす
- □夫婦の趣味を生かす
- □子どもへの願いを託す

画数

赤ちゃんの名前を考えるとき、画数、つまり姓名判断を意識するかどうかは、人それぞれですが、画数から名前を考えることのメリットも、たくさんあります。

第一に、ほとんど無数ともいえる名前の大海から、候補をかなり絞り込めるということです。赤ちゃんのために選び出すべき名前はたった一つなのですから、候補が絞り込めれば、名づけは大変楽になります。

第二に、人気名前への過度な集中が避けられることが挙げられます。たとえば、「翔太」は、元号が平成になって以来、常にベスト10入りを果たしている人気名前の一つですが、姓に合わせて吉数となる名前を考えようとした場合、「翔太」と名づけられない場合も、もちろんあります。そのため、画数の違う漢字を用いる、止め字をアレンジするといった工夫が必要となり、オリジナリティーのある名前が生まれやすいのです。

第三に、吉数に合わせて漢字を探し、名前を組み立てるわけですから、常識的な発想や個人の思いつきでは出てこないような、新感覚の名前が生まれる可能性もあるということです。思いがけないすばらしい1字との出合いに、導かれるかもしれません。

ただし、人の運勢は、名前の画数だけでは決まりません。運勢を左右する要因には、下の4つがあるといわれています。

しかし、あらゆる開運法を合わせても、その影響力は10パーセント程度なのですから、画数の吉凶だけに一喜一憂するのも考えものです。画数は、あくまでも名づけの1テクニックととらえ、活用していくのが賢明といえるでしょう。

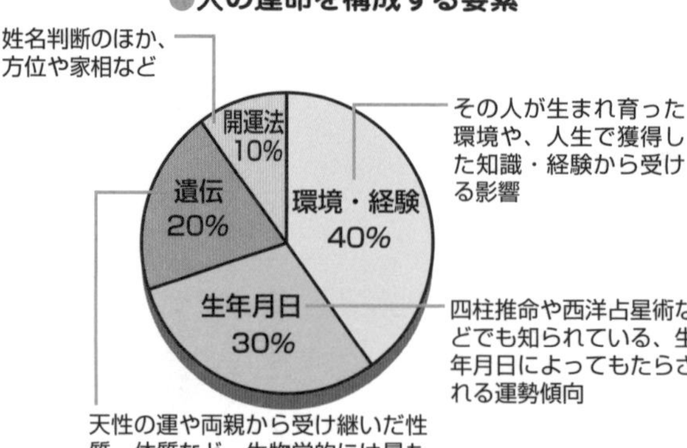
●人の運命を構成する要素
姓名判断のほか、方位や家相など
開運法 10%
その人が生まれ育った環境や、人生で獲得した知識・経験から受ける影響
環境・経験 40%
遺伝 20%
生年月日 30%
四柱推命や西洋占星術などでも知られている、生年月日によってもたらされる運勢傾向
天性の運や両親から受け継いだ性質・体質など。生物学的には最も影響力が大きいと思われる要素

5 国際化

赤ちゃんが活躍する20～30年後の時代には、海外との交流もますます盛んになっていることでしょう。そんなとき、海外でも通用する名前なら、コミュニケーションもスムーズになります。

外国人が奇異に感じる名前例

渓斗	Keito	女性の名前（Kate）
雄大	Yudai	「お前、死ね」
伸一	Shinichi	ローマ字表記が「シニチ」と読まれやすい
公司	Koji	中国語で「会社」のこと

国際感覚を意識して名づける場合に、まず気をつけたいのが、外国人が奇異に感じたり、勘違いしたりしやすい名前です。

実際、自動車メーカーのTOYOTAが海外に進出したとき、「トイ・オータ」と読まれて、おもちゃメーカーと間違われたそうです。

しかし、だからといって、すべての外国語をチェックするわけにもいきません。本書では、こうした注意点や発想法についても第2章で述べていますので、参考にしてください。

一番簡単なのが、「賢人（ケント）」「敏吾（ビンゴ）」「真亜玖（マーク）」などのように、外国人の名前や外国語の発音を、そのまま漢字に置き換える方法です。

有名なところでは、文豪・森鷗外が子どもにつけた名前があります。長男「於兎（おと）」＝オットー、次女「杏奴（あんぬ）」＝アンヌ、長女「茉莉（まり）」＝マリー、次男「不律（ふりつ）」＝フリッツ、三男「類（るい）」＝ルイと、5人の子どもすべてに、西洋人の名前をもじった名前をつけています。

もう一つの方法は、「当て読み」です。「海」を「マリン」、「騎士」を「ナイト」と読ませるような名前で、多くはありませんが、現実に存在します。名前の読みに関しては法的な制限はなく、どんな読ませ方もできます。

こうした名前は、オリジナリティーに富んでいますが、度がすぎると読めなくなってしまうので気をつけましょう。

未知の可能性を秘めて生まれてくる赤ちゃんのために、すばらしい名前を考えてあげてください。

COLUMN

赤ちゃんのお祝い行事①

お七夜（しちや）と命名書

赤ちゃんの健康を祝い、さらなる成長を祝う「お七夜」という儀式を、生まれて7日目に行います。昔は、生後わずかしか生存できなかった新生児が多かったせいもあり、赤ちゃんが7日間元気に育ったことを喜ぶ祝宴が開かれていました。

現在では、母子の退院祝いとして、家族で食卓を囲むところが多いようです。赤飯と尾頭つきの鯛が昔ながらの祝い膳ですが、産後間もないママが食べやすいメニューを考えてもよいでしょう。

赤ちゃんの命名も、この日に行います。正式な「命名書」は、奉書紙を横に二つ折り、縦に三つ折りにして折り目をつけ、「命名」の文字、「赤ちゃんの名前」「生年月日」を毛筆で書き、三方（さんぽう）という台に載せて神棚に供えます。

略式で行う場合には、半紙や市販の命名書を利用するとよいでしょう。同様に、赤ちゃんの名前と生年月日を書いて神棚に飾るか、床の間の鴨居（かもい）、またはベビーベッドのそばなど、見やすいところに貼ります。

命名書を下げるのは、ママの床上げのときか、出生届を出したあとです。へその緒といっしょに、大切に保管しておきましょう。

第2章

世界にはばたく男の子の名前

世界にはばたく男の子の名前とは

英語圏をはじめとする海外の名づけ事情のなかから、国際的な名前に必要な条件を探してみましょう。

世界を舞台に夢を広げて

世界は今、どんどん身近なものになっています。留学や転勤を通じて海外の暮らしを経験する人も、数年前に比べ、ぐっと増えました。

さらにインターネットやサテライトテレビといったIT技術が普及し、世界の国々とリアルタイムで通信できるようになるなど、地球上の時間的・空間的距離は縮まるばかりです。日本人の活躍の場も、今後いっそう広がっていくことが予想されます。

愛するわが子がメジャーリーグのマウンドに立つ、国際会議のリーダーシップをとる、…夢は無限にふくらみます。広く世界中の人々から呼ばれる名前、親しまれる名前とするためには、どんなことに気をつければよいのでしょうか。

英語の「th」の音が日本語にはないように、日本語の中にも外国語にはない発音のものが少なくありません。スペルにおいても、日本が採用しているローマ字表記が、かえって発音上の誤解を招いてしまうケースもあります。

名前は、コミュニケーションの第一歩ともなるものです。世界に通用する名前を考えることは、長い目で見れば、その子の活躍を手助けすることにも通じるでしょう。

名づけ事情を知り国境を越える名前に

海外で受け入れられやすい名前を考えるためには、その国のことを知る必要があります。西欧では、「ファーストネーム」と呼ばれる名前と「ファミリーネーム」という姓の間に、「ミドルネーム」をもつ伝統があります。聖人の日が記載されたカレンダーに従い、出生日の聖人にちなんで名づけが行われることも、キリスト教文化圏の特徴といえますし、「母国語の語感になじむ、美しい響きの名前を」という考え方は、表音文字であるアルファベットを用いる国ならではのものでしょう。

また、同系統の言語と宗教をもつ西欧では、名前にも共通するものが見られます。英語名の「マイケル」は、フランス語の「ミッシェル」に、イタリア語では「ミケーレ」に相当するのです。

一方、表意文字である漢字文化をもつ中国や韓国では、日本と同様、名前には「よい意味をもつものを」と望みます。名づけに占い的な要素が込められるのも、その特徴でしょう。

次ページ以降に、英語圏をはじめ、6つの言語を母国語とする各国の名づけ事情を紹介しています。世界には、ほかにも異なる文化をもつ国がたくさんありますが、まずはこれらの国について詳しく知ることから、始めてみましょう。楽しみながら、参考にしてください。

英語圏における名づけ事情

英語は、日本人にも一番なじみの深い外国語。辞書を手に楽しみながら考えてみましょう。

世界中で使われる英語を軸に考える

英語は、アメリカ・カナダ・イギリス・オーストラリア・ニュージーランドなど、広範囲にわたる国々で主要言語とされています。国際語としての性格も強く、いわゆる英語圏と呼ばれる国以外にも、英語を話す人は大勢います。英語は、アフリカの大国ナイジェリアや、アジアでもシンガポールの公用語の一つであるなど、広く国境を越えて話されている言語です。近い将来、世界の半数以上の人々が英語を話すようになるという説もあるほどです。

また、英語は西欧で話されている各国語と、同系統にある言語です。英語圏における名づけの基本的な感覚は、西欧の中でも通じるでしょうし、同様に英語圏で通用する名前であれば、西欧でも受け入れられやすくなると考えられます。

私たち日本人にとっても、多くの場合、英語は初めて触れる外国語であり、日常生活の中でも身近な存在といえます。以下に、英語を意識した名づけのポイントについてまとめたので、参考にしてください。

まずは短く 発音と意味に注意して

海外で受け入れられやすい名前を考えるとき、どの国でも共通するポイントのひとつは、「あまり長い名前をつけない」ということです。「ケンイチロウ」より「ケンイチ」のほうが呼びやすく、頭の2文字だけとって「ケン」とすれば、より発音も簡単で、なじみをもってもらえます。日本人の名前は、とくに4音節以上になると、発音がとても難しくなってしまいます。短めが基本と考えましょう。

次のポイントは、「発音と意味」です。日本語としてよい意味をもつ音でも、英語としては、奇妙な意味となってしまう名前があります（左表参照）。そうした事態を避けるためには、日本語として通用する音で、なおかつ英語でもよい意味をもつ音を探したり、英語の人名や愛称に漢字を当てはめたりする方法を、取り入れるとよいでしょう。

●日本語として通用する音で、よい意味をもつ英単語を名前に

tiger	虎	▶大河	たいが
dream	夢	▶努理夢	どりむ
Yuma	都市の名前	▶由馬	ゆま
Nile	川の名前	▶那伊流	ないる

●英語名に漢字を当てはめて名前に

Tom	トム	▶登夢	とむ
Kent	ケント	▶剣人	けんと
Joe	ジョー	▶丈	じょう
Mike	マイク	▶舞駆	まいく

●英語では違和感のある意味となる名前

悠	ユウ	you（あなた）と聞くと、自分が呼ばれたと勘違いしやすい
阿久里	アグリ	ugly（醜い）と聞こえる
東	アズマ	asthma（喘息）と聞こえる
大	ダイ	die（死ぬ）と聞こえる
剛人	ゴウト	goat（ヤギ）と聞こえ、名前として違和感を覚える

正しい読み方が伝わるスペルは？

問題点・注意点を知ることで、解決策も考えやすくなり、海外に行ったときに役立ちます。

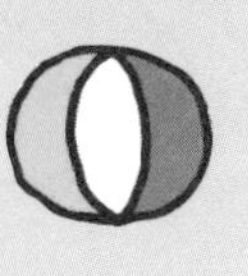

ローマ字表記と英語との違い

英語には、「子音—母音—子音—母音」と続くスペルでは最初の母音をアルファベットの読みにする、という法則があります。たとえば「cake」は、「c」の次の「a」がアルファベットの読みで「エイ」となるため、「ケイク」と読みます。このため、日本名の「タケ」は、ローマ字表記で「Take」と書きますが、英語圏の人には「テイク」と読まれてしまうのです。

このように、アルファベットという同じ文字によるスペルでも、日本語のローマ字表記と英語とでは、違う読みが生じるものが多くあります。また、ローマ字表記のままでは、英語としては読めない、あるいは発音が難しい、といった問題をもつ名前も見られます。母音が連続するスペルや「h」で始まる名前、「tsu」や「su」の音、「ryu」などの「r」が入る音がそうです。これらの例については、左ページの表にまとめています。

難しいスペルは英語風に置き換えを

こうした問題点の解決策として、英語風のスペルを取り入れる方法があります。たとえば、「Keita」という名前の場合、「カイタ」と読まれがちですが、英語風に「e」を「a」に、「i」を「y」に置き換えて「Kayta」とすれば、「ケイタ」と読んでもらえます。

ほかにも「レン」なら「r」を「l」に置き換えて「Len」としたり、「Aska（アスカ）」のように「su」を「s」と表記したりすることで、正しく読まれる名前もあります。長い名前は、

「Sho-ichi(ショウイチ)」と、音節をハイフンで区切るのもよい方法でしょう。また、英語名に近い音をもつ名前の場合には、海外では思いきって「Eugene(ユウジン)」のように、英語のスペルに変えてしまってもよいのではないでしょうか。

これらのほかにも、65〜173ページに置き換え表記の具体例を載せているので参考にしてください。

ただし、パスポートなど国が発行する公的文書に載せる名前については、ローマ字表記を用いるよう定められているので、注意が必要です。

●英語圏の人が読みにくい名前

Aoi	アオイ	母音が連なるスペルは、英語にはない
Koichi	コウイチ	「ko」を「コウ」とは読みにくい
Hayao	ハヤオ	「h」で始まる名前の多くは読みにくい

●違った発音をされてしまう名前

Utaya	ウタヤ	「u」は「ユ」と発音されてしまう
Bungo	ブンゴ	「バンゴ」と発音されてしまう
Kunihiko	クニヒコ	「kuni」は「キュニ」と発音されやすく、また「h」は発音されないので「キュニコ」になりやすい
Akifumi	アキフミ	「fu」は「ヒュ」と発音されがち
Kazumi	カズミ	「mi」が「マイ」と発音されやすく、「カズマイ」に
Shungo	シュンゴ	「shu」は「シャ」と発音され、「シャンゴ」に
Naoki	ナオキ	「na」は「ネイ」と発音され、「ネイオキ」に
Kaname	カナメ	「e」は「イ」と発音されることが多く、「カナミ」に
You	ヨウ	「ユー」と思われる

●発音が難しいスペル

tsu	ツ
suke	スケ
saku	サク
ryu	リュウ
ryo	リョウ

よいイメージの親しみ深い名前に

覚えやすい音と、スマートな自己紹介が、名前を早く覚えてもらう秘訣です。

日本のブランド名にあやかって

　日本人の名前を正しく理解することは、英語圏の人にとって、かなり難しい作業といえるでしょう。しかし、読み方や発音がどんなに難しくても、広く親しまれている名前もあります。精密機器や自動車といった工業製品や、ビールなどの食品で世界的に知られる日本の企業名、いわゆるジャパニーズ・ブランド名と、海外で活躍するスポーツ選手や芸術家の名前、ヒットしたアニメーションのキャラクター名などがそうです。

　日常生活の中で使用する商品の企業名や、映像などのメディアに繰り返し登場する人物の名前は、自然に親しまれていったのでしょう。こうした名前には、すでによいイメージが伴っているわけですから、同音の名前をもつ日本人が初めて自己紹介する場合でも、すぐに覚えてもらえるでしょう。

　また、世界的に有名なブランドや大成した人物にあやかった名づけには、「あの人のように活躍してほしい」という、パパとママの願いも込められます。

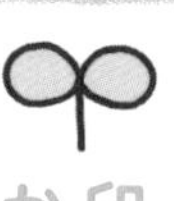

印象に残る説明方法から考える

　ほかに、意味を英訳して説明することを前提に、名前を考える方法もあります。この場合、名前の一部をとったり、アレンジを加えたりして、英語の愛称で覚えてもらうように考慮してもよいでしょう。

　たとえば、「勝利（カツトシ）」なら「私の名前は、〈victory〉を意味しますので、〈Victor〉と呼んでくださ

●よく知られる名前

Isuzu	イスズ	自動車会社
Asahi	アサヒ	ビール会社
Kirin	キリン	ビール会社
Ichiro	イチロウ	大リーガー
Mario	マリオ	ゲームのキャラクター
Akira	アキラ	アニメーションのキャラクター

●説明しやすい音をもつ名前

June	ジュン	6月
Hero	ヒロ	英雄
Show	ショウ	見せる
Age	エイジ	年齢・時代

い」と自己紹介することで、より親しみをもってもらえるでしょう。
また、英単語の音を含む名前なら、説明も比較的容易にできます。「私の名前は真一です。Shin（向こうずね）と覚えてください」と英単語を添えて話すことで、ユーモアも加わり、とても印象に残りやすくなります。
もし、外国人の友人がいるなら、積極的に相談してみてください。
赤ちゃんの幸せを願う親心は世界共通ですから、理解のうえ、名づけに協力してもらえるかもしれません。名づけを通して、パパやママ自身の国際交流が深まれば、赤ちゃんの将来のためにも、きっと役立つに違いありません。

フランス

France

妊娠中から時間をかけて考えます

生後3日以内に出生届を出さなくてはならないので、妊娠がわかったときから、楽しみながら何か月もかけて名前を考えます。最近ではハリウッドスターの名前など、英語風のものも増えてきましたが、奇抜な名前だと、洗礼を拒否されることもあります。子どもが苦労しそうなケースでは、裁判所に申し立てれば、名前だけでなく姓も変えられます。

フランス人は通常、3つくらい名前をもっています。最初の名前を両親がつけ、2番目・3番目のミドルネームには、祖父や、洗礼式に立ち会ったゴッドファーザーの名前をもらうことが多いのですが、この中から日常的に使う名前を自分で選べます。また、聖ジャンの日に生まれた子は「ジャン」と名づけるなど、カトリックのカレンダーの聖人の名前をもらうことも多く、上流階級の家庭では、こうした伝統的な名前が好まれています。

日本人の名前は、「ケン、ユウ、ダイ」など短いもの、人気デザイナーの「イッセイ、ケンゾウ」、アニメで有名な「ツバサ、アキラ」などなら、すぐに覚えられます。また、「武士」のように「サムライの意味です」と、説明できる名前も覚えてもらいやすいでしょう。

スペルで見た場合、「r」の入る名前は、フランス語では「l」に近い発音となり、どう発音してよいのか迷います。「ルイ」と発音できるスペルは「Louis」で、「Rui」はまったく違った発音です。ほかに「chi」は「シ」と読むので「Michiya」は「ミシヤ」に近い発音に。「h」も発音しないため、「Hideo」は「イデオ」となります。また、「Junichi」は「n」と「i」を分けずに「ジュニシ、ジュニチ」と発音されてしまうことが多いでしょう。

お話 小川フロランス（明治大学商学部助教授）

フランスで親しまれている名前からの名づけ

読み	名前（画数）
エンゾ	苑(8) 蔵(15)
カミユ	霞(17) 深(11) 由(5)
トマス	刀(2) 真(10) 守(6)
トム	斗(4) 夢(13)
ナタン	那(7) 丹(4)
マキシム	槙(14) 士(3) 夢(13)
マチス	真(10) 千(3) 須(12)
ユゴー	優(17) 悟(10)
リュカス	留(10) 歌(14) 主(5)
ルイ	瑠(14) 依(8)

ドイツ

Germany

ドイツでも名づけ本を参考にします

20年近く前までは、ミドルネームを5つくらいもつ人もいましたが、最近では、1つだけの人が増えました。かつては家族の名前をもらうことが多かったのですが、古い印象があるので、新しく、かっこいい名前を考える傾向にあります。もっとも、オリジナリティーにこだわりすぎて風変わりな名前となり、裁判所で却下されるケースもあるようです。ファーストネームもそうですが、名前自体に意味を与えることはなく、独創的でドイツ語の語感になじむ、音として美しい名前をつけます。

ロシアやアラビアの名前例が載っている名づけ事典を使うこともありますが、「迷信的な悪い名前はない」という前提で名づけるので、占いなどは見られません。だれもつけていない、よい名前を探すことを名づけの楽しみとするため、スターやアーティストにあやかって名づけることも、あまりありません。

日本人の名前を発音するのは、それほど難しくありません。ただ、「フミ」はドイツの発音法にはなく、「リョウ」も難しいです。スペルから見ると、「z」を「s」で発音するので、「Kazuki」は「カスキ」と読まれてしまいます。また「ショウタ」と読ませるには「Schota」と書く必要があります。「サ行」で始まる名前を正しく読むのは、難しいかもしれません。

ほかに「ケン」はドイツ語で「Kenn」と書きますが、「n」が2つ重なるスペルは好まれません。「レイ(鹿)」のように、ドイツ語の意味をもつ名前も誤解されやすいでしょう。「コウジ、ジュン、ユウジ、マナブ、マコト、ハルキ、ヨウジ」などは、呼びやすい名前です。

お話 アンドレアス　レフェルホルツ
（ドイツ語教師）

ドイツで親しまれている名前からの名づけ

名前	漢字（画数）
クラウス	蔵(15) 宇(6) 州(6)
ティム	汀(5) 夢(13)
パウル	羽(6) 有(6) 流(10)
ハンス	帆(6) 守(6)
フランク	風(9) 蘭(19) 久(3)
ペーター	平(5) 太(4)
ヨナス	与(3) 那(7) 主(5)
ルーカス	留(10) 可(5) 須(12)
ルカ	瑠(14) 歌(14)
レオン	怜(8) 音(9)

イタリア

Italy

伝統的な名前が好まれています

かつてはミドルネームに家族の名前をもらったり、カトリックのカレンダーによって、その日に生まれた聖人名をつける習慣がありましたが、最近は少なくなりました。洗礼名をミドルネームとする人も減りました。

ギリシャ・ローマ時代からあるクラシカルな名前や歴史上の人物に由来するものは、人気があります。4人兄弟のひとりに必ず「マッシモ」がいる、というように、名前のバリエーションは日本に比べると少ないです。基本的には聖人名からきている、どこかで聞いたことのあるような名前が多いです。国際結婚が増えるにつれて、新しい名前も増えましたが、歴史のある国なので、やはり伝統的な名前のほうが好まれます。好きな映画や書物をもとに名づけることもありますが、独創的な名前をつける人は、あまりいません。

日本人の名前で発音しにくいのは、「ハ行」と「ツ」です。「ショウ」という響きも、なじみがありません。「カツ」はスラングにあり、「カ行」の連続音は、よくない意味になりかねません。「トシアキ、ジュンイチロウ」など長い音節の名前は問題なく、むしろ「リョウ」のように短すぎるほうがなじめません。

スペルでは、日本語の「カ行」はイタリアでは「ca・chi・cu・che・co」になり、「h」は発音しません。「j」もないので、「ザ行」は「za・gi　・zu・ze・zo」となります。アニメの登場人物や、「Akira」のように有名な映画の名前なら、「k」や「j」が入っても読めます。「マリオ」のようにイタリアにもある名前のほか、「イチロー、ケン、トキオ」などは親しみやすい名前です。

お話 クラウディア　ベルジェズイオ
（日伊文化交流サロン・アッティコ　イタリア語講師）

イタリアで親しまれている名前からの名づけ

名前	漢字（画数）
アンドレア	安(6)土(3)玲(9)
マッシモ	茉(8)詩(13)茂(8)
マッテオ	茉(8)汀(5)雄(12)
マリオ	真(10)利(7)雄(12)
マルコ	真(10)瑠(14)虎(8)
ミケーレ	実(8)渓(11)麗(19)
ミルコ	深(11)琉(11)瑚(13)
ルイジ	留(10)以(5)路(13)
ルカ	留(10)歌(14)
レオナルド	澪(16)成(6)人(2)

スペイン Spain

親と子が同じ名前をもつこともあります

年配の人の中には聖書に由来する長めの名前をもつ人もいますが、最近の全体的な傾向として、「イバン、ラウル、アルバロ」といった短い名前が増えているようです。

名前そのものに意味をもたせることはなく、音の美しさを優先して考えます。外国人スターの名前などは、スペイン語の語感に合わないので取り入れることもなく、流行も見られないようです。

スペインでは、男の子の名前は父親がつけることが多く、日本では考えられませんが、父親と息子が同じ名前ということもあります。また、父系の親子何代かにわたって同じ名前をもつということも少なくありません。こうした事情から、同じ名前の子がクラスに複数いたりすることもありますが、スペイン人はそういったことに、あまりこだわりません。

日本人の名前で発音が難しいのは、「マサハル、ヒデユキ」といった4文字のものです。またスペインでは、男性名は基本的に最後の母音が「o」、女性名は「a」となるので、日本人の「Mariko」は男性、「Takamasa」は女性のイメージになります。

「h」を発音しないため、「Hiroshi」は「イロシ」に、さらに南の地域では「ya・yu・yo」が「ja・ju・jo」となり、「Ayato」は「アジャト」と読まれてしまいます。

ほかにも、スペイン語に相当する単語がある発音は、名前としては親しまれにくいでしょう。日本人の名前で覚えやすいのは、「ケン、ダイ、ジュン、ケイ、カズオ、ノブオ、テツオ、ゴロウ」などです。

お話 アランチャ　ラペーニャ
（(財)日本スペイン協会常任講師）

スペインで親しまれている名前からの名づけ

名前	漢字	画数
ピクト	飛空斗	9・8・4
フリオ	芙利雄	7・7・12
ホアン	穂杏	15・7
ホセ	保世	9・5
マルティン	真琉天	10・11・4
ミゲル	深気留	11・6・10
ラウル	羅宇流	19・6・10
ラファ	良扶亜	7・7・7
ラモン	羅門	19・8
ルイス	留惟主	10・11・5

中　国　China

家族の系譜から個人を表す名前に

かつては儒教の精神を受けて、2字名の最初の文字は、世代を表していました。とくに名家では、同族の男性は同じ文字で始まる名前をもち、名前を見れば、家系や世代がすぐわかりました。名づけは時代の変化の影響を受け、1949年の建国の年生まれの子どもの名前には「建」の字が多く、50人のクラス中20人に使われていました。50年代からは､封建的なイメージを払拭する意味もあり、1文字の名前が増えてきました。ほかにも「武、兵、軍、紅」といった字が多用される時代があったり、大地震のあった年には、「震生」という名前が多く見られたりもしましたが、いずれも時代にそぐわないと思われる名前は、改名することができます。

また、中国は姓の種類が少なく、「王、李、張」という3つの姓が非常に多くを占めています。女性も結婚によって姓が変わることはないので、同姓同名の人がかなりいます。最近では、個別化を図るために、両親の姓から1字ずつとって子どもの2字姓をつくったり、子どもの姓と名に振り分けたりする動きも見られるようになりました。

名前は、よい意味の漢字を選んでつけますが、姓と続けて読んだときの音が、縁起のよい言葉と同音になるものなども、好まれています。

日本人の名前は、中国でも多い1字名が通用しやすいでしょう。「翔(シャン)、亮(リャン)、勇(イヨン)、毅(イー)、淳(チュエン)、建(ジェン)」のほか、「一輝(イフィ)、幸夫(シンフー)、達也(ターイエー)、克実(カーシー)」などが親しまれています。

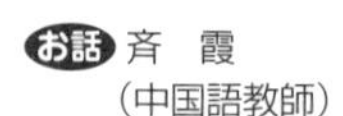

中国で親しまれている名前からの名づけ

イー	毅	15	つよし
イフィ	一輝	1 15	かずき
イヨン	勇	9	ゆう
カーシー	克実	7 8	かつみ
ジェン	建	9	けん
シャン	翔	12	しょう
シンフー	幸夫	8 4	ゆきお
ターイエー	達也	12 3	たつや
チュエン	淳	11	じゅん
リャン	亮	9	りょう

お話　斉　霞
（中国語教師）

韓　国

Korea

意味にこだわり、「作名所」でつける人もいます

祖父や両親が名づけるときは、よい意味の漢字を考えてつけます。兄弟で共通する音を取り入れた名前や、家族や親戚で似た名前をもつことも多く、名前を見ただけで家族とわかることもあります。

ほかに、生年月日と出生時刻を告げて、「作名所」で命名してもらう方法もあり、一種の占いのようなものだといえます。キリスト教徒の中には、聖堂でつけてもらう人もいます。

男の子の名前には、強い印象を与えるものが好まれ、伝統的な名前も人気があります。流行も見られ、今までにも「デハン（大韓）」と「ミンクック（民國）」という兄弟など、韓国のイメージをもつ名前が流行ったり「ナム（木）、バダ（海）、ハヌル（空）」など、自然にちなんだ名前が多くなったりしたことがありました。有名人や大統領にあやかって名づけることも多くあります。また、時代に合わない、占いですすめられた、などの理由でも改名が可能で、愛称で呼ぶことはほとんどありません。

日本人の名前では、長いものは覚えにくく、発音的には「ツ」や、「テッペイ」などの詰まる音、「ユウキ」と「ユキ」など長音・短音の区別、清音・濁音の区別が難しいです。逆に短いものや、「タロウ、ケン、リョウ」などよく耳にする名前はわかりやすいです。ほかにも韓国語の発音にあるものや、名前の中に「木、雪、星」などの単語が入っているものも、覚えやすいです。「勇気（ヨンギ）、順平（スンピョン）、一郎（イルリャン）」も受け入れやすい名前です。

お話 高 槿旭（東京外国語大学外国語学部研究生）

韓国では近年、漢字表記を使わなくなってきていますが、漢字を使ったもので日本でも通用する名前を紹介しています。

韓国で親しまれている名前からの名づけ

韓国名	漢字（画数）	読み
シキョン	時(10) 景(12)	ときかげ
ジョンチョル	正(5) 哲(10)	まさあき
シンヨン	信(9) 英(8)	のぶひで
ゼウクス	在(6) 旭(6)	ありあき
ソンギ	聖(13) 基(11)	まさき
チソン	智(12) 賢(16)	ともよし
チョルジョン	哲(10) 宗(8)	あきむね
ドンゴン	東(8) 健(11)	とうけん
ヨンジュン	勇(9) 俊(9)	ゆうしゅん
ヨンハ	龍(16) 河(8)	りゅうが

ヘボン式ローマ字表記一覧表

あ	A	い	I	う	U	え	E	お	O
か	KA	き	KI	く	KU	け	KE	こ	KO
さ	SA	し	SHI	す	SU	せ	SE	そ	SO
た	TA	ち	CHI	つ	TSU	て	TE	と	TO
な	NA	に	NI	ぬ	NU	ね	NE	の	NO
は	HA	ひ	HI	ふ	FU	へ	HE	ほ	HO
ま	MA	み	MI	む	MU	め	ME	も	MO
や	YA	い	I	ゆ	YU	え	E	よ	YO
ら	RA	り	RI	る	RU	れ	RE	ろ	RO
わ	WA	ゐ	I	う	U	ゑ	E	を	O
ん	N(M)								
が	GA	ぎ	GI	ぐ	GU	げ	GE	ご	GO
ざ	ZA	じ	JI	ず	ZU	ぜ	ZE	ぞ	ZO
だ	DA	ぢ	JI	づ	ZU	で	DE	ど	DO
ば	BA	び	BI	ぶ	BU	べ	BE	ぼ	BO
ぱ	PA	ぴ	PI	ぷ	PU	ぺ	PE	ぽ	PO
きゃ	KYA	きゅ	KYU	きょ	KYO				
しゃ	SHA	しゅ	SHU	しょ	SHO				
ちゃ	CHA	ちゅ	CHU	ちょ	CHO				
にゃ	NYA	にゅ	NYU	にょ	NYO				
ひゃ	HYA	ひゅ	HYU	ひょ	HYO				
みゃ	MYA	みゅ	MYU	みょ	MYO				
りゃ	RYA	りゅ	RYU	りょ	RYO				
ぎゃ	GYA	ぎゅ	GYU	ぎょ	GYO				
じゃ	JA	じゅ	JU	じょ	JO				
びゃ	BYA	びゅ	BYU	びょ	BYO				
ぴゃ	PYA	ぴゅ	PYU	ぴょ	PYO				

ヘボン式ローマ字表記の注意点

- **撥音(「ん」と弾む音)**
  B・M・Pの前の場合は、「N」ではなく「M」になる
  KEMMA(けんま)
  SHIMPEI(しんぺい)
- **促音(「っ」とつまる音)**
  つまる音はそのあとの子音を重ねる
  KIPPEI(きっぺい)
  ISSHIN(いっしん)
- **長音(「いー」「おー」と伸ばす音)**
  基本的に母音ひとつで表す
  MAKU(まーく)
  TARO(たろう)

第3章

音から考える

音から名前を考えるとき

それぞれの「音」がもつ響きや意味、発音のしやすさも、名づけの決め手。呼びやすさを考え、ベストな名前を。

耳に残る快い音を見つける

「おはよう」から「おやすみ」まで、一日のうちで名前は何度となく呼ばれるものです。それゆえ、呼ばれて誇らしく、同時に呼びやすく印象深い音を見つけることは、男の子の名づけにおいて、とても重要だといえるでしょう。

しかも、国際化社会と称される現代は、海外との交流がますます盛んになっています。将来世界を舞台に活躍するためにも、外国人にとって発音しやすい音かどうかも考慮しておきたいものです。

まず、候補に挙がった音を声に出し、その印象を確かめてみましょう。男の子の場合は姓が変わることが少ないので、姓と合わせて読んでみたときの印象は、とくに大事にしましょう。おなかの中にいるときから、ニックネームで呼びかけている場合は、その音から発想するのも一案です。

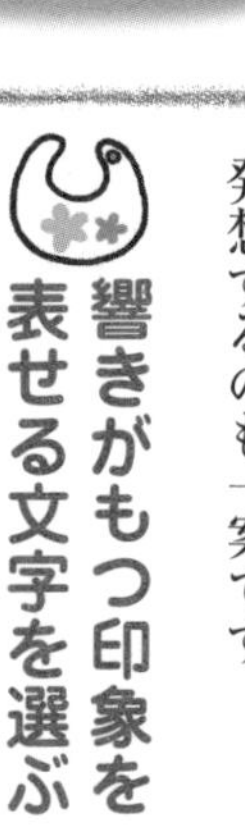

響きがもつ印象を表せる文字を選ぶ

最近の男の子の名前の傾向としては、たくましさやりりしさ、優しさや素直さが感じられる響きに、人気が集まっているようです。

好みの音を発見したら、その雰囲気にふさわしい漢字をあてはめてみましょう。ひらがなやカタカナを用いるのも一案です。姓と名のバランスも、字面、響きとともにしっかりチェックしましょう。

音を決めかねるようなら、56ページの「五十音別 響きでみる名前」を参照し、個々の音が本来的にもつ意味合いから考案する方法もあります。

音から考えるときの流れ

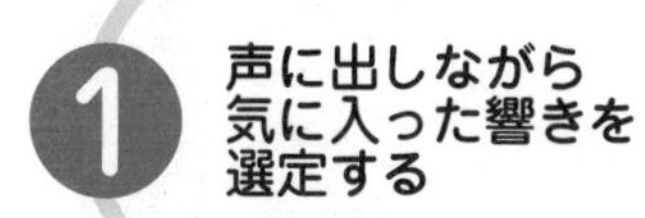

1 声に出しながら気に入った響きを選定する

- 気に入っている響きを挙げる
- 「音から考える名前1200」（65ページ～）を見ながら探す
- 「五十音別 響きでみる名前」（56ページ～）を見ながら自由に組み合わせる

2 字をあてはめる

- 「音から考える名前1200」（65ページ～）の例から探す
- 「音から引く漢字一覧」（177ページ～）を見ながら自由に組み合わせる

3 チェックする

- 「おすすめ漢字800から考える名前」（231ページ～）で漢字の意味もチェック！
- 姓とのバランスを確認
- 画数にもこだわるなら「画数による運勢」（360ページ～）でチェック！

最初の音が性格を左右する

名前で一番初めにくる音は、とりわけ母音の影響が強く、性格形成に作用するといわれています。それぞれの母音が示す性格の特徴としては、以下が挙げられます。

あ　元気、明朗、活発

い　クール、知的、繊細

う　情熱的、保守的、内向的

え　忍耐強い、慎重、努力家

お　温和、優しさ、おっとり

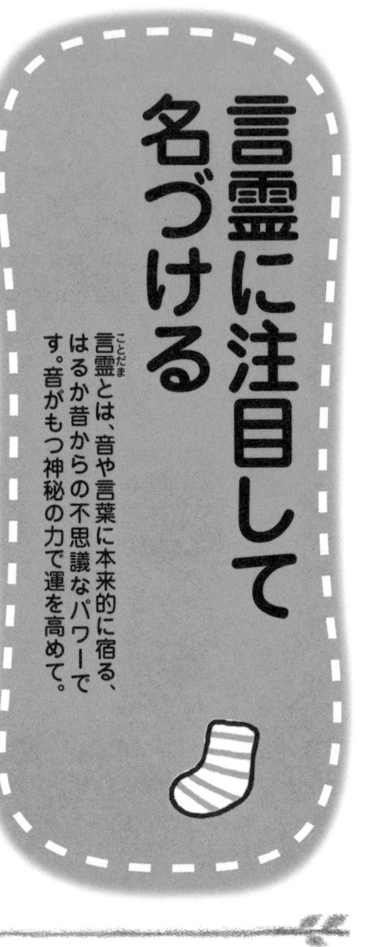

言霊に注目して名づける

言霊（ことだま）とは、音や言葉に本来的に宿る、はるか昔からの不思議なパワーです。音がもつ神秘の力で運を高めて。

名前の第1音には未知の力がある

文字に画数のパワーが秘められているように、言葉や音には「言霊」が宿っています。繰り返し文字を記すと画数パワーが高まるのと同じで、言霊は名前を呼んだり呼ばれたりするたび、力を増していくものなのです。

名前は、人が読み書きを習う前から、数えきれないほど声に出されるもの。そのたび、言霊がパワーを増すといえます。

とりわけ、強く発音されることの多い名前の第1音は耳に残り、言霊パワーが発現しやすくなるといえます。もちろん、言霊は愛称にも宿るので、愛称のもととなる名前の第1音は、名づけるうえで、非常に重要な要素といえるでしょう。

言霊パワーを生かせる名前に

言霊には、万物を5つに分類した五行があります。左ページの5性の相関図にのっとり、矢印の流れに沿って隣接する五行どうしが、相生（調和）の流れです。言霊を生かす好影響の循環といえます。

名づけでは、姓の一番下の音（末音）と隣り合う五行の音を、名前の第1音（頭音）に用いるようにするとよいでしょう。

たとえば、「タミヤ」という姓なら、土性の「ヤ」が一番下で、これと隣り合う火性のタ行・ナ行・ラ行か、金性の「サ行」で始まる名が調和の流れです。ちなみに、姓の末音と名の頭音が同性の場合は「小吉」。名の音の順で性格が表れるという考え方もあります。

五行の考え方

●言霊早見表

木
カキクケコ

火
タチツテト
ナニヌネノ
ラリルレロ

土
アイウエオ
ヤユヨ
ワ(ヰ)(ヱ)ヲ ン

金
サシスセソ

水
ハヒフヘホ
マミムメモ

＊「ば」などの濁音や、「ぱ」などの半濁音も、清音の「は」と同じ性（五行）に属します。また、「しょ」「いっ」といった拗音や促音は「し」や「い」でみます。

●五行相関図

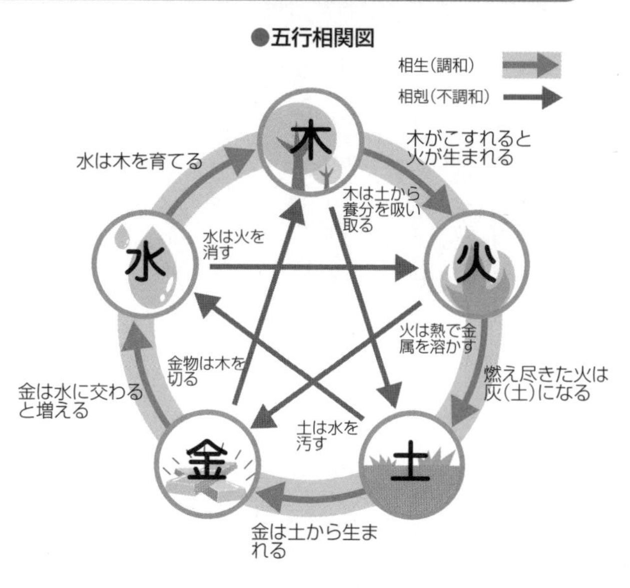
相生（調和）
相剋（不調和）
木
火
土
金
水
木がこすれると火が生まれる
燃え尽きた火は灰（土）になる
金は土から生まれる
金は水に交わると増える
水は木を育てる
木は土から養分を吸い取る
水は火を消す
火は熱で金属を溶かす
金物は木を切る
土は水を汚す

言霊の五行でみるそれぞれの性格

木 名前の第1音が…カキクケコ

木性に属するカ行の音は、奥歯に息が触れて発する「牙音（がおん）」です。第1音に木性音をもつ人は、強い意志と向上心をもっています。温厚で話がうまく、人づきあいも巧み。良好な人間関係を築けるでしょう。人望や社会的信用を土台にして、若いうちから運が開けることでしょう。

半面、考えすぎて身動きがとれなくなる傾向があり、肝心なときに煮えきらず、好機を逃すことも。また、器用貧乏になる恐れがあります。意志をしっかりもち、考え込む前に行動に移せるよう、決断力を磨いておくとよいでしょう。

カ行から始まる男の子の名前は比較的多く、「カズキ」「コウタ」「コウキ」などがあります。シャープで知的な印象があり、男の子らしい名前をつくる音といえます。

名前の第1音が…タチツテト、ナニヌネノ、ラリルレロ

火性に属すタ行・ナ行・ラ行の音は、舌の部分で発する「舌音（ぜつおん）」です。第1音に火性音をもつ人には、明瞭な頭脳と豊かな感受性が備わっています。群を抜く行動力と旺盛な知識欲で、学問や知的研究に熱心に力を注ぎ、見識を広めるでしょう。美的感受性も強く、流行をすばやくキャッチする、センスのよさをもっています。

それゆえ、経済面では注意が必要。派手な暮らしを好むので、常に浪費しがちです。一方で、やや感情的な面も。ときには自分を抑えることが必要でしょう。周囲とは腹を割って交流し、広く浅くになりやすい人間関係を、改善していきましょう。

火性音から始まる名前には、「ダイキ」「タクミ」「リョウタ」などがあり、男の子の名前に多用されている音だといえます。

土 名前の第1音が…アイウエオ、ヤユヨ、ワ(ヰ)(ヱ)ヲ、ン

土性に属すア行・ヤ行・ワ行の音は、喉（のど）から発する「喉音（こうおん）」です。第1音に土性音をもつ人は、穏やかで優しく、協調性を大事にします。組織内でも献身的に気働きし、人々を結束させていくでしょう。堅実に努力を実らせ、将来的に大きな成功を手にする可能性に満ちています。

ただし、実直であるがゆえの思い込みの激しさは、注意すべき点。保守的な面があり、新分野へ乗り出す意欲がやや足りません。視野を広げ、チャレンジ精神を心がけることが大切です。そのためには、周囲の意見もよく聞くようにしておきましょう。

土性音から始まる名前には、「ユウキ」「ユウヤ」など、優しい印象の「ユウ」音を使うのが好まれています。女の子の名前にも多用されており、現在最も人気といえるのが、土性音です。

名前の第1音が…サシスセソ

金性に属すサ行の音は、前歯に息が触れて発する「歯音（しおん）」です。第1音に金性音をもつ人は、物事を前向きにとらえ、指導力に優れたリーダータイプです。果敢に動き回るほど運勢が高まり、有力者からも応援されます。経済観念にたけているので、散財せず、お金に困らないゆとりある生活を満喫できるでしょう。

ただし、自分の能力を過信すると、社会的信用を失うことも。また、健康に対する無頓着から、過労や暴飲暴食で、体調を崩す恐れがあります。自己管理を怠らず、健やかな毎日を心がけましょう。

硬質な音感を特徴とする金性音には、現代的な響きがあります。金性音から始まる名前には、「ショウタ」「シンゴ」などが挙げられ、シャープでスマートな印象を与える音といえます。

名前の第1音が…ハヒフヘホ、マミムメモ

水性に属すハ行・マ行の音は、唇に触れて発する「唇音（しんおん）」です。第1音に水性音をもつ人は、どんな環境にあっても、臆せず溶け込める順応性の高さが魅力です。機知にたけ、人心を敏感に察します。努力家なうえ、小さな芽を大きく育てていく、創業者や起業家の才能があるので、いつのまにか大きな成功を収めているということも。

その一方、ストレスが高じると殻に閉じこもり、楽なほうへと逃避しがちです。あまり悲観的にならず、あくまで自然体を忘れないよう、プラス思考を育てていくとよいでしょう。

水性音から始まる名前には、「ハルト」「ヒロト」「マサヤ」などがあります。女の子の名前にも比較的よく使われ、現在、土性音に次いで人気の音といえるでしょう。

五十音別
響きでみる名前

一番目の音は最も強く発音され、深く長く印象に残っていくものです。言霊も考え、よい響きを選びましょう。

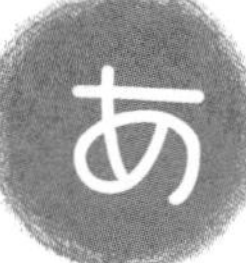

発想豊かな明るいリーダー

人間の活動の源となる創造性にあふれています。物事を前向きにとらえ、周囲を明るくさせる天性の資質をもっています。指導力にたけ、人々をぐいぐい引っ張っていきます。ただし、自己主張が強くなりすぎないよう気をつけて。

柔和さと知性を秘めた努力家

高い知性と芯の強さをもっています。穏やかでありながら、困難に負けず、じっくりとトラブルを克服していく努力家です。深く考えすぎて内向的にならないよう、積極的に自分を表現することを心がけましょう。

愛情に満ちた気配り上手

人々の胸中を敏感に察し、どんなときも思いやりを忘れません。家族や周囲への愛情に富んでいます。みんなに気を配るあまり、常に控えめな行動を取ってしまいがちなので、万事に対し積極性を磨いていくとよいでしょう。

素直さと快活さが成功への秘訣

いいことも、そうでないことも、持ち前の明るさと純粋さで、円満に解決していこうとします。とても忍耐強く、すべての事柄を人生の糧として成長していけるタイプです。集中力を欠かさないようにするのがポイントでしょう。

計画性のあるしっかり者

生活のさまざまな場面に、入念な計画を立てて臨みます。正直でしっかり者と評価されますが、人一倍凝り性なので、頑迷になってしまうことも。温厚で優しい気質を生かしていけば、さらに人望が集まることでしょう。

おおらかで積極的問題解決に手腕

細かいことにくよくよせず、突然の苦労に見舞われても、明るい性格と芯の強さで、首尾よく乗り越えていけます。面倒みのよい人情家でもあるので、人望も厚いでしょう。常に良好な人づきあいを保つよう心がけましょう。

的確な判断力で信頼を集める

穏やかさのなかにも、機に応じた適切な判断力と実行力を備えているので、頼られる存在になります。一度決めたことは、コツコツとでも必ずやり遂げようとする意志の強さがあるので、そうした長所に自信をもち続けましょう。

礼儀正しくて地道誰からも好かれる

まじめで、努力を苦にしません。目標に向かう実直な姿勢や礼儀正しさが、好感を集めます。何事にも地道、慎重に対応するので成果が期待できます。ここぞというときには、遠慮せず冒険する勇気も大切でしょう。

魅力的で多才な華のある人

多彩な分野を器用かつスマートにこなし、多くの人を魅了します。聡明で身体的な条件にも恵まれ、友人も多いでしょう。寂しがりやな面もあるので、ひとりよがりにならないよう心がけ、人間関係を充実させましょう。

社交性を発揮し良友と出会える

親しみやすく社交的なため、黙っていても人が寄ってきます。多くの人に支えられながら、成功への道を切り開きます。負けず嫌いな特質を生かし、中途半端な態度や行動を控えれば、さらなる評価を得られるでしょう。

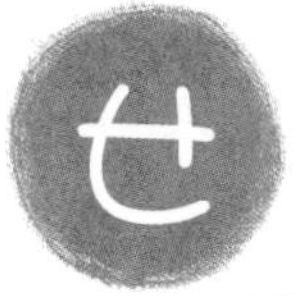

頭脳明晰で活動的栄誉を手にする

優秀な頭脳に、たゆまぬ向上心と行動力、人生で成功を収めるすべての条件を満たしています。目的にかける集中力や熱意をもちあわせているので、望む結果を手に入れられます。プライドが高いので、他者への感謝を大切にして。

パイオニア精神で才能を結実させる

見知らぬ土地や初めて会う人々のなかでも、スマートな自己アピールにより、自分の居場所をつくっていけます。陽気で華があるので、魅了される人も多いはず。笑顔をたやさないことが、新天地で運を切り開くコツでしょう。

有能で慎み深い誠実な人柄

能力が高く、独自の意見をしっかりともっています。とても慎重に人間観察する面があり、心から理解し合える人とは深く長くつきあいます。穏やかさを前面に出し、自分から率先して話しかければ、さらに人気が出るでしょう。

そ

柔和で慈悲深い平和主義者

温厚な性質で協調性にあふれ、誰とでも仲よくなれます。競争やケンカを好まず、思慮深く物事を進めていく姿勢に、好感をもたれるでしょう。勝負事には向かないタイプで、愛と優しさを身上とした、穏やかな日々を送るでしょう。

器の大きな親分肌好かれて頼られる

面倒みがよく、誰からも好かれるリーダー格です。広い心で人と接するので、頼もしい存在として相談事も多くなります。金銭面では、断りきれずに散財することがあるので、きっぱり「ノー」といえる態度が必要でしょう。

正義感あふれる一途ながんばり屋

穏やかな印象ながら、熱いハートの持ち主です。曲がったことは大嫌い。こうと決めたら一直線で、抜群の計画性と実行力を発揮します。自分と異なる価値観の相手も認められるよう努力すれば、度量もより大きくなるでしょう。

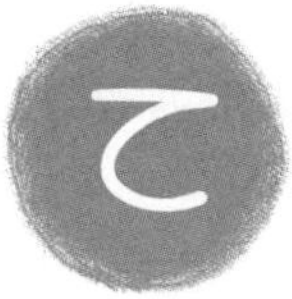

誠意と厚意で万人に迎えられる

誠実でまじめな人柄が、ふれあうすべての人に支持されます。どんなことにも一生懸命に取り組み、協調性にも優れています。ただし、見栄や焦りで、自分のペースを崩すことも。平常心を保てば、評価が上がるでしょう。

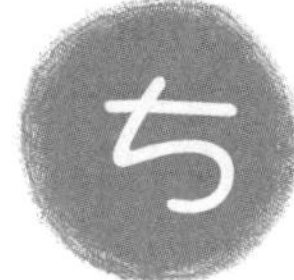

好奇心と知識欲が明日を動かす力に

学ぶことに喜びを見出し、好奇心のアンテナを縦横に張りめぐらします。身につけた知識や技術にとどまらず、さらなる高みをめざす向上心も備わっているので、たぐいまれな知力を武器に、未来を開拓するでしょう。

洞察力にたけ冷静で粘り強い

周囲の状況を冷静に見極め、的確に対処する術を知っています。根気もあり、何事にもこまやかに気を配れるので、トラブルを回避できるでしょう。ここぞというチャンスには、ひるまず大胆に突き進み、望みを叶えましょう。

精神力と独立心で頂点に立つ

独立心が旺盛で、難題にも勇敢に立ち向かい、乗り越えられる底力があります。精神的にもタフで、自信に見合うだけの地位につける可能性があるでしょう。独善的なふるまいにさえ気をつければ、トップの座も夢ではありません。

奥ゆかしく聡明な人物

控えめな態度ながら、その頭脳の冴えで周囲をうならせる、理知的な人。謙虚を美徳とし、チャンスの生かし方を知っているので、あとは勇気と意志の力で、目標へと突き進みましょう。聡明な自分を信じて、ステップアップを。

老若男女を問わず好意を抱かれる

人の和を大切にする温厚な気質なので、目上の人からは助けられ、家庭的な愛情を一身に受けるでしょう。とはいえ、争いを避けたいと思うがゆえに、引っ込み思案になることも。消極性を克服する行動力を培いましょう。

熱血漢で進取の気性をもつ

新たな道を探し求め、先駆者として人々を導いていきます。強固な意志と熱くみなぎるパワーで、いばらの道をも開拓していくでしょう。このパイオニア精神と負けず嫌いな面を大切にし、短気を起こさないよう気をつけましょう。

包容力のある落ちついた識者

博識で事態を正しく見つめ、理に叶った判断をします。ときには、その懐の深さにつけ入られたり、冷静沈着な様子が誤解されることもありますが、周囲に愛情や優しさを示していくことで、人望を不動のものにするでしょう。

優秀で頼もしい最強のブレーン

責任感が強く、周囲からの信頼も絶大。人当たりが穏やかで、常識や分別もあるため、相談役として、企業のトップの補佐などに適しています。地道な努力が運気を上昇させるので、楽なほうへ逃げたりして軌道を逸しないように。

合理性を兼備したプランナータイプ

何事にも、綿密な計画を立てて実行に移していく慎重さがあり、努力も惜しみません。合理的に無駄を省く倹約家の一面も。堅実な毎日の積み重ねで、人生の山谷を切り抜けるだけの底力を蓄えていけるでしょう。

独自性と社交性でカリスマ候補に

自らの運命を切り開いていく強靱な精神力があり、自信に満ちた言動で人々を魅了します。つきあいのうまい社交家としての手腕も。この強みを充分に生かせるよう、常に全体を見渡し、視野を広げるようにしましょう。

天性の創造力が時をかけて開花

生まれもった創造性が、不断の努力によって実を結び、人生を花開かせるでしょう。自分に厳しい内省的な面が強く出すぎると、一歩引いてしまうところも。ゆるぎない人間関係を築くことが、幸福のカギとなります。

日々の研鑽が運気の原動力に

自己の信念をもち、目標に向かって邁進する努力家です。安易な道に走らない精神力で、日々の積み重ねを大きな力へと発展させます。周囲との連携を大切に、気配りを怠らなければ、運を味方につけられるでしょう。

直感が鋭く決断力にたける

聡明な頭脳と勘のよさで、一番にすべきことを機に応じて選択します。たとえ非難や中傷を受けても、信念を貫く強い意志と行動力でピンチを打開するでしょう。どっしりと構えていれば、より大きな実りを期待できます。

人を引きつけるユーモアに富む

物事に真剣に取り組む姿と、スマートで物知りなところが魅力です。ユーモアやウィットに富んだ会話術で、人々を引きつけます。その有能さから八方美人にならないよう、謙虚な交流を心がけましょう。

静かなイメージの奥に情熱を秘める

どちらかというとおとなしそうに見られがちですが、心中はかなり情熱的。前向きな思考と熱意で、成功への道を切り開いていきます。ささいなことにくよくよしないよう精神を鍛えれば、好運が訪れるでしょう。

センスが際立つアーティスト

芸術的感性がほとばしる、明るくて華のあるタイプ。話題も多彩でセンスもよく、注目の的となるでしょう。自分の気持ちに正直なところが美点ですが、嫉妬や誤解を招かないよう、ときには感情をコントロールすることも大切です。

心技体に優れ多くの人を魅了

あらゆる分野で心身の才気をいかんなく発揮。その活躍ぶりや明るい性格、サービス精神により、人気者となるでしょう。情に流される一途な面もあるので、人間関係の本質を冷静に見抜くことが、ときには必要となるでしょう。

深慮と芯の強さで初志貫徹

自己主張を控えた穏やかな人柄ですが、一度決めたことは必ず貫きます。また、雰囲気に流されず、きちんと考えて物事に当たります。家族への愛も深いでしょう。謙虚すぎるところがあり、積極性を磨くと運気を向上させられます。

ペースを乱さず自分らしさを保つ

卓抜した頭脳に恵まれ、どんな事態にも、独自のポリシーで柔軟に対応します。元来が聡明なので、軽はずみな言動を避け、常に誠実に人と接するようにすれば、誤解されることなく、目的を完遂できるでしょう。

人生の好機を最大限に生かす

チャンスを自分のものにできる能力と推進力があります。着実に成果を上げていく、誰もが認める実力派。スピーディーな行動には目を見張るものがありますが、勢いに任せて暴走しないよう、周囲への配慮を忘れずに。

自己主張すら魅力人気運が高い

どこでも中心人物となる、華やかさと明るさが特長で、自己アピールも上手です。社交的で多くの仲間を得られますが、広く浅い交友関係になりがち。人の意見を聞くゆとりをもてれば、より充実した絆が生まれるでしょう。

感受性が鋭い臨機応変タイプ

場の空気や時代の流れに敏感な、すばらしい感性が武器となります。不屈の精神と粘り強さを養えば、厄介な問題に直面しても、自力で乗り越え、成功を手にするでしょう。思い込みが強いところがあるので、ときには発想の転換を。

おっとりして上品まじめな癒し系

人を押しのけてまで上に立つといった、野望や策略とは無縁。温和で誠実な気質が愛され、目上からも支援されます。目立たないようでいて、人一倍努力する姿は称賛の的。控え目になりすぎないよう、ときには自分を前面に出して。

尽くす喜びを知る慈悲深い人格者

心温かく献身的。万人に優しさを注げる、博愛精神と慈しみにあふれています。大勢に慕われますが、それだけに他人に振り回されてしまうことも。客観的かつ冷静に状況を察知し、自分の志向を貫く英断が求められます。

知力、精神力、財運に助けられる

明晰な頭脳で確かな計画を立て、着実に達成していきます。ただし、さまざまな成果や恵まれた金銭運が羨望され、嫉妬の対象となることも。私欲を抑え、奉仕する気持ちをもてば、不穏な事態も好転するでしょう。

才気と能力で引く手あまた

複数の作業をあざやかな手際で一度にこなします。その処理能力の高さで、トップからも右腕として信頼され、補佐役の才覚をいかんなく発揮します。博学で見識も豊富です。自らを信じ、動じずにいれば、さらに運が上向くでしょう。

優しくて一途な癒し系

苦労を苦労と思わず、地味な仕事もへこたれずにやり遂げます。周囲をほっと和ませる温かさがあり、出会ったすべての人に好かれるでしょう。ひたむきさは長所でもありますが、視野を狭めないよう注意して。

真っ向勝負で困難に打ち勝つ

どんなに難しい問題にも、恐れることなく立ち向かいます。意志力と責任感の強さから、リーダーの座を射止めます。自分のプライドにこだわりすぎると衝突を起こすので、視野を広げることがポイントとなるでしょう。

音から考える名前 1200

音による名前例を1200種掲載しています。英語圏の人にもそのローマ字表記を読んでもらい、発音のしやすさをチェック！ 3段階で表し、よりわかりやすい欧文表記も考えてもらいました。世界の国々で、その音がもつ意味や、その名前があるかについても表示しています。名前を考える際の参考にしてください。

人気の名前10
クローズアップ

まずは、人気の名前を10ピックアップしました。人気の音を用いるなら、個性を出すには漢字の組み合わせを工夫することです。あなたの赤ちゃんにピッタリの名前はどれでしょうか。

72ページ以降の表の見方

※67～71ページについても、見方は同様です

名前の欧文表記
基本はヘボン式のローマ字表記（48ページ参照）ですが、本書では英語圏の人に読んでもらい、より読みやすく覚えやすい表記のアイデアを出してもらいました。公式文書には使えませんが、英語圏の人とのやりとりには便利です。ヘボン式ローマ字から表記を変更しているものには*をつけています。また、音節を区切ると読みやすくなるものには、間にハイフンを入れています

地画（名の合計画数）
その人の人格を表し、出生から中年期までの運命を支配します。詳しくは357ページ参照

新人名漢字
新人名漢字には★をつけています

印象
音を中心にした名前の印象を解説

発音のしやすさ
英語圏の人にとっての発音のしやすさの目安
●●●…発音しやすく覚えやすい名前
●●○…やや発音しにくいが、慣れれば発音できる名前
●○○…英語圏の人にとって発音しにくいので、愛称を考えるなど工夫したほうがよいと思われる名前

●「印象」のところに出てくる以下の記号は、国名を表しています。本章に掲載した1200の名前を各国の人に読んでもらい、同じ音または似た音の名前や単語があるかを聞き、記号で示してあります。単語があるものについてはその意味も確認しながら、名づけの際の参考にしてください。

Ⓔ英語圏　Ⓕフランス　Ⓓドイツ　Ⓘイタリア　Ⓢスペイン　Ⓒ中国　Ⓚ韓国　Ⓡロシア　Ⓘⓝインド　Ⓖギリシャ　Ⓑベトナム

<例>
Ⓔ男性名…英語圏に、同音の男性名があることを示します
Ⓕ近い音の男性名…フランス語に、似た音の男性名があることを示します
Ⓘ男性名の愛称…イタリア語に、同音の男性名の愛称があることを示します
Ⓢ友だち…スペイン語で「友だち」という意味になることを示します

人気の名前10 クローズアップ

こうき

Kohki*

聡明な印象の「こう」音と、鋭い「き」音を組み合わせた、しっかりした響きをもつ名前。Ⓒ男性名

名前				
倖10 来7	弘5 稀12	晃10 気6	孔4 揮12	公4 希7
17	17	16	16	11
幸8 暉13	好6 輝15	皇9 紀9	光6 貴12	晃10 希7
21	21	18	18	17
恒9 輝15	孝7 樹16	浩10 貴12	晄10★ 基11	洸9 貴12
24	23	22	21	21
綱14 毅15	煌13★ 毅15	晃10 騎18	洸9 麒19★	航10 輝15
29	28	28	28	25

人気の名前10 クローズアップ

かいと

Kaito

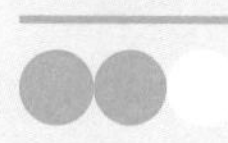

力強い勢いと明るさを感じさせる「かい」音を、落ちついた「と」音が受け止めた、シャープな印象の名前。Ⓔ凧

名前				
界9 斗4	廻9★ 人2	恢9★ 人2	海9 人2	快7 人2
13	11	11	11	9
桧10★ 杜7	魁14 人2	開12 斗4	堺12★ 人2	桧10★ 斗4
17	16	16	14	14
鎧18★ 人2	海9 都11	甲5 斐12 人2	快7 都11	加5 惟11 人2
20	20	19	18	18
開12 渡12	開12 途10	櫂18★ 斗4	界9 渡12	櫂18★ 人2
24	22	22	21	20

★新人名漢字

人気の
名前10
クローズアップ

たくみ

Takumi

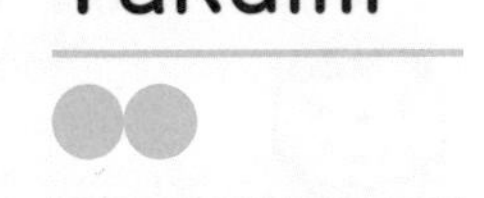

快活な印象の「たく」音を、やわらかい雰囲気の止め字「み」が優しくまとめた、長く人気の名前

拓8 壬4★	卓8 巳3	拓8 巳3	択7 巳3	托6★ 巳3
12	11	11	10	9

拓8 実8	沢7 美9	拓8 身7	托6★ 実8	卓8 未5
16	16	15	14	13

擢17★ 巳3	拓8 深11	琢11 身7	拓8 海9	多6 久3 弥8
20	19	18	17	17

濯17 海9	櫂18★ 見7	擢17★ 実8	擢17★ 未5	宅6 魅15
26	25	25	22	21

人気の
名前10
クローズアップ

そうた

Sota

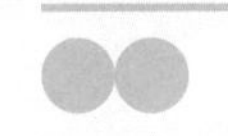

爽快な「そう」音の流れを、快活な「た」音が受けた、キレのよい響き。Ⓒ男性名Ⓢトランプのジャック

早6 多6	双4 汰7	宋7★ 大3	早6 太4	壮6 太4
12	11	10	10	10

奏9 多6	宋7★ 汰7	奏9 太4	走7 多6	壮6 汰7
15	14	13	13	13

爽11 汰7	爽11 多6	蒼13 大3	創12 太4	爽11 太4
18	17	16	16	15

操16 汰7	聡14 多6	漱14 太4	綜14 太4	創12 多6
23	20	18	18	18

英語圏の人にとっての発音のしやすさの目安 ●●● しやすい ●● ややしにくい ● しにくい

人気の名前10 クローズアップ

ゆうき

Yuki

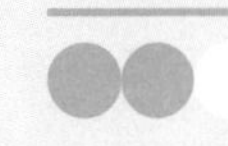

強さや精神力、男らしさを表す「勇気」と同音の、シャープな響きをもつ名前。Ⓒ Ⓚ男性名

名前	画数	総画
友貴	4・12	16
勇気	9・6	15
友規	4・11	15
佑希	7・7	14
夕希	3・7	10
勇稀	9・12	21
勇揮	9・12	21
宥貴	9・12	21
湧気	12・6	18
悠来	11・7	18
祐騎	9・18	27
柚樹	9・16	25
優希	17・7	24
裕基	12・11	23
雄基	12・11	23
優貴	17・12	29
融喜	16・12	28
湧輝	12・15	27
裕輝	12・15	27
勇騎	9・18	27

人気の名前10 クローズアップ

はると

Haruto

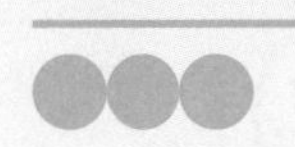

明るくふわりとしたイメージの「はる」音と、はっきりした「と」音がつくる、陽気な響きの名前

名前	画数	総画
温人	12・2	14
晴人	12・2	14
陽人	12・2	14
遥人	12・2	14
春斗	9・4	13
遙★斗	14・4	18
温斗	12・4	16
晴斗	12・4	16
春杜	9・7	16
大翔	3・12	15
陽音	12・9	21
春翔	9・12	21
春渡	9・12	21
波琉人	8・11・2	21
治都	8・11	19
遙★登	14・12	26
遙★途	14・10	24
陽登	12・12	24
遥翔	12・12	24
波留斗	8・10・4	22

★新人名漢字

ゆうと

Yuto

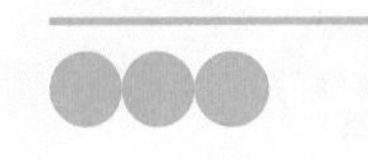

穏やかな「ゆう」音を、落ちついた「と」音がしっかりと受け止めた、男らしさを感じさせる名前。 Ⓒ男性名

名前	画数	総画
祐人	9・2	11
勇人	9・2	11
邑斗	7・4	11
佑斗	7・4	11
有斗	6・4	10
湧人	12・2	14
悠人	11・2	13
柚斗	9・4	13
祐斗	9・4	13
侑斗	8・4	12
優人	17・2	19
裕斗	12・4	16
雄斗	12・4	16
悠斗	11・4	15
裕人	12・2	14
優飛	17・9	26
結翔	12・12	24
雄翔	12・12	24
優斗	17・4	21
勇翔	9・12	21

人気の
名前10
クローズアップ

ゆうた

Yuta

優しい「ゆう」音と、快活な「た」音の特長を併せもつ、やわらかな印象の名前。 Ⓒ男性名

名前	画数	総画
勇太	9・4	13
有汰	6・7	13
侑太	8・4	12
友多	4・6	10
夕汰	3・7	10
悠太	11・4	15
祐多	9・6	15
由羽太	5・6・4	15
佑汰	7・7	14
夕舵	3・11★	14
由宇多	5・6・6	17
由布汰	5・5・7	17
雄太	12・4	16
裕太	12・4	16
宥汰	9・7	16
優太	17・4	21
湧汰	12・7	19
釉多	12★・6	18
悠汰	11・7	18
佑舵	7・11★	18

英語圏の人にとっての発音のしやすさの目安　●●● しやすい　●●○ ややしにくい　●○○ しにくい

人気の名前10 クローズアップ

りょうた Ryota

明瞭な響きの「りょう」音と「た」音が、頭の回転の速い、活発な男の子を思わせる。さわやかで涼やかな響きの名前

涼11 太4	梁11★ 太4	竜10 太4	陵11 大3	了2 汰7
15	15	14	14	9

涼11 多6	凌10 汰7	亮9 汰7	菱11★ 太4	陵11 太4
17	17	16	15	15

嶺17 大3	遼15 太4	稜13 多6	綾14 太4	稜13 太4
20	19	19	18	17

瀧19★ 大3	遼15 汰7	諒15 汰7	諒15 多6	領14 汰7
22	22	22	21	21

人気の名前10 クローズアップ

りく Riku

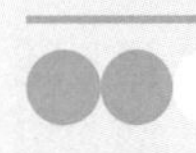

雄大な「陸」を思わせる、キレのよい簡潔な響きの名前。Ⓒ男性名Ⓔ近い音の男性名

李7 玖7	陸11	利7 久3	里7 久3	吏6 久3
14	11	10	10	9

李7 紅9	吏6 矩10	哩10★ 句5	理11 久3	浬10★ 区4
16	16	15	14	14

璃15 久3	理11 玖7	裡12★ 功5	莉10 玖7	利7 矩10
18	18	17	17	17

璃15 玖7	里7 駈15★	理11 矩10	莉10 倶10★	裡12★ 玖7
22	22	21	20	19

★新人名漢字

あ 【A】

あきとも
Aki-tomo
●●○

名前	画数	総画
昭智	9・12	21
秋朝	9・12	21
秋智	9・12	21
照伴	13・7	20
明友	8・4	12

明るく人気のある「あき」音に、やわらかな響きの「とも」音が落ちつきを与えている

あきなり
Aki-nari
●●○

名前	画数	総画
瞭也	17・3	20
晃成	10・6	16
秋成	9・6	15
昌成	8・6	14
昭也	9・3	12

はっきりした「あき」音と、古風な「なり」音が、格調高く風雅な響きをつくる

あきのぶ
Aki-nobu
●●○

名前	画数	総画
彰信	14・9	23
彰伸	14・7	21
晋延	10・8	18
晃伸	10・7	17
秋伸	9・7	16

軽快な「あき」音と、適度な重みをもつ素直な「のぶ」音が、よいバランスを保つ

あきのり
Aki-nori
●●○

名前	画数	総画
明憲	8・16	24
秋徳	9・14	23
晃紀	10・9	19
昭則	9・9	18
昭典	9・8	17

明るく軽やかな「あき」音に続く、やわらかい「のり」音が、収まりのよい名前をつくる

あきひこ
Aki-hiko
●●○

名前	画数	総画
亜紀彦	7・9・9	25
彰彦	14・9	23
章彦	11・9	20
昭彦	9・9	18
明彦	8・9	17

耳になじみのよい「あき」音に、伝統的な止め字「ひこ」を続けた、和風の響きをもつ名前

あきひと
Aki-hito
●●○

名前	画数	総画
彰人	14・2	16
章仁	11・4	15
晃人	10・2	12
明仁	8・4	12
旭人	6・2	8

「ひと」音の落ちつきが「あき」音の聡明さを際立たせる、優しく静かな印象の名前

あきひろ
Aki-hiro
●●○

名前	画数	総画
彰浩	14・10	24
昭博	9・12	21
明比呂	8・4・7	19
晃宏	10・7	17
明弘	8・5	13

「あき」音の明るさと、「ひろ」音のもつおおらかさが相まって、広がりのある響きに

あいご
Aigo
●●●

名前	画数	総画
藍瑚	18・13	31
藍冴	18・7	25
亜惟吾	7・11・7	25
愛吾	13・7	20
愛伍	13・6	19

やわらかい「あい」音に、「ご」音がほどよい重さを加えた、安定感のある名前

あおい
Aoi
●●○

名前	画数	総画
蒼葦	13・13★	26
吾央唯	7・5・11	23
蒼威	13・9	22
蒼以	13・5	18
葵	12	12

優しく軽快な「あ行」の3音が連なった、明るく温かい響きをもつ名前

あおと
Ao-to
●○○

名前	画数	総画
蒼登	13・12	25
碧音	14・9	23
蒼杜	13・7	20
碧人	14・2	16
青杜	8・7	15

やわらかい「あお」音を、止め字「と」が引き締める。Ⓔ「自動」に近い音 Ⓓ「自動車」に近い音

あきお
Akio
●●○

名前	画数	総画
亜騎雄	7・18・12	37
章雄	11・12	23
彰生	14・5	19
明郎	8・9	17
晃生	10・5	15

母音「あ」「お」に、シャープな「き」音がアクセントを添えた、リズム感のある名前

あきと
Akito
●●○

名前	画数	総画
亜貴斗	7・12・4	23
亜希音	7・7・9	23
章斗	11・4	15
昭人	9・2	11
秋人	9・2	11

明るい「あ」、キレのよい「き」、落ちついた「と」音の、特性を兼ね備えた名前

英語圏の人にとっての発音のしやすさの目安　●●●しやすい　●●○やや しにくい　●○○しにくい

あきふみ
Aki-fumi

明るい「あき」音が「ふみ」音のやわらかい特性を生かした、和風の雰囲気をもつ名前

名前	画数	総画
明史	8・5	13
秋史	9・5	14
章文	11・4	15
彰文	14・4	18
亜貴文	7・12・4	23

あきほ
Akiho

軽快な「あき」音と、優しい「ほ」音の組み合わせが、フレッシュな印象を醸し出す

名前	画数	総画
昭歩	9・8	17
秋保	9・9	18
秋圃★	9・10	19
堯★保	12・9	21
亜輝帆	7・15・6	28

あきみつ
Aki-mitsu

軽やかな「あき」音と、しっとりした「みつ」音の安定感が、バランスよく引き立て合う

名前	画数	総画
明光	8・6	14
晃充	10・6	16
彬光	11・6	17
彰光	14・6	20
亜騎光	7・18・6	31

あきもり
Aki-mori

「もり」音が、聡明で頼もしい武士をイメージさせる、古典的で男らしい響き

名前	画数	総画
旭守	6・6	12
昭守	9・6	15
明盛	8・11	19
秋盛	9・11	20
章森	11・12	23

あきよし
Aki-yoshi

明るい「あき」音に古風な「よし」音が連なった、落ちつきと親しみを感じさせる名前

名前	画数	総画
秋芳	9・7	16
彬芳	11・7	18
彰吉	14・6	20
明義	8・13	21
昭義	9・13	22

あきら
Akira

まとまりのよい明快な響きで、長く親しまれる名前。同音のアニメで世界的に知られる

名前	画数	総画
旭	6	6
明	8	8
晃	10	10
彰	14	14
亜喜良	7・12・7	26

あぐり
Aguri

エキゾチックで穏やかな雰囲気をもつ、個性的な名前。❶おめでとう

名前	画数	総画
安久里	6・3・7	16
吾久利	7・3・7	17
阿久里	8・3・7	18
亜玖吏	7・7・6	20
亜玖利	7・7・7	21

あけし
Akeshi

明るい「あ」音に、落ちついた「け」「し」音が連なった、風雅な雰囲気をもつ名前

名前	画数	総画
明至	8・6	14
明志	8・7	15
暁士	12・3	15
朱嗣	6・13	19
暁志	12・7	19

あさお
Asao

さわやかな「あさ」音に伝統的な止め字「お」が加わり、聡明な落ちつきを備えた名前に

名前	画数	総画
朝生	12・5	17
亜沙王	7・7・4	18
阿佐央	8・7・5	20
阿沙央	8・7・5	20
麻雄	11・12	23

あさき
Asaki

スマートな「あさ」音とシャープな「き」音の連なりが、すっきりと爽快な響きをつくる

名前	画数	総画
朝輝	12・15	27
朝樹	12・16	28
亜紗貴	7・10・12	29
麻騎	11・18	29
亜砂樹	7・9・16	32

あさと
Asato

明朗な「あ」音と清音の「さ」「と」、軽やかな音どうしがなじむ、さわやかな名前

名前	画数	総画
麻人	11・2	13
朝人	12・2	14
亜沙斗	7・7・4	18
麻杜	11・7	18
亜冴登	7・7・12	26

あさひ
Asahi

「朝日」の光に満ちたイメージをもつ。ビールのブランド名として、欧米でも知られる

名前	画数	総画
旭	6	6
朝日	12・4	16
朝飛	12・9	21
朝昆★	12・9	21
朝陽	12・12	24

あさや
Asaya

さわやかななかにも、男らしい響きの止め字「や」が、効果的に力強いアクセントを加える

名前	画数	総画
朝也	12・3	15
亜佐也	7・7・3	17
朝弥	12・8	20
朝哉	12・9	21
阿紗哉	8・10・9	27

★新人名漢字

あつお
Atsu-o

●○○

はっきりした「あつ」音と、伝統的な重みをもつ止め字「お」の、落ちついた組み合わせ

名前	画数	総画
篤朗	16・10	26
淳雄	11・12	23
惇郎	11・9	20
敦夫	12・4	16
惇生	11・5	16

あつき
Atsuki

●○○

穏やかな深みをもつ「あつ」音に、「き」音がキレのよさを加えた、現代的な名前

名前	画数	総画
篤喜	16・12	28
惇樹	11・16	27
淳輝	11・15	26
亜都希	7・11・7	25
孜希	7★・7	14

あつし
Atsu-shi

●○○

明るい「あ」、適度な重みをもつ「つ」、穏やかな「し」音で、まとまりのよい響きに

名前	画数	総画
篤志	16・7	23
篤	16	16
淳史	11・5	16
敦	12	12
惇	11	11

あつと
Atsu-to

●○○

深みのある「あつ」音と、落ちつきのある清音の止め字「と」の、相性のよい組み合わせ

名前	画数	総画
阿津登	8・9・12	29
温音	12・9	21
篤斗	16・4	20
惇杜	11・7	18
淳斗	11・4	15

あつのり
Atsu-nori

●○○

適度に重みのある「あつ」音を、なめらかな響きの「のり」音が、きれいに受け止める

名前	画数	総画
篤範	16・15	31
敦規	12・11	23
敦典	12・8	20
惇則	11・9	20
淳紀	11・9	20

あつひこ
Atsu-hiko

●○○

落ちつきのある「あつ」音と、なじみ深い「ひこ」音が、人徳を思わせる名前をつくる

名前	画数	総画
亜都彦	7・11・9	27
篤彦	16・9	25
諄比古	15・4・5	24
敦彦	12・9	21
淳彦	11・9	20

あつひさ
Atsu-hisa

●○○

「ひさ」というやわらかい音が、「あつ」音のもつ深みを受けた、優しい余韻の名前

名前	画数	総画
篤玖	16・7	23
敦恒	12・9	21
篤久	16・3	19
惇寿	11・7	18
敦久	12・3	15

あしゅう
Ash-yu*

●○○

スマートなしゃれた印象の名前。洋風な響きながら、典雅な雰囲気をも醸す。Ⓔ灰

名前	画数	総画
有鷲	6・23★	29
吾修	7・10	17
阿州	8・6	14
亜舟	7・6	13
安秀	6・7	13

あすか
Aska*

●●●

はっきりした明るい音がまとまりよく連なり、止め字「か」の余韻がすがすがしく響く

名前	画数	総画
明日駕	8・4・15★	27
明日嘉	8・4・14	26
明日翔	8・4・12	24
明日珂	8・4・9★	21
飛鳥	9・11	20

あすき
Asuki

●●●

軽快な2音に、シャープな「き」音が加わり、すっきりまとまる。IN近い音の男性名

名前	画数	総画
亜栖樹	7・10★・16	33
阿寿紀	8・7・9	24
明日貴	8・4・12	24
明日喜	8・4・12	24
明日希	8・4・7	19

あすと
Asuto

●●●

明るく軽い「あす」音と、落ちついた止め字「と」の組み合わせが新鮮に響く。Ⓓ大枝

名前	画数	総画
亜州登	7・6・12	25
明日登	8・4・12	24
明日都	8・4・11	23
阿寿斗	8・7・4	19
明日人	8・4・2	14

あずま
Azma*

●●●

日本の古語で「東国」の意味に用いられた。優雅な響きで、和風の雰囲気を漂わせる

名前	画数	総画
安須馬	6・12・10	28
安寿真	6・7・10	23
雷	13	13
春	9	9
東	8	8

あたる
Ataru

●○○

「あ」「た」に続く止め字「る」が、効果的なリズムをつくる、まとまりのよい名前

名前	画数	総画
亜多瑠	7・6・14	27
有多琉	6・6・11	23
阿太留	8・4・10	22
当	6	6
中	4	4

英語圏の人にとっての発音のしやすさの目安　●●● しやすい　●●○ ややしにくい　●○○ しにくい

あまぎ
Amagi

名前（画数）	総画
亜7 真10 毅15	32
阿8 真10 木4	22
天4 樹16	20
天4 城9	13
天4 祇9★	13

やわらかい2音「あま」を濁音「ぎ」がまとめた、古風な雰囲気の名前。天城峠のイメージも

あまね
Amane

名前（画数）	総画
亜7 麻11 音9	27
安6 満12 祢9★	27
天4 祢9★	13
天4 音9	13
周8	8

「あまねく」に近い音で、豊かな広がりを思わせる。優雅でまとまりのよい響きの名前

あむろ
Amuro

名前（画数）	総画
吾7 夢13 路13	33
亜7 夢13 路13	33
亜7 夢13 呂7	27
亜7 牟6★ 呂7	20
亜7 室9	16

軽快な「あ」「む」が「ろ」でまとまる、エキゾチックで個性的な名前。Ⓕ「愛」に近い音

あもん
Amon

名前（画数）	総画
吾7 紋10	17
亜7 紋10	17
阿8 門8	16
亜7 門8	15
亜7 文4	11

止めの「ん」音が、収まりのよい響きをつくる、個性的な名前。ⒺⒻ男性名

あやき
Ayaki

名前（画数）	総画
絢12 樹16	28
絢12 輝15	27
有6 也3 毅15	24
亜7 矢5 紀9	21
彩11 希7	18

古風な「あや」音と、現代的な音で人気の止め字「き」の、しゃれた響きをもつ名前

あやた
Ayata

名前（画数）	総画
亜7 哉9 多6	22
綾14 汰7	21
絢12 汰7	19
絢12 太4	16
朱6 太4	10

柔軟性のある「あや」音に、明朗な止め字「た」を続けた、元気な男の子を思わせる名前

あつひで
Atsu-hide

名前（画数）	総画
篤16 秀7	23
斡14★ 秀7	21
敦12 英8	20
惇11 英8	19
厚9 秀7	16

ともに人のよさを感じさせる「あつ」と「ひで」音が、相性よくなじむ組み合わせ

あつひろ
Atsu-hiro

名前（画数）	総画
篤16 弘5	21
渥12 洋9	21
諄15 弘5	20
敦12 弘5	17
孜7★ 大3	10
斡14★ 寛13	27
篤16 洋9	25
温12 尋12	24
淳11 博12	23
惇11 比4 呂7	22

静かな落ちつきをもつ「あつ」音に、おおらかな「ひろ」音が続いた、温かみのある名前

あつや
Atsu-ya

名前（画数）	総画
篤16 哉9	25
亜7 都11 矢5	23
淳11 耶9	20
敦12 也3	15
純10 矢5	15

静謐で大人びた「あつ」音に、人気の止め字「や」を合わせ、快活なイメージをプラス

あつよし
Atsu-yoshi

名前（画数）	総画
篤16 義13	29
諄15 善12	27
敦12 善12	24
篤16 由5	21
淳11 好6	17

伝統的に親しまれてきた2音「あつ」と「よし」を組み合わせた、安心感のある名前

あつろう
Atsu-ro

名前（画数）	総画
篤16 朗10	26
敦12 朗10	22
惇11 朗10	21
淳11 郎9	20
厚9 郎9	18

なじみ深い「あつ」と、日本の代表的な止め字「ろう」の連なりが新鮮に響く。Ⓘ青色

あとむ
Atomu

名前（画数）	総画
有6 登12 夢13	31
吾7 斗4 夢13	24
亜7 十2 夢13	22
亜7 富12	19
吾7 斗4 武8	19

まとまりがよく、日本ではアニメのヒーローの名前としてなじみが深い。ⒺⒻⒹ原子

★新人名漢字

ありと

Arito

●○○

明るくはっきりした3音で構成された、軽快なリズムをもつ、新感覚の名前。Ⓢ息

名前	画数	総画
亜理人	7・11・2	20
亜利斗	7・7・4	18
有登	6・12	18
有杜	6・7	13
有斗	6・4	10

ありのり

Ari-nori

●●○

「あり」音の明るさと「のり」音のなめらかさが、涼やかで古典的な雰囲気をつくる

名前	画数	総画
在規	6・11	17
有宣	6・9	15
有法	6・8	14
有典	6・8	14
在典	6・8	14
有憲	6・16	22
在範	6・15	21
有徳	6・14	20
在徳	6・14	20
有教	6・11	17

あると

Alto*

●●●

軽やかでまとまりのよい名前。Ⓕ近い音の姓ⒾⓈ高くⒹ「誓い」に近い音

名前	画数	総画
阿琉斗	8・11・4	23
有瑠人	6・14・2	22
有登	6・12	18
在都	6・11	17
有斗	6・4	10

あるま

Alma*

●●●

リズム感のある個性的な響きで、印象に残りやすい。Ⓢ精神、心Ⓕ近い音の男性名

名前	画数	総画
亜琉麻	7・11・11	29
亜留馬	7・10・10	27
有琉馬	6・11・10	27
有磨	6・16	22
在真	6・10	16

あれい

Arei

●●●

明るい「あ」音に、冴えた印象の「れい」音が、新感覚の名前。Ⓒ女性名Ⓕ近い音の男性名

名前	画数	総画
亜麗	7・19	26
亜黎	7・15	22
吾玲	7・9	16
亜伶	7・7	14
阿礼	8・5	13

あれく

Alec*

●●●

やわらかな音の連なりが個性的な、新感覚の名前。Ⓔ男性名Ⓕ近い音の男性名

名前	画数	総画
亜麗玖	7・19・7	33
亜怜駈	7・8・15★	30
吾怜玖	7・8・7	22
阿玲久	8・9・3	20
亜礼玖	7・5・7	19

あやと

Ayato

●○○

温かみのある「あや」音を、「と」音の響きが引き締める、男の子らしい名前

名前	画数	総画
亜哉登	7・9・12	28
亜矢登	7・5・12	24
吾矢斗	7・5・4	16
彩人	11・2	13
礼人	5・2	7

あゆと

Ayuto

●●○

やわらかい音の「あゆ」に、シャープな止め字「と」で男らしく。Ⓘ「助ける」に近い音

名前	画数	総画
吾悠都	7・11・11	29
亜由登	7・5・12	24
鮎斗	16・4	20
有勇斗	6・9・4	19
歩斗	8・4	12

あゆむ

Ayumu

●●○

やわらかさと男らしさを併せもつ名前。穏やかな収束力をもつ、止め字「む」が効果的

名前	画数	総画
鮎武	16・8	24
亜弓夢	7・3・13	23
歩夢	8・13	21
歩睦	8・13	21
歩	8	8

あらき

Araki

●○○

「あ」「ら」の連なりにシャープな「き」を合わせた、変化と落ちつきのある名前

名前	画数	総画
亜楽樹	7・13・16	36
新騎	13・18	31
新樹	13・16	29
新毅	13・15	28
新城	13・9	22

あらた

Arata

●○○

すべてが「あ行音」で構成された、明るく弾むような印象を与える、個性的な名前

名前	画数	総画
亜羅多	7・19・6	32
新多	13・6	19
新太	13・4	17
新	13	13
改	7	7

あらん

Alan*

●●●

しゃれた響き。Ⓔ男性名、アラン(アイルランドの島名)Ⓕ男性名、活動的なⓈ(彼らが)耕す

名前	画数	総画
亜蘭	7・19	26
吾藍	7・18	25
亜藍	7・18	25
有藍	6・18	24
亜嵐	7・12	19

英語圏の人にとっての発音のしやすさの目安　●●● しやすい　●●○ ややしにくい　●○○ しにくい

音から考える

あれん
Alen*

明快な「あ」音を「れん」音が効果的に収束した、シャープな印象の名前。Ⓔ男性名

名前	画数	総画
亜廉	亜7 廉13	20
亜蓮	亜7 蓮13	20
亜漣★	亜7 漣14★	21
有錬	有6 錬16	22
吾錬	吾7 錬16	23

あんご
Ango

個性的な「あん」音に、重みのある「ご」音を添えた、古風で洒脱な名前

名前	画数	総画
安吾	安6 吾7	13
安悟	安6 悟10	16
庵★吾	庵11★ 吾7	18
按★梧	按9★ 梧11	20
安醐★	安6 醐16★	22

いあん
Ian

繊細なイメージをもつ、まとまりのよい音。洋風の雰囲気をもった名前。ⒺⒻⒸ男性名

名前	画数	総画
伊按★	伊6 按9★	15
威安	威9 安6	15
伊庵★	伊6 庵11★	17
惟安	惟11 安6	17
唯杏	唯11 杏7	18

いおり
Iori

同音の「庵」から、閑居を楽しむ情趣を感じさせる。和風の典雅な雰囲気をもつ名前

名前	画数	総画
庵★	庵11★	11
伊於俐★	伊6 於8 俐9★	23
伊織	伊6 織18	24
衣織	衣6 織18	24
唯織	唯11 織18	29

いおん
Ion

優しい音が、穏やかなまとまりに集約される、新感覚の名前。ⒹⓈイオンⒼ行く

名前	画数	総画
伊苑	伊6 苑8	14
惟音	惟11 音9	20
唯音	唯11 音9	20
維恩	維14 恩10	24
威穏	威9 穏16	25

いくお
Ikuo

優しく控えめな「いく」音に、なじみの深い止め字「お」を続けた、落ちつきのある名前

名前	画数	総画
育生	育8 生5	13
郁夫	郁9 夫4	13
郁央	郁9 央5	14
育雄	育8 雄12	20
幾雄	幾12 雄12	24

いくた
Ikuta

まっすぐな「いく」音と元気な「た」音の組み合わせ。ストレートに「幾多」を思わせる

名前	画数	総画
郁太	郁9 太4	13
育多	育8 多6	14
育汰	育8 汰7	15
郁多	郁9 多6	15
幾太	幾12 太4	16

いくと
Ikuto

抑えた響きのなかで、「と」音の落ちつきが力強さを発揮する、主張性のある名前

名前	画数	総画
育人	育8 人2	10
郁人	郁9 人2	11
郁斗	郁9 斗4	13
生玖斗	生5 玖7 斗4	16
幾斗	幾12 斗4	16

いくま
Ikuma

「いく」音のもつ明るさと、快活な「ま」音が引き立て合い、リズミカルな名前をつくる

名前	画数	総画
郁真	郁9 真10	19
育磨	育8 磨16	24
伊久磨	伊6 久3 磨16	25
郁磨	郁9 磨16	25
伊球磨	伊6 球11 磨16	33

いくみ
Ikumi

「み」音の優しい響きが、「いく」音の穏やかな明るさを、包み込むようにまとめる

名前	画数	総画
育巳	育8 巳3	11
郁己	郁9 己3	12
育実	育8 実8	16
伊玖巳	伊6 玖7 巳3	16
育海	育8 海9	17

いくや
Ikuya

母音の違う3音が静かなリズムを秘め、止め字「や」の明朗感を際立たせて響く

名前	画数	総画
郁矢	郁9 矢5	14
行哉	行6 哉9	15
幾也	幾12 也3	15
育哉	育8 哉9	17
威久耶	威9 久3 耶9	21

【I】

あや～いく

★新人名漢字

いさお
Isao

●●○

スマートな雄々しさを感じさせる、まとまりのよい名前。「功績」を表す音でもある

名前	画数	総画
功	5	5
勇央	9・5	14
勲	15	15
勲夫	15・4	19
勇雄	9・12	21

いさき
Isaki

●●●

海魚の名にある音。澄んだ「い」「さ」にシャープな「き」音が加わった、印象的な響き

名前	画数	総画
功希	5・7	12
勲紀	15・9	24
威佐紀	9・7・9	25
勇騎	9・18	27
勲樹	15・16	31

いさみ
Isami

●●●

明るい「いさ」音に「み」音がなじんだ、さわやかさとやわらかさを併せもつ名前

名前	画数	総画
勇	9	9
勇巳	9・3	12
功実	5・8	13
勇実	9・8	17
勇海	9・9	18

いさむ
Isamu

●●●

「む」音が効果的に全体をまとめる、男らしい響き。まとまりのよい風雅な名前

名前	画数	総画
武	8	8
勇	9	9
功武	5・8	13
勲	15	15
伊沙武	6・7・8	21

いさや
Isaya

●●○

ともに親しみやすく明るいイメージをもつ「いさ」音と「や」音の、新鮮な組み合わせ

名前	画数	総画
功矢	5・5	10
勇也	9・3	12
功弥	5・8	13
伊佐哉	6・7・9	22
威紗也	9・10・3	22

いしん
Ishin

●●●

「改革」や「威光と信望」を表す、スピード感のある音。男らしい力強さに満ちた名前

名前	画数	総画
威伸	9・7	16
惟真	11・10	21
威新	9・13	22
維晋	14・10	24
維新	14・13	27

いずみ
Izumi

●●●

「天然水」を意味する清涼感のある響きのなかで、濁音「ず」が適度な重さと安定感を与える

名前	画数	総画
泉	9	9
泉巳	9・3	12
泉実	9・8	17
惟純	11・10	21
伊豆海	6・7・9	22

いずる
Izuru

●○○

古語で「(日が)昇る」意味も。雅やかな雰囲気を漂わせながら、動きを秘めた名前

名前	画数	総画
出	5	5
出琉	5・11	16
伊寿留	6・7・10	23
伊豆琉	6・7・11	24
惟津琉	11・9・11	31

いたる
Itaru

●○○

「達成する」意味をもつ音。知的な「い」と快活な「た」を、「る」音が明朗に収める

名前	画数	総画
至	6	6
到	8	8
致	10	10
達	12	12
至琉	6・11	17

いちき
Ichiki

●●○

理知的な印象を与えるキレのよい音の連なりが、俊敏で聡明な男の子を思わせる

名前	画数	総画
一貴	1・12	13
壱希	7・7	14
一輝	1・15	16
一樹	1・16	17
一騎	1・18	19

いちや
Ichiya

●○○

意志の力を感じさせる強めの音で構成された、きっぱりと男の子らしい響きの名前

名前	画数	総画
一哉	1・9	10
壱也	7・3	10
市弥	5・8	13
壱哉	7・9	16
伊千哉	6・3・9	18

いちろ
Ichiro

●●●

古風な響きが新鮮な、強さとキレのよさを併せもつ。一途なイメージを与える名前

名前	画数	総画
一呂	1・7	8
一路	1・13	14
一葦	1・13★	14
一蕗	1・16	17
壱路	7・13	20

英語圏の人にとっての発音のしやすさの目安　●●● しやすい　●●○ ややしにくい　●○○ しにくい

いってつ
Ittetsu

名前	総画
逸11 鉄13	24
壱7 哲10	17
一1 徹15	16
一1 鉄13	14
一1 哲10	11

勢いを感じさせる「いっ」音と、堅固な「てつ」音の、バランスのよい組み合わせ

いちろう
Ichiro

名前	総画
壱7 郎9	16
市5 郎9	14
一1 狼10★	11
一1 朗10	11
一1 郎9	10

新感覚で見直された、伝統的な名前。同名の選手の活躍により、メジャーリーグで有名

いっぺい
Ippei

名前	総画
逸11 平5	16
壱7 平5	12
一1 兵7	8
乙1 平5	6
一1 平5	6

なじみ深く伝統的な音どうしの組み合わせで、親しみやすく快活な印象の名前

いっかく
Ikkaku

名前	総画
逸11 鶴21	32
一1 鶴21	22
壱7 角7	14
一1 覚12	13
一1 格10	11

生まじめな強さをもつ響きのなかに、同音の海獣を思わせる、神秘的なイメージも秘める

いつみ
Itsumi

名前	総画
伍6 実8	14
一1 海9	10
乙1 実8	9
一1 実8	9
乙1 壬4★	5
威9 通10 彌17	36
伊6 都11 洋9	26
逸11 実8	19
一1 箕14★	15
逸11 己3	14

穏やかな落ちつきをもつ「いつ」音に、やわらかい「み」音が、相性よくなじむ

いつき
Itsuki

名前	総画
五4 樹16	20
逸11 希7	18
樹16	16
一1 輝15	16
一1 埼11★	12

知的で穏やかな「い」音が、はっきりした「つ」「き」を引き立て、効果的な明るいまとまりに

いっけい
Ikkei

名前	総画
一1 景12	13
一1 敬12	13
一1 渓11	12
一1 桂10	11
一1 圭6	7

促音「っ」と、流れる音「けい」が続く、スピード感のある個性的な名前

いぶき
Ibuki

名前	総画
唯11 歩8 希7	26
惟11 吹7	18
息10 吹7	17
伊6 武8 己3	17
伊6 吹7	13

比喩的に生命を意味する、「呼吸」を表す音。成長する強いエネルギーを感じさせる

いっこう
Ikkoh*

名前	総画
一1 滉13	14
一1 航10	11
一1 洸9	10
一1 皇9	10
一1 行6	7

「いっ」のつくるシャープな響きに、「こう」音が落ちつきを加えた、硬派な印象の名前

いら
Ira

名前	総画
唯11 羅19	30
維14 良7	21
葦13★ 良7	20
惟11 良7	18
伊6 良7	13

謙虚な「い」とはじけた「ら」、個性的な音が鋭く響く。Ⓢ彼(彼女)が紡ぐ

いっさ
Issa

名前	総画
壱7 砂9	16
一1 瑳14	15
一1 嵯13	14
一1 茶9	10
一1 冴7	8

著名な俳人の名前と同じ音。古典的な響きが、かえってフレッシュな印象を与える

いりや
Iriya

名前	総画
偉12 利7 也3	22
伊6 里7 哉9	22
威9 利7 矢5	21
伊6 里7 弥8	21
威9 利7 也3	19

新鮮な組み合わせの音が、エキゾチックな印象を与える名前。Ⓕ〜がある

いっせい
Issei

名前	総画
壱7 晟10	17
一1 誓14	15
一1 誠13	14
一1 星9	10
一1 征8	9

さわやかな「い」「せ」音と促音で構成。ファッション・ブランド名と同音Ⓒ男性名

★新人名漢字

え【E】

えいいち
Ei-ichi

●●○

ともにスマートな「えい」音と「いち」音が、自然になじむ組み合わせ。Ⓔ「H」に近い音

漢字	画数	総画
永一	5・1	6
英一	8・1	9
映一	9・1	10
瑛一	12・1	13
詠市	12・5	17

えいき
Eiki

●●●

さっぱりした鋭い音をキレよくまとめ、ストレートに「英気」を思わせる

漢字	画数	総画
永基	5・11	16
曳揮	6★・12	18
栄軌	9・9	18
瑛希	12・7	19
叡己	16・3	19
詠紀	12・9	21
英輝	8・15	23
映輝	9・15	24
鋭紀	15・9	24
映樹	9・16	25

えいきち
Eikichi

●●○

「えい」というシャープな響きに、伝統的な「きち」を組み合わせた、男らしい名前

漢字	画数	総画
永吉	5・6	11
英吉	8・6	14
栄吉	9・6	15
瑛吉	12・6	18
叡吉	16・6	22

えいご
Eigo

●●●

軽やかな「えい」音を、適度な重量感と落ちつきをもつ「ご」が受け止める

漢字	画数	総画
栄吾	9・7	16
英梧	8・11	19
詠悟	12・10	22
鋭冴	15・7	22
衛悟	16・10	26

う【U】

うきょう
Ukyo

●○○

動きのある「きょう」音と古典的な響きが、かえって新感覚の名前に。Ⓚ男性名

漢字	画数	総画
右京	5・8	13
右郷	5・11	16
佑恭	7・10	17
宇喬	6・12	18
羽喬	6・12	18

うこん
Ukon

●●●

宮中の警護に当たった「右近衛府」と同じ、古風で男らしいイメージの音。Ⓚ男性名

漢字	画数	総画
右近	5・7	12
宇近	6・7	13
侑近	8・7	15
宇紺	6・11	17
佑紺	7・11	18

うしお
Ushio

●●●

「海水」の別称でもある、まとまりのよい音。秘められた大自然の力を感じさせる

漢字	画数	総画
侑汐	8・6	14
潮	15	15
宇潮	6・15	21
宇士雄	6・3・12	21
海潮	9・15	24

うたや
Utaya

●○○

楽しげな「うた」音に、やわらかい「や」音で弾みを加えた、リズミカルな響きの名前

漢字	画数	総画
宇多也	6・6・3	15
唱矢	11・5	16
詩也	13・3	16
歌也	14・3	17
宇汰哉	6・7・9	22

英語圏の人にとっての発音のしやすさの目安　●●● しやすい　●●○ ややしにくい　●○○ しにくい

えいた
Eita

聡明な「えい」音に、朗らかな音の止め字「た」がバランスよくなじみ、快活な印象を与える

名前	画数	総画
永多	5・6	11
栄太	9・4	13
英汰	8・7	15
永舵★	5・11	16
瑛多	12・6	18

えいさく
Eisaku

鋭い「えい」音の流れに、親しみやすい響きの止め字「さく」が加わった、温かい響き

名前	画数	総画
永作	5・7	12
永朔	5・10	15
英作	8・7	15
栄佐久	9・7・3	19
瑛咲	12・9	21

えいだい
Ei-dai

落ちつきのある「え」「だ」音と「い」音の繰り返しが、穏やかなリズムをつくる

名前	画数	総画
永大	5・3	8
栄大	9・3	12
瑛大	12・3	15
英泰	8・10	18
栄醍★	9・16	25

えいし
Eishi

「えい」音のスマートな流れを、澄んだ「し」音が際立たせ、静かな知性を思わせる

名前	画数	総画
永史	5・5	10
瑛士	12・3	15
栄志	9・7	16
詠史	12・5	17
衛司	16・5	21

えいたつ
Eitatsu

流れのある「えい」に強めの「たつ」がバランスよく続く、落ちついた印象の名前

名前	画数	総画
永建	5・9	14
栄竜	9・10	19
英達	8・12	20
叡立	16・5	21
瑛達	12・12	24

えいじ
Eiji

温かい人柄を思わせる、なじみ深い響きの名前。Ⓔ「一生」「世代」に近い音

名前	画数	総画
英二	8・2	10
英司	8・5	13
永路	5・13	18
英慈	8・13	21
衛次	16・6	22

えいま
Eima

流れる音「えい」を受け止める「ま」音のやわらかさが、明るい余韻をつくる

名前	画数	総画
栄万	9・3	12
英真	8・10	18
瑛真	12・10	22
英磨	8・16	24
叡馬	16・10	26

えいじゅ
Eiju

なじみ深い「えい」音に合わせた「じゅ」音の個性が光る、古風な響きをもつ名前

名前	画数	総画
永寿	5・7	12
英珠	8・10	18
栄樹	9・16	25
叡珠	16・10	26
瑛樹	12・16	28

えいもん
Eimon

鋭い「えい」音から「ん」に向かって収束していく、動きのある名前。Ⓔ男性名

名前	画数	総画
栄文	9・4	13
英門	8・8	16
映門	9・8	17
英紋	8・10	18
瑛門	12・8	20

えいしょう
Eisho

ともに流れをもつ「えい」と「しょう」の音が、ほどよくなじみ、すがすがしい印象に

名前	画数	総画
英祥	8・10	18
栄昭	9・9	18
映湘★	9・12	21
瑛祥	12・10	22
鋭翔	15・12	27

えいや
Eiya

「えい」音のスマートな流れを、「や」音がやわらかく受け、勢いのある余韻をつくる

名前	画数	総画
英也	8・3	11
栄弥	9・8	17
瑛矢	12・5	17
栄哉	9・9	18
衛埜★	16・11	27

えいしん
Ei-shin

スマートな「えい」音と静かな「しん」音が、冷静沈着な武士を思わせる響きをつくる

名前	画数	総画
永心	5・4	9
映伸	9・7	16
栄真	9・10	19
叡信	16・9	25
瑛槙	12・14	26

えいすけ
Eisuke

鋭利な流れをもつ「えい」音と、男らしい伝統的な止め字「すけ」の、収まりのよい名前

名前	画数	総画
栄介	9・4	13
英佑	8・7	15
瑛介	12・4	16
詠佑	12・7	19
英輔	8・14	22

★新人名漢字

えつじ
Etsuji
●○○

明確でしっかりした音の組み合わせが、明るい安心感を与える、親しみやすい名前

名前	画数	総画
悦司	10・5	15
越史	12・5	17
越児	12・7	19
悦慈	10・13	23
悦爾	10・14	24

えつや
Etsuya
●○○

「えつ」という楽しげな響きに、明るいイメージの「や」が続き、弾みをもって響く

名前	画数	総画
悦也	10・3	13
悦矢	10・5	15
越也	12・3	15
悦哉	10・9	19
悦耶	10・9	19

お【O】

おうが
Ohga*
●●○

ともに男らしい音をもつ「おう」と「が」を合わせた、スマートな印象の名前

名前	画数	総画
旺牙	8・4★	12
欧我	8・7	15
皇我	9・7	16
王雅	4・13	17
凰雅	11★・13	24

おうき
Ohki*
●●●

太めの「おう」音にシャープな「き」音を連ねた、男らしい名前。Ⓒ男性名

名前	画数	総画
央希	5・7	12
央貴	5・12	17
旺毅	8・15	23
凰揮	11★・12	23
皇輝	9・15	24

おうすけ
Osuke
●○○

力強い「おう」音の流れを、「すけ」音が伝統の重みをもって受け止めた、男らしい名前

名前	画数	総画
欧介	8・4	12
央亮	5・9	14
旺甫	8・7	15
旺祐	8・9	17
皇輔	9・14	23

おうや
Ohya*
●●●

たくましい響きの「おう」に、人気の止め字「や」で若々しさをプラス

名前	画数	総画
央哉	5・9	14
凰也	11★・3	14
桜矢	10・5	15
旺哉	8・9	17
皇哉	9・9	18

おきや
Okiya
●●○

穏やかな「お」、シャープな「き」、やわらかい「や」音の、個性的な組み合わせ

名前	画数	総画
沖耶	7・9	16
宙弥	8・8	16
央希矢	5・7・5	17
桜貴也	10・12・3	25
興哉	16・9	25

おくと
Okuto
●○○

静かな自信に満ちた「おく」と「と」音のキレが、穏やかな賢人のイメージをつくる

名前	画数	総画
億人	15・2	17
旺玖斗	8・7・4	19
億斗	15・4	19
央駈人	5・15★・2	22
億都	15・11	26

おさみ
Osammy*
●●●

なじみ深い「おさ」音に、やわらかな「み」音を添えた、穏やかな人柄を思わせる名前

名前	画数	総画
長巳	8・3	11
吏海	6・9	15
修実	10・8	18
緒佐巳	14・7・3	24
修彌	10・17	27

おさむ
Osamu
●●●

「む」音が穏やかに全体をまとめた、伝統的な名前。冷静ながら優しげな人柄を思わせる

名前	画数	総画
治	8	8
修	10	10
理	11	11
治武	8・8	16
於沙武	8・7・8	23

おと
Otto*
●●●

スピード感のある低めの響きが、古典的な優雅さも醸し出す。ⒺⒻⒹ男性名Ⓘ8

名前	画数	総画
音	9	9
緒斗	14・4	18
雄杜	12・7	19
響	20	20
雄音	12・9	21

おとはる
Oto-haru
●●○

優雅な響きをもつ「おと」音と、明るい「はる」音の、バランスのよい響き

名前	画数	総画
乙治	1・8	9
乙春	1・9	10
央斗治	5・4・8	17
音春	9・9	18
音波留	9・8・10	27

英語圏の人にとっての発音のしやすさの目安　●●●しやすい　●●○ややしにくい　●○○しにくい

おとひこ
Oto-hiko

静かな「おと」音に、伝統的な止め字「ひこ」が連なり、古典的な雰囲気を漂わせる

名前	総画数
乙(1)彦(9)	10
音(9)比(4)古(5)	18
音(9)彦(9)	18
雄(12)斗(4)彦(9)	25
響(20)彦(9)	29

おとふみ
Oto-fumi

「おと」のもつ謙虚な響きに、優しい「ふみ」音がなじみ、古風な詩情を感じさせる

名前	総画数
乙(1)文(4)	5
乙(1)史(5)	6
音(9)史(5)	14
音(9)歩(8)巳(3)	20
緒(14)斗(4)史(5)	23

おとや
Otoya

「おと」という古典的な響きに、人気の止め字「や」で現代的なニュアンスをプラス

名前	総画数
乙(1)弥(8)	9
乙(1)哉(9)	10
音(9)也(3)	12
音(9)哉(9)	18
雄(12)斗(4)哉(9)	25

おるご
Orugo

個性的な組み合わせの音を「ご」音の重みがまとめた、エキゾチックな響きをもつ名前

名前	総画数
央(5)琉(11)吾(7)	23
織(18)冴(7)	25
雄(12)留(10)牙(4★)	26
織(18)悟(10)	28
織(18)梧(11)	29

か【Ka】

かい
Kai

スピード感を秘めた、キレのよい響きの名前。Ⓓ埠頭、桟橋Ⓑ「木」に近い音

名前	総画数
快(7)	7
海(9)	9
魁(14)	14
甲(5)斐(12)	17
櫂(18★)	18

がい
Guy*

たくましさとシャープさを併せもつ、印象的な響き。潔い男らしさをもつ名前。Ⓔ男性

名前	総画数
凱(12)	12
我(7)依(8)	15
峨(10★)伊(6)	16
鎧(18★)	18
雅(13)威(9)	22

がいあ
Gaia

スケールの大きな、力強い響き。強さと温かさを併せもつ名前。Ⓔ地球Ⓖ大地の女神

名前	総画数
凱(12)亜(7)	19
凱(12)吾(7)	19
牙(4)威(9)亜(7)	20
鎧(18★)亜(7)	25
鎧(18★)吾(7)	25

かいき
Kaiki

キレのよい「か」「き」で、知的な「い」音を挟んだ、勢いのある名前

名前	総画数
海(9)希(7)	16
快(7)貴(12)	19
海(9)輝(15)	24
魁(14)揮(12)	26
櫂(18★)紀(9)	27

かいご
Kaigo

シャープな「かい」音と、「ご」音の重量感がバランスよくなじむ、男らしい名前

名前	総画数
海(9)冴(7)	16
海(9)悟(10)	19
魁(14)吾(7)	21
魁(14)悟(10)	24
櫂(18★)吾(7)	25

かいじ
Kaiji

明快な「かい」音と、なじみのある止め字「じ」の、親しみやすい印象の名前

名前	総画数
海(9)司(5)	14
海(9)児(7)	16
魁(14)司(5)	19
恢(9★)嗣(13)	22
櫂(18★)史(5)	23

かいしゅう
Kaishu

「かい」音のもつスピード感に、「しゅう」音の流れが加わり、流麗に響く

名前	総画数
海(9)舟(6)	15
海(9)周(8)	17
櫂(18★)舟(6)	24
櫂(18★)州(6)	24
櫂(18★)洲(9)	27

★新人名漢字

かいる
Kyle*
●●●

「る」音の収束力が生きた、新鮮な響きをもつ収まりのよい名前。Ⓔ男性名

名前	画数	総画
櫂琉	18★・11	29
魁留	14・10	24
海瑠	9・14	23
快瑠	7・14	21
海流	9・10	19

かおる
Kaoru
●●○

「香る」と同音の、伝統的で日本的な響きをもつ、なじみ深い名前。風流な印象を与える

名前	画数	総画
夏於琉	10・8・11	29
珂於留	9★・8・10	27
馨	20	20
薫	16	16
郁	9	9

がく
Gaku
●●●

はっきりとしたスピード感のある響きのなかで、「が」音が、穏やかに個性を主張する

名前	画数	総画
我駆	7・14	21
雅来	13・7	20
芽空	8・8	16
岳	8	8
学	8	8

がくし
Gakushi
●●○

「がく」という重みのある音に、軽やかな清音「し」を合わせた、バランスのよい名前

名前	画数	総画
学獅	8・13★	21
学嗣	8・13	21
岳志	8・7	15
岳史	8・5	13
岳士	8・3	11

がくと
Gakuto
●●○

個性的な2音「がく」を、鋭いながら落ちつきのある「と」音が、静かにまとめる

名前	画数	総画
楽都	13・11	24
岳登	8・12	20
学杜	8・7	15
岳斗	8・4	12
学斗	8・4	12

かげき
Kageki
●●○

主張性のある、強い音を連ねた名前。個々の響きが引き立て合い、男らしさをアピール

名前	画数	総画
景騎	12・18	30
景樹	12・16	28
景貴	12・12	24
景喜	12・12	24
景希	12・7	19

かける
Kakeru
●○○

止め字「る」音が楽しげな余韻をつくる、疾走感のある名前。軽やかで元気な印象

名前	画数	総画
駆流	14・10	24
翔琉	12・11	23
駈	15★	15
駆	14	14
翔	12	12

かいせい
Kaisei
●○○

「晴れ渡る空」と同じ、明るくさわやかな音。2つの「い」音が、リズムをつくる

名前	画数	総画
魁星	14・9	23
快晴	7・12	19
開成	12・6	18
海青	9・8	17
快晟	7・10	17

かいた
Kaita
●○○

はっきりした「かい」音に、明るい「た」音を合わせた、元気な男の子を思わせる名前

名前	画数	総画
櫂多	18★・6	24
魁多	14・6	20
海汰	9・7	16
快汰	7・7	14
恢太	9★・4	13

かいへい
Kaihei
●○○

「い」音の繰り返しが、明るいなかにも落ちつきを感じさせる、古典的な雰囲気の名前

名前	画数	総画
魁平	14・5	19
海平	9・5	14
皆平	9・5	14
界平	9・5	14
快平	7・5	12

かいや
Kaiya
●○○

ともに高揚感のある「かい」音と「や」音を組み合わせた、リズミカルな響き

名前	画数	総画
櫂哉	18★・9	27
魁哉	14・9	23
開埜	12・11★	23
海弥	9・8	17
恢矢	9★・5	14

かいり
Kairi
●○○

ともにさわやかな「かい」音と「り」音を合わせた、まとまりのよい名前。Ⓔ女性名

名前	画数	総画
魁理	14・11	25
恢理	9★・11	20
海浬	9・10★	19
海吏	9・6	15
浬	10★	10

英語圏の人にとっての発音のしやすさの目安　●●● しやすい　●●○ ややしにくい　●○○ しにくい

かずあき
Kazu-aki

ともに一途な意志を感じさせる、「かず」「あき」を組み合わせた、堅実な印象の名前

名前	画数	総画
一晃	1・10	11
一彰	1・14	15
和明	8・8	16
和秋	8・9	17
和晃	8・10	18

かずき
Kazki*

シャープな「か」「き」で濁音「ず」を挟んだ、快活さと落ちつきを併せもつ名前

名前	画数	総画
一希	1・7	8
一喜	1・12	13
和希	8・7	15
和樹	8・16	24
数貴	13・12	25

かずさ
Kazsa*

「か」の強さ、「ず」のやわらかな存在感、「さ」のさわやかさ、3音のバランスが絶妙

名前	画数	総画
一冴	1・7	8
一爽	1・11	12
和左	8・5	13
一瑳	1・14	15
上総	3・14	17

かずし
Kazshi*

伝統的な「かず」という連音に、すがすがしい「し」音を添えた、新鮮な響き

名前	画数	総画
一司	1・5	6
一志	1・7	8
和司	8・5	13
和史	8・5	13
数至	13・6	19

かずしげ
Kazu-shige

「かず」の重みと「しげ」の親しみ、清音と濁音がつくる変化と安定感とを併せもつ名前

名前	画数	総画
一茂	1・8	9
一重	1・9	10
寿成	7・6	13
一慈	1・13	14
和成	8・6	14
一繁	1・16	17
寿慈	7・13	20
和滋	8・12	20
和慈	8・13	21
数茂	13・8	21

かずたか
Kazu-taka

誠実な印象を与える「かず」音に、「たか」音が明るさをプラスした、元気な雰囲気の名前

名前	画数	総画
一岳	1・8	9
一隆	1・11	12
和孝	8・7	15
和貴	8・12	20
数隆	13・11	24

かずただ
Kazu-tada

なじみ深い「かず」音に、落ちついた「ただ」音を合わせた、古典的な雰囲気の名前

名前	画数	総画
一忠	1・8	9
一唯	1・11	12
和忠	8・8	16
和惟	8・11	19
数唯	13・11	24

かずと
Kazuto

安定感のある「かず」音に、「と」音がキレのよさを加える。Ⓢ近い音の男性名

名前	画数	総画
和人	8・2	10
和斗	8・4	12
一登	1・12	13
和兜	8・11★	19
数登	13・12	25

かずとも
Kazu-tomo

ともに親しみ深い「かず」と「とも」の両音を組み合わせた、穏やかで伝統的な響き

名前	画数	総画
和友	8・4	12
一智	1・12	13
一朝	1・12	13
和伴	8・7	15
和朋	8・8	16

かずなみ
Kazu-nami

重さと落ちつきをもつ「かず」音に連なる、やわらかい「なみ」音が、個性的に響く

名前	画数	総画
一波	1・8	9
一南	1・9	10
和波	8・8	16
寿浪	7・10	17
夏逗波	10・11★・8	29

かずなり
Kazu-nari

静かな落ちつきをもつ「かず」音と、古風な響きの「なり」音が、聡明なイメージをつくる

名前	画数	総画
一成	1・6	7
和也	8・3	11
寿斉	7・8	15
葛成	12★・6	18
数成	13・6	19

かずのり
Kazu-nori

「かず」音の伝統的な重みを、「のり」音のなめらかな響きが包んだ、温厚な印象の名前

名前	画数	総画
一紀	1・9	10
一宣	1・9	10
一則	1・9	10
寿典	7・8	15
一徳	1・14	15
一範	1・15	16
寿則	7・9	16
和則	8・9	17
和徳	8・14	22
和憲	8・16	24

★新人名漢字

かずひで
Kazu-hide
●●○

交互に位置する清音と濁音が、適度な安定感をもちながらリズミカルに響く

漢字	画数	総画
一秀	1・7	8
寿秀	7・7	14
和秀	8・7	15
和英	8・8	16
葛★秀	12・7	19

かずひと
Kazu-hito
●●○

落ちついた音をもつ「かず」と、優しい響きの「ひと」で、安心感を与える響きに

漢字	画数	総画
一仁	1・4	5
和人	8・2	10
和仁	8・4	12
加寿人	5・7・2	14
葛★人	12・2	14

かずふみ
Kazu-fumi
●●○

「ふみ」という古典的なやわらかい響きが、「かず」音の重量感を優しく包み込む

漢字	画数	総画
一二三	1・2・3	6
一史	1・5	6
寿文	7・4	11
和史	8・5	13
葛★史	12・5	17

かずま
Kazma*
●●●

伝統的な「かず」音に、現代的な止め字「ま」が加わった、若々しい印象の名前

漢字	画数	総画
寿万	7・3	10
一真	1・10	11
一馬	1・10	11
寿真	7・10	17
和馬	8・10	18

かずまさ
Kazu-masa
●●○

耳になじみのよい「かず」と「まさ」の組み合わせが、和風のりりしさを漂わせて響く

漢字	画数	総画
一柾	1・9	10
和正	8・5	13
一雅	1・13	14
寿柾	7・9	16
和昌	8・8	16

かずみ
Kazumi
●●○

落ちついた印象の「かず」音とやわらかい「み」音が、優しい雰囲気で美しくまとまる

漢字	画数	総画
一実	1・8	9
寿巳	7・3	10
和巳	8・3	11
和実	8・8	16
和海	8・9	17

かずみち
Kazu-michi
●●○

ともにまっすぐな印象の「かず」と「みち」の連なりが、しっかりした聡明な子を思わせる

漢字	画数	総画
一途	1・10	11
一道	1・12	13
一路	1・13	14
和満	8・12	20
和路	8・13	21

かずや
Kazuya
●●○

明るい「か」「や」音で濁音「ず」を挟んだ、リズミカルな響き。なじみ深い温かな印象の名前

漢字	画数	総画
一也	1・3	4
一哉	1・9	10
和也	8・3	11
和弥	8・8	16
和哉	8・9	17

かずよし
Kazu-yoshi
●●○

親しみやすい2音「かず」「よし」の組み合わせ。安心感のある、伝統的な名前

漢字	画数	総画
寿好	7・6	13
一嘉	1・14	15
和芳	8・7	15
和喜	8・12	20
和義	8・13	21

かつあき
Katsu-aki
●○○

「かつ」という前向きな強めの音と、明るい「あき」音が、バランスよく引き立て合う

漢字	画数	総画
克明	7・8	15
克昭	7・9	16
勝明	12・8	20
克彰	7・14	21
葛★秋	12・9	21

かづお
Kazuo
●●○

強く固いイメージの「かづ」音を、静かで深い響きの止め字「お」が受けた、男らしい名前

漢字	画数	総画
加津男	5・9・7	21
珂★津夫	9・9・4	22
夏津央	10・9・5	24
嘉津央	14・9・5	28
駕★都夫	15・11・4	30

かつき
Katsuki
●●○

それぞれ主張性のある強めの3音を連ねた、元気な勢いを感じさせる名前

漢字	画数	総画
克希	7・7	14
活紀	9・9	18
克貴	7・12	19
夏槻	10・15	25
勝騎	12・18	30

かづき
Kazki*
●●○

強く前向きな「か」「き」と、クラシカルな「づ」音の、バランスのよい組み合わせ

漢字	画数	総画
夏月	10・4	14
賀月	12・4	16
嘉月	14・4	18
加津希	5・9・7	21
嘉津樹	14・9・16	39

英語圏の人にとっての発音のしやすさの目安　●●● しやすい　●●○ ややしにくい　●○○ しにくい

かつや
Katsuya

人気の止め字「や」が、キレのよい「かつ」音の強さに、陽気で楽しげなイメージを添える

名前	画数	総画
克也	7・3	10
勝也	12・3	15
克哉	7・9	16
勝弥	12・8	20
嘉津也	14・9・3	26

かつよし
Katsu-yoshi

「かつ」音の積極的な行動力と、「よし」音の秘める知的な落ちつきを併せもつ名前

名前	画数	総画
勝吉	12・6	18
活能	9・10	19
勝佳	12・8	20
克嘉	7・14	21
葛★喜	12・12	24

かつろう
Katsu-ro

流れのある伝統的な止め字「ろう」が、「かつ」音の勢いを受け止め、穏やかな強さをプラス

名前	画数	総画
克郎	7・9	16
克朗	7・10	17
活郎	9・9	18
勝郎	12・9	21
勝朗	12・10	22

かなた
Kanata

「はるか遠方」を意味する音と同じ、ロマンチックな詩情にあふれた響きをもつ名前

名前	画数	総画
叶多	5・6	11
彼方	8・4	12
哉太	9・4	13
哉多	9・6	15
奏多	9・6	15

かなと
Kanato

「あ音」の子音である、明るい「かな」の連なりが、「と」音に落ちつきよく収まる

名前	画数	総画
奏人	9・2	11
奏斗	9・4	13
哉杜	9・7	16
奏音	9・9	18
珂★那斗	9・7・4	20

かなめ
Kaname

「もっとも大切な部分」を指す音。日本的情緒を漂わせる、古風で穏やかな印象の名前

名前	画数	総画
要	9	9
叶馬	5・10	15
奏芽	9・8	17
哉馬	9・10	19
夏南芽	10・9・8	27

かつし
Katsushi

積極性のある強めの「かつ」音に、静かな「し」音を合わせ、スマートさをプラス

名前	画数	総画
克士	7・3	10
克史	7・5	12
克志	7・7	14
勝司	12・5	17
加津史	5・9・5	19

かつたか
Katsu-taka

歯切れのよい強い音「かつ」と「たか」が連なった、パワフルな勢いを感じさせる名前

名前	画数	総画
克孝	7・7	14
克隆	7・11	18
克貴	7・12	19
克敬	7・12	19
活隆	9・11	20

かつのり
Katsu-nori

「かつ」という強めの2音に、やわらかい「のり」音を続けた、変化に富んだ響き

名前	画数	総画
克典	7・8	15
克紀	7・9	16
克則	7・9	16
克徳	7・14	21
勝紀	12・9	21

かつひこ
Katsu-hiko

伝統的な止め字「ひこ」が、「かつ」音のもつ強さを受け、男らしいイメージを強調

名前	画数	総画
且彦	5・9	14
克彦	7・9	16
勝彦	12・9	21
葛★彦	12・9	21
嘉津彦	14・9・9	32

かつひろ
Katsu-hiro

前向きな勢いのある「かつ」音と、おおらかな「ひろ」音が相まって、広がりをつくる

名前	画数	総画
且広	5・5	10
克宏	7・7	14
克浩	7・10	17
勝弘	12・5	17
勝紘	12・10	22

かつま
Katsuma

積極的な強さをもつ「かつ」音に、「ま」の止め字を合わせて、現代的な明るさをプラス

名前	画数	総画
克真	7・10	17
克馬	7・10	17
勝馬	12・10	22
克磨	7・16	23
勝磨	12・16	28

かつみ
Katsumi

男らしい「かつ」音に、やわらかい「み」音を合わせた、強さと優しさを併せもった名前

名前	画数	総画
克己	7・3	10
克実	7・8	15
勝己	12・3	15
勝実	12・8	20
勝海	12・9	21

★新人名漢字

かもん
Kamon

●●●

まとまりのよい、明るくしゃれた響きをもつ、現代的な名前。Ⓔ近づくⒷありがとう

名前	画数	総画
珈門	9★ 8	17
珂紋	9★ 10	19
賀門	12 8	20
嘉門	14 8	22
榎紋	14★ 10	24

かん
Kan

●●●

明るく突き抜けた、キレのよい響きをもつ、個性的な名前。Ⓚ男性名Ⓒ姓Ⓔ缶Ⓢ犬

名前	画数	総画
完	7	7
貫	11	11
寛	13	13
幹	13	13
環	17	17

かんご
Kan-go

●●●

「かん」という明るく新鮮な音を、「ご」の重量感が受け止める。Ⓚ報告

名前	画数	総画
完吾	7 7	14
冠伍	9 6	15
貫吾	11 7	18
幹吾	13 7	20
寛悟	13 10	23

かんじ
Kanji

●●●

弾むような「かん」音と、なじみ深い止め字の「じ」が、親しみやすい響きをつくる

名前	画数	総画
寛二	13 2	15
寛司	13 5	18
幹司	13 5	18
勘治	11 8	19
莞爾	10 14	24

かんた
Kanta

●●○

明るく開放的な響きをもつ。Ⓔ(馬術用語で)並の駆け足Ⓢ彼(彼女)が歌う

名前	画数	総画
完太	7 4	11
完汰	7 7	14
柑多	9★ 6	15
貫多	11 6	17
寛太	13 4	17
幹太	13 4	17
勘汰	11 7	18
幹多	13 6	19
歓多	15 6	21
環汰	17 7	24

かんたろう
Kan-taro

●●○

突き抜けた「かん」音と、日本の代表的な男性名「たろう」の連なりが、個性的に響く。Ⓢ投手

名前	画数	総画
完太郎	7 4 9	20
勘太郎	11 4 9	24
貫太郎	11 4 9	24
敢太郎	12 4 9	25
幹多郎	13 6 9	28

き【Ki】

きいち
Kiichi*

●●○

「い」音の子音の組み合わせ。韻が、洗練されたスマートな印象を醸す

名前	画数	総画
軌一	9 1	10
喜一	12 1	13
貴一	12 1	13
毅一	15 1	16
輝一	15 1	16

ぎいち
Gheechi*

●●○

スマートな「いち」音を率いる、重みとキレを併せもつ「ぎ」音が印象的

名前	画数	総画
祇一	9★ 1	10
義一	13 1	14
宜壱	8 7	15
儀一	15 1	16
誼一	15 1	16

きしお
Kishio

●●○

はっきりした「き」音に、静かな「し」「お」がなじんだ、しっかりとした落ちつきある名前

名前	画数	総画
喜志夫	12 7 4	23
貴志央	12 7 5	24
輝潮	15 15	30
喜志雄	12 7 12	31
騎士雄	18 3 12	33

きずく
Kizku*

●○○

ストレートに「築く」を思わせる音。前向きな希望に満ちた、まとまりのよい響き

名前	画数	総画
築	16	16
築久	16 3	19
希津玖	7 9 7	23
築玖	16 7	23
貴津久	12 9 3	24

きすけ
Kisuke

●○○

強い「き」音に、古風な落ちつきが人気の止め字「すけ」を添えた、新感覚の名前

名前	画数	総画
希輔	7 14	21
喜祐	12 9	21
貴祐	12 9	21
毅助	15 7	22
輝佑	15 7	22

英語圏の人にとっての発音のしやすさの目安　●●●しやすい　●●○ややしにくい　●○○しにくい

きょうご
Kyogo

品位のある「きょう」音を、濁音「ご」がしっかり受け止めた、格調高い名前

名前	総画数
響20 冴7	27
喬12 梧11	23
恭10 悟10	20
梗11★ 吾7	18
匡6 伍6	12

きょうた
Kyota

動きのある「きょう」音に、快活なイメージで人気の止め字「た」を合わせ、元気を倍増

名前	総画数
恭10 汰7	17
強11 太4	15
京8 汰7	15
恭10 太4	14
京8 太4	12
響20 多6	26
響20 太4	24
梗11★ 汰7	18
郷11 多6	17
教11 多6	17

きょうのすけ
Kyonosuke

武士をイメージさせる、品格を備えた名前。古典的な響きが、かえって新鮮で個性的

名前	総画数
梗11★ 之3 輔14	28
喬12 之3 助7	22
恭10 之3 祐9	22
京8 之3 佑7	18
享8 之3 介4	15

きょうへい
Kyohei

流麗な「きょう」音と、気さくで親しみやすい「へい」音が、バランスよくなじむ

名前	総画数
郷11 平5	16
恭10 平5	15
京8 平5	13
享8 平5	13
匡6 平5	11

きよかつ
Kiyo-katsu

清廉な響きの「きよ」に、「かつ」音のもつ強さが加わり、前向きで高潔な印象に

名前	総画数
澄15 勝12	27
聖13 勝12	25
清11 勝12	23
聖13 克7	20
清11 克7	18

きたる
Kitaru

「き」音のキレのよさと「た」音の快活さを、「る」音が明るい響きをもってまとめる

名前	総画数
輝15 汰7 琉11	33
喜12 多6 留10	28
希7 多6 留10	23
徠11★	11
来7	7

きどう
Keedoh*

鋭い「き」音を「どう」音の重さが受けた、力強く、勢いのある名前。Ⓔ鍵とドア

名前	総画数
麒19★ 童12	31
騎18 堂11	29
毅15 堂11	26
綺14 堂11	25
揮12 道12	24

きみお
Kimio

なじみ深く親しみやすい「きみ」音と、「お」音が自然になじむ、安心感のある名前

名前	総画数
貴12 美9 緒14	35
喜12 美9 男7	28
君7 雄12	19
希7 未5 央5	17
公4 雄12	16

きみひろ
Kimi-hiro

穏やかな「きみ」音に、広がりをもつ「ひろ」音が連なり、明るい動きを感じさせる

名前	総画数
輝15 海9 洋9	33
君7 寛13	20
公4 博12	16
公4 浩10	14
公4 祐9	13

きゅうじ
Kyuji

「きゅう」の楽しげな音を、抑えめの「じ」音で受けた、収まりのよい名前

名前	総画数
究7 路13	20
球11 児7	18
弓3 慈13	16
玖7 児7	14
求7 司5	12

きゅうま
Kyuma

個性的な「きゅう」音に、元気な響きの「ま」を合わせて。Ⓘ近い音の男性名

名前	総画数
球11 磨16	27
究7 磨16	23
球11 馬10	21
究7 真10	17
求7 真10	17

きょういち
Kyo-ichi

洗練された響きをもつ「きょう」音と、スマートな「いち」音が、相性よくまとまる

名前	総画数
響20 一1	21
恭10 壱7	17
梗11★ 一1	12
享8 一1	9
匡6 一1	7

★新人名漢字

きよし
Kiyoshi

●●○

澄んだ「きよ」音と「し」音のまとまりが、潔くさわやかに響く、なじみの深い名前

名前	画数	総画
清	清11	11
潔	潔15	15
清司	清11 司5	16
清志	清11 志7	18
聖志	聖13 志7	20

きよすみ
Kiyo-sumi

●●○

ともにさわやかなイメージをもつ2音、「きよ」「すみ」を合わせた、好感度の高い名前

名前	画数	総画
清純	清11 純10	21
聖純	聖13 純10	23
清澄	清11 澄15	26
希代澄	希7 代5 澄15	27
潔澄	潔15 澄15	30

きよた
Kiyota

●●○

古風な潔さを感じさせる「きよ」音に、現代的な響きの止め字「た」を加え、明るい印象に

名前	画数	総画
粋大	粋10 大3	13
清太	清11 太4	15
聖太	聖13 太4	17
清汰	清11 汰7	18
希世多	希7 世5 多6	18
潔太	潔15 太4	19
喜与太	喜12 与3 太4	19
澄太	澄15 太4	19
輝与多	輝15 与3 多6	24
幾誉大	幾12 誉13 大3	28

きよと
Kiyoto

●●○

「きよ」音のすがすがしさと、「と」音の落ちつきを併せもつ、和風情趣が漂う名前

名前	画数	総画
清人	清11 人2	13
清斗	清11 斗4	15
聖斗	聖13 斗4	17
紀代斗	紀9 代5 斗4	18
清登	清11 登12	23

きよひこ
Kiyo-hiko

●●○

「きよ」のもつ清廉な響きを、伝統的な「ひこ」音が受けた、潔く男らしい名前

名前	画数	総画
清彦	清11 彦9	20
聖彦	聖13 彦9	22
紀代彦	紀9 代5 彦9	23
喜与彦	喜12 与3 彦9	24
喜代彦	喜12 代5 彦9	26

きよふさ
Kiyo-fusa

●○○

キレのよい「きよ」音を、優しい「ふさ」音が、やわらかく包み込むようにまとめる

名前	画数	総画
清英	清11 英8	19
清房	清11 房8	19
晴房	晴12 房8	20
澄房	澄15 房8	23
清総	清11 総14	25

きよま
Kiyoma

●●○

「きよ」音のすがすがしさと、「ま」音の明るさが、バランスよく互いを引き立て合う

名前	画数	総画
清真	清11 真10	21
希代馬	希7 代5 馬10	22
清麻	清11 麻11	22
聖馬	聖13 馬10	23
紀代真	紀9 代5 真10	24

きよまさ
Kiyo-masa

●●○

ともに清廉でまっすぐな「きよ」と「まさ」を合わせた、高潔な武士を思わせる響き

名前	画数	総画
清正	清11 正5	16
清匡	清11 匡6	17
清雅	清11 雅13	24
清槙	清11 槙14	25
聖雅	聖13 雅13	26

きりゅう
Kiryu

●○○

強い「き」音と流れる「りゅう」音の、粋な響き。凜とした和の風情をもつ名前Ⓚ男性名、気流

名前	画数	総画
桐生	桐10 生5	15
気流	気6 流10	16
輝流	輝15 流10	25
輝竜	輝15 竜10	25
貴龍	貴12 龍16	28

きわむ
Kiwamu

●○○

「極める」に通じる、まとまりのよい名前。真摯な姿勢と潔さ、行動力を思わせる

名前	画数	総画
究	究7	7
極	極12	12
究武	究7 武8	15
極夢	極12 夢13	25
希和夢	希7 和8 夢13	28

ぎんが
Ginga

●●○

雄大な「銀河」を思わせる、スケールの大きな音。ロマンに満ちた、印象的な名前

名前	画数	総画
銀牙	銀14 牙4★	18
吟雅	吟7 雅13	20
銀河	銀14 河8	22
銀峨	銀14 峨10★	24
銀賀	銀14 賀12	26

きんご
Kin-go

●●●

個性的な「きん」という響きが、「ご」の重量感で古典的な雰囲気をまとう

名前	画数	総画
均吾	均7 吾7	14
欣吾	欣8 吾7	15
欣悟	欣8 悟10	18
欽吾	欽12 吾7	19
琴悟	琴12 悟10	22

きんじ
Kinji

●●●

弾むような「きん」音と気さくな止め字「じ」の、親しみのある組み合わせ

名前	画数	総画
均治	均7 治8	15
欣治	欣8 治8	16
欣慈	欣8 慈13	21
錦次	錦16 次6	22
欽路	欽12 路13	25

英語圏の人にとっての発音のしやすさの目安　●●● しやすい　●●○ ややしにくい　●○○ しにくい

きんや
Kin-ya

明るい響きの「きん」に、元気な「や」音を添え、快活さをプラスした名前

名前	画数	総画
欣也	8・3	11
琴也	12・3	15
欽弥	12・8	20
勤哉	12・9	21
欽哉	12・9	21

くうが
Ku-ga

「くう」音、「が」の止め字ともに新感覚に満ちた名前。Ⓔクーガ(猫科の動物)

名前	画数	総画
空河	8・8	16
空芽	8・8	16
空峨★	8・10	18
空賀	8・12	20
空雅	8・13	21

くにお
Kunio

柔軟性を感じさせる「くに」音と、落ちついた止め字「お」の、伝統的な組み合わせ

名前	画数	総画
邦夫	7・4	11
邦央	7・5	12
邦生	7・5	12
久仁男	3・4・7	14
訓雄	10・12	22

くにひと
Kunihito

クラシカルな「くに」音に、スマートな響きの「ひと」を合わせた、やわらかな印象の名前

名前	画数	総画
久仁人	3・4・2	9
那人	7・2	9
邦仁	7・4	11
国史	8・5	13
訓仁	10・4	14

くにひろ
Kuni-hiro

やわらかい「くに」音と、広がりのある「ひろ」音が相性よくなじみ、明るく響く

名前	画数	総画
国広	8・5	13
邦宏	7・7	14
邦浩	7・10	17
国洋	8・9	17
邦尋	7・12	19

くにみ
Kunimi

ともにやわらかな「くに」と「み」両音の組み合わせ。優しい余韻をもった名前

名前	画数	総画
邦己	7・3	10
国巳	8・3	11
玖仁己	7・4・3	14
邦実	7・8	15
邦海	7・9	16

くもん
Kumon

穏やかな音が内に秘めた強さを感じさせる。教育指導法として海外でも有名

名前	画数	総画
公文	4・4	8
玖文	7・4	11
駈★文	15・4	19
玖聞	7・14	21
駆門	14・8	22

くりお
Cleo*

リズミカルな響きに伝統的な落ちつきを含む、個性的な名前。Ⓔに近い音の男性名

名前	画数	総画
久里央	3・7・5	15
久浬★央	3・10・5	18
久利雄	3・7・12	22
公理雄	4・11・12	27
久理緒	3・11・14	28

くりす
Chris*

さわやかな、まとまりのよい響きをもつ、洋風のしゃれた名前。ⒺⒻ男性名

名前	画数	総画
久里寿	3・7・7	17
栗栖★	10・10	20
久利須	3・7・12	22
栗須	10・12	22
玖浬★州	7・10・6	23

くろうど
Claude*

古く「蔵人所の職員」を意味する、風雅で印象的な響きをもつ名前。ⒺⒻ男性名

名前	画数	総画
蔵人	15・2	17
蔵斗	15・4	19
玖浪斗	7・10・4	21
玖朗努	7・10・7	24
駆郎登	14・9・12	35

くんぺい
Kumpei

強さを秘める「くん」音と明るい「ぺい」音がリズムを生み、活動的な印象に

名前	画数	総画
君平	7・5	12
訓平	10・5	15
勲平	15・5	20
薫平	16・5	21
勲兵	15・7	22

け【Ke】

けい
Kay*

●●●

すっきりした聡明な印象を与える、明るい流れをもつ音。ⒺⓀ男性名

漢字	画数	総画
圭	6	6
啓	11	11
蛍	11	11
慶	15	15
慧	15	15

けいいち
Kei-ichi

●●

ともにスマートな響きの2音、「けい」「いち」を合わせた、素直な印象の名前

漢字	画数	総画
圭市	6・5	11
桂一	10・1	11
恵一	10・1	11
啓一	11・1	12
敬一	12・1	13
景一	12・1	13
継一	13・1	14
奎壱	9・7	16
慶一	15・1	16
景壱	12・7	19

けいが
Kayga*

●●

なじみ深くさわやかな「けい」音に、新感覚の止め字「が」の組み合わせ

漢字	画数	総画
蛍河	11・8	19
桂賀	10・12	22
桂雅	10・13	23
渓雅	11・13	24
啓駕	11・15★	26

けいき
Keiki

●●

「けい」音のもつ軽快な流れと、鋭い「き」音が、利発なイメージをつくる

漢字	画数	総画
圭紀	6・9	15
桂希	10・7	17
圭揮	6・12	18
慶紀	15・9	24
啓輝	11・15	26

けいご
Keigo

●●●

さわやかな「けい」音を、止め字の「ご」が適度な重さをもって受け止める

漢字	画数	総画
圭吾	6・7	13
圭悟	6・10	16
啓吾	11・7	18
景吾	12・7	19
慶伍	15・6	21

けいし
Keishi

●●

明るく活発な「けい」音に、スマートな音の止め字「し」を添えてシャープに

漢字	画数	総画
圭司	6・5	11
啓史	11・5	16
慶司	15・5	20
恵嗣	10・13	23
蛍詩	11・13	24

けいじ
Keiji

●●

長く親しまれる「けい」「じ」両音の連なりが、安心感をもって響く。堅実な印象の名前

漢字	画数	総画
恵司	10・5	15
桂司	10・5	15
敬司	12・5	17
圭路	6・13	19
慶治	15・8	23

けいじゅ
Keiju

●●

なじみ深い「けい」と、古風な落ちつきをもつ「じゅ」の組み合わせが、新鮮で個性的

漢字	画数	総画
恵珠	10・10	20
慶寿	15・7	22
桂樹	10・16	26
啓樹	11・16	27
渓樹	11・16	27

けいじろう
Kei-jiro

●●

明るく親しみやすい流れをもつ「けい」音を、伝統的な重みをもつ「じろう」でまとめて

漢字	画数	総画
敬二郎	12・2・9	23
慶二郎	15・2・9	26
景次郎	12・6・9	27
啓治郎	11・8・9	28
慧次郎	15・6・9	30

けいしん
Kei-shin

●●

「けい」と「しん」、さわやかな音どうしが、古風でクールな名前をつくる

漢字	画数	総画
圭信	6・9	15
啓晋	11・10	21
敬真	12・10	22
慶伸	15・7	22
慧真	15・10	25

けいすけ
Kei-suke

●●

明るく落ちついた「けい」音に、伝統的な止め字「すけ」を合わせた、聡明な印象の名前

漢字	画数	総画
奎介	9・4	13
桂介	10・4	14
敬佑	12・7	19
圭輔	6・14	20
慶典	15・8	23

英語圏の人にとっての発音のしやすさの目安　●●● しやすい　●● ややしにくい　● しにくい

けいせい
Kei-sei

●●○

「けい」と「せい」、ともにさわやかな2音が、韻をふむようにリズミカルに響く

名前	画数	総画
渓聖	11・13	24
啓清	11・11	22
敬星	12・9	21
啓成	11・6	17
圭征	6・8	14

けいぞう
Kei-zo

●●○

「けい」音の軽やかさと「ぞう」音の風格、2つの特徴を併せもつ、典雅な雰囲気の名前

名前	画数	総画
景蔵	12・15	27
啓蔵	11・15	26
恵造	10・10	20
恵三	10・3	13
圭三	6・3	9

けいた
Keita

●●○

ともに元気な響きの「けい」と「た」を合わせた、快活な男の子を思わせる名前

名前	画数	総画
慶多	15・6	21
恵多	10・6	16
啓太	11・4	15
恵太	10・4	14
佳太	8・4	12

けいたつ
Kei-tatsu

●●○

「けい」音のさわやかな流れを、堅実な響きの「たつ」音が汲み、落ちつきを与える

名前	画数	総画
景樹	12・16	28
稽★達	15・12	27
渓龍	11・16	27
啓建	11・9	20
敬辰	12・7	19

けいたろう
Kei-taro

●●○

明るい「けい」音に、伝統的な男子名「たろう」が加わり、活発な好男児を思わせる

名前	画数	総画
慶多郎	15・6・9	30
景太朗	12・4・10	26
啓太郎	11・4・9	24
恵太朗	10・4・10	24
圭太朗	6・4・10	20

けいと
Kate*

●●●

まとまりよくシャープな響きをもつ、モダンでしゃれた名前。Ⓔ男性名

名前	画数	総画
景登	12・12	24
敬登	12・12	24
桂都	10・11	21
慶斗	15・4	19
圭人	6・2	8

けいま
Keima

●●○

明るい「ま」音が、「けい」音のもつ活発な男の子らしさを、最大限に際立たせる

名前	画数	総画
敬馬	12・10	22
啓麻	11・11	22
圭磨	6・16	22
啓真	11・10	21
恵馬	10・10	20

けいや
Kaya*

●●○

明快な「けい」音の流れを、やわらかい「や」音が穏やかに受け止めた、個性的な名前

名前	画数	総画
景哉	12・9	21
渓哉	11・9	20
京哉	8・9	17
蛍矢	11・5	16
啓也	11・3	14

けいん
Kane*

●●●

流れと収束を兼ね備える「い」を中心にまとまった、印象的な響き。Ⓔ男性名

名前	画数	総画
榎★音	14・9	23
華音	10・9	19
圭音	6・9	15
迦★允	9・4	13
圭允	6・4	10

けん
Ken

●●●

弾みのある、明るくキレのよい音をもつ、男らしく潔い印象。ⒺⒻⒸ男性名

名前	画数	総画
謙	17	17
賢	16	16
憲	16	16
健	11	11
研	9	9

げん
Gen

●●●

力強さと控えめな重さをもった、歯切れのよい名前。Ⓕ男性名Ⓓ遺伝子

名前	画数	総画
厳	17	17
源	13	13
舷★	11	11
弦	8	8
元	4	4

けんいち
Ken-ichi

●●○

スマートな「けん」と「いち」、両音の連なりが、心身ともに健やかな男の子を思わせる

名前	画数	総画
堅一	12・1	13
絢一	12・1	13
健一	11・1	12
兼一	10・1	11
研一	9・1	10
謙一	17・1	18
賢一	16・1	17
憲一	16・1	17
拳壱	10・7	17
健市	11・5	16

★新人名漢字

げんき
Genki
●●○

「元気」と同じ、エネルギッシュな音。そのまま、快活な男の子を思わせる、新感覚の名前

名前	画数	総画
源貴	13・12	25
厳希	17・7	24
弦貴	8・12	20
玄輝	5・15	20
元気	4・6	10

けんご
Kengo
●●●

弾みのある「けん」音を、重量感ある「ご」が受け止めた、安定感のある名前

名前	画数	総画
賢冴	16・7	23
賢吾	16・7	23
絢梧	12・11	23
憲伍	16・6	22
健悟	11・10	21

けんこう
Kenkoh*
●●○

古風な響きのなかに、明るさと落ちつきを併せもつ。著名な歌人と同音の名前

名前	画数	総画
顕孝	18・7	25
賢光	16・6	22
健康	11・11	22
兼行	10・6	16
建功	9・5	14

けんさく
Ken-saku
●●○

なじみ深い「けん」音と、伝統的な止め字「さく」の連なりが、かえって新鮮に響く

名前	画数	総画
賢佐久	16・7・3	26
憲咲	16・9	25
謙作	17・7	24
健策	11・12	23
健作	11・7	18

けんし
Kenshi
●●○

明るい弾みをもつ「けん」音と澄んだ「し」音の、個性的な組み合わせ

名前	画数	総画
顕至	18・6	24
研資	9・13	22
憲史	16・5	21
剣司	10・5	15
健士	11・3	14

けんじ
Kenji
●●○

明るく男らしい「けん」と、親しみやすい止め字「じ」の、なじみ深い組み合わせ

名前	画数	総画
顕次	18・6	24
憲司	16・5	21
健児	11・7	18
健司	11・5	16
健二	11・2	13

げんじ
Genji
●●○

「ん」音を挟む2つの濁音がバランスよくなじむ、男らしい響きの名前

名前	画数	総画
紘次	11・6	17
元慈	4・13	17
弦司	8・5	13
玄児	5・7	12
元治	4・8	12
厳治	17・8	25
舷路	11★・13	24
厳司	17・5	22
源治	13・8	21
源司	13・5	18

けんしろう
Ken-shiro
●●○

さわやかで健康的な「けん」と「しろう」両音を合わせた、古風な和風音が新鮮に響く

名前	画数	総画
賢至朗	16・6・10	32
賢史郎	16・5・9	30
健志郎	11・7・9	27
健士朗	11・3・10	24
剣士郎	10・3・9	22

けんしん
Ken-shin
●●○

2つの「ん」音が格調高いリズムをつくる。戦国時代の名将と同音の名前

名前	画数	総画
謙信	17・9	26
憲真	16・10	26
健晋	11・10	21
剣伸	10・7	17
絢心	12・4	16

けんすけ
Ken-suke
●●○

明るく元気なイメージの「けん」音と、伝統的な男らしい止め字「すけ」の組み合わせ

名前	画数	総画
賢亮	16・9	25
健輔	11・14	25
兼輔	10・14	24
憲介	16・4	20
建佑	9・7	16

けんぞう
Kenzo
●●○

キレよく弾む「けん」音に、「ぞう」音が重みを加えた、大人びた響きをもつ名前

名前	画数	総画
謙蔵	17・15	32
賢蔵	16・15	31
謙造	17・10	27
兼造	10・10	20
健三	11・3	14

げんぞう
Genzo
●●○

重さと深さをもつ濁音を繰り返した、古風な落ちつきを感じさせる名前

名前	画数	総画
源蔵	13・15	28
弦蔵	8・15	23
元蔵	4・15	19
玄造	5・10	15
弦三	8・3	11

英語圏の人にとっての発音のしやすさの目安　●●● しやすい　●●○ ややしにくい　●○○ しにくい

こ【Ko】

けんた
Kenta

●●○

快活な「けん」と明るい「た」、人気の音を組み合わせた、さわやかな名前

憲16 多6	賢16 太4	絢12 汰7	健11 太4	兼10 太4
22	20	19	15	14

げんた
Genta

●●○

重みのある「げん」音に、明るい響きの「た」を合わせた、力強く男の子らしい名前

諺16★ 汰7	源13 多6	弦8 太4	玄5 太4	元4 太4
23	19	12	9	8

けんと
Kent*

●●●

軽快な響きが親しみやすい、洋風の名前。Ⓔ男性名、ケント(英国の州名)

賢16 登12	謙17 斗4	顕18 人2	絢12 斗4	健11 人2
28	21	20	16	13

げんぶ
Gembu

●●○

北方や水・冬を司る神「玄武」と同音。力強い響きが、男らしさと風格を感じさせる

源13 武8	舷11★ 武8	弦8 歩8	玄5 武8	元4 武8
21	19	16	13	12

けんま
Kemma

●●○

健康的な「けん」音に、元気な響きの止め字「ま」を重ねた、快活なイメージの名前

顕18 馬10	賢16 馬10	建9 磨16	健11 真10	剣10 真10
28	26	25	21	20

けんや
Ken-ya

●●●

「けん」という軽快な音を、「や」の止め字で弾ませた、リズミカルな名前。Ⓒ男性名

賢16 哉9	顕18 也3	研9 哉9	絢12 矢5	健11 也3
25	21	18	17	14

けんゆう
Ken-yu

●●○

やわらかな「ゆう」音が、明るい「けん」音に落ちつきをプラス。優しさと男らしさをもつ名前

賢16 優17	健11 勇9	絢12 由5	剣10 佑7	建9 佑7
33	20	17	17	16

こう
Kor*

●●●

落ちついた流れと聡明な印象をもつ、潔い音。Ⓚ男性名Ⓒ「高」なら同音姓

煌13★	航10	紘10	晃10	昂8
13	10	10	10	8

ごう
Go

●●●

まとまりのよいスピード感のある音をもつ、力強く男らしい印象の名前。Ⓔ行く

轟21★	壕17★	豪14	郷11	剛10
21	17	14	11	10

こういち
Koichi

●●○

キレのよさと落ちつきを併せもつ「こう」音と「いち」音の、スマートな組み合わせ

皓12 一1	浩10 一1	洸9 一1	孝7 一1	弘5 一1
13	11	10	8	6

こういちろう
Co-ichiro*

●●○

ゆったりした古風な響きが、穏やかな賢人を思わせる、硬派な印象の名前

紘10 一1 郎9	浩10 一1 郎9	幸8 一1 郎9	孝7 一1 郎9	光6 一1 郎9
20	20	18	17	16

★新人名漢字

こうじ
Ko-ji
●●○

「こう」音のもつ堅実な流れに、「じ」の適度な重みが相性よくなじむ、親しみ深い名前

孝7 嗣13	幸8 治8	晃10 司5	洸9 司5	弘5 治8
20	16	15	14	13

ごうし
Gohshi*
●●○

力強い「ごう」音に軽やかな「し」音が加わった、硬軟併せもつ響き。Ⓚ試験

豪14 至6	豪14 士3	剛10 志7	郷11 司5	剛10 士3
20	17	17	16	13

こうじゅん
Koh-jun*
●○○

収束力のある「じゅん」音が、「こう」音の流れを個性的な響きにまとめる

煌13★ 洵9	孝7 順12	幸8 純10	功5 順12	光6 純10
22	19	18	17	16

こうじろう
Kojiro
●○○

伝統的な男性名「じろう」が、硬質な「こう」音を際立たせ、骨太な男らしさを強調

晃10 次6 郎9	幸8 治8 郎9	洸9 二2 朗10	幸8 二2 郎9	孝7 二2 郎9
25	25	21	19	18

こうすけ
Kosuke
●○○

しっかりした硬めの「こう」音と男らしい「すけ」音が、穏やかな和風の名前をつくる

晃10 佑7	幸8 典8	康11 介4	光6 亮9	公4 祐9
17	16	15	15	13
浩10 輔14	**幸8 輔14**	**煌13★ 佑7**	**康11 祐9**	**恒9 亮9**
24	22	20	20	18

こうせい
Kohsei*
●●○

穏やかな「こう」と軽やかな「せい」、流れのある音どうしのすっきりした組み合わせ

洸9 聖13	恒9 星9	皇9 成6	幸8 生5	光6 世5
22	18	15	13	11

こううん
Cohen*
●○○

趣のある、気高く静謐な印象の名前。Ⓕ近い音の男性名Ⓚ女性名Ⓔ近い音の姓

晃10 運12	幸8 雲12	幸8 運12	行6 雲12	光6 雲12
22	20	20	18	18

こうか
Kohka*
●●○

流れるような「こう」音に、新鮮な響きの止め字「か」が、涼しげな余韻をプラス

虹9 架9	昂8 珂9★	昂8 佳8	幸8 果8	光6 華10
18	17	16	16	16
煌13★ 駕15★	**煌13★ 夏10**	**幸8 嘉14**	**洸9 珂9★**	**洸9 香9**
28	23	22	18	18

こうが
Kohga*
●●○

鋭い新感覚の止め字「が」が、「こう」音のもつ静かな流れを力強く受け止める

恒9 雅13	煌13★ 芽8	航10 河8	光6 河8	恒9 牙4★
22	21	18	14	13

ごうき
Gohki*
●●○

骨太な響きの「ごう」音に、キレのよい「き」音を合わせた、勢いのある名前

豪14 貴12	剛10 輝15	郷11 喜12	剛10 貴12	豪14 希7
26	25	23	22	21

こうけん
Ko-ken
●●○

穏やかな「こう」音の流れが、明るい「けん」音に収束される、和風の名前

晃10 賢16	幸8 賢16	洸9 剣10	昂8 健11	孝7 兼10
26	24	19	19	17

こうさく
Kousaku*
●○○

大人びた「こう」音と、古典的な響きをもつ止め字「さく」を合わせた、男らしい響き

康11 作7	航10 作7	耕10 作7	幸8 咲9	光6 朔10
18	17	17	17	16

英語圏の人にとっての発音のしやすさの目安　●●●しやすい　●●○ややしにくい　●○○しにくい

こうま
Coma*

名前	画数	総画
光磨	6・16	22
虹真	9・10	19
恒真	9・10	19
昴馬	8・10	18
光馬	6・10	16

「こう」の聡明な流れを、「ま」音が明るく元気に響かせる。男らしさを感じさせる潔い音

こうぞう
Kouzo*

名前	画数	総画
晃蔵	10・15	25
煌★造	13・10	23
耕造	10・10	20
洸三	9・3	12
幸三	8・3	11

韻をふむような音の繰り返しが、落ちついた印象を醸し出す、硬派な雰囲気の名前

こうめい
Koumei*

名前	画数	総画
昂盟	8・13	21
晃明	10・8	18
洸明	9・8	17
孔明	4・8	12
公明	4・8	12

「こう」と「めい」、さわやかな音の組み合わせが、リズミカルに響く、聡明な印象の名前

こうた
Kohta*

名前	画数	総画
滉汰	13・7	20
航汰	10・7	17
幸多	8・6	14
孝太	7・4	11
公太	4・4	8

「こう」という大人びた音と、明るく元気な止め字「た」が、互いに引き立て合う

こうや
Kouya*

名前	画数	総画
航矢	10・5	15
弘哉	5・9	14
晃也	10・3	13
昂也	8・3	11
光矢	6・5	11
鴻哉	17・9	26
煌★耶	13・9	22
洸哉	9・9	18
孝哉	7・9	16
広野	5・11	16

深く落ちつきのある「こう」音を受ける「や」音が、元気な余韻をプラス

ごうた
Gohta*

名前	画数	総画
轟★汰	21・7	28
豪太	14・4	18
郷汰	11・7	18
郷多	11・6	17
剛多	10・6	16

重量感のある「ごう」音に、快活な「た」音が、男の子らしい明るさをプラス

こうだい
Koudai*

名前	画数	総画
高大	10・3	13
航大	10・3	13
晃大	10・3	13
恒大	9・3	12
広大	5・3	8

「こう」音の穏やかな流れが、おおらかな「だい」音に収束した、歯切れのよい名前

こうよう
Kouyo*

名前	画数	総画
航遥	10・12	22
皇遥	9・12	21
洸洋	9・9	18
向陽	6・12	18
光陽	6・12	18

「う」を含む、流れるような音の繰り返しが、ゆったりと穏やかなリズムをつくる

ごうたろう
Go-taro

名前	画数	総画
豪汰朗	14・7・10	31
豪太郎	14・4・9	27
郷多郎	11・6・9	26
剛太朗	10・4・10	24
剛太郎	10・4・9	23

頼もしい「ごう」音に、日本の伝統的な男子名「たろう」を加え、力強さをアピール

ごうる
Gouru*

名前	画数	総画
轟★留	21・10	31
豪琉	14・11	25
郷留	11・10	21
剛琉	10・11	21
剛留	10・10	20

伸びのある、個性的な力強い響きをもつ、しゃれた新感覚の名前。ⒺⒹゴール

ごうと
Gohto*

名前	画数	総画
郷登	11・12	23
豪人	14・2	16
剛斗	10・4	14
郷人	11・2	13
剛人	10・2	12

重く強い流れのある「ごう」音を、「と」音がスマートにまとめた、新感覚の名前

こうろく
Koroku

名前	画数	総画
広麓★	5・19	24
紅緑	9・14	23
洸禄	9・12	21
幸禄	8・12	20
広緑	5・14	19

穏やかな、なじみの深い「こう」に合わせた、古典的な「ろく」音の個性が光る

こうへい
Kouhei*

名前	画数	総画
康平	11・5	16
航平	10・5	15
幸平	8・5	13
孝平	7・5	12
弘平	5・5	10

硬質な「こう」音と、優しく親しみのある「へい」音が、バランスよく引き立て合う

★新人名漢字

こじろう
Kojiro
●○○

古典的な響きの中にもかわいらしさのある名前。元気で活発な男の子を連想させる

名前	画数	総画
小次郎	3・6・9	18
胡二郎	9・2・9	20
乎★次朗	5・6・10	21
瑚次郎	13・6・9	28
琥★治朗	12・8・10	30

こたろう
Co-taro*
●●○

日本の代表的な男子名「たろう」に、愛しさを込めた「こ」音が、快活な一拍を加える

名前	画数	総画
小太郎	3・4・9	16
小太朗	3・4・10	17
乎★太郎	5・4・9	18
虎汰朗	8・7・10	25
琥★太郎	12・4・9	25

こどう
Kodoh*
●●○

落ちついた「こ」音と、力強い動きを感じさせる「どう」音の、新鮮な組み合わせ

名前	画数	総画
虎童	8・12	20
虹道	9・12	21
琥★堂	12・11	23
鼓動	13・11	24
琥★瞳	12・17	29

こなん
Conan*
●●●

落ちつきとキレのよさを併せもつ、まとまりのよい個性的な響き。Ⓔ男性名

名前	画数	総画
虎南	8・9	17
湖南	12・9	21
琥★南	12・9	21
鼓南	13・9	22
瑚南	13・9	22

これきよ
Kore-kiyo
●●○

時代がかった響きを帯びた「これ」と「きよ」が、独特の雰囲気とリズムをつくる

名前	画数	総画
此★清	6・11	17
是清	9・11	20
是聖	9・13	22
惟清	11・11	22
是潔	9・15	24

これと
Koreto
●●○

穏やかな「と」音に落ちつく「これ」音が、個性を光らせる名前。Ⓕ近い音の姓

名前	画数	総画
是斗	9・4	13
惟斗	11・4	15
惟杜	11・7	18
是登	9・12	21
惟登	11・12	23

これひと
Kore-hito
●●○

古典的な風格を漂わせる「これ」に、やわらかい「ひと」音がしっとり感をプラス

名前	画数	総画
是人	9・2	11
是仁	9・4	13
惟人	11・2	13
惟仁	11・4	15
琥★伶人	12・7・2	21

ごろう
Goro
●●○

重みのある「ご」音に、明朗な止め字「ろう」を合わせた、親しみやすい名前

名前	画数	総画
伍朗	6・10	16
吾郎	7・9	16
吾朗	7・10	17
冴朗	7・10	17
悟郎	10・9	19

さ【Sa】

さいたろう
Sai-taro
●●○

個性的な「さい」音に、なじみ深い「たろう」が連なった、明るくさわやかな響き

名前	画数	総画
才多郎	3・6・9	18
宰太朗	10・4・10	24
咲多朗	9・6・10	25
斎太朗	11・4・10	25
彩多朗	11・6・10	27

さいもん
Simon*
●●●

軽快な「さい」が「もん」にリズミカルに収束。Ⓔ男性名ⒻⒾ近い音の男性名

名前	画数	総画
哉文	9・4	13
宰門	10・8	18
柴★門	10・8	18
佐伊門	7・6・8	21
彩紋	11・10	21

さかき
Sakaki
●●○

さわやかな音で始まり、キレよくまとまる。神木の名称にも、同音のものがある

名前	画数	総画
榊★	14	14
旺希	8・7	15
栄喜	9・12	21
盛貴	11・12	23
栄樹	9・16	25

英語圏の人にとっての発音のしやすさの目安　●●●しやすい　●●○ややしにくい　●○○しにくい

さきた
Sakita

明るいイメージをもつ、「さき」音と「た」音が相まって、朗らかな快活さをアピール

漢字(画数)	総画
作(7)太(4)	11
咲(9)多(6)	15
咲(9)汰(7)	16
早(6)希(7)多(6)	19
紗(10)希(7)多(6)	23

さきょう
Sakyo

格調高い「きょう」音が、さわやかな「さ」音を頂き、涼やかにまとまりよく響く

漢字(画数)	総画
早(6)匡(6)	12
左(5)京(8)	13
佐(7)享(8)	15
瑳(14)恭(10)	24
冴(7)響(20)	27

さくたろう
Sakutaro

さっぱりした印象の「さく」音に、伝統的な「たろう」を続けた、さわやかで男らしい響き

漢字(画数)	総画
作(7)太(4)郎(9)	20
朔(10)太(4)郎(9)	23
咲(9)多(6)郎(9)	24
朔(10)汰(7)朗(10)	27
策(12)汰(7)朗(10)	29

さくみ
Sakumi

陽気な「さく」音に優しい「み」音を組み合わせた、温かく親しみやすい印象の名前

漢字(画数)	総画
佐(7)久(3)巳(3)	13
咲(9)実(8)	17
朔(10)実(8)	18
朔(10)海(9)	19
策(12)実(8)	20

さくや
Sakuya

軽快な響きの「さく」に、やわらかさと男らしさを併せもつ止め字「や」を添えて

漢字(画数)	総画
朔(10)也(3)	13
朔(10)矢(5)	15
作(7)哉(9)	16
咲(9)哉(9)	18
策(12)弥(8)	20

さくろう
Sakuro

明るい「さく」「ろう」両音の、多用されない組み合わせが、個性を主張する元気な名前

漢字(画数)	総画
作(7)朗(10)	17
咲(9)郎(9)	18
咲(9)朗(10)	19
朔(10)郎(9)	19
瑳(14)久(3)郎(9)	26

さこん
Sakon

宮中の警護に当たった「左近衛府」を意味する音と同じ。男らしい気品を感じさせる

漢字(画数)	総画
左(5)近(7)	12
早(6)近(7)	13
作(7)近(7)	14
紗(10)近(7)	17
紗(10)紺(11)	21

さすけ
Sasuke

軽やかな「さ」音で始まる、古風な響きのなかに、スピード感を秘める名前

漢字(画数)	総画
冴(7)介(4)	11
佐(7)助(7)	14
冴(7)祐(9)	16
紗(10)祐(9)	19
佐(7)輔(14)	21

さだおみ
Sada-omi

落ちついた音の「さだ」に、古典調の「おみ」音を続けた、格調高い響きの名前

漢字(画数)	総画
定(8)臣(7)	15
貞(9)臣(7)	16
真(10)臣(7)	17
禎(13)臣(7)	20
貞(9)緒(14)実(8)	31

さだひろ
Sada-hiro

「さだ」のもつ落ちついた印象に、「ひろ」音の明るさとやわらかさがバランスよくなじむ

漢字(画数)	総画
定(8)広(5)	13
貞(9)弘(5)	14
貞(9)洋(9)	18
偵(11)浩(10)	21
禎(13)寛(13)	26

さちお
Sachio

ほほえましく、親しみやすい響きの「さち」と、安心感のある「お」音の組み合わせ

漢字(画数)	総画
幸(8)夫(4)	12
幸(8)郎(9)	17
幸(8)緒(14)	22
祥(10)雄(12)	22
佐(7)知(8)雄(12)	27

さちや
Sachiya

優しい「さち」音に、やわらかい「や」音が好相性。Ⓔサッチャー(元英国首相の姓)に近い音

漢字(画数)	総画
幸(8)也(3)	11
祥(10)矢(5)	15
幸(8)哉(9)	17
倖(10)哉(9)	19
紗(10)知(8)也(3)	21

★新人名漢字

さとむ
Satom*

●●○

「さと」音が漂わせる穏やかな雰囲気を、「む」音が強い収束力できっちりまとめた

名前	総画数
聡14 夢13	27
慧15 武8	23
知8 夢13	21
智12 武8	20
沙7 斗4 武8	19

さとゆき
Satoyuki

●○○

「さと」と「ゆき」、やわらかく親しみやすい両音が連なった、優しい印象の名前

名前	総画数
聡14 幸8	22
智12 幸8	20
慧15 之3	18
知8 幸8	16
理11 之3	14

さとる
Satoru

●○○

温かい響きで親しまれる、「さと」音と「る」音がつくる、聡明な印象の名前

名前	総画数
聡14 留10	24
智12 琉11	23
慧15	15
哲10	10
悟10	10

さむ
Sam*

●●●

さっぱりとスピーディーな印象をもつ、洋風音の名前。ⒺⒻ男性名の愛称

名前	総画数
瑳14 夢13	27
冴7 夢13	20
沙7 夢13	20
紗10 武8	18
佐7 武8	15

さもん
Samon

●●●

「さ」音の軽やかさと、「もん」音のもつ穏やかな重量感がバランスよくなじむ。Ⓔ奮い立つ

名前	総画数
瑳14 門8	22
紗10 紋10	20
咲9 文4	13
左5 門8	13
冴7 文4	11

さやた
Sayata

●●○

「あ行音」どうしでまとまりよく構成された、新鮮な響きをもつ個性的な名前

名前	総画数
爽11 多6	17
清11 多6	17
沙7 矢5 太4	16
爽11 太4	15
清11 大3	14
沙7 耶9 多6	22
瑳14 也3 太4	21
鞘16★ 太4	20
清11 汰7	18
爽11 汰7	18

さつき
Satsuki

●●○

明るい爽快感に満ちた、なじみ深くまとまりのよい音。「陰暦5月」の別称でもある

名前	総画数
颯14 樹16	30
早6 槻15	21
皐11 月4	15
皐11	11
五4 月4	8

さつま
Satsuma

●●○

鹿児島県西部の旧国名「薩摩」と同じ、りりしい響き。Ⓔサツマ(オレンジのような果実名)

名前	総画数
薩17★ 摩15	32
颯14 磨16	30
紗10 津9 真10	29
薩17★ 真10	27
颯14 馬10	24

さとき
Satoki

●○○

親しみのある「さと」音に、人気の止め字「き」を合わせた、シャープな現代風の名前

名前	総画数
郷11 樹16	27
敏10 輝15	25
聡14 紀9	23
悟10 貴12	22
智12 希7	19

さとし
Satoshi

●○○

「諭し」と同音の、落ちつきのある響き。知的な印象のなじみ深い名前

名前	総画数
慧15	15
聡14	14
知8 史5	13
智12	12
彗11	11
慧15 史5	20
慧15 士3	18
智12 至6	18
悟10 志7	17
諭16	16

さとみ
Satomi

●●○

「さと」音がもつ温かさに、やわらかい止め字「み」がなじんだ、優しく穏やかな響き

名前	総画数
聡14 実8	22
慧15 己3	18
敏10 実8	18
悟10 実8	18
聡14 巳3	17

英語圏の人にとっての発音のしやすさの目安　●●● しやすい　●●○ ややしにくい　●○○ しにくい

じえい
Jay*
●●●

力強く古風な響きをもつしゃれた名前。ⒺⒻ近い音の男性名Ⓔ「J」に近い音

名前（画数）	総画
慈13 衛16	29
爾14 瑛12	26
慈13 英8	21
滋12 映9	21
治8 詠12	20

さやと
Sayato
●●○

さわやかな「さや」音と、澄んだ落ちつきをもつ止め字「と」が、新感覚の名前をつくる

名前（画数）	総画
爽11 登12	23
清11 都11	22
爽11 音9	20
爽11 斗4	15
清11 斗4	15

しおん
Shee-on*
●●●

薄紫の花の名と同じ、美しい音。しっとりとした優雅な雰囲気をまとう。Ⓚ男性名

名前（画数）	総画
此6★ 温12	18
志7 恩10	17
孜7★ 苑8	15
至6 音9	15
史5 臣7	12
枝8 穏16	24
嗣13 音9	22
史5 穏16	21
紫12 苑8	20
志7 温12	19

さわお
Sawao
●○○

軽快でさわやかな「さわ」音を、深く落ちついた「お」音が受けた、新鮮な組み合わせ

名前（画数）	総画
佐7 和8 雄12	27
佐7 波8 央5	20
沢7 雄12	19
佐7 和8 夫3	18
爽11 央5	16

さわき
Sawaki
●●○

「さわ」音の涼やかな爽快感と、「き」音の鋭いイメージがよいバランスを保つ

名前（画数）	総画
左5 和8 樹16	29
沙7 和8 貴12	27
爽11 輝15	26
沢7 貴12	19
爽11 希7	18

しき
Shiki
●●●

日本文化の基盤である「四季」と同音の、スピード感のある新感覚の名前

名前（画数）	総画
志7 樹16	23
司5 騎18	23
士3 輝15	18
史5 記10	15
四5 季8	13

さんしろう
San-shiro
●●○

りりしく、男らしい響き。夏目漱石や富田常雄の小説の主人公の名前で、なじみが深い

名前（画数）	総画
珊9★ 志7 郎9	25
三3 志7 郎9	19
三3 四5 朗10	18
三3 史5 朗10	18
三3 四5 郎9	17

しげあき
Shige-aki
●●○

親しみやすい「しげ」音と、明るい「あき」音の、気さくな人柄を思わせる響き

名前（画数）	総画
繁16 明8	24
重9 秋9	18
重9 明8	17
成6 章11	17
茂8 明8	16

し【Shi】

しげき
Shigeki
●●○

「しげ」のもつ温かい雰囲気と、「き」のシャープな明るさ、両音の特性を併せもった名前

名前（画数）	総画
繁16 樹16	32
繁16 季8	24
茂8 樹16	24
重9 喜12	21
滋12 希7	19

しげたか
Shige-taka
●●○

深い情を感じさせる「しげ」音と、明るく強い「たか」音が、バランスよく引き立て合う

名前（画数）	総画
繁16 敬12	28
滋12 貴12	24
繁16 孝7	23
重9 孝7	16
茂8 考6	14

しいま
Shima
●●○

「しい」音の穏やかな流れに、止め字「ま」音が快活さを加えた、明るい印象の名前

名前（画数）	総画
志7 惟11 真10	28
椎12 磨16	28
椎12 麻11	23
志7 伊6 真10	23
椎12 馬10	22

★新人名漢字

しげと
Shigeto
●●○
ともに静かな落ちつきを秘める、「しげ」音と「と」音との相性がよく、歯切れよくまとまる

名前（画数）	総画
茂8 斗4	12
成6 杜7	13
慈13 斗4	17
成6 登12	18
茂8 登12	20

しげのぶ
Shige-nobu
●●○
親しみを感じさせる「しげ」音と、おおらかな「のぶ」音が好印象をなす名前

名前（画数）	総画
茂8 展10	18
重9 信9	18
慈13 信9	22
繁16 伸7	23
繁16 宣9	25

しげはる
Shige-haru
●●○
落ちつきのある「しげ」音と、晴れやかな開放感をもつ「はる」音が、バランスよくなじむ

名前（画数）	総画
重9 治8	17
重9 春9	18
茂8 晴12	20
繁16 治8	24
慈13 晴12	25

しげひこ
Shige-hiko
●●○
温かい「しげ」音と、古典的な男らしさをもつ「ひこ」音の、親しみやすい組み合わせ

名前（画数）	総画
成6 彦9	15
茂8 彦9	17
茂8 比4 古5	17
慈13 彦9	22
繁16 彦9	25

しげみ
Shigemi
●●○
人情味のある「しげ」音に、やわらかく優しい「み」音が添った、包み込むような温かい響き

名前（画数）	総画
成6 己3	9
茂8 海9	17
重9 実8	17
滋12 泉9	21
繁16 実8	24

しげやす
Shige-yasu
●●○
ともに人のよさを感じさせる2音「しげ」と「やす」を合わせた、優しさに満ちた名前

名前（画数）	総画
茂8 泰10	18
重9 保9	18
茂8 康11	19
薫16 恭10	26
繁16 靖13	29

しげゆき
Shige-yuki
●●○
「しげ」のもつ温かい響きを、やわらかさとキレのよさを併せもつ「ゆき」が受け止める

名前（画数）	総画
茂8 之3	11
重9 之3	12
重9 征8	17
繁16 之3	19
繁16 幸8	24

しげる
Shigeru
●●○
まとめる効果の高い止め字「る」が、「しげ」音の温かい雰囲気を明るく包み込む

名前（画数）	総画
茂8	8
滋12	12
慈13	13
繁16	16
慈13 琉11	24

しこう
Shikoh*
●●●
さわやかな「し」音に、静かな「こう」音を合わせた、クラシカルな印象の名前

名前（画数）	総画
志7 功5	12
士3 航10	13
志7 光6	13
志7 昂8	15
至6 高10	16
梓11 孝7	18
至6 煌13★	19
獅13★ 光6	19
嗣13 皇9	22
詩13 洸9	22

しずお
Shizuo
●●○
穏やかな落ちつきに満ちた「しず」音と「お」音の、なじみ深く安心感のある組み合わせ

名前（画数）	総画
静14 夫4	18
鎮18 夫4	22
静14 郎9	23
鎮18 央5	23
静14 雄12	26

しずか
Shizuka
●●○
謙虚な「しず」音になじむ「か」音の余韻が、古典調の洗練された響きをつくる

名前（画数）	総画
静14	14
静14 芳7	21
静14 河8	22
志7 逗11★ 夏10	28
静14 嘉14	28

しずと
Shizuto
●●○
ともに落ちついた響きの「しず」音と「と」音を合わせた、奥行きを感じさせる名前

名前（画数）	総画
静14 人2	16
静14 斗4	18
静14 杜7	21
寧14 登12	26
志7 津9 都11	27

英語圏の人にとっての発音のしやすさの目安　●●● しやすい　●●○ ややしにくい　●○○ しにくい

しずま
Shizuma

●●○

古典的な静謐さをもつ「しず」音に「ま」音を続け、男の子らしい快活さをプラス

漢字（画数）	総画数
鎮18 摩15	33
静14 磨16	30
寧14 馬10	24
静14 馬10	24
静14 真10	24

しずや
Shizuya

●○○

「しず」という洗練された静かな音と、明るい音で人気の止め字「や」の、新鮮な組み合わせ

漢字（画数）	総画数
静14 哉9	23
寧14 耶9	23
静14 弥8	22
鎮18 也3	21
静14 也3	17

じつお
Jitsuo

●○○

穏やかな「じつ」音と、伝統的な止め字「お」の連なりが、しっかりした実直な印象を与える

漢字（画数）	総画数
実8 緒14	22
實14★ 男7	21
実8 雄12	20
日4 雄12	16
実8 男7	15

しどう
Shidoh*

●●○

静かな「し」音と、力強い「どう」の音がバランスよくなじむ。Ⓕ近い音の男性名Ⓚ試し

漢字（画数）	総画数
獅13★ 童12	25
梓11 堂11	22
志7 萄11★	18
志7 堂11	18
士3 道12	15

しのぶ
Shinobu

●●○

「ぶ」音の重みが、「しの」のもつ和風の響きをしっかりと収める、伝統的な名前

漢字（画数）	総画数
信9 武8	17
志7 伸7	14
信9 夫4	13
偲11	11
忍7	7

じむ
Jim*

●●●

重みのある音どうしの簡潔な連なりが、キレのよい洋風の音をつくる。Ⓔ男性名の愛称

漢字（画数）	総画数
慈13 夢13	26
滋12 夢13	25
爾14 武8	22
児7 夢13	20
治8 武8	16

しもん
Shimon

●●●

「し」で生まれた流れが、「もん」に収束する。ⒻⓈ男性名Ⓓ近い音の男性名

漢字（画数）	総画数
紫12 門8	20
志7 紋10	17
志7 門8	15
此6★ 門8	14
史5 門8	13

しゃらく
Sharaku

●●○

古風な趣にあふれる、個性的でしゃれた響き。世界的に著名な浮世絵師の名前と同音

漢字（画数）	総画数
沙7 羅19 玖7	33
沙7 楽13	20
紗10 洛9★	19
写5 楽13	18
写5 洛9★	14

しゅう
Shoe*

●●●

流れるようなスマートな響きをもつさわやかな名前。Ⓒ姓Ⓔくつ Ⓕキャベツ、かわいい子

漢字（画数）	総画数
修10	10
秋9	9
宗8	8
周8	8
秀7	7

しゅういち
Shu-ichi

●●○

「しゅう」音の優しくしっかりした印象を、「いち」音がスマートに際立たせる

漢字（画数）	総画数
脩11 一1	12
修10 一1	11
柊9 一1	10
周8 一1	9
秀7 一1	8

しゅうえい
Shu-ei

●●○

流れるような音どうしが、バランスよく連なる。Ⓔ「揺れる」に近い音

漢字（画数）	総画数
秀7 衛16	23
秋9 詠12	21
秀7 瑛12	19
周8 栄9	17
秀7 英8	15

しゅうご
Shu-go

●●●

「しゅう」音のスマートな流れを、「ご」音の重量感がしっかり受け止める

漢字（画数）	総画数
周8 梧11	19
修10 吾7	17
秀7 悟10	17
柊9 冴7	16
秀7 伍6	13

★新人名漢字

しゅうさく
Shu-saku
●○○

流れるような「しゅう」音を、「さく」音が受けてまとめた、古典的で真面目な印象の名前

名前	画数	総画
修策	10・12	22
秀策	7・12	19
修作	10・7	17
周作	8・7	15
秀作	7・7	14

しゅうすけ
Shu-suke
●●○

静かな柔軟性をもつ「しゅう」音に、伝統的な止め字「すけ」を合わせた、男らしい名前

名前	画数	総画
修祐	10・9	19
秀亮	7・9	16
舟亮	6・9	15
秀佑	7・7	14
秀介	7・4	11

しゅうせい
Shu-sei
●●○

ともに流れをもつ「しゅう」と「せい」音が軽やかに連なった、聡明な印象の名前

名前	画数	総画
修聖	10・13	23
秋晴	9・12	21
周星	8・9	17
秀星	7・9	16
秀成	7・6	13

しゅうぞう
Shu-zo
●●○

軽快な「しゅう」音と、どっしり重みのある「ぞう」音の響きがバランスよくなじむ

名前	画数	総画
脩蔵	11・15	26
萩造	12・10	22
秀蔵	7・15	22
修造	10・10	20
修三	10・3	13

しゅうた
Shu-ta
●●○

すがすがしい「しゅう」音と、明るい止め字「た」の組み合わせ。Ⓔサッカー選手

名前	画数	総画
修多	10・6	16
柊汰	9・7	16
修太	10・4	14
舟汰	6・7	13
秀太	7・4	11

しゅうと
Shuto
●●○

「しゅう」音のスピード感を「と」音が引き立てる。Ⓔ撃つ、シュートする

名前	画数	総画
蹴斗	19★・4	23
修登	10・12	22
秀登	7・12	19
柊斗	9・4	13
宗斗	8・4	12

しゅうへい
Shu-hei
●●○

素直な音の止め字「へい」が、「しゅう」音のもつ優しい響きを際立たせる

名前	画数	総画
萩平	12・5	17
修平	10・5	15
柊平	9・5	14
周平	8・5	13
秀平	7・5	12

しゅうほ
Shu-ho
●●○

静かな「しゅう」音に、新感覚の穏やかな止め字「ほ」を重ねた、新鮮な名前

名前	画数	総画
萩浦	12・10	22
秀輔	7・14	21
秋甫	9・7	16
秀保	7・9	16
舟帆	6・6	12

しゅうほう
Shu-ho
●●○

ともに「う」に流れる2音、「しゅう」「ほう」の、バランスのよい組み合わせ

名前	画数	総画
秀豊	7・13	20
修朋	10・8	18
秀峰	7・10	17
秋邦	9・7	16
秋芳	9・7	16

しゅうま
Shu-ma
●●●

落ちついた「しゅう」から明るい「ま」音へ、のびやかに響く。聡明な印象の名前

名前	画数	総画
脩馬	11・10	21
柊馬	9・10	19
柊真	9・10	19
秀麻	7・11	18
秀馬	7・10	17

しゅうめい
Shu-mei
●●○

「しゅう」の流れに「めい」という抑えめの流れが添い、大人びた印象に

名前	画数	総画
脩銘	11・14	25
修明	10・8	18
洲明	9・8	17
周明	8・8	16
秀明	7・8	15

しゅうや
Shu-ya
●●○

快活な印象の「や」音が、「しゅう」音のスピード感を引き立てる、元気な印象の名前

名前	画数	総画
秋耶	9・9	18
脩也	11・3	14
修也	10・3	13
周矢	8・5	13
秀也	7・3	10

しゅもん
Shu-mon
●●●

キレのよい「しゅ」音と、深みのある「もん」音の、古風で格調高い組み合わせ

名前	画数	総画
諏紋	15★・10	25
珠紋	10・10	20
珠門	10・8	18
朱紋	6・10	16
朱門	6・8	14

英語圏の人にとっての発音のしやすさの目安　●●● しやすい　●●○ ややしにくい　●○○ しにくい

じゅんご
Jungo

重みのある濁音を重ね、弾みに強さを加えた、クラシカルな響き。Ⓓ若い

名前	画数	総画
洵吾	9・7	16
純吾	10・7	17
淳吾	11・7	18
順吾	12・7	19
純悟	10・10	20

しゅり
Shuri

疾走感のあるドライな響きが個性を放つ、エキゾチックで印象的な名前。Ⓚ男性名

名前	画数	総画
朱吏	6・6	12
守李	6・7	13
朱里	6・7	13
殊里	10・7	17
珠李	10・7	17

じゅんじ
Junji

「じ」音の繰り返しによる安定感と、「じゅん」音による跳躍感を併せもつ

名前	画数	総画
純次	10・6	16
潤二	15・2	17
淳児	11・7	18
順治	12・8	20
潤司	15・5	20

じゅり
Juli*

優しげな印象をもつ、深く涼やかな音。Ⓔ男性名Ⓕ近い音の女性名Ⓓ7月

名前	画数	総画
寿利	7・7	14
珠吏	10・6	16
樹李	16・7	23
樹里	16・7	23
樹莉	16・10	26

しゅんすけ
Shun-suke

「しゅん」という活発な跳躍音と、伝統的な止め字「すけ」が、男らしい俊敏さをアピール

名前	画数	総画
俊佑	9・7	16
春亮	9・9	18
俊輔	9・14	23
駿祐	17・9	26
駿輔	17・14	31

しゅん
Shun

弾みや勢いを感じさせるシャープな音を、ストレートに生かした名前

名前	画数	総画
俊	9	9
峻	10	10
竣	12	12
駿	17	17
瞬	18	18

じゅんすけ
Jun-suke

モダンな響きをもつ「じゅん」音と、伝統的な「すけ」音の、親しみやすい組み合わせ

名前	画数	総画
惇介	11・4	15
洵佑	9・7	16
純祐	10・9	19
淳亮	11・9	20
準亮	13・9	22

じゅん
Jun

弾む音のなかで、濁音が適度な落ちつきを加えている。ⒺⓀⒸ男性名Ⓔ6月Ⓕ若い

名前	画数	総画
純	10	10
隼	10	10
淳	11	11
順	12	12
潤	15	15

じゅんぞう
Jun-zo

潤いのある「じゅん」という弾む音を、「ぞう」音の深い流れが自然に受ける。Ⓚ男性名

名前	画数	総画
淳造	11・10	21
順造	12・10	22
純蔵	10・15	25
順蔵	12・15	27
諄蔵	15・15	30

しゅんいち
Shun-ichi

「しゅん」と「いち」という、スマートで利発そうな両音が、自然になじむ組み合わせ

名前	画数	総画
俊一	9・1	10
峻一	10・1	11
舜一	13・1	14
駿一	17・1	18
瞬一	18・1	19

じゅんいちろう
Jun-ichiro

潤いと重みを含んだ「じゅん」と、明朗な響きの「いちろう」が、バランスよく連なる

名前	画数	総画
純一郎	10・1・9	20
淳一郎	11・1・9	21
順一郎	12・1・9	22
絢一朗	12・1・10	23
潤一郎	15・1・9	25

しゅんご
Shungo

「しゅん」音のスピード感を、安定感のある止め字「ご」が受けた力強い響き

名前	画数	総画
俊吾	9・7	16
竣吾	12・7	19
俊悟	9・10	19
舜冴	13・7	20
駿悟	17・10	27

★新人名漢字

しゅんた Shunta

●●○

ともに快活なイメージの「しゅん」音と「た」音が、元気な男の子を思わせる

名前	画数	総画
駿汰	17・7	24
瞬太	18・4	22
駿太	17・4	21
竣太	12・4	16
俊太	9・4	13

じゅんだい Jundai

●●○

「じゅん」音の弾みから、「だい」音の安定感へとスムーズに流れる、広がりのある名前

名前	画数	総画
潤大	15・3	18
順大	12・3	15
惇大	11・3	14
隼大	10・3	13
純大	10・3	13

しゅんたろう Shun-taro

●●○

「しゅん」音の弾みに、伝統的な「たろう」を連ねた、俊敏で快活な躍動感に満ちた名前

名前	画数	総画
瞬汰郎	18・7・9	34
駿太郎	17・4・9	30
舜太郎	13・4・9	26
春太郎	9・4・9	22
俊太郎	9・4・9	22

じゅんのすけ Jun-nosuke

●●○

「の」音が効果的な一拍を加え、悠然と構える武士を思わせる、和風の名前をつくる

名前	画数	総画
惇乃甫	11・2・7	20
隼之丞	10・3・6	19
洵之佑	9・3・7	19
淳之介	11・3・4	18
純之介	10・3・4	17
順之輔	12・3・14	29
純之輔	10・3・14	27
順之祐	12・3・9	24
潤乃介	15・2・4	21
惇之助	11・3・7	21

しゅんぺい Shum-pei

●●○

快活な「しゅん」音、楽しげな「ぺい」音を合わせた、元気いっぱいのイメージの名前

名前	画数	総画
駿平	17・5	22
峻平	10・5	15
春平	9・5	14
俊平	9・5	14
旬平	6・5	11

じゅんぺい Jum-pei

●●○

「じゅん」という潤いのある音と、元気なイメージの「ぺい」音がバランスよくなじむ

名前	画数	総画
潤平	15・5	20
惇兵	11・7	18
惇平	11・5	16
淳平	11・5	16
純平	10・5	15

じゅんま Jum-ma

●●○

潤いを感じさせる「じゅん」音と、明るく活発な止め字「ま」の組み合わせ

名前	画数	総画
純磨	10・16	26
準馬	13・10	23
隼真	10・10	20
純馬	10・10	20
旬麻	6・11	17

しゅんや Shun-ya

●●○

ともに軽快なイメージをもつ「しゅん」音と「や」音を重ね、瞬発力をアピール

名前	画数	総画
瞬矢	18・5	23
竣哉	12・9	21
俊哉	9・9	18
峻矢	10・5	15
隼也	10・3	13

じゅんや Jun-ya

●●○

重みのある跳ねる音「じゅん」を、人気の「や」音が、やわらかく受け止める

名前	画数	総画
淳哉	11・9	20
純哉	10・9	19
潤也	15・3	18
洵也	9・3	12
旬矢	6・5	11

じゅんゆう Jun-yu

●●○

「じゅん」のもつ適度な重みと潤いを、やわらかい「ゆう」音が優しく流す

名前	画数	総画
醇雄	15・12	27
順湧	12・12	24
純悠	10・11	21
准悠	10・11	21
隼勇	10・9	19

しょう Sho

●●●

聡明で快活な子を思わせる響き。Ⓒ男性名Ⓔ見せる、展覧会Ⓕ暑い、暖かい

名前	画数	総画
渉	11	11
捷	11	11
祥	10	10
将	10	10
匠	6	6
彰	14	14
湘	12★	12
翔	12	12
勝	12	12
笙	11	11

しょういち Sho-ichi

●●○

さわやかな「しょう」音に、スマートな「いち」音を合わせた、洗練された印象の名前

名前	画数	総画
彰一	14・1	15
昌壱	8・7	15
翔一	12・1	13
祥一	10・1	11
昇一	8・1	9

英語圏の人にとっての発音のしやすさの目安　●●●しやすい　●●○ややしにくい　●○○しにくい

しょういちろう
Sho-ichiro

●●○

漢字	総画
彰(14)一(1)郎(9)	24
翔(12)一(1)郎(9)	22
祥(10)一(1)朗(10)	21
将(10)一(1)郎(9)	20
尚(8)一(1)朗(10)	19

伝統的な男子名の「いちろう」が、人気音の「しょう」に、和風の落ちつきを加える

しょうえい
Sho-ei

●●○

漢字	総画
照(13)映(9)	22
勝(12)栄(9)	21
翔(12)英(8)	20
菖(11)永(5)	16
祥(10)永(5)	15

「しょう」という涼しげな響きに、「えい」音の優しい余韻を添えた、新感覚の名前

しょうけん
Sho-ken

●●○

漢字	総画
祥(10)顕(18)	28
祥(10)賢(16)	26
将(10)憲(16)	26
翔(12)健(11)	23
勝(12)健(11)	23

ともに知性を感じさせる「しょう」音と「けん」音が、古風な印象を漂わせる

しょうご
Shogo

●●○

漢字	総画
湘(12★)冴(7)	19
翔(12)吾(7)	19
章(11)吾(7)	18
尚(8)悟(10)	18
省(9)吾(7)	16

さわやかな「しょう」音と、安定感のある「ご」音の、バランスのよい組み合わせ

しょうじ
Sho-ji

●●○

漢字	総画
湘(12★)慈(13)	25
将(10)嗣(13)	23
彰(14)司(5)	19
昌(8)治(8)	16
祥(10)司(5)	15

スピーディーな「しょう」音に、謙虚な「じ」音が、落ちつきをプラスした、なじみ深い名前

じょうじ
George*

●●●

漢字	総画
譲(20)児(7)	27
穣(18)治(8)	26
譲(20)司(5)	25
穣(18)次(6)	24
丈(3)慈(13)	16

粋でしゃれた響きの名前。濁音の繰り返しが自然な安定感を生む。ⒺⒸ男性名

しょうすけ
Sho-suke

●●○

漢字	総画
祥(10)輔(14)	24
翔(12)亮(9)	21
勝(12)祐(9)	21
祥(10)亮(9)	19
将(10)亮(9)	19

現代的な人気の音「しょう」に、伝統的な「すけ」音を合わせた、和風のイメージの名前

しょうせい
Sho-say*

●●○

漢字	総画
祥(10)聖(13)	23
彰(14)征(8)	22
将(10)星(9)	19
翔(12)正(5)	17
昌(8)成(6)	14

勢いのある「しょう」音に、同じさ行の「せい」を組み合わせた、さわやかな響きの名前

しょうた
Sho-ta

●●○

漢字	総画
勝(12)多(6)	18
祥(10)汰(7)	17
翔(12)太(4)	16
将(10)太(4)	14
尚(8)太(4)	12

ともに明るく快活な響きをもつ、「しょう」音と「た」音の愛らしい組み合わせ

しょうだい
Sho-dai

●●○

漢字	総画
翔(12)大(3)	15
勝(12)大(3)	15
将(10)大(3)	13
征(8)大(3)	11
昇(8)大(3)	11

「しょう」音のさわやかな流れを、「だい」音のおおらかな存在感がまとめる

しょうたろう
Sho-taro

●●○

漢字	総画
晶(12)太(4)朗(10)	26
勝(12)太(4)郎(9)	25
祥(10)太(4)郎(9)	23
昌(8)太(4)郎(9)	21
正(5)太(4)郎(9)	18

日本の代表的な男子名「たろう」を組み合わせ、人気の「しょう」をクラシカルに演出

しょうのすけ
Sho-nosuke

●●○

漢字	総画
笙(11)之(3)輔(14)	28
尚(8)之(3)輔(14)	25
翔(12)之(3)亮(9)	24
章(11)之(3)介(4)	18
祥(10)之(3)介(4)	17

スマートな「しょう」音を用いながらも、武将を思わせるような響きが、男らしさを強調

★新人名漢字

しんいち
Shin-ichi

●○○

静かな強さを含む「しん」音に、聡明なイメージの「いち」音を合わせた、なじみ深い名前

名前	総画
紳[11]一[1]	12
真[10]一[1]	11
信[9]一[1]	10
伸[7]一[1]	8
辰[7]一[1]	8
進[11]市[5]	16
晋[10]市[5]	15
新[13]一[1]	14
慎[13]一[1]	14
森[12]一[1]	13

しんご
Shingo

●●●

内に強さを秘める「しん」音と「ご」音を合わせた、重みのある男らしい響き

名前	総画
慎[13]吾[7]	20
真[10]悟[10]	20
真[10]吾[7]	17
信[9]吾[7]	16
伸[7]吾[7]	14

しんさく
Shin-saku

●○○

静かな強さをもつ「しん」音に、「さく」音の軽快さを加えた、親しみやすい名前

名前	総画
新[13]作[7]	20
慎[13]作[7]	20
秦[10]作[7]	17
真[10]作[7]	17
晋[10]作[7]	17

しんじ
Shinji

●○○

「し」「じ」の間の「ん」がほどよいアクセントをつくる、バランスのよい名前

名前	総画
真[10]路[13]	23
慎[13]司[5]	18
真[10]治[8]	18
伸[7]次[6]	13
信[9]二[2]	11

しんすけ
Shin-suke

●○○

静かな強さをもつ「しん」音に、伝統的な止め字「すけ」を合わせて、より男らしく

名前	総画
信[9]輔[14]	23
伸[7]輔[14]	21
真[10]祐[9]	19
進[11]介[4]	15
伸[7]介[4]	11

しんた
Shinta

●○○

澄んだ強さのある「しん」音と明るい「た」音が、元気な男の子を思わせる

名前	総画
新[13]太[4]	17
晋[10]多[6]	16
進[11]太[4]	15
伸[7]太[4]	11
心[4]汰[7]	11

しょうへい
Sho-hei

●●○

「しょう」の涼しげでさわやかな音と、「へい」音の親しみやすい響きがバランスよくなじむ

名前	総画
翔[12]平[5]	17
祥[10]平[5]	15
将[10]平[5]	15
昭[9]平[5]	14
昌[8]平[5]	13

しょうま
Sho-ma

●●○

さわやかな「しょう」と元気な「ま」、男の子らしい音どうしの明るい組み合わせ

名前	総画
彰[14]真[10]	24
翔[12]馬[10]	22
翔[12]真[10]	22
祥[10]馬[10]	20
将[10]馬[10]	20

しょうや
Sho-ya

●●○

活発な「しょう」音の流れを、「や」音の明るい強さがキレよくまとめる

名前	総画
翔[12]哉[9]	21
彰[14]也[3]	17
翔[12]矢[5]	17
昌[8]哉[9]	17
祥[10]也[3]	13

しろう
Shiro

●●○

和風で清涼感のあるなじみ深い響きで、改めて人気に。Ⓢ近い音の男性名

名前	総画
嗣[13]朗[10]	23
志[7]朗[10]	17
志[7]郎[9]	16
司[5]朗[10]	15
史[5]郎[9]	14

しん
Shin

●●●

一途な強さを秘めた、男らしく簡潔な響き。Ⓒ男性名Ⓚ姓Ⓔ脛骨Ⓑ生まれる

名前	総画
新[13]	13
慎[13]	13
紳[11]	11
信[9]	9
心[4]	4

じん
Gin*

●●●

簡潔な音のなかに、強さと落ちつきを感じさせる。Ⓚ男性名Ⓔジン(酒の名称)

名前	総画
臣[7]	7
迅[6]	6
尽[6]	6
壬[4]★	4
仁[4]	4

英語圏の人にとっての発音のしやすさの目安　●●●しやすい　●●○ややしにくい　●○○しにくい

しんや
Shinya

名前	総画
信(9)哉(9)	18
慎(13)也(3)	16
晋(10)也(3)	13
心(4)哉(9)	13
信(9)也(3)	12

静かな強さをもつ「しん」音に元気な「や」音を添えた、親しみやすい名前。Ⓚ深夜

じんた
Jinta

名前	総画
尋(12)汰(7)	19
尋(12)太(4)	16
甚(9)太(4)	13
壬(4)★汰(7)	11
仁(4)太(4)	8

大正ロマンの雰囲気を漂わせるクラシカルな響きが、かえって新鮮な印象に

しんり
Shinri

名前	総画
進(11)理(11)	22
進(11)浬(10)★	21
真(10)理(11)	21
信(9)理(11)	20
心(4)俐(9)★	13

強くすがすがしい「しん」音に、涼しい響きの「り」を重ねた新感覚の名前

じんだい
Jindai

名前	総画
尋(12)大(3)	15
陣(10)大(3)	13
臣(7)大(3)	10
迅(6)大(3)	9
仁(4)大(3)	7

「じん」と「だい」2つの濁音が効果的に生き、古典調の深みある響きをつくる

しんたろう
Shintaro

名前	総画
慎(13)多(6)朗(10)	29
新(13)太(4)郎(9)	26
晋(10)太(4)郎(9)	23
信(9)太(4)郎(9)	22
伸(7)太(4)郎(9)	20

深く澄んだ「しん」音に、「たろう」の明朗さが加わり、和風の潔さにあふれた名前に

す【Su】

しんと
Shinto

名前	総画
森(12)都(11)	23
真(10)斗(4)	14
進(11)人(2)	13
伸(7)斗(4)	11
芯(7)★人(2)	9

謙虚な強さをもつ「しん」音を、静かな「と」音がキレよくまとめた、スマートな印象の名前

すいせい
Sui-say*

名前	総画
彗(11)惺(12)★	23
翠(14)青(8)	22
彗(11)清(11)	22
彗(11)星(9)	20
水(4)星(9)	13

「すい」と「せい」、「さ行」の2音の繰り返しが、さわやかで新鮮な響きをつくる

しんのすけ
Shinnosuke

名前	総画
新(13)之(3)輔(14)	30
慎(13)之(3)輔(14)	30
慎(13)之(3)介(4)	20
真(10)之(3)介(4)	17
信(9)之(3)介(4)	16

男らしい響きの「しん」「すけ」の間で、「の」音が一拍を生み、やわらかさをプラス

すぐる
Suguru

名前	総画
逸(11)琉(11)	22
勝(12)	12
逸(11)	11
俊(9)	9
卓(8)	8

「す」「ぐ」という抑えめの2音が含む力強さを、明るい「る」音がキレよくまとめる

しんぺい
Shimpei

名前	総画
新(13)平(5)	18
慎(13)平(5)	18
晋(10)平(5)	15
信(9)平(5)	14
心(4)平(5)	9

「しん」という強い音に、軽快な響きの止め字「ぺい」を続けた、涼やかな印象の名前

しんぽ
Shimpo

名前	総画
慎(13)歩(8)	21
慎(13)帆(6)	19
進(11)歩(8)	19
信(9)甫(7)	16
心(4)歩(8)	12

「しん」音の抑えた強さに、個性的な止め字「ぽ」が、優しい明るさを添える

★新人名漢字

すずし
Suzushi
●○○

さわやかな「さ行音」を連ねた、すがすがしい清涼感と、古典的な趣にあふれた名前

名前	画数	総画
涼	11	11
涼士	11・3	14
鈴至	13・6	19
錫史	16★・5	21
珠洲司	10・9・5	24

すずひこ
Suzuhiko
●○○

「すず」という清涼感のある2音に、「ひこ」音でクラシカルな和風の趣を添えて

名前	画数	総画
寿々彦	7・3・9	19
涼彦	11・9	20
鈴彦	13・9	22
錫彦	16★・9	25
珠洲彦	10・9・9	28

すすむ
Susumu
●○○

澄んだ「す」音の重なりがもつ力強さを、「む」音が優れた収束力をもってまとめる

名前	画数	総画
先	6	6
延	8	8
長	8	8
歩	8	8
晋	10	10
進	11	11
勤	12	12
奨	13	13
寿々夢	7・3・13	23
進夢	11・13	24

すずや
Suzuya
●○○

涼しげな「すず」音と、やわらかな明るさをもつ止め字「や」の、新鮮で爽快な組み合わせ

名前	画数	総画
涼也	11・3	14
寿々矢	7・3・5	15
涼矢	11・5	16
錫也	16★・3	19
鈴哉	13・9	22

すなお
Sunao
●●○

静かでやわらかく、まとまりのよい音が、ストレートに「素直」さを感じさせる名前

名前	画数	総画
直	8	8
純	10	10
すなお	3・5・4	12
沙央	7・5	12
素直	10・8	18

すばる
Subal*
●●○

散開星団プレアデスの和名と同じ、雄大なロマンを漂わせる音。Ⓔ Ⓓ日本車のブランド名

名前	画数	総画
スバル	2・4・2	8
昴	9	9
すばる	3・6・3	12
寿晴	7・12	19
須春	12・9	21

すみつぐ
Sumitsugu
●○○

「すみ」と「つぐ」、ともにクラシカルな響きの連なりが、懐かしい雰囲気を漂わせる

名前	画数	総画
純次	10・6	16
純嗣	10・13	23
栖嗣	10★・13	23
澄継	15・13	28
澄嗣	15・13	28

すみと
Sumito
●●○

澄んだイメージの「すみ」音を、落ちつきある「と」音が生かした、若々しい印象の名前

名前	画数	総画
純人	10・2	12
純斗	10・4	14
栖斗	10★・4	14
澄人	15・2	17
澄音	15・9	24

すみや
Sumiya
●●○

やわらかな音どうしで構成された、優しい名前。透明感のある落ちつきを感じさせる

名前	画数	総画
栖也	10★・3	13
寿美也	7・9・3	19
純哉	10・9	19
澄弥	15・8	23
澄埜	15・11★	26

せ【Se】

せい
Say*
●●●

力強く静かなエネルギーを思わせる、さわやかな印象の簡潔な名前。Ⓔ言う

名前	画数	総画
征	8	8
晟	10	10
聖	13	13
誓	14	14
整	16	16

せいいち
Say-ichi*
●●○

静謐で落ちついた「せい」音と、スマートな「いち」音の、相性のよい組み合わせ

名前	画数	総画
征一	8・1	9
斉一	8・1	9
政一	9・1	10
星一	9・1	10
精一	14・1	15

英語圏の人にとっての発音のしやすさの目安　●●●しやすい　●●○ややしにくい　●○○しにくい

せいじ
Seiji

流れと落ちつきを併せもつ、親しみ深く、スマートな印象の名前。Ⓔ賢人、セージ(香草)

漢字	画数	総画
清次	11・6	17
星児	9・7	16
誠二	13・2	15
聖二	13・2	15
征司	8・5	13

せいえい
Seiei

繰り返される「い」音がリズムを生み、古風ながらスピーディーな印象をつくる

漢字	画数	総画
聖瑛	13・12	25
晟瑛	10・12	22
誠英	13・8	21
盛栄	11・9	20
清栄	11・9	20

せいしゅう
Seishu

澄んだ静かな響きをもつ「さ行」の音を組み合わせた、クラシカルな名前

漢字	画数	総画
聖秀	13・7	20
清秋	11・9	20
青洲	8・9	17
星舟	9・6	15
成周	6・8	14

せいが
Sayga*

澄んだ「せい」と力強い「が」のバランスが絶妙。世界的なゲームメーカー名(セガ)に近い音

漢字	画数	総画
聖河	13・8	21
誠我	13・7	20
惺★芽	12・8	20
晟峨★	10・10	20
星牙★	9・4	13

せいすけ
Seisuke

「せい」音の静かな勢いに、男らしい止め字「すけ」を加えた、誠実な響きの名前

漢字	画数	総画
清輔	11・14	25
誠祐	13・9	22
晴亮	12・9	21
征亮	8・9	17
省佑	9・7	16

せいき
Seiki

「世紀」と同じ、スケールの大きな音。現代的でキレのよい印象を与える

漢字	画数	総画
晴輝	12・15	27
星輝	9・15	24
成樹	6・16	22
成貴	6・12	18
征紀	8・9	17

せいた
Sayta*

さわやかな「せい」音のエネルギーを、「た」音が明るく解放する。Ⓢキノコ

漢字	画数	総画
盛太	11・4	15
清太	11・4	15
政太	9・4	13
征太	8・4	12
成多	6・6	12
聖多	13・6	19
誠太	13・4	17
晟汰	10・7	17
靖大	13・3	16
星汰	9・7	16

せいご
Seigo

「ご」音が「せい」音のスピード感をしっかり受け止めた、安心感のある名前

漢字	画数	総画
清吾	11・7	18
政吾	9・7	16
成悟	6・10	16
征吾	8・7	15
正吾	5・7	12
静吾	14・7	21
誠冴	13・7	20
誠吾	13・7	20
聖吾	13・7	20
星悟	9・10	19

せいたろう
Seitaro

「せい」の勢いを受ける、親しみのある「たろう」が、好男児を思わせる響きをつくる

漢字	画数	総画
誠太朗	13・4・10	27
晴多郎	12・6・9	27
聖太郎	13・4・9	26
星汰朗	9・7・10	26
征多朗	8・6・10	24

せいさく
Seisaku

澄んだイメージの「せい」音と、明るい音の止め字「さく」の、軽快な組み合わせ

漢字	画数	総画
晴朔	12・10	22
靖作	13・7	20
誠作	13・7	20
惺★作	12・7	19
政索	9・10	19

せいと
Seito

流れるような「せい」音が、抑えめの「と」音に落ちつき、キレよくまとまる

漢字	画数	総画
征登	8・12	20
聖斗	13・4	17
誓人	14・2	16
聖人	13・2	15
星斗	9・4	13

せいし
Seishi

「せい」と「し」、ともにすがすがしい音を連ねた、聡明な響きをもった名前

漢字	画数	総画
清梓	11・11	22
誓志	14・7	21
聖史	13・5	18
星至	9・6	15
征志	8・7	15

★新人名漢字

せな
Sena
●●●

落ちつきのある簡潔な音で、F1のレーサー名としても知られる。Ⓕ「元老院」に近い音

- 瀬19 那7　26
- 瀬19 名6　25
- 聖13 名6　19
- 世5 南9　14
- 世5 那7　12

せら
Sera
●●●

穏やかな「せ」音に続く、「ら」音の華やかな個性が光る、しゃれた新感覚の名前。Ⓘ夕刻

- 瀬19 羅19　38
- 勢13 羅19　32
- 瀬19 良7　26
- 世5 羅19　24
- 勢13 良7　20

ぜん
Zen
●●●

「禅」と同音。潔さを感じさせる新感覚の名前。Ⓕ禅、冷静なⒹ「10」に近い音

- 漸14　14
- 禅13　13
- 然12　12
- 善12　12
- 全6　6

せんいち
Sen-ichi
●●

さわやかななかにも力を秘める「せん」と「いち」の、スマートで優しい組み合わせ

- 閃10★ 一1　11
- 泉9 一1　10
- 宣9 一1　10
- 茜9 一1　10
- 仙5 一1　6

ぜんぞう
Zenzo
●●

ともに奥深い音「ぜん」と「ぞう」を合わせた、穏やかな古色を帯びた名前

- 善12 蔵15　27
- 禅13 造10　23
- 善12 造10　22
- 全6 造10　16
- 善12 三3　15

せんた
Senta
●●

「た」音の明るい余韻が、「せん」の澄んだ響きをさわやかに際立たせる。Ⓔ中央

- 閃10★ 汰7　17
- 泉9 汰7　16
- 専9 太4　13
- 宣9 太4　13
- 仙5 太4　9

せんたろう
Sentaro
●●

明るく弾む音「せん」と、快活な「たろう」の連なりが、古風な落ちつきを醸し出す

- 泉9 多6 郎9　24
- 宣9 太4 朗10　23
- 宣9 太4 郎9　22
- 茜9 太4 郎9　22
- 仙5 太4 朗10　19

せいほ
Seiho
●●

澄んだ力を感じさせる「せい」音に、優しい「ほ」音がバランスよくなじむ

- 星9 穂15　24
- 聖13 保9　22
- 生5 歩8　13
- 世5 歩8　13
- 正5 歩8　13

せいま
Sayma*
●●

さわやかな「せい」音と、明るく元気な男の子を思わせる、人気の止め字「ま」の組み合わせ

- 誠13 真10　23
- 聖13 真10　23
- 盛11 馬10　21
- 星9 馬10　19
- 征8 真10　18

せいめい
Seimei
●●

静かな「せい」とやわらかい「めい」、流れをもつ両音で、古典的な名前に

- 聖13 銘14　27
- 勢13 明8　21
- 盛11 明8　19
- 清11 明8　19
- 成6 盟13　19

せいや
Seiya
●●

神輿を担ぐ際の掛け声や、クリスマス・イヴを指す「聖夜」と同じ、清い音

- 靖13 也3　16
- 聖13 也3　16
- 斉8 弥8　16
- 星9 矢5　14
- 征8 也3　11
- 晴12 埜11★　23
- 晴12 哉9　21
- 清11 哉9　20
- 聖13 矢5　18
- 誓14 也3　17

せいりゅう
Seiryu
●

勢いのある「せい」音と、明るく力強い「りゅう」音が、男らしい響きをつくる

- 聖13 龍16　29
- 清11 流10　21
- 星9 琉11　20
- 青8 竜10　18
- 正5 隆11　16

英語圏の人にとっての発音のしやすさの目安　●●● しやすい　●● ややしにくい　● しにくい

そうご
Sohgo*

シャープな「そう」音の流れを「ご」が力強く受けた、安心感のある名前

名前	画数
漱(14)吾(7)	21
蒼(13)冴(7)	20
創(12)吾(7)	19
荘(9)吾(7)	16
宗(8)吾(7)	15

せんと
Sento

「せん」音の静謐な力と、「と」音の鋭敏さを併せもつ名前。Ⓔ聖者Ⓘ私は感じる

名前	画数
泉(9)登(12)	21
仙(5)登(12)	17
茜(9)杜(7)	16
宣(9)人(2)	11
仙(5)斗(4)	9

そうさく
Sosaku

「さ行音」の「そう」と「さく」の連なりが、クラシカルで優しい響きをつくる

名前	画数
颯(14)作(7)	21
惣(12)作(7)	19
奏(9)朔(10)	19
爽(11)作(7)	18
壮(6)策(12)	18

そ
【So】

そうし
Saw-shi*

涼やかな「そう」音に、スマートな「し」音を添えた、風流な雰囲気のある優しい響き

名前	画数
想(13)至(6)	19
創(12)史(5)	17
宗(8)史(5)	13
早(6)志(7)	13
壮(6)士(3)	9

そうじ
Soji

りりしい「そう」音に、耳なじみのよい「じ」音を合わせ、親近感をプラス

名前	画数
漱(14)慈(13)	27
聡(14)司(5)	19
爽(11)児(7)	18
宗(8)治(8)	16
壮(6)児(7)	13

そう
Soh*

爽快な音のなかに奥深さを感じさせる名前。ⒺそのようにⒻジャンプⒾ知る

名前	画数
颯(14)	14
湊(12)★	12
創(12)	12
爽(11)	11
奏(9)	9

そうじゅ
Saw-ju*

「沙羅双樹」を思わせる、エキゾチックで格調高い響きをもつ、印象的な名前

名前	画数
漱(14)珠(10)	24
早(6)樹(16)	22
颯(14)寿(7)	21
双(4)樹(16)	20
奏(9)寿(7)	16

そういちろう
Soichiro

「そう」音のもつ落ちついたさわやかさを、明るい「いちろう」が、さらに強調する

名前	画数
総(14)一(1)郎(9)	24
惣(12)一(1)朗(10)	23
宗(8)一(1)郎(9)	18
壮(6)一(1)朗(10)	17
壮(6)一(1)郎(9)	16

そうすけ
Sosuke

さわやかな安心感を内包する「そう」音で始まる、和風の男らしさを感じさせる名前

名前	画数
壮(6)輔(14)	20
創(12)佑(7)	19
宗(8)亮(9)	17
宗(8)佑(7)	15
壮(6)介(4)	10
聡(14)亮(9)	23
奏(9)輔(14)	23
宗(8)輔(14)	22
創(12)亮(9)	21
爽(11)亮(9)	20

そうえい
Soei

穏やかな「そ」から続く母音の連なりが、流れるように優しく響く、やわらかな印象の名前

名前	画数
奨(13)英(8)	21
創(12)栄(9)	21
湊(12)★英(8)	20
壮(6)栄(9)	15
奏(9)永(5)	14

そうき
Soki

キレのよい「き」音が、「そう」のもつ聡明な響きをさらに強調した、シャープな印象の名前

名前	画数
聡(14)揮(12)	26
壮(6)騎(18)	24
颯(14)紀(9)	23
創(12)紀(9)	21
宗(8)貴(12)	20

★新人名漢字

そうへい
Sohei
●○○

さわやかな落ちつきをもつ音「そう」と「へい」を合わせた、優しい響き

表記	総画
壮(6)平(5)	11
奏(9)平(5)	14
荘(9)平(5)	14
蒼(13)平(5)	18
颯(14)平(5)	19

そうま
Soh-ma*
●●○

「そう」音のもつ深く落ちついた流れを、「ま」音が受け止め、明るく元気に響かせる

表記	総画
壮(6)馬(10)	16
荘(9)真(10)	19
爽(11)馬(10)	21
颯(14)馬(10)	24
聡(14)磨(16)	30

そうめい
Somei
●○○

涼しげな「そう」と穏やかな「めい」、2つの流れる音を受けた、大人びた印象の名前

表記	総画
荘(9)明(8)	17
爽(11)明(8)	19
聡(14)明(8)	22
颯(14)明(8)	22
創(12)盟(13)	25

そうや
Souya*
●●●

ともに爽快な響きをもつ「そう」と「や」が、りりしく、元気な印象をつくる

表記	総画
壮(6)矢(5)	11
創(12)也(3)	15
想(13)也(3)	16
宗(8)哉(9)	17
草(9)哉(9)	18

そなた
Sonata
●●●

器楽曲の一形式を表す。静かで優しい音のまとまり。Ⓔ短い歌、奏鳴曲ⓈⒾ奏鳴曲

表記	総画
奏(9)名(6)多(6)	21
素(10)那(7)太(4)	21
曽(11★)名(6)汰(7)	24
楚(13★)那(7)太(4)	24
曽(11★)奈(8)多(6)	25

そら
Sola*
●●●

「空」と同じ、スケールの大きな音。簡潔でさわやかな新感覚の名前。ⓈⒾ彼女ひとりで

表記	総画
天(4)	4
宇(6)	6
空(8)	8
宙(8)	8
昊(8★)	8

た 【Ta】

だい
Dai
●●●

簡潔な響きが力強い、男らしく、インパクトのある名前。Ⓘ来なさい

表記	総画
大(3)	3
太(4)	4
醍(16★)	16
陀(8★)威(9)	17
舵(11★)惟(11)	22

たいが
Tiger*
●●●

堅固でありつつ明るい「たい」音と、「が」の止め字が新鮮。Ⓢ針葉樹林Ⓔ「虎」に近い音

表記	総画
大(3)河(8)	11
太(4)我(7)	11
大(3)雅(13)	16
太(4)雅(13)	17
泰(10)駕(15★)	25

だいき
Daiki
●●○

力強い「だい」音と、シャープな止め字「き」を組み合わせた、男らしい名前

表記	総画
大(3)希(7)	10
大(3)器(15)	18
大(3)輝(15)	18
大(3)樹(16)	19
醍(16★)己(3)	19

だいご
Daigo
●●●

「だい」と「ご」、太く安定した両音が連なった、深みと落ちつきのある名前

表記	総画
大(3)吾(7)	10
大(3)悟(10)	13
大(3)梧(11)	14
太(4)悟(10)	14
醍(16★)醐(16★)	32

たいし
Taishi
●●●

ともにしっかりした「たい」と「し」の音が、堅固で落ちついた印象をつくる

表記	総画
大(3)史(5)	8
大(3)志(7)	10
汰(7)志(7)	14
大(3)獅(13★)	16
泰(10)志(7)	17

英語圏の人にとっての発音のしやすさの目安　●●● しやすい　●●○ ややしにくい　●○○ しにくい

だいし
Daishi

どっしりと落ちついた「だい」音に、スマートな「し」音がバランスよくなじんだ名前

名前	画数	総画
大司	3・5	8
大史	3・5	8
大志	3・7	10
醍士	16★・3	19
醍司	16★・5	21

だいじゅ
Daiju

穏やかな貫禄をもつ「だい」と「じゅ」、両音を合わせた、雅やかで個性的な名前

名前	画数	総画
大寿	3・7	10
大壽	3・14	17
大樹	3・16	19
醍寿	16★・7	23
醍樹	16★・16	32

たいしゅう
Tai-shu

「たい」音が安定、「しゅう」音がしなやかな動きをつくる、個性的な名前

名前	画数	総画
大秀	3・7	10
大周	3・8	11
太宗	4・8	12
泰宗	10・8	18
泰柊	10・9	19

だいすけ
Dai-suke

伝統的な音を組み合わせた、なじみ深い響きが、スケールの大きな男らしさを思わせる

名前	画数	総画
大介	3・4	7
大佑	3・7	10
大祐	3・9	12
大亮	3・9	12
大輔	3・14	17

たいせい
Tai-sei

すがすがしい音の連なりが、広さと奥行きを感じさせる、大きな響き

名前	画数	総画
大成	3・6	9
泰正	10・5	15
泰生	10・5	15
太聖	4・13	17
泰星	10・9	19

たいち
Taichi

明朗な音のまとまりが、男の子らしいエネルギーをもって、元気に響く

名前	画数	総画
太一	4・1	5
太市	4・5	9
太壱	4・7	11
太智	4・12	16
泰智	10・12	22

だいち
Daichi

「大地」と同じ力強い音。安定感と包容力に満ちた、まとまりのよい名前

名前	画数	総画
大地	3・6	9
大知	3・8	11
大智	3・12	15
大馳	3・13★	16
醍智	16★・12	28

だいと
Daito

「と」音の澄んだ落ちつきが、「だい」の力強さと相まって、男らしく堅実なイメージに

名前	画数	総画
大斗	3・4	7
大杜	3・7	10
大登	3・12	15
醍斗	16★・4	20
醍杜	16★・7	23

たいむ
Time*

まとまりのよい個性的な響きが、奥深い風情を感じさせる。Ⓔ時間、タイム(香草)

名前	画数	総画
大睦	3・13	16
大夢	3・13	16
太夢	4・13	17
泰武	10・8	18
泰夢	10・13	23

だいもん
Dye-mon*

深い趣のある古風な音が、男らしい落ちつきを思わせる。Ⓔ「ダイヤモンド」に近い音

名前	画数	総画
大門	3・8	11
大紋	3・10	13
泰門	10・8	18
醍文	16★・4	20
醍門	16★・8	24

たいよう
Taiyo

地球をはじめとする天体の中心「太陽」と同音。明るいエネルギーに満ちた名前

名前	画数	総画
太洋	4・9	13
大遥	3・12	15
太陽	4・12	16
泰陽	10・12	22
大耀	3・20	23

たいら
Tyler*

明るい音のまとまりが、活動的なイメージをつくる、やわらかな印象の名前。Ⓔ姓

名前	画数	総画
平	5	5
平良	5・7	12
大羅	3・19	22
太羅	4・19	23
泰羅	10・19	29

★新人名漢字

たえき
Taeki

●○○

穏やかで優しい響きの「たえ」に、「き」の止め字で、現代的なキレのよさを添えて

名前	画数	総画
妙揮	7・12	19
妙貴	7・12	19
妙輝	7・15	22
妙樹	7・16	23
妙騎	7・18	25

たお
Tao

●●●

なじみの深い音どうしが簡潔にまとまった、個性的な響きの新感覚の名前。道教の意も

名前	画数	総画
太央	4・5	9
多央	6・5	11
多於	6・8	14
太緒	4・14	18
多緒	6・14	20

たかあき
Taka-aki

●●○

積極性を感じさせる「たか」音と、明るい「あき」音が、相性よくなじむ組み合わせ

名前	画数	総画
孝昭	7・9	16
高明	10・8	18
隆明	11・8	19
貴明	12・8	20
貴秋	12・9	21

たかお
Takao

●●○

快活なイメージの「たか」音を、穏やかな伝統的止め字「お」が支える、なじみ深い名前

名前	画数	総画
隆男	11・7	18
貴男	12・7	19
高雄	10・12	22
隆雄	11・12	23
鷹雄	24・12	36

たかき
Takaki

●●○

ともに鋭さをもつ「たか」と「き」両音の連なりが、明るい輝きをたたえて響く

名前	画数	総画
貴希	12・7	19
孝輝	7・15	22
貴喜	12・12	24
嵩貴	13・12	25
高樹	10・16	26

たかし
Takashi

●●○

明るさと鋭さをもつ「たか」音と、控えめの知性を秘めた「し」音の組み合わせ

名前	画数	総画
孝	7	7
崇	11	11
隆	11	11
貴	12	12
喬	12	12
敬	12	12
隆司	11・5	16
隆史	11・5	16
高志	10・7	17
貴志	12・7	19

たかしげ
Taka-shige

●●○

「たか」という活発で硬い音と、温かく親しみのある「しげ」音が、バランスよくなじむ

名前	画数	総画
孝茂	7・8	15
高茂	10・8	18
貴成	12・6	18
敬重	12・9	21
嵩茂	13・8	21

たかすみ
Taka-sumi

●●○

「たか」音のもつ明るい積極性を、優しい「すみ」音が受けた、澄んだ印象の名前

名前	画数	総画
孝純	7・10	17
隆純	11・10	21
岳澄	8・15	23
貴澄	12・15	27
鷹澄	24・15	39

たかと
Takato

●●○

「たか」の明るい響きから、「と」へと落ちつく、動きと安定感を併せもつ名前

名前	画数	総画
隆人	11・2	13
高斗	10・4	14
貴人	12・2	14
嵩人	13・2	15
堯斗	12★・4	16

たかとう
Takato

●●○

明るく強い「たか」音に、シャープながら流れのある「とう」音を続け、リズミカルに

名前	画数	総画
孝冬	7・5	12
隆刀	11・2	13
高到	10・8	18
貴董	12・12★	24
嵩塔	13・12	25

たかね
Takané*

●●○

明るくなじみ深い「たか」音に添えた、多用されていない止め字「ね」の、個性が光る

名前	画数	総画
汰兼	7・10	17
貴祢	12・9★	21
敬祢	12・9★	21
嵩音	13・9	22
高嶺	10・17	27

たかのぶ
Taka-nobu

●●○

キレのよい響きの「たか」音に、なめらかな「のぶ」音で素朴な印象をプラス

名前	画数	総画
高允	10・4	14
孝信	7・9	16
貴延	12・8	20
隆惟	11・11	22
嵩信	13・9	22

英語圏の人にとっての発音のしやすさの目安　●●● しやすい　●●○ ややしにくい　●○○ しにくい

たかはる
Taka-haru

●●○

「たか」音の鋭さと「はる」音の優しさが、両音に共通する明るさをもってまとまる

名前	画数	総画
高治	10・8	18
隆春	11・9	20
貴春	12・9	21
隆晴	11・12	23
貴遥	12・12	24

たかひろ
Taka-hiro

●●○

明るい上昇音の「たか」に、おおらかな「ひろ」音が、さらなる広さと奥行きを加える

名前	画数	総画
隆広	11・5	16
貴広	12・5	17
孝博	7・12	19
高博	10・12	22
隆裕	11・12	23

たかふみ
Taka-fumi

●●○

主張性の強い「たか」、控えめで優しい「ふみ」、両音の特性が美しく調和した名前

名前	画数	総画
高文	10・4	14
隆文	11・4	15
崇文	11・4	15
貴史	12・5	17
嵩史	13・5	18

たかほ
Takaho

●●○

強い響きの「たか」をおおらかな「ほ」音が包んだ、優しく個性的な男の子の名前

名前	画数	総画
隆甫	11・7	18
嵩甫	13・7	20
高穂	10・15	25
貴輔	12・14	26
堯穂	12★・15	27

たかまさ
Taka-masa

●●○

潔いイメージの「たか」「まさ」両音で構成された、気高く落ちついた男らしい名前

名前	画数	総画
隆允	11・4	15
高匡	10・6	16
隆正	11・5	16
貴正	12・5	17
鷹雅	24・13	37

たかみち
Taka-michi

●●○

「たか」という高揚音に、文芸的な「みち」音を合わせた、文武両道を思わせる響き

名前	画数	総画
貴充	12・6	18
孝道	7・12	19
隆道	11・12	23
隆満	11・12	23
堯満	12★・12	24

たかや
Takaya

●●○

積極性を感じさせる「たか」に止め字「や」を組み合わせた、活発な印象の名前

名前	画数	総画
隆也	11・3	14
高哉	10・9	19
嵩冶	13・7	20
貴哉	12・9	21
鷹哉	24・9	33

たかゆき
Taka-yuki

●●○

「たか」という強めの音を、やわらかい「ゆき」音が、包み込むように落ちつかせる

名前	画数	総画
孝之	7・3	10
高之	10・3	13
崇之	11・3	14
隆之	11・3	14
貴之	12・3	15
高幸	10・8	18
貴行	12・6	18
喬行	12・6	18
隆幸	11・8	19
鷹幸	24・8	32

たから
Takara

●●●

明るく突き抜ける音が印象的な名前。海外では、ゲームメーカー名として知られる

名前	画数	総画
宝	8	8
隆良	11・7	18
多嘉良	6・14・7	27
高羅	10・19	29
多嘉羅	6・14・19	39

たきお
Takio

●●○

明るい堅固さ、キレのよさ、落ちつきという3音がもつ特性を、美しくまとめた名前

名前	画数	総画
滝夫	13・4	17
多喜男	6・12・7	25
滝雄	13・12	25
多輝男	6・15・7	28
瀧雄	19★・12	31

たく
Tak*

●●●

明確な音が簡潔に連なり、さっぱりとキレのよい、活発な響きをつくる。Ⓓ昼、一日

名前	画数	総画
卓	8	8
拓	8	8
啄	10	10
琢	11	11
擢	17★	17

たくじ
Takuji

●●○

「たく」という軽快な人気の音に、親しみやすい止め字「じ」を添えて、バランスよく

名前	画数	総画
托司	6★・5	11
卓司	8・5	13
拓司	8・5	13
琢次	11・6	17
啄治	10・8	18

★新人名漢字

たくや
Takuya
●●○

軽やかな「たく」に、快活なイメージの「や」を重ねた、男の子らしい元気な名前

名前	画数	総画
擢也	17★・3	20
拓哉	8・9	17
卓哉	8・9	17
琢也	11・3	14
啄也	10・3	13

たくろう
Taku-ro
●●○

明快な「たく」に、伝統的な響きの「ろう」を合わせた、和風の雰囲気をもつ名前

名前	画数	総画
琢朗	11・10	21
拓朗	8・10	18
卓朗	8・10	18
拓郎	8・9	17
卓郎	8・9	17

たけあき
Take-aki
●●○

活発な印象の「たけ」音に、明るい「あき」音が自然になじんだ、はつらつとした響き

名前	画数	総画
岳暁	8・12	20
建昭	9・9	18
武昭	8・9	17
武明	8・8	16
竹明	6・8	14

たけお
Takeo
●●○

日本の伝統的な響きをもつ「たけ」と「お」両音が、バランスよくまとまった名前

名前	画数	総画
猛雄	11・12	23
健郎	11・9	20
健夫	11・4	15
威生	9・5	14
武生	8・5	13

たけし
Takeshi
●●○

力強い「たけ」音と知的な「し」音がまとまった、男の子らしい元気な名前

名前	画数	総画
毅	15	15
武志	8・7	15
猛	11	11
健	11	11
剛	10	10

たけちか
Take-chika
●●○

和風のイメージをもつ「たけ」「ちか」の組み合わせ。古典調の音が新鮮に響く

名前	画数	総画
武知佳	8・8・8	24
岳親	8・16	24
威誓	9・14	23
健周	11・8	19
岳周	8・8	16

たけと
Taketo
●●○

スマートな止め字の「と」音が、「たけ」音のもつ勇ましさを際立てつつまとめる

名前	画数	総画
岳登	8・12	20
武杜	8・7	15
丈登	3・12	15
健人	11・2	13
武人	8・2	10

たくと
Takto*
●●●

まとまりのよい軽やかな音をもつ、しゃれた洋風の名前。ⒺⒻⓈ機転Ⓓ拍子、指揮棒

名前	画数	総画
拓斗	8・4	12
卓斗	8・4	12
択斗	7・4	11
拓人	8・2	10
卓人	8・2	10
多駆登	6・14・12	32
大駈人	3・15★・2	20
托登	6★・12	18
琢人	11・2	13
啄人	10・2	12

たくのすけ
Taku-nosuke
●●○

屈託のない現代風な響きで人気の「たく」に、古典的な「のすけ」を加え、個性的に

名前	画数	総画
琢乃甫	11・2・7	20
拓之亮	8・3・9	20
卓之亮	8・3・9	20
託之介	10・3・4	17
択之助	7・3・7	17

たくひろ
Takuhiro
●●○

明るく軽快な「たく」音に「ひろ」音が加わった、おおらかな広がりを感じさせる名前

名前	画数	総画
琢尋	11・12	23
卓寛	8・13	21
卓博	8・12	20
拓洋	8・9	17
拓宏	8・7	15

たくほ
Takuho
●●○

明朗な音が人気の「たく」と、優しい止め字「ほ」の組み合わせが、新鮮で個性的に響く

名前	画数	総画
拓穂	8・15	23
拓歩	8・8	16
卓甫	8・7	15
拓帆	8・6	14
卓帆	8・6	14

たくま
Takuma
●●○

ストレートに「たくましさ」を思わせる、明るくエネルギッシュな響きをもつ名前

名前	画数	総画
琢磨	11・16	27
拓磨	8・16	24
拓馬	8・10	18
拓真	8・10	18
卓真	8・10	18

たくまさ
Taku-masa
●●○

現代的で明るい「たく」に、伝統的な「まさ」を合わせ、穏やかな落ち着きをプラス

名前	画数	総画
琢雅	11・13	24
拓雅	8・13	21
琢匡	11・6	17
琢正	11・5	16
卓昌	8・8	16

英語圏の人にとっての発音のしやすさの目安　●●● しやすい　●●○ ややしにくい　●○○ しにくい

たけみ
Takemi

強くてしなやかな「たけ」音に、やわらかい「み」音を続け、優しい余韻をプラス

名前	総画
威(9)己(3)	12
武(8)実(8)	16
威(9)実(8)	17
威(9)海(9)	18
赳(10)美(9)	19

たけとし
Take-toshi

活発そうな2音「たけ」と、聡明さを感じさせる伝統的な音「とし」の組み合わせ

名前	総画
武(8)年(6)	14
岳(8)利(7)	15
武(8)俊(9)	17
健(11)敏(10)	21
猛(11)敏(10)	21

たけみつ
Takemitsu

「たけ」音の強さと、「みつ」音のりりしさが融合した、端正な印象の名前

名前	総画
岳(8)充(6)	14
武(8)光(6)	14
竹(6)満(12)	18
武(8)満(12)	20
豪(14)光(6)	20

たけのり
Take-nori

たくましい響きの「たけ」音に、なめらかな「のり」音を添えた、硬軟併せもつ名前

名前	総画
武(8)則(9)	17
威(9)紀(9)	18
健(11)典(8)	19
武(8)憲(16)	24
健(11)範(15)	26

たけもり
Take-mori

ともに古典的な和風の響きをもつ「たけ」と「もり」の、風情にあふれる組み合わせ

名前	総画
岳(8)杜(7)	15
武(8)杜(7)	15
威(9)盛(11)	20
赳(10)盛(11)	21
毅(15)守(6)	21

たけひこ
Take-hiko

しっかりした「たけ」音と、伝統的な止め字「ひこ」が、雄々しくたくましい響きをつくる

名前	総画
竹(6)彦(9)	15
岳(8)彦(9)	17
武(8)彦(9)	17
威(9)彦(9)	18
健(11)彦(9)	20

たけや
Takeya

古風で男らしい響きの「たけ」に、人気の「や」音を続け、現代的な明るさをプラス

名前	総画
武(8)也(3)	11
赳(10)也(3)	13
威(9)矢(5)	14
岳(8)弥(8)	16
健(11)哉(9)	20

たけひろ
Take-hiro

「たけ」の和風の力強さが重みとなり、「ひろ」音の突き抜けた明るさを引き立てる

名前	総画
丈(3)汎(6)★	9
岳(8)大(3)	11
武(8)弘(5)	13
建(9)弘(5)	14
剛(10)広(5)	15
雄(12)大(3)	15
岳(8)博(12)	20
武(8)博(12)	20
毅(15)弘(5)	20
武(8)寛(13)	21

たける
Takeru

日本最古の歴史書「古事記」に登場する「日本武尊」を思わせる、端正で男らしい名前

名前	総画
武(8)	8
剛(10)	10
健(11)	11
猛(11)	11
武(8)琉(11)	19

たけほ
Takeho

「たけ」音のもつ弾力性に富んだ強さを、やわらかい「ほ」音が、優しく包み込む

名前	総画
丈(3)保(9)	12
剛(10)歩(8)	18
赳(10)保(9)	19
竹(6)輔(14)	20
豪(14)甫(7)	21

たけま
Takema

和風の音をもつ「たけ」に、明るい止め字「ま」を合わせた、伝統的かつ快活な響き

名前	総画
丈(3)真(10)	13
岳(8)真(10)	18
武(8)馬(10)	18
毅(15)馬(10)	25
剛(10)磨(16)	26

★新人名漢字

たつし Tatsushi

●○○

「たつ」という古典調の力強い音に、現代的でスマートな「し」を添え、バランスよく

名前	画数	総画
立志	5・7	12
達史	12・5	17
達志	12・7	19
龍士	16・3	19
竜嗣	10・13	23

たつじ Tatsuji

●○○

伝統的な力強さをもつ「たつ」音と、親しみのある止め字「じ」が、実直な人柄を思わせる

名前	画数	総画
辰次	7・6	13
達司	12・5	17
立慈	5・13	18
達治	12・8	20
龍嗣	16・13	29

たつと Tatsuto

●○○

ゆったり落ちついた「たつ」音を「と」音が引き締め、きりりとした響きをつくる

名前	画数	総画
辰斗	7・4	11
達人	12・2	14
建杜	9・7	16
竜登	10・12	22
龍登	16・12	28

たつとし Tatsutoshi

●○○

落ちついた和風音「たつ」と「とし」の組み合わせ。大人びた静かな雰囲気をまとう

名前	画数	総画
竜利	10・7	17
達俊	12・9	21
辰駿	7・17	24
建駿	9・17	26
龍敏	16・10	26

たつのり Tatsunori

●○○

力強い「たつ」音と、なめらかな「のり」音。和風の硬軟のイメージを併せもつ

名前	画数	総画
辰紀	7・9	16
辰則	7・9	16
建紀	9・9	18
辰徳	7・14	21
達矩	12・10	22
辰憲	7・16	23
樹則	16・9	25
竜憲	10・16	26
達憲	12・16	28
龍範	16・15	31

たつひこ Tatsuhiko

●○○

「たつ」音の穏やかな強さを、伝統的な「ひこ」音が際立たせる、男らしい名前

名前	画数	総画
辰比古	7・4・5	16
建彦	9・9	18
竜彦	10・9	19
達彦	12・9	21
龍彦	16・9	25

たすく Tasuku

●●●

スマートな印象を与える、個性的な響きをもつ名前。Ⓔ「務め」に近い音

名前	画数	総画
匡	6	6
祐	9	9
資	13	13
輔	14	14
翼	17	17

ただし Tadashi

●●●

きちんとした印象の「ただ」音を、ドライな止め字「し」が、スピード感をもってまとめる

名前	画数	総画
正	5	5
匡	6	6
忠	8	8
忠士	8・3	11
唯志	11・7	18

ただのぶ Tada-nobu

●●○

ともに古典的な音の「ただ」と「のぶ」が、堅実さとやわらかさをほどよく醸す

名前	画数	総画
惟允	11・4	15
忠信	8・9	17
忠宣	8・9	17
直宣	8・9	17
唯宣	11・9	20

ただのり Tada-nori

●●○

「ただ」というしっかりした音に、なめらかな「のり」音がなじんだ、自然体の響き

名前	画数	総画
正法	5・8	13
忠典	8・8	16
惟紀	11・9	20
唯則	11・9	20
忠徳	8・14	22

たつあき Tatsu-aki

●○○

落ちつきのある和風音「たつ」に、朗らかな「あき」音が、屈託のない明るさをプラス

名前	画数	総画
達明	12・8	20
辰彰	7・14	21
達昭	12・9	21
龍明	16・8	24
龍晶	16・12	28

たつお Tatsuo

●○○

男らしい響きの「たつ」音と、伝統的な重みをもつ「お」音の、安心感のある組み合わせ

名前	画数	総画
辰郎	7・9	16
建雄	9・12	21
達郎	12・9	21
樹生	16・5	21
龍雄	16・12	28

たつき Tatsuki

●○○

謙虚さを思わせる「たつ」音と、キレのよい「き」音が、奥ゆかしい雰囲気を演出

名前	画数	総画
樹	16	16
辰毅	7・15	22
達規	12・11	23
達樹	12・16	28
龍輝	16・15	31

英語圏の人にとっての発音のしやすさの目安　●●● しやすい　●●○ ややしにくい　●○○ しにくい

たつよし
Tatsu-yoshi

男らしい「たつ」音と知性的な「よし」音を合わせた、伝統を感じさせる男らしい名前

漢字	総画
龍16 善12	28
樹16 由5	21
辰7 善12	19
竜10 好6	16
辰7 良7	14

たつひろ
Tatsuhiro

謙虚なイメージの「たつ」音と、突き抜けた明るさをもつ「ひろ」音が、バランスよくなじむ

漢字	総画
達12 弘5	17
辰7 浩10	17
竜10 広5	15
立5 浩10	15
竜10 大3	13

たつる
Tatsuru

はっきりした「たつ」音に続く明朗な「る」音が収束力を発揮し、すっきりとまとめる

漢字	総画
龍16 琉11	27
竜10 琉11	21
辰7 瑠14	21
立5 留10	15
建9	9

たっぺい
Tappei

明るく元気な音どうしの組み合わせが、屈託のないさわやかな笑顔の男の子を思わせる

漢字	総画
龍16 平5	21
樹16 平5	21
達12 平5	17
竜10 平5	15
辰7 平5	12

たつろう
Tatsuro

「たつ」の力強さと、流れをもつ止め字「ろう」のバランスが絶妙。Ⓢ(それは)かわいいです

漢字	総画
龍16 郎9	25
達12 朗10	22
達12 郎9	21
竜10 郎9	19
辰7 朗10	17

たつま
Tatsuma

古風で穏やかなイメージの「たつ」音に、現代的な「ま」音を加えた、快活な響き

漢字	総画
龍16 磨16	32
龍16 馬10	26
龍16 真10	26
建9 馬10	19
辰7 真10	17

たまき
Tamaki

はっきりした明るい音のまとまり。古代の腕飾りを示す、ロマンに満ちた音でもある

漢字	総画
珠10 騎18	28
珠10 樹16	26
珠10 毅15	25
玉5 樹16	21
環17	17

たつまさ
Tatsu-masa

和風の伝統的な響きをもつ「たつ」音に、同じく古典調の明るい「まさ」音が、よくなじむ

漢字	総画
龍16 雅13	29
建9 昌8	17
竜10 允4	14
辰7 匡6	13
辰7 正5	12

ためとし
Tame-toshi

落ちついた和風の響きをもつ「ため」と「とし」を組み合わせた、穏やかな印象の名前

漢字	総画
為9 駿17	26
為9 敏10	19
為9 俊9	18
為9 利7	16
為9 年6	15

たつみ
Tatsumi

強さを秘めた「たつ」音と、優しい「み」音がよくなじむ。南東の方角を指す音でもある

漢字	総画
達12 実8	20
竜10 海9	19
辰7 海9	16
巽12	12
辰7 巳3	10

ためとも
Tame-tomo

「ため」と「とも」、古風な両音の連なりが風雅に響く。平安末期の武将名と同音

漢字	総画
為9 朝12	21
為9 智12	21
為9 朋8	17
為9 伴7	16
為9 友4	13

たつや
Tatsuya

「たつ」という落ちついた和風の音と、快活なイメージで人気の「や」音の組み合わせ

漢字	総画
達12 哉9	21
竜10 哉9	19
辰7 哉9	16
竜10 也3	13
辰7 也3	10

たつゆき
Tatsu-yuki

「たつ」音の穏やかな強さが、静かな「ゆき」音を受けて、和風情趣の響きに

漢字	総画
達12 幸8	20
龍16 之3	19
達12 行6	18
達12 之3	15
立5 之3	8

★新人名漢字

たもつ
Tamotsu

●●○

漢字	画数	総画
有	6	6
完	7	7
保	9	9
保都	9・11	20
多茂津	6・8・9	23

「もちこたえる」意味をもつ、奥深い音。しっかりとまとまりのよい、なじみ深い名前

たもん
Tamon

●●●

漢字	画数	総画
多文	6・4	10
太紋	4・10	14
汰門	7・8	15
多紋	6・10	16
多聞	6・14	20

元気な「た」が、温かい「もん」に美しく収まる、古典的な響き。Ⓕ近い音の男性名

たろう
Taro

●●●

漢字	画数	総画
太郎	4・9	13
太朗	4・10	14
太浪	4・10	14
多朗	6・10	16
汰郎	7・9	16

屈託のない明るさと、まっすぐな力強さを併せもつ、日本の代表的な男子名

だん
Dan

●●●

漢字	画数	総画
団	6	6
弾	12	12
暖	13	13
團	14	14
壇	16	16

男らしく、スピード感のある名前。ⒺⒻ男性名Ⓓそれから Ⓢ(彼らが)渡す

ち
【Chi】

ちかし
Chikashi

●●○

漢字	画数	総画
周士	8・3	11
周志	8・7	15
千夏司	3・10・5	18
誓志	14・7	21
親史	16・5	21

強さを秘めた明確な3音の連なりが、賢明なイメージを力強く際立たせる

ちから
Chikara

●●○

漢字	画数	総画
力	2	2
主税	5・12	17
誓良	14・7	21
周羅	8・19	27
誓羅	14・19	33

はっきりした音のまとまりで、ストレートに「力」を思わせる、男の子らしい名前

ちさと
Chisato

●●○

漢字	画数	総画
千里	3・7	10
千紗人	3・10・2	15
治郷	8・11	19
智里	12・7	19
知聡	8・14	22

シャープな「ち」音と、穏やかな「さと」音がなじみ、知性と懐かしさを感じさせる

ちなみ
Chinami

●●○

漢字	画数	総画
千波	3・8	11
知波	8・8	16
智波	12・8	20
智浪	12・10	22
馳★南	13・9	22

「ち」の理知的な響きと、「なみ」音のやわらかさが連なり、互いに引き立て合う

ちはや
Chihaya

●○○

漢字	画数	総画
千早	3・6	9
千羽矢	3・6・5	14
智早	12・6	18
馳★早	13・6	19
智羽矢	12・6・5	23

和歌の枕詞を思わせる古風な響き。その意味合いから、格調高く洗練された印象をもつ

ちゅうま
Chuma

●●○

漢字	画数	総画
仲真	6・10	16
忠茉	8・8	16
宙馬	8・10	18
宙麻	8・11	19
忠磨	8・16	24

かわいらしい響きの「ちゅう」音に、男らしい「ま」音を合わせた、元気で活発な印象の名前

ちゅうや
Chuya

●●○

漢字	画数	総画
中也	4・3	7
宙矢	8・5	13
仲哉	6・9	15
沖弥	7・8	15
忠哉	8・9	17

クラシカルな「ちゅう」音に、一途な印象の止め字「や」がなじむ、印象的な名前

英語圏の人にとっての発音のしやすさの目安　●●● しやすい　●●○ ややしにくい　●○○ しにくい

ちょうじ
Choji

名前	画数	総画
長二	8・2	10
兆治	6・8	14
長治	8・8	16
暢次	14・6	20
跳治	13・8	21

「ちょう」音のもつ几帳面な響きを、「じ」音が親しみやすく生かした、のびやかな印象の名前

ちょうた
Chota

名前	画数	総画
長太	8・4	12
挺★太	10・4	14
朝太	12・4	16
超太	12・4	16
跳汰	13・7	20

新感覚の「ちょう」音と、人気の止め字「た」を合わせた、愛らしく個性的な名前

ちよすけ
Chiyosuke

名前	画数	総画
千代助	3・5・7	15
千代祐	3・5・9	17
千代亮	3・5・9	17
智世介	12・5・4	21
千代輔	3・5・14	22

しなやかで繊細な「ちよ」と、さっぱり男らしい「すけ」、古典調の組み合わせ

つ

【Tsu】

つかさ
Tsukasa

名前	画数	総画
士	3	3
司	5	5
吏	6	6
宰	10	10
束紗	7・10	17

まとまりのよい明るい響きが、安心感のある聡明なイメージを醸し出す

つきや
Tsukiya

名前	画数	総画
月矢	4・5	9
月弥	4・8	12
月哉	4・9	13
槻弥	15・8	23
津季哉	9・8・9	26

はっきりした「つき」音と、やわらかな「や」音で、ロマンチックなリズムをもつ名前に

つぐお
Tsuguo

名前	画数	総画
貢央	10・5	15
継夫	13・4	17
次雄	6・12	18
嗣朗	13・10	23
嗣雄	13・12	25

「つぐ」という誠実さを秘めた音を、落ちついた「お」音が支える、一途な印象の名前

つぐとし
Tsugu-toshi

名前	画数	総画
次俊	6・9	15
次敏	6・10	16
嗣淑	13・11	24
嗣稔	13・13	26
継駿	13・17	30

ともに大人びた賢さを思わせる「つぐ」音と「とし」音の、バランスのよい組み合わせ

つとむ
Tsutomu

名前	画数	総画
努	7	7
孜★	7	7
勉	10	10
務	11	11
勤	12	12

まとまりのよい、なじみ深い名前。親しみやすく、勤勉で活発そうな印象をもつ

つねお
Tsuneo

名前	画数	総画
恒夫	9・4	13
恒郎	9・9	18
経男	11・7	18
庸男	11・7	18
常雄	11・12	23

穏やかな「つね」音に、落ちつきのある伝統的な止め字「お」を添えた、安定感に満ちた響き

つねひこ
Tsunehiko

名前	画数	総画
恒比古	9・4・5	18
恒彦	9・9	18
常彦	11・9	20
庸彦	11・9	20
津祢★彦	9・9・9	27

強さと優しさを含む「つね」音と、伝統的な止め字「ひこ」が、古風な男らしさを感じさせる

つばさ
Tsubasa

名前	画数	総画
つばさ	1・6・3	10
翼	17	17
翼冴	17・7	24
飛翼	9・17	26
翼紗	17・10	27

飛翔につながる夢のあるイメージと、快活な響きが、明るく元気な男の子を思わせる

★新人名漢字

てつ
Tetsu

●○○

堅固な2音を簡潔に続けた、気さくな親しみを感じさせる、男の子らしい名前

名前	総画
哲(10)	10
鉄(13)	13
綴(14)★	14
徹(15)	15
天(4)鶴(21)	25

つゆき
Tsuyuki

●○○

静かな潤いをもつ「つゆ」音に、シャープな「き」音が加わり、さわやかなイメージに

名前	総画
都(11)雪(11)	22
露(21)希(7)	28
津(9)由(5)樹(16)	30
露(21)貴(12)	33
露(21)輝(15)	36

てつあき
Tetsuaki

●○○

強さを秘めた「てつ」音に、明るく元気な「あき」音を添えた、ひたむきなイメージの名前

名前	総画
哲(10)明(8)	18
哲(10)秋(9)	19
哲(10)章(11)	21
鉄(13)明(8)	21
徹(15)章(11)	26

つよき
Tsuyoki

●○○

力のある「つよ」音を、キレのよい「き」音が受けた、はつらつとした力強い名前

名前	総画
毅(15)希(7)	22
強(11)揮(12)	23
健(11)貴(12)	23
剛(10)樹(16)	26
豪(14)輝(15)	29

てつお
Tetsuo

●○○

素朴な響きの「てつ」音に、伝統的な止め字「お」を添え、穏やかな安心感をプラス

名前	総画
哲(10)央(5)	15
鉄(13)夫(4)	17
哲(10)郎(9)	19
鉄(13)男(7)	20
徹(15)雄(12)	27

つよし
Tsuyoshi

●○○

意志力、深い落ちつき、静かな理性といった3音の特性を併せもつ、男らしい名前

名前	総画
威(9)	9
剛(10)	10
毅(15)	15
豪(14)士(3)	17
強(11)志(7)	18

てつし
Tetsushi

●○○

「し」の素直な響きが、「てつ」音の特性を自然に生かし、純朴な底力を感じさせる

名前	総画
哲(10)司(5)	15
哲(10)史(5)	15
哲(10)志(7)	17
徹(15)志(7)	22
徹(15)嗣(13)	28

てつじ
Tetsuji

●○○

「てつ」「じ」という親しみのある音どうしを合わせた、飾り気のない自然体の響き

名前	総画
哲(10)司(5)	15
哲(10)治(8)	18
徹(15)司(5)	20
鉄(13)治(8)	21
徹(15)慈(13)	28

て【Te】

てつた
Tetsuta

●●○

ともに元気で明るい「てつ」音と「た」音が相性よくなじむ、快活な男の子らしい名前

名前	総画
哲(10)太(4)	14
哲(10)多(6)	16
哲(10)汰(7)	17
鉄(13)太(4)	17
徹(15)太(4)	19

ていいちろう
Teiichiro

●○○

しっかりした響きの「てい」と「いちろう」の組み合わせが、穏やかな風格を漂わせる

名前	総画
定(8)一(1)郎(9)	18
貞(9)一(1)郎(9)	19
悌(10)一(1)朗(10)	21
逞(11)★一(1)朗(10)	22
禎(13)一(1)郎(9)	23

てつたろう
Tetsutaro

●○○

素朴な明るさをもつ「てつ」と「たろう」の両音で、人柄のよさをにじませる響きに

名前	総画
哲(10)太(4)郎(9)	23
哲(10)多(6)朗(10)	26
鉄(13)太(4)郎(9)	26
徹(15)太(4)郎(9)	28
徹(15)多(6)郎(9)	30

ていじ
Teiji

●○○

硬めの響きをもつ「てい」音の流れを、「じ」音が受けた、親しみやすい名前

名前	総画
貞(9)司(5)	14
禎(13)二(2)	15
逞(11)★治(8)	19
禎(13)治(8)	21
悌(10)慈(13)	23

英語圏の人にとっての発音のしやすさの目安　●●●しやすい　●●○ややしにくい　●○○しにくい

てつと
Tetsuto

徹(15)人(2)	鉄(13)斗(4)	綴(14★)人(2)	哲(10)斗(4)	哲(10)人(2)
17	17	16	14	12

「てつ」音のもつ硬さと「と」音の落ちつきが合わさり、力強い男らしさをアピール

てつなり
Tetsunari

徹(15)成(6)	哲(10)哉(9)	鉄(13)也(3)	哲(10)成(6)	哲(10)也(3)
21	19	16	16	13

しっかりした「てつ」音に、古典的な「なり」音を添えた、芯の強さを思わせる名前

てつはる
Tetsuharu

徹(15)晴(12)	徹(15)治(8)	鉄(13)治(8)	哲(10)春(9)	哲(10)治(8)
27	23	21	19	18

硬めのイメージをもつ「てつ」音に、ふわりとした響きの「はる」音を連ね、バランスよく

てつひろ
Tetsuhiro

徹(15)寛(13)	徹(15)浩(10)	哲(10)尋(12)	哲(10)浩(10)	哲(10)弘(5)
28	25	22	20	15

「てつ」という堅固な音と、開放感にあふれる「ひろ」音が、絶妙なバランスを保つ

てっぺい
Teppei

徹(15)平(5)	綴(14★)平(5)	鉄(13)平(5)	哲(10)兵(7)	哲(10)平(5)
20	19	18	17	15

硬い「てっ」音と「ぺい」音の明るさが光る、元気な男の子を思わせる名前

てつや
Tetsuya

徹(15)弥(8)	哲(10)哉(9)	徹(15)也(3)	哲(10)弥(8)	哲(10)也(3)
23	19	18	18	13

「てつ」音のもつ親しみやすい響きを、人気の止め字「や」が、明るく際立たせた名前

てつる
Tetsuru

徹(15)瑠(14)	徹(15)留(10)	鉄(13)留(10)	哲(10)琉(11)	哲(10)留(10)
29	25	23	21	20

堅い響きの「てつ」音に、「る」のまろやかさを加えた、強さと柔軟さを併せもつ名前

てつろう
Tetsuro

徹(15)朗(10)	徹(15)郎(9)	綴(14★)朗(10)	哲(10)朗(10)	哲(10)郎(9)
25	24	24	20	19

堅固な「てつ」音に連なる、流れをもつ伝統的な止め字「ろう」が、柔軟な強さを表現

てるあき
Teru-aki

煌(13★)明(8)	皓(12)昭(9)	皓(12)明(8)	瑛(12)旭(6)	晃(10)明(8)
21	21	20	18	18
燿(18)昭(9)	**照(13)陽(12)**	**輝(15)昭(9)**	**輝(15)秋(9)**	**照(13)晃(10)**
27	25	24	24	23

ともに朗らかな印象をもつ「てる」と「あき」両音で、輝くような明るさをアピール

てるき
Teruki

輝(15)樹(16)	輝(15)貴(12)	照(13)貴(12)	輝(15)紀(9)	瑛(12)希(7)
31	27	25	24	19

「てる」という晴れやかな音に、キレのよい止め字「き」を合わせた、元気のよい名前

てるひこ
Teruhiko

輝(15)彦(9)	照(13)彦(9)	瑛(12)彦(9)	光(6)彦(9)	旭(6)彦(9)
24	22	21	15	15

「てる」の明朗さに、快活な止め字「ひこ」が加わった、古風な快男児を思わせる響き

てるみ
Terumi

輝(15)海(9)	輝(15)実(8)	照(13)実(8)	照(13)巳(3)	瑛(12)巳(3)
24	23	21	16	15

明るく晴れやかな音をもつ「てる」に、やわらかい止め字「み」音がなじむ組み合わせ

★新人名漢字

てるや
Teruya
●○○
明朗な「てる」音と、人気の止め字「や」で、明るく活発な男の子らしさをアピール

名前	画数	総画
瑛矢	12・5	17
輝也	15・3	18
照哉	13・9	22
輝埜★	15・11	26
耀弥	20・8	28

てるゆき
Teru-yuki
●●○
「てる」音のもつ晴れやかさに、しっとりとした「ゆき」音で、和風の情趣を添えて

名前	画数	総画
照之	13・3	16
輝之	15・3	18
照幸	13・8	21
輝行	15・6	21
輝雪	15・11	26

てん
Ten
●●●
「天」を思わせる、突き抜けた明るい音が印象的な名前。Ⓔ10Ⓢ持て

名前	画数	総画
天	4	4
辿★	7	7
典	8	8
展	10	10
塡★	13	13

てんま
Temma
●●●
「ペガサス」の和名と同じ音。ロマンにあふれた、明るくエネルギッシュな名前

名前	画数	総画
天真	4・10	14
天馬	4・10	14
天満	4・12	16
辿★真	7・10	17
天磨	4・16	20

てんむ
Temmu
●●○
突き抜けた「てん」音に、強い収束力をもつ「む」を合わせた、まとまりのよい名前

名前	画数	総画
天武	4・8	12
典武	8・8	16
天夢	4・13	17
典夢	8・13	21
展夢	10・13	23

てんりゅう
Tenryu
●○○
「てん」音のスピード感を、流麗な「りゅう」音が生かした、動きのある名前

名前	画数	総画
天流	4・10	14
天竜	4・10	14
天隆	4・11	15
天龍	4・16	20
展琉	10・11	21

と
【To】

とうい
Toy*
●●●
「とう」の静かな流れを穏やかに受ける、「い」音の個性が光る。Ⓚ討議

名前	画数	総画
東威	8・9	17
到威	8・9	17
董★伊	12・6	18
兜★威	11・9	20
統威	12・9	21

とうき
Tohki*
●●○
古風な落ちつきのある「とう」を、キレのよい止め字「き」で、現代風にアレンジ

名前	画数	総画
透紀	10・9	19
冬樹	5・16	21
桐貴	10・12	22
冬騎	5・18	23
瞳輝	17・15	32

とうきち
Toukichi*
●●○
静かな「とう」、はっきりした「きち」、対照的な両音が伝統を漂わせる響きをつくる

名前	画数	総画
桐吉	10・6	16
兜★吉	11・6	17
統吉	12・6	18
董★吉	12・6	18
藤吉	18・6	24

とうじ
Tohji*
●●●
控えめな音の止め字「じ」が、「とう」の落ちついたイメージを生かす。Ⓚ土地

名前	画数	総画
東司	8・5	13
冬嗣	5・13	18
董★次	12・6	18
藤二	18・2	20
藤次	18・6	24

とうすけ
Tosuke
●○○
静かな威厳を秘める「とう」音と、伝統的な男らしさを含む「すけ」音が相性よくなじむ

名前	画数	総画
桐亮	10・9	19
登佑	12・7	19
統佑	12・7	19
統祐	12・9	21
藤助	18・7	25

英語圏の人にとっての発音のしやすさの目安　●●● しやすい　●●○ ややしにくい　●○○ しにくい

とくじ
Tokuji

親しみのある止め字「じ」が、「とく」音のもつ温かい雰囲気を効果的に生かす

名前	画数	総画
徳司	14・5	19
督治	13・8	21
徳治	14・8	22
篤次	16・6	22
徳慈	14・13	27

とくま
Tokuma

誠実さを感じさせる「とく」音に、「ま」音の明るさを加えた、男の子らしい名前

名前	画数	総画
斗玖真	4・7・10	21
徳馬	14・10	24
篤真	16・10	26
徳磨	14・16	30
篤磨	16・16	32

としあき
Toshi-aki

ともに聡明なイメージをもつ2音、「とし」と「あき」を組み合わせた、バランスのよい名前

名前	画数	総画
寿明	7・8	15
寿昭	7・9	16
利昭	7・9	16
利晃	7・10	17
俊明	9・8	17
淑明	11・8	19
稔明	13・8	21
稔秋	13・9	22
聡明	14・8	22
敏彰	10・14	24

としお
Toshio

落ちついた「とし」音に伝統的な止め字「お」を添えた、安心感を与える、なじみ深い名前

名前	画数	総画
寿夫	7・4	11
稔夫	13・4	17
俊郎	9・9	18
敏雄	10・12	22
登志男	12・7・7	26

としかず
Toshi-kazu

ともに聡明な印象でなじみの深い「とし」「かず」を合わせた、しっかりとした雰囲気の名前

名前	画数	総画
寿一	7・1	8
利一	7・1	8
敏一	10・1	11
年和	6・8	14
敏和	10・8	18

としき
Toshiki

「とし」のもつ賢そうな響きに、シャープな「き」音を添えて、スピード感をプラス

名前	画数	総画
敏生	10・5	15
俊喜	9・12	21
稔紀	13・9	22
俊樹	9・16	25
淑騎	11・18	29

とうま
Tohma*

エキゾチックで静かな雰囲気をもつ、りりしい響き。Ⓢ彼(彼女)が飲む(食べる)

名前	画数	総画
到真	8・10	18
兜★真	11・10	21
兜★馬	11・10	21
登真	12・10	22
統磨	12・16	28

とうや
Toh-ya*

「とう」音の秘めた自信を「や」音が際立たせた、積極的な印象の名前。Ⓢ男性名

名前	画数	総画
統也	12・3	15
冬埜★	5・11	16
到哉	8・9	17
董★哉	12・9	21
瞳耶	17・9	26

とおる
Toru

さわやかで知的な、まとまりのよい名前。Ⓓ「すごい」に近い音

名前	画数	総画
亨	7	7
亮	9	9
透	10	10
達	12	12
徹	15	15

ときお
Tokio

堅固な強さをもつ3音で構成された、古風な雰囲気と新鮮さを併せもつ名前。ⒻⓈ東京

名前	画数	総画
季男	8・7	15
凱央	12・5	17
時雄	10・12	22
登喜男	12・12・7	31
朱鷺★男	6・24・7	37

ときひこ
Toki-hiko

伝統的な「ひこ」音がもつ和風の男らしさを、はっきりした「とき」音が際立たせる

名前	画数	総画
季彦	8・9	17
時比古	10・4・5	19
時彦	10・9	19
凱彦	12・9	21
登紀彦	12・9・9	30

ときや
Tokiya

明確な音「とき」と人気の止め字「や」が、きっぱりとした男らしい響きをつくる

名前	画数	総画
時也	10・3	13
斗希也	4・7・3	14
季弥	8・8	16
凱弥	12・8	20
朱鷺★也	6・24・3	33

とくお
Tokuo

「とく」音の落ちついた品性に、伝統的な止め字「お」がなじんだ、親しみやすい名前

名前	画数	総画
督男	13・7	20
篤央	16・5	21
斗玖雄	4・7・12	23
登玖夫	12・7・4	23
徳雄	14・12	26

★新人名漢字

としひこ
Toshi-hiko

●●○

「ひこ」のもつ明るい響きが、落ちついた「とし」音を、男らしくアレンジ

名前	画数	総画
峻彦	10・9	19
敏彦	10・9	19
淑彦	11・9	20
駿彦	17・9	26
登志彦	12・7・9	28

としひさ
Toshi-hisa

●●○

ともに穏やかなイメージをもつ「とし」と「ひさ」を重ねた、優しい印象の名前

名前	画数	総画
寿久	7・3	10
利久	7・3	10
俊久	9・3	12
敏久	10・3	13
稔玖	13・7	20

としくに
Toshi-kuni

●●○

ともに古風な印象の「とし」「くに」を合わせた、伝統を感じさせる落ちついた響き

名前	画数	総画
寿久仁	7・3・4	14
利邦	7・7	14
俊邦	9・7	16
敏邦	10・7	17
敏国	10・8	18

としひで
Toshi-hide

●●○

落ちついた「とし」音に、優しげな「ひで」音を合わせた、バランスのよい名前

名前	画数	総画
利英	7・8	15
寿日出	7・4・5	16
峻秀	10・7	17
敏英	10・8	18
淑英	11・8	19

としじ
Toshiji

●●○

知性を感じさせる「とし」音に「じ」音が自然に添い、親しみやすい熟成感を醸す

名前	画数	総画
利二	7・2	9
敏司	10・5	15
敏次	10・6	16
敏慈	10・13	23
稔滋	13・12	25

としまさ
Toshi-masa

●●○

円熟味を感じさせる「とし」音と、「まさ」音のりりしさが、バランスよく引き立て合う

名前	画数	総画
寿昌	7・8	15
敏正	10・5	15
利政	7・9	16
淑匡	11・6	17
俊雅	9・13	22

としぞう
Toshi-zo

●●○

落ちついた「とし」音に、重みのある「ぞう」を続けた、深い円熟味のある名前

名前	画数	総画
俊三	9・3	12
利造	7・10	17
敏造	10・10	20
利蔵	7・15	22
駿造	17・10	27

としみ
Toshimi

●●○

「とし」音のもつ奥深い優しさを、やわらかい「み」音の余韻が効果的に生かす

名前	画数	総画
峻巳	10・3	13
俊海	9・9	18
敏実	10・8	18
稔実	13・8	21
駿未	17・5	22

としなお
Toshi-nao

●●○

「とし」音の穏やかさに、「なお」音のやわらかさが連なり、しっとりと優しく響く

名前	画数	総画
利直	7・8	15
秋尚	9・8	17
俊尚	9・8	17
敏直	10・8	18
駿尚	17・8	25

としみち
Toshi-michi

●●○

円熟した品性をもつ「とし」音と、文芸的な「みち」音を合わせた、知性的な響き

名前	画数	総画
利通	7・10	17
利満	7・12	19
俊道	9・12	21
敏道	10・12	22
稔通	13・10	23

としのり
Toshi-nori

●●○

なめらかな「のり」音が、「とし」音のもつ古風な響きを、まろやかに引き立てる

名前	画数	総画
利典	7・8	15
利紀	7・9	16
俊紀	9・9	18
俊範	9・15	24
俊憲	9・16	25

としや
Toshiya

●●●

「とし」という静かな音に、活発な「や」音を合わせた、快いリズム感をもつ名前

名前	画数	総画
利弥	7・8	15
俊弥	9・8	17
稔矢	13・5	18
馳矢	13★・5	18
敏哉	10・9	19

としはる
Toshi-haru

●●○

熟成感のある「とし」音と、晴れやかな明るさをもつ「はる」音の、爽快な組み合わせ

名前	画数	総画
年春	6・9	15
利治	7・8	15
寿春	7・9	16
敏明	10・8	18
駿治	17・8	25

英語圏の人にとっての発音のしやすさの目安　●●● しやすい　●●○ ややしにくい　●○○ しにくい

としゆき
Toshi-yuki

やわらかい和風音「ゆき」が、「とし」音の深い知性になじむ、落ちつきのある名前

名前	画数	総画
寿之	7・3	10
利之	7・3	10
俊之	9・3	12
淑之	11・3	14
敏行	10・6	16
稔之	13・3	16
峻幸	10・8	18
淑幸	11・8	19
峻雪	10・11	21
稔幸	13・8	21

としろう
Toshi-ro

「とし」音の落ちつきと優しさに、伝統的な「ろう」音が動きを加え、効果的に生かす

名前	画数	総画
利郎	7・9	16
俊朗	9・10	19
敏郎	10・9	19
敏朗	10・10	20
淑郎	11・9	20

とみお
Tomio

控えめで品のよい3音がつくるレトロ調の響きが、かえって新鮮。ⒺⒻ近い音の男性名

名前	画数	総画
臣雄	7・12	19
富男	12・7	19
富雄	12・12	24
登美夫	12・9・4	25
登美雄	12・9・12	33

とむ
Tom*

収まりのよい明るく簡潔な音で、愛称にも通じ、親しみやすい。ⒺⒻ男性名

名前	画数	総画
斗武	4・8	12
富	12	12
斗夢	4・13	17
都武	11・8	19
登夢	12・13	25

ともあつ
Tomo-atsu

「とも」の温かさと「あつ」の適度な重みが、安心感をつくる。Ⓔ近い音の男性名

名前	画数	総画
友厚	4・9	13
朋淳	8・11	19
友篤	4・16	20
智惇	12・11	23
侶篤	9★・16	25

ともお
Tomo*

「お行音」の子音で構成された、落ちついたトーンで統一された名前。Ⓔ男性名

名前	画数	総画
友於	4・8	12
朋男	8・7	15
知郎	8・9	17
智生	12・5	17
智雄	12・12	24

ともかず
Tomo-kazu

温かく親しみやすい「とも」音と、しっかりとした印象の「かず」音の組み合わせ

名前	画数	総画
友和	4・8	12
智一	12・1	13
朋知	8・8	16
朋和	8・8	16
智和	12・8	20

ともき
Tomoki

温もりを感じさせる「とも」音を、キレのよい止め字「き」で現代風にまとめた名前

名前	画数	総画
友喜	4・12	16
智生	12・5	17
伴規	7・11	18
朋揮	8・12	20
智樹	12・16	28

ともくに
Tomo-kuni

親しみやすい「とも」音が、「くに」の和風の響きを際立たせ、りりしいイメージに

名前	画数	総画
友玖仁	4・7・4	15
伴国	7・8	15
朋国	8・8	16
智邦	12・7	19
登茂邦	12・8・7	27

ともさだ
Tomo-sada

「とも」という優しい音に合わせた、古典的な響きの「さだ」が、個性を光らせる

名前	画数	総画
友禎	4・13	17
知貞	8・9	17
伴禎	7・13	20
朝定	12・8	20
智貞	12・9	21

ともたけ
Tomo-take

温かい「とも」音と、勇ましい「たけ」音がバランスよくなじむ、男らしい名前

名前	画数	総画
友孟	4・8	12
智丈	12・3	15
朋武	8・8	16
智威	12・9	21
伴毅	7・15	22

★新人名漢字

ともひで
Tomo-hide

●●○

温かな「とも」音にきっぱりした「ひで」音が添った、男らしい優しさをもつ名前

漢字	画数
智(12)英(8)	20
智(12)秀(7)	19
知(8)英(8)	16
友(4)英(8)	12
友(4)秀(7)	11

ともひろ
Tomo-hiro

●●○

おおらかな「ひろ」音が、「とも」音の温もり感を開放する、広がりを感じさせる名前

漢字	画数
智(12)寛(13)	25
伴(7)尋(12)	19
智(12)弘(5)	17
知(8)宏(7)	15
友(4)弘(5)	9

ともみ
Tomomi

●●●

温かみのある「とも」音と、やわらかい音の止め字「み」が、優しいまとまりをつくる

漢字	画数
朝(12)海(9)	21
智(12)実(8)	20
友(4)弥(8)	12
友(4)実(8)	12
友(4)巳(3)	7

ともや
Tomoya

●●●

優しく温かい「とも」音に、快活な止め字の「や」を加えた、明るく親しみやすい名前

漢字	画数
智(12)夜(8)	20
知(8)野(11)	19
智(12)也(3)	15
友(4)哉(9)	13
友(4)矢(5)	9

ともやす
Tomo-yasu

●●○

親しみ感をもつ「とも」音と、飾り気のない「やす」音が、気さくに心地よく響く

漢字	画数
智(12)寧(14)	26
智(12)泰(10)	22
伴(7)康(11)	18
朋(8)保(9)	17
友(4)靖(13)	17

ともゆき
Tomo-yuki

●●○

「とも」と「ゆき」という穏やかな2音の組み合わせが、和風の情趣を醸し出す

漢字	画数
智(12)行(6)	18
知(8)幸(8)	16
智(12)之(3)	15
友(4)幸(8)	12
友(4)之(3)	7

ともよし
Tomo-yoshi

●●○

優しい温もりのある「とも」音と、冷静な知性を含む「よし」音が、相性よくなじむ

漢字	画数
朋(8)義(13)	21
知(8)義(13)	21
智(12)由(5)	17
友(4)義(13)	17
友(4)芳(7)	11

ともちか
Tomo-chika

●●○

穏やかな「とも」音から明るくはじける「ちか」音へと、上昇する動きを感じさせる響き

漢字	画数
倫(10)親(16)	26
朋(8)親(16)	24
智(12)周(8)	20
智(12)近(7)	19
倫(10)周(8)	18

ともつぐ
Tomo-tsugu

●●○

優しく親しみやすい「とも」音を、飾り気のない「つぐ」音が支えた、芯の強い響き

漢字	画数
朝(12)承(8)	20
伴(7)嗣(13)	20
智(12)次(6)	18
友(4)嗣(13)	17
朋(8)承(8)	16

とものぶ
Tomo-nobu

●●○

温もりをもった音どうしの組み合わせが、情に厚い好人物を思わせる

漢字	画数
知(8)延(8)	16
伴(7)伸(7)	14
友(4)伸(7)	11
巴(4)亘(6)	10
友(4)允(4)	8
智(12)展(10)	22
知(8)暢(14)	22
智(12)信(9)	21
朝(12)宣(9)	21
朋(8)信(9)	17

とものり
Tomo-nori

●●○

「とも」音の温かさと、「のり」音のやわらかさが、ほっとする感覚を与える名前

漢字	画数
朋(8)徳(14)	22
智(12)則(9)	21
伴(7)法(8)	15
友(4)規(11)	15
友(4)紀(9)	13

ともはる
Tomo-haru

●●○

晴れやかな明るさをもつ「はる」音が、「とも」音の温かさに広がりを加える

漢字	画数
登(12)茂(8)春(9)	29
朝(12)春(9)	21
伴(7)晴(12)	19
友(4)遥(12)	16
友(4)春(9)	13

ともひさ
Tomo-hisa

●●○

親しみのある「とも」音と、繊細な優しさをもつ「ひさ」音が合い、愛情深く響く

漢字	画数
伴(7)恒(9)	16
智(12)久(3)	15
友(4)尚(8)	12
朋(8)久(3)	11
友(4)久(3)	7

英語圏の人にとっての発音のしやすさの目安　●●● しやすい　●●○ ややしにくい　●○○ しにくい

ともろう
Tomoro

●●○

「とも」と「ろう」、伝統的な音どうしを連ねた、新鮮な響き。Ⓔ「明日」に近い音

名前	画数	総画
友郎	4・9	13
友朗	4・10	14
侶朗	9★・10	19
智郎	12・9	21
智朗	12・10	22

とよあき
Toyo-aki

●●○

静かな伝統を漂わせる「とよ」音と、明るい「あき」音の、バランスのよい組み合わせ

名前	画数	総画
豊明	13・8	21
豊秋	13・9	22
豊彬	13・11	24
都世秋	11・5・9	25
富彰	12・14	26

とよかず
Toyo-kaz*

●●○

「とよ」音の熟成感を、「かず」音の聡明な落ちつきが、濁音の重みをもってまとめる

名前	画数	総画
豊一	13・1	14
富和	12・8	20
豊知	13・8	21
豊和	13・8	21
斗誉和	4・13・8	25

とよじ
Toyoji

●●●

柔軟性をもつ「とよ」音に、謙虚な印象の「じ」音を続けた、親しみのこもった響き

名前	画数	総画
豊二	13・2	15
豊次	13・6	19
豊治	13・8	21
富慈	12・13	25
富路	12・13	25

とよみ
Toyomi

●●○

ともにやわらかい響きの「とよ」と「み」音を合わせ、しなやかなイメージを強調

名前	画数	総画
富実	12・8	20
富弥	12・8	20
豊臣	13・7	20
豊実	13・8	21
豊海	13・9	22

とりむ
Trim*

●●●

船が安定している様子を示す、まとまりのよい、印象的な音。Ⓔきちんとした、秩序

名前	画数	総画
十浬武	2・10★・8	20
斗俐武	4・9★・8	21
鳥夢	11・13	24
都吏夢	11・6・13	30
登里夢	12・7・13	32

とわ
Towa

●●●

「永遠」と同音の、詩情に富んだしゃれた響きをもつ名前。Ⓕ「君」に近い音

名前	画数	総画
永久	5・3	8
斗羽	4・6	10
永遠	5・13	18
都和	11・8	19
登輪	12・15	27

な
【Na】

ないと
Knight*

●●●

やわらかながらスピーディーな響きをもつ、洒脱な印象の名前。Ⓔ夜、騎士

名前	画数	総画
奈以斗	8・5・4	17
那絃	7・11	18
那綸	7・14	21
騎士	18・3	21
奈唯登	8・11・12	31

なおかつ
Nao-katsu

●●○

素直な「なお」音に、力強い「かつ」音が加わった、まっすぐな力を思わせる名前

名前	画数	総画
尚且	8・5	13
直克	8・7	15
直捷	8・11	19
猶克	12・7	19
尚勝	8・12	20

なおき
Naoki

●●○

優しい「なお」音に、シャープな「き」音を添えた、やわらかさと男らしさを併せもつ名前

名前	画数	総画
直希	8・7	15
尚紀	8・9	17
奈央希	8・5・7	20
直貴	8・12	20
尚輝	8・15	23
直輝	8・15	23
尚畿	8・15★	23
尚樹	8・16	24
直樹	8・16	24
直騎	8・18	26

なおし
Naoshi

●●○

なじみ深く柔軟性に富んだ「なお」音を、「し」音が静かな個性を添えてまとめる

名前	画数	総画
尚司	8・5	13
直司	8・5	13
直史	8・5	13
尚志	8・7	15
直志	8・7	15

★新人名漢字

なおまさ
Nao-masa
●●

優しい「なお」とりりしい「まさ」、純真さを感じさせる明るい音どうしの組み合わせ

名前	画数	総画
直昌	8・8	16
尚昌	8・8	16
直匡	8・6	14
直正	8・5	13
尚正	8・5	13
直優	8・17	25
尚勝	8・12	20
直理	8・11	19
直柾	8・9	17
尚柾	8・9	17

なおみ
Naomi
●●●

素直な優しさと、やわらかさに包まれた、なじみの深い名前。ⒺⓈ女性名

名前	画数	総画
直実	8・8	16
尚実	8・8	16
直巳	8・3	11
直己	8・3	11
尚己	8・3	11

なおみち
Nao-michi
●●

ともにまっすぐなイメージをもつ「なお」と「みち」が、しなやかな力を感じさせる

名前	画数	総画
直順	8・12	20
尚満	8・12	20
尚道	8・12	20
尚理	8・11	19
直充	8・6	14

なおや
Naoya
●●

男の子らしい明るさをもつ止め字「や」が、「なお」音の素直な響きを強調する

名前	画数	総画
直哉	8・9	17
尚哉	8・9	17
直弥	8・8	16
直也	8・3	11
尚也	8・3	11

なおゆき
Nao-yuki
●●

「なお」のまっすぐでひたむきな響きを、和風の落ちつきをもつ「ゆき」音が際立たせる

名前	画数	総画
直幸	8・8	16
尚幸	8・8	16
尚行	8・6	14
直之	8・3	11
尚之	8・3	11

ながれ
Nagaré*
●●●

美しい日本語の響きをそのまま生かした、流麗なイメージが印象的な、新感覚の名前

名前	画数	総画
流麗	10・19	29
流玲	10・9	19
流行	10・6	16
永玲	5・9	14
流	10	10

なおずみ
Nao-zumi
●●

まっすぐな印象の「なお」と「ずみ」がつくる純真な響きに、濁音がほどよい重みをプラス

名前	画数	総画
奈央澄	8・5・15	28
直澄	8・15	23
尚澄	8・15	23
直純	8・10	18
尚純	8・10	18

なおと
Naoto
●●●

純情さを秘めた「なお」音に、「と」音を合わせ、落ちつきとキレのよさをプラス

名前	画数	総画
奈緒斗	8・14・4	26
尚登	8・12	20
奈央人	8・5・2	15
直人	8・2	10
尚人	8・2	10

なおひさ
Nao-hisa
●●

「なお」音の素直さに、「ひさ」音のもつ優しさを加え、好人物のイメージに

名前	画数	総画
奈央久	8・5・3	16
直玖	8・7	15
亨長	7・8	15
直久	8・3	11
亨久	7・3	10
菜生尚	11・5・8	24
直比佐	8・4・7	19
尚比佐	8・4・7	19
尚恒	8・9	17
実尚	8・8	16

なおひで
Nao-hide
●●

「なお」音の純粋さと、「ひで」音のきっぱりした重みが、相性よくなじむ組み合わせ

名前	画数	総画
奈緒秀	8・14・7	29
直英	8・8	16
尚英	8・8	16
直秀	8・7	15
尚秀	8・7	15

なおひと
Nao-hito
●●

「なお」の素直な音に、優しい響きの「ひと」がなじんだ、穏やかな印象の名前

名前	画数	総画
奈緒人	8・14・2	24
奈央人	8・5・2	15
尚仁	8・4	12
直人	8・2	10
尚人	8・2	10

なおふみ
Nao-fumi
●●

純粋な「なお」音に、文芸的な和風の雰囲気をもつ「ふみ」音を連ねた、優しい名前

名前	画数	総画
直郁	8・9	17
奈央文	8・5・4	17
直史	8・5	13
直文	8・4	12
尚文	8・4	12

英語圏の人にとっての発音のしやすさの目安　●●●しやすい　●●ややしにくい　●しにくい

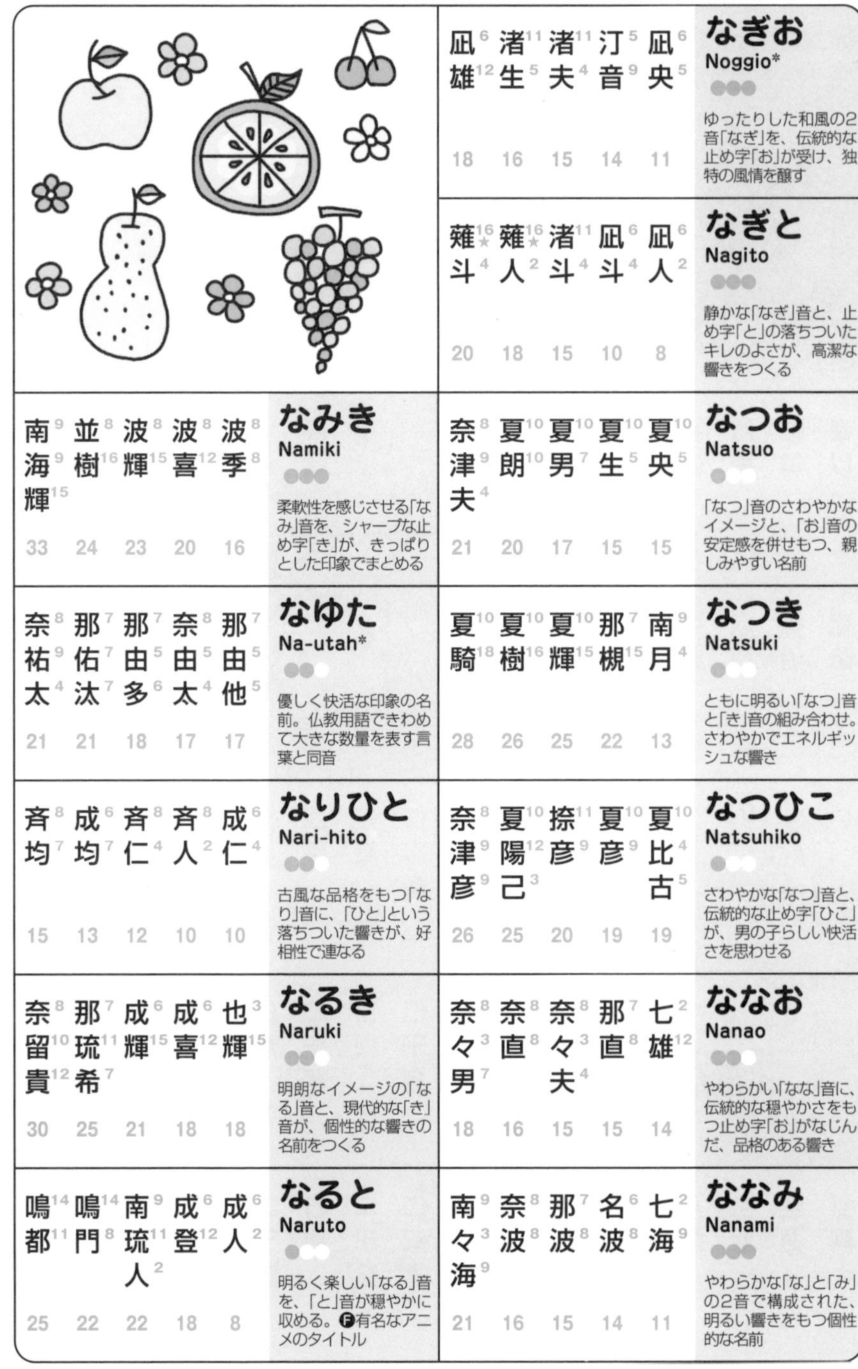

なぎお
Noggio*

ゆったりした和風の2音「なぎ」を、伝統的な止め字「お」が受け、独特の風情を醸す

名前	画数	総画
凪央	6・5	11
汀音	5・9	14
渚夫	11・4	15
渚生	11・5	16
凪雄	6・12	18

なぎと
Nagito

静かな「なぎ」音と、止め字「と」の落ちついたキレのよさが、高潔な響きをつくる

名前	画数	総画
凪人	6・2	8
凪斗	6・4	10
渚斗	11・4	15
薙人	16★・2	18
薙斗	16★・4	20

なつお
Natsuo

「なつ」音のさわやかなイメージと、「お」音の安定感を併せもつ、親しみやすい名前

名前	画数	総画
夏央	10・5	15
夏生	10・5	15
夏男	10・7	17
夏朗	10・10	20
奈津夫	8・9・4	21

なみき
Namiki

柔軟性を感じさせる「なみ」音を、シャープな止め字「き」が、きっぱりとした印象でまとめる

名前	画数	総画
波季	8・8	16
波喜	8・12	20
波輝	8・15	23
並樹	8・16	24
南海輝	9・9・15	33

なつき
Natsuki

ともに明るい「なつ」音と「き」音の組み合わせ。さわやかでエネルギッシュな響き

名前	画数	総画
南月	9・4	13
那槻	7・15	22
夏輝	10・15	25
夏樹	10・16	26
夏騎	10・18	28

なゆた
Na-utah*

優しく快活な印象の名前。仏教用語できわめて大きな数量を表す言葉と同音

名前	画数	総画
那由他	7・5・5	17
奈由太	8・5・4	17
那由多	7・5・6	18
那佑汰	7・7・7	21
奈祐太	8・9・4	21

なつひこ
Natsuhiko

さわやかな「なつ」音と、伝統的な止め字「ひこ」が、男の子らしい快活さを思わせる

名前	画数	総画
夏比古	10・4・5	19
夏彦	10・9	19
捺彦	11・9	20
夏陽己	10・12・3	25
奈津彦	8・9・9	26

なりひと
Nari-hito

古風な品格をもつ「なり」音に、「ひと」という落ちついた響きが、好相性で連なる

名前	画数	総画
成仁	6・4	10
斉人	8・2	10
斉仁	8・4	12
成均	6・7	13
斉均	8・7	15

ななお
Nanao

やわらかい「なな」音に、伝統的な穏やかさをもつ止め字「お」がなじんだ、品格のある響き

名前	画数	総画
七雄	2・12	14
那直	7・8	15
奈々夫	8・3・4	15
奈直	8・8	16
奈々男	8・3・7	18

なるき
Naruki

明朗なイメージの「なる」音と、現代的な「き」音が、個性的な響きの名前をつくる

名前	画数	総画
也輝	3・15	18
成喜	6・12	18
成輝	6・15	21
那琉希	7・11・7	25
奈留貴	8・10・12	30

ななみ
Nanami

やわらかな「な」と「み」の2音で構成された、明るい響きをもつ個性的な名前

名前	画数	総画
七海	2・9	11
名波	6・8	14
那波	7・8	15
奈波	8・8	16
南々海	9・3・9	21

なると
Naruto

明るく楽しい「なる」音を、「と」音が穏やかに収める。Ⓕ有名なアニメのタイトル

名前	画数	総画
成人	6・2	8
成登	6・12	18
南琉人	9・11・2	22
鳴門	14・8	22
鳴都	14・11	25

★新人名漢字

なるひと
Naruhito

●○○

明るさと気品を併せもつ響き。現皇太子殿下の名前として、広く海外でも知られる

名前	画数	総画
成人	6・2	8
成仁	6・4	10
忠仁	8・4	12
徳人	14・2	16
名留人	6・10・2	18
徳仁	14・4	18
親人	16・2	18
奈留人	8・10・2	20
親仁	16・4	20
那琉仁	7・11・4	22

ねい
Nay*

●●●

簡潔で静かな流れをもつ、多用されていない音が、強い個性をアピール

名前	画数	総画
寧	14	14
音依	9・8	17
峰威	10・9	19
祢★偉	9・12	21
嶺以	17・5	22

ねんじ
Nenji

●●●

落ちついた「ねん」音に、穏やかな「じ」音が自然に添った、大人びた印象の名前

名前	画数	総画
稔司	13・5	18
稔児	13・7	20
念慈	8・13	21
稔治	13・8	21
稔路	13・13	26

にしき
Nishiki

●●●

「美しいもの」を象徴する音。白米の銘柄として海外でも有名。Ⓘ近い音の男性名

名前	画数	総画
にしき	3・1・4	8
錦	16	16
西輝	6・15	21
仁織	4・18	22
仁志輝	4・7・15	26

にちか
Nichika

●●●

明るく突き抜けた「ちか」音が、個性的な「に」音に自然にまとまる、新感覚の名前

名前	画数	総画
仁周	4・8	12
日翔	4・12	16
二千翔	2・3・12	17
日榎★	4・14	18
仁千翔	4・3・12	19

にちき
Nichiki

●●●

個性的な響き、知的な印象、キレのよさをもつ3音が新鮮に響く。Ⓔ近い音の男性名

名前	画数	総画
日希	4・7	11
二千輝	2・3・15	20
日樹	4・16	20
二千騎	2・3・18	23
仁知喜	4・8・12	24

のあ
Noah*

●●●

なめらかで、優しい印象の音。旧約聖書の登場人物名としても有名。ⒺⓈⓀ男性名

名前	画数	総画
乃亜	2・7	9
乃阿	2・8	10
埜★亜	11・7	18
埜★吾	11・7	18
野阿	11・8	19

英語圏の人にとっての発音のしやすさの目安　●●● しやすい　●●○ ややしにくい　●○○ しにくい

のぞむ
Nozomu

●●●

夢のある響きのなかで、止め字の「む」が力強く全体を引き締め、堅実さをプラス

名前	画数	総画
望夢	11・13	24
希夢	7・13	20
希望	7・11	18
望	11	11
志	7	7

のぶと
Nobuto

●●●

「のぶ」音のもつ素直な響きを、止め字「と」が生かした、人柄のよさを思わせる名前

名前	画数	総画
伸外	7・5	12
信人	9・2	11
宣人	9・2	11
伸斗	7・4	11
延人	8・2	10
暢登	14・12	26
延途	8・10	18
達人	12・2	14
信斗	9・4	13
恒斗	9・4	13

のぶあき
Nobu-aki

●●○

温かな「のぶ」音と明るい「あき」音の組み合わせが、親しみやすい響きをつくる

名前	画数	総画
信秋	9・9	18
伸章	7・11	18
宣明	9・8	17
伸昭	7・9	16
伸明	7・8	15
延顕	8・18	26
暢明	14・8	22
展晶	10・12	22
延彰	8・14	22
宣昭	9・9	18

のぶひろ
Nobu-hiro

●●○

素朴な温かさをもつ「のぶ」音に、奥行きのある「ひろ」音を加え、広がりをもたせて

名前	画数	総画
暢広	14・5	19
宣紘	9・10	19
信宏	9・7	16
伸洋	7・9	16
信弘	9・5	14

のぶお
Nobuo

●●●

「のぶ」という素直な音に、伝統的な止め字「お」を添え、純朴なイメージを強調

名前	画数	総画
暢雄	14・12	26
信雄	9・12	21
信男	9・7	16
宣夫	9・4	13
伸夫	7・4	11

のぶや
Nobuya

●●●

飾り気のない「のぶ」音に、元気な「や」音を添えた、自然体の快活さを思わせる響き

名前	画数	総画
暢哉	14・9	23
信哉	9・9	18
宣弥	9・8	17
展也	10・3	13
信也	9・3	12

のぶかず
Nobu-kazu

●●○

飾り気のない「のぶ」音に、穏やかな「かず」音を合わせた、しっかりした印象の名前

名前	画数	総画
信和	9・8	17
伸和	7・8	15
信一	9・1	10
延一	8・1	9
伸一	7・1	8

のぶやす
Nobu-yasu

●●○

ともに素直で自然体の雰囲気をもつ「のぶ」と「やす」を組み合わせた、純朴な響き

名前	画数	総画
信康	9・11	20
伸靖	7・13	20
信泰	9・10	19
信保	9・9	18
伸康	7・11	18

のぶかた
Nobu-kata

●●○

素直な「のぶ」音に、古風で堅固な「かた」音を合わせた、落ちついた個性的な響き

名前	画数	総画
信謙	9・17	26
暢兼	14・10	24
信佳汰	9・8・7	24
宣加汰	9・5・7	21
延加太	8・5・4	17

のぶゆき
Nobu-yuki

●●○

素直さと落ちつきを併せもつ響きが、柔軟性に富んだ繊細な精神を思わせる

名前	画数	総画
信幸	9・8	17
宣行	9・6	15
信行	9・6	15
伸幸	7・8	15
信之	9・3	12

のぶき
Nobuki

●●○

親しみやすい「のぶ」音に加えた、シャープな止め字「き」が、元気なアクセントをプラス

名前	画数	総画
暢貴	14・12	26
展輝	10・15	25
伸樹	7・16	23
延軌	8・9	17
信希	9・7	16

★新人名漢字

のぶよし
Nobu-yoshi
●●

「のぶ」音のもつ素朴な温もりに、「よし」音の大人びた安定感が、相性よくなじむ

名前	画数	総画数
伸由	7・5	12
伸好	7・6	13
伸淑	7・11	18
暢芳	14・7	21
信義	9・13	22

のぼる
Noboru
●●

ストレートに「上昇」を意味する、まとまりのよい音。なじみ深く、親しみやすい名前

名前	画数	総画数
昇	8	8
登	12	12
暢	14	14
昇琉	8・11	19
登瑠	12・14	26

のりあき
Nori-aki
●●

なめらかな「のり」音と、明るい「あき」音が相まって、のどかで楽しい響きをつくる

名前	画数	総画数
典明	8・8	16
典昭	8・9	17
徳秋	14・9	23
範明	15・8	23
憲章	16・11	27

のりお
Norio
●●●

「のり」という柔軟性を感じさせる音に、穏やかな「お」音を添えた、安心感のある名前

名前	画数	総画数
典央	8・5	13
紀夫	9・4	13
則雄	9・12	21
憲生	16・5	21
徳雄	14・12	26

のりかず
Nori-kazu
●●

やわらかい「のり」音に続く、親しみやすい「かず」音が、快い変化を加える

名前	画数	総画数
紀一	9・1	10
典和	8・8	16
則和	9・8	17
憲一	16・1	17
徳和	14・8	22

のりき
Noriki
●●

優しい響きの「のり」に、シャープな印象の止め字「き」が、心地よい余韻をプラス

名前	画数	総画数
典希	8・7	15
紀希	9・7	16
則貴	9・12	21
徳樹	14・16	30
憲輝	16・15	31

のりたけ
Noritake
●●●

優しい「のり」音に活発な「たけ」音をそえて。食器のブランド名として海外でも有名

名前	画数	総画数
法武	8・8	16
典威	8・9	17
紀武	9・8	17
則武	9・8	17
紀毅	9・15	24

のりと
Norito
●●●

柔軟な響きのなかに「と」音がシャープさを添える、スマートな印象の名前

名前	画数	総画数
律人	9・2	11
紀年	9・6	15
矩外	10・5	15
法門	8・8	16
範人	15・2	17
則音	9・9	18
範斗	15・4	19
憲斗	16・4	20
展登	10・12	22
規登	11・12	23

のりひさ
Nori-hisa
●●

「のり」と「ひさ」、ともに優しい音の連なりが、繊細なイメージを醸し出す名前

名前	画数	総画数
法久	8・3	11
矩久	10・3	13
憲久	16・3	19
徳尚	14・8	22
憲恒	16・9	25

のりみち
Nori-michi
●●

やわらかい2音「のり」と「みち」の明快な響きがバランスよく、聡明な印象をつくる

名前	画数	総画数
教充	11・6	17
紀満	9・12	21
憲充	16・6	22
範道	15・12	27
憲道	16・12	28

のりゆき
Nori-yuki
●●

「のり」音のなめらかさと、「ゆき」音のやわらかさが、バランスよくなじむ名前

名前	画数	総画数
典之	8・3	11
法之	8・3	11
則行	9・6	15
紀幸	9・8	17
教行	11・6	17

のりよし
Nori-yoshi
●●

なめらかな「のり」音を、古風な落ちつきをもつ「よし」音が、穏やかにまとめる

名前	画数	総画数
紀芳	9・7	16
宣佳	9・8	17
典善	8・12	20
徳芳	14・7	21
範義	15・13	28

英語圏の人にとっての発音のしやすさの目安　●●● しやすい　●● ややしにくい　● しにくい

は【Ha】

はいど
Hydo*

まとまりのよい、個性的な響きをもつ、新感覚の名前。Ⓔ姓、「覆う」に近い音

漢字（画数）	総画
波(8) 以(5) 斗(4)	17
俳(10) 杜(7)	17
輩(15) 斗(4)	19
葉(12) 伊(6) 人(2)	20
巴(4) 伊(6) 渡(12)	22

ばく
Buck*

悪夢を食するとされる想像上の動物名と同じ、簡潔で印象的な音。Ⓔ背中

漢字（画数）	総画
芭(7★) 久(3)	10
莫(10★)	10
漠(13)	13
幕(13)	13
羽(6) 駈(15★)	21

はじめ
Hajime

「物事の起こり」を表す、はっきりとしたまとまりのよい一連の音で、長く親しまれる名前

漢字（画数）	総画
一(1)	1
元(4)	4
初(7)	7
朔(10)	10
肇(14)	14

はやお
Hayao

ふわりとやわらかい音で包み込むように構成された、穏やかな温かさを感じさせる名前

漢字（画数）	総画
迅(6) 央(5)	11
駿(17)	17
駿(17) 夫(4)	21
隼(10) 雄(12)	22
羽(6) 矢(5) 雄(12)	23

はやき
Hayaki

軽やかな「は」、やわらかい「や」、キレのよい「き」音の、個性的な組み合わせ

漢字（画数）	総画
早(6) 希(7)	13
隼(10) 己(3)	13
勇(9) 希(7)	16
駿(17) 己(3)	20
逸(11) 輝(15)	26

はやと
Hayato

優しい「はや」音に、シャープな「と」音を加えた、硬軟の響きを併せもつ名前

漢字（画数）	総画
隼(10)	10
勇(9) 人(2)	11
隼(10) 人(2)	12
波(8) 也(3) 斗(4)	15
逸(11) 斗(4)	15

はやとう
Hayato

「はや」という訓読み音に、音読み調の「とう」を加えた、現代的なイメージの名前

漢字（画数）	総画
隼(10) 刀(2)	12
逸(11) 刀(2)	13
隼(10) 統(12)	22
逸(11) 統(12)	23
駿(17) 透(10)	27

はやま
Hayama

すべて「あ行音」で構成された明るいトーンの連なりが、まとまりのよい響きをつくる

漢字（画数）	総画
葉(12) 山(3)	15
勇(9) 馬(10)	19
隼(10) 真(10)	20
早(6) 磨(16)	22
駿(17) 馬(10)	27

はゆま
Ha-yuma

やわらかく軽やかな「は」「ゆ」と明るく元気な「ま」音の、個性的な組み合わせ

漢字（画数）	総画
巴(4) 由(5) 麻(11)	20
波(8) 由(5) 麻(11)	24
羽(6) 勇(9) 馬(10)	25
葉(12) 由(5) 真(10)	27
羽(6) 遊(12) 馬(10)	28

はりま
Ha-lima*

「り」のさわやかさが光る、まとまりのよい響き。兵庫県南西部を指す旧国名と同音

漢字（画数）	総画
羽(6) 里(7) 馬(10)	23
播(15★) 馬(10)	25
羽(6) 理(11) 真(10)	27
波(8) 浬(10★) 馬(10)	28
播(15★) 磨(16)	31

はる
Hal*

ストレートに「春」を思わせる、明るく晴れやかな響きをもつ、新感覚の名前。Ⓚ一日

漢字（画数）	総画
春(9)	9
温(12)	12
陽(12)	12
巴(4) 瑠(14)	18
波(8) 琉(11)	19

はるあき
Haru-aki

優しい「はる」と活発な「あき」、ともに明るい2音を重ねた、温かさに満ちた名前

漢字（画数）	総画
治(8) 明(8)	16
治(8) 秋(9)	17
春(9) 明(8)	17
遥(12) 明(8)	20
榛(14) 秋(9)	23

★新人名漢字

はるお
Haruo

●●●

落ちつきのある伝統的な止め字「お」が、「はる」音の温かさを効果的に響かせる

名前	画数	総画
治夫	8・4	12
春生	9・5	14
晴生	12・5	17
遥央	12・5	17
晴郎	12・9	21

はるか
Haruka

●●○

明るく楽しげな印象の「か」音が、やわらかい「はる」音にリズミカルな余韻を添える

名前	画数	総画
悠	11	11
遥	12	12
遙	14★	14
遼	15	15
遥河	12・8	20

はるかず
Haru-kazu

●●○

「はる」という優しい音に、「かず」音の実直そうな響きが加わった、好青年風の名前

名前	画数	総画
治一	8・1	9
春和	9・8	17
晴和	12・8	20
遥和	12・8	20
巴流和	4・10・8	22

はるき
Haruki

●●○

優しくやわらかい「はる」音と、シャープな止め字の「き」音が、バランスよくまとまる

名前	画数	総画
遥希	12・7	19
春暉	9・13	22
治樹	8・16	24
温貴	12・12	24
春樹	9・16	25
張輝	11・15	26
遥輝	12・15	27
陽輝	12・15	27
春麒	9・19★	28
晴騎	12・18	30

はるく
Haruku

●●●

軽快で新鮮な響きをもつ名前。アメリカン・コミックのヒーロー名としても親しまれる

名前	画数	総画
羽琉久	6・11・3	20
春琥	9・12★	21
春駈	9・15★	24
晴駒	12・15	27
遙駆	14★・14	28

はるご
Hal-go*

●●●

「はる」のもつ晴れ晴れとした響きに、古風な濁音の止め字「ご」が、重みと安定感を加える

名前	画数	総画
春吾	9・7	16
遥吾	12・7	19
遥冴	12・7	19
華悟	10・10	20
羽流胡	6・10・9	25

はるのぶ
Haru-nobu

●●○

「はる」と「のぶ」、ともに親しみを感じさせる音どうしの、相性のよい組み合わせ

名前	画数	総画
治伸	8・7	15
春伸	9・7	16
治宣	8・9	17
遙延	14★・8	22
晴暢	12・14	26

はるひこ
Haru-hiko

●●○

優しい「はる」音に、軽快な音ながら男らしい「ひこ」を合わせて、明朗なイメージに

名前	画数	総画
春比古	9・4・5	18
春彦	9・9	18
晴彦	12・9	21
遥彦	12・9	21
波留彦	8・10・9	27

はるひさ
Haru-hisa

●●○

ともに明るく優しい「はる」と「ひさ」の組み合わせ。人柄のよさをイメージさせる

名前	画数	総画
晴久	12・3	15
春寿	9・7	16
治悠	8・11	19
春比佐	9・4・7	20
陽恒	12・9	21

はるま
Haruma

●●●

明るい3音で構成された名前。晴れやかなイメージのなかにエキゾチックな響きを含む

名前	画数	総画
春馬	9・10	19
晴真	12・10	22
遥馬	12・10	22
榛真	14・10	24
遥磨	12・16	28

はるみ
Harumi

●●○

軽快な「はる」音と、やわらかい「み」音で明るくまとまった、なじみ深い名前

名前	画数	総画
春巳	9・3	12
春海	9・9	18
晴海	12・9	21
遥海	12・9	21
遙望	14★・11	25

はるみつ
Harumitsu

●○○

温もり感のある「はる」音と、やわらかい「みつ」音が織りなす、優しい印象の名前

名前	画数	総画
治充	8・6	14
春光	9・6	15
春充	9・6	15
美充	9・6	15
晴満	12・12	24

英語圏の人にとっての発音のしやすさの目安　●●●しやすい　●●○ややしにくい　●○○しにくい

はるむ
Hal-moo*

明るく軽やかな「はる」音の広がりを、「む」音の収束力が収めた、力強い響き

名前	画数	総画
波流夢	8・10・13	31
波留武	8・10・8	26
遥夢	12・13	25
波琉牟★	8・11・6	25
春夢	9・13	22

はるや
Haruya

明るい「はる」と「や」を連ねた、キレのよい軽快な響きが、元気な男の子を思わせる

名前	画数	総画
遥埜★	12・11	23
遥哉	12・9	21
春哉	9・9	18
治弥	8・8	16
春也	9・3	12

はるやす
Haru-yasu

晴れやかで明るい「はる」音と、「やす」音の落ちつきが、心地よい安心感を醸し出す

名前	画数	総画
晴寧	12・14	26
晴康	12・11	23
春康	9・11	20
治泰	8・10	18
春安	9・6	15

はるよし
Haru-yoshi

ふわりとした「はる」音を、「よし」音の古風な響きが落ちつかせた、大人びた名前

名前	画数	総画
晴善	12・12	24
春慶	9・15	24
治義	8・13	21
晴芳	12・7	19
春好	9・6	15

ばん
Ban

力強く簡潔な音で、きっぱりとした男らしさをもつ、個性的な名前。Ⓚ姓

名前	画数	総画
蕃★	15	15
磐★	15	15
播★	15	15
萬★	12	12
絆★	11	11

ばんしょう
Bansho

「万象」を思わせる雄大な音。力強さとさわやかな流れを併せもつ、新感覚の名前

名前	画数	総画
絆★聖	11・13	24
絆★祥	11・10	21
萬★昌	12・8	20
万翔	3・12	15
万象	3・12	15

はんす
Hans*

静かな「はん」音を含むまとまりのよい響きで、洋風の雰囲気をもつ名前。ⒺⒹ男性名

名前	画数	総画
蕃★州	15・6	21
絆★守	11・6	17
帆洲	6・9	15
帆寿	6・7	13
汎★主	6・5	11

はんた
Hunter*

軽やかな「はん」音と、明るい止め字「た」の組み合わせ。Ⓔ「狩猟家」に近い音

名前	画数	総画
幡★汰	15・7	22
範太	15・4	19
帆舵★	6・11	17
絆★太	11・4	15
汎★多	6・6	12

ばんり
Banri

堅固な重さをもつ「ばん」音に、涼やかな「り」音を添えた、個性的な名前

名前	画数	総画
萬★利	12・7	19
絆★里	11・7	18
伴理	7・11	18
万理	3・11	14
万里	3・7	10

ひ 【Hi】

ひかり
Hikari

ストレートに「光」を思わせる、明るい輝きに満ちた音。「り」が涼しげな余韻を残す

名前	画数	総画
陽駆	12・14	26
飛雁★	9・12	21
日駈★	4・15	19
暉	13	13
光	6	6

ひかる
Hikaru

まとまりのよい、明るく元気なイメージの音。長く親しまれる、なじみ深い名前

名前	画数	総画
光琉	6・11	17
光流	6・10	16
輝	15	15
晃	10	10
光	6	6

ひさお
Hisao

優しくさわやかな「ひさ」音に、「お」音の落ちつきが加わった、安定感のある名前

名前	画数	総画
恒雄	9・12	21
寿雄	7・12	19
尚男	8・7	15
比佐夫	4・7・4	15
久生	3・5	8

★新人名漢字

ひでお
Hideo
●○○

「きっぱりした音の「ひで」に、伝統的な止め字「お」を合わせた、落ちつきのある名前

名前	総画数
英[8]雄[12]	20
秀[7]雄[12]	19
日[4]出[5]夫[4]	13
秀[7]央[5]	12
秀[7]夫[4]	11

ひでかず
Hidekazu
●○○

「ひで」「かず」、ともに親しみやすい印象をもつ、堅実そうな響きをもつ名前

名前	総画数
英[8]和[8]	16
日[4]出[5]寿[7]	16
秀[7]和[8]	15
英[8]主[5]	13
英[8]一[1]	9

ひでき
Hideki
●○○

「ひで」という強さをもつ音に、キレのよい「き」を添えた、快活なイメージの名前

名前	総画数
英[8]樹[16]	24
日[4]出[5]輝[15]	24
秀[7]樹[16]	23
英[8]喜[12]	20
秀[7]喜[12]	19

ひでたか
Hidetaka
●○○

「ひで」音の適度な重さと、「たか」音が積極的な強さをもってバランスよくなじむ

名前	総画数
英[8]鷹[24]	32
秀[7]貴[12]	19
秀[7]隆[11]	18
秀[7]崇[11]	18
英[8]孝[7]	15

ひでただ
Hidetada
●○○

「ひで」「ただ」適度な重みをもった2音を合わせた、和風情趣の男らしい名前

名前	総画数
栄[9]唯[11]	20
英[8]忠[8]	16
秀[7]忠[8]	15
英[8]正[5]	13
秀[7]匡[6]	13

ひでつな
Hidetsuna
●○○

なじみの深い2音「ひで」に続く、「つな」という古風な音が、個性的な魅力を光らせる

名前	総画数
英[8]綱[14]	22
秀[7]綱[14]	21
英[8]統[12]	20
秀[7]統[12]	19
秀[7]紘[10]	17

ひでと
Hideto
●○○

「ひで」音のもつ力強さが「と」音に集約し、落ちつきのある響きにまとまった名前

名前	総画数
日[4]出[5]登[12]	21
秀[7]兜[11]★	18
英[8]斗[4]	12
秀[7]斗[4]	11
秀[7]人[2]	9

ひさし
Hisashi
●○○

「久しい」にもつながる、落ちつきのある音。優しい雰囲気をまとった名前

名前	総画数
恒[9]	9
尚[8]	8
寿[7]	7
永[5]	5
久[3]	3
悠[11]志[7]	18
恒[9]志[7]	16
恒[9]士[3]	12
寿[7]史[5]	12
久[3]志[7]	10

ひさのり
Hisa-nori
●●○

軽やかな「ひさ」音と、しっとり落ちついた「のり」音の、相性のよい組み合わせ

名前	総画数
恒[9]紀[9]	18
尚[8]則[9]	17
久[3]徳[14]	17
久[3]則[9]	12
久[3]典[8]	11

ひさや
Hisaya
●●○

優しい響きをもつ「ひさ」に、男らしさを感じさせる止め字「や」がよくなじむ

名前	総画数
寿[7]哉[9]	16
玖[7]弥[8]	15
久[3]哉[9]	12
久[3]弥[8]	11
久[3]也[3]	6

ひじり
Hijiri
●○○

徳の高い人を指す意味ももつ、風流な名前。落ちつきのある和風の響きが印象的

名前	総画数
斐[12]士[3]理[11]	26
飛[9]史[5]理[11]	25
比[4]嗣[13]吏[6]	23
飛[9]志[7]吏[6]	22
聖[13]	13

ひだか
Hidaka
●●○

地名にもある、まとまりのよい音。穏やかさと明るさとを併せもつ、雄大なイメージ

名前	総画数
飛[9]鷹[24]	33
日[4]鷹[24]	28
陽[12]高[10]	22
飛[9]高[10]	19
日[4]高[10]	14

英語圏の人にとっての発音のしやすさの目安　●●● しやすい　●●○ ややしにくい　●○○ しにくい

ひでとも
Hidetomo

「ひで」と「とも」、親しみやすい両音が互いに引き立て合う、まとまりのよい名前

名前	画数	総画
秀知	7・8	15
英朋	8・8	16
秀智	7・12	19
英智	8・12	20
日出朝	4・5・12	21

ひでのり
Hidenori

きっぱりした「ひで」音に、「のり」のなめらかな響きが、しなやかさをプラス

名前	画数	総画
秀典	7・8	15
秀則	7・9	16
英典	8・8	16
英紀	8・9	17
秀徳	7・14	21

ひでまさ
Hidemasa

強めの「ひで」と、りりしい「まさ」、男の子らしい響きをもつ両音の組み合わせ

名前	画数	総画
秀正	7・5	12
秀征	7・8	15
英昌	8・8	16
英柾	8・9	17
英雅	8・13	21

ひでみ
Hidemi

しっかりした「ひで」と優しい「み」が、柔軟で強さに満ちた響きをつくる

名前	画数	総画
英巳	8・3	11
秀実	7・8	15
英実	8・8	16
日出海	4・5・9	18
秀深	7・11	18

ひでみち
Hidemichi

落ちつきと知性を感じさせる、きっぱりした音を合わせた、正義感を漂わせる名前

名前	画数	総画
英充	8・6	14
秀通	7・10	17
秀満	7・12	19
英理	8・11	19
秀路	7・13	20

ひでや
Hideya

奥深い重みのある「ひで」音に、快活な「や」音を添えた、行動的なイメージの名前

名前	画数	総画
秀也	7・3	10
秀矢	7・5	12
秀哉	7・9	16
英弥	8・8	16
英哉	8・9	17

ひでよ
Hideyo

偉大な細菌学者の名前と同音。強めの「ひで」音に添えた、「よ」音の個性が光る

名前	画数	総画
秀世	7・5	12
英世	8・5	13
秀洋	7・9	16
英洋	8・9	17
秀誉	7・13	20

ひとき
Hitoki

穏やかで奥深い「ひと」音が、「き」のシャープな響きを引き立てる、新鮮な連なり

名前	画数	総画
一希	1・7	8
一貴	1・12	13
仁紀	4・9	13
一輝	1・15	16
仁輝	4・15	19

ひとし
Hitoshi

親しみやすい穏やかな人格者を思わせる、やわらかでなじみ深い響きをもつ名前

名前	画数	総画
均	7	7
一志	1・7	8
斉	8	8
仁志	4・7	11
等	12	12

ひとむ
Hitomu

「ひと」のもつ、穏やかで優しいイメージを「む」音が収束し、力強くまとめた名前

名前	画数	総画
史武	5・8	13
一夢	1・13	14
仁夢	4・13	17
日斗夢	4・4・13	21
日登夢	4・12・13	29

ひびき
Hibiki

一貫した音の流れが鋭利な力を感じさせる、スピード感にあふれた新感覚の名前

名前	画数	総画
ひびき	2・4・4	10
響	20	20
日々樹	4・3・16	23
響生	20・5	25
響貴	20・12	32

ひゅうが
Hyuga

流れるような新鮮な「ひゅう」音に、新感覚の止め字「が」を添えて。E 近い音の男性名

名前	画数	総画
日向	4・6	10
彪牙★	11・4	15
彪我	11・7	18
彪河	11・8	19
彪雅	11・13	24

★新人名漢字

ひろお
Hiroo

●●●

開放的な「ひろ」に、なじみ深い止め字「お」で安心感をプラス。Ⓔ「ヒーロー」に近い音

名前	画数	総画
博夫	12・4	16
博生	12・5	17
寛夫	13・4	17
浩郎	10・9	19
紘郎	10・9	19

ひろおき
Hiro-oki

●●○

明るい「ひろ」音に添えた、多用されていない「おき」音が、古風な個性を光らせる

名前	画数	総画
広沖	5・7	12
汎沖	6★・7	13
宥沖	9・7	16
浩宙	10・8	18
洋興	9・16	25

ひろき
Hiroki

●●●

明るく楽しげな広がりをもつ「ひろ」音に、止め字「き」がシャープなキレを加える

名前	画数	総画
大樹	3・16	19
弘樹	5・16	21
博喜	12・12	24
裕貴	12・12	24
浩毅	10・15	25

ひろし
Hiroshi

●●●

優しい「ひ」「し」音が、「ろ」音の明るさを引き立てる、おおらかな印象の名前

名前	画数	総画
弘	5	5
汎	6★	6
宙	8	8
浩	10	10
広志	5・7	12
宏司	7・5	12
洋士	9・3	12
博	12	12
寛	13	13
裕史	12・5	17

ひろしげ
Hiro-shige

●●○

斬新な画風で、広く海外でも知られる浮世絵師の名前と同じ、親しみに満ちた音

名前	画数	総画
央成	5・6	11
広茂	5・8	13
広重	5・9	14
宏茂	7・8	15
宥成	9・6	15

ひろたか
Hiro-taka

●●○

おおらかな「ひろ」音に、積極的な強さをもつ「たか」音が、バランスよくなじむ

名前	画数	総画
広隆	5・11	16
浩孝	10・7	17
寛孝	13・7	20
博隆	12・11	23
裕貴	12・12	24

ひゅうま
Hyuma

●●○

静かで力強い「ひゅう」音を、明るい「ま」音が受け止める。Ⓒ男性名 Ⓔ「ユーモア」に近い音

名前	画数	総画
彪真	11・10	21
彪馬	11・10	21
飛佑馬	9・7・10	26
飛勇馬	9・9・10	28
飛悠馬	9・11・10	30

ひょうえい
Hyoei

●○○

スマートな響きをもつ音どうしの、相性のよい組み合わせ。りりしく理知的な印象の名前

名前	画数	総画
彪英	11・8	19
彪栄	11・9	20
彪瑛	11・12	23
彪叡	11・16	27
彪衛	11・16	27

ひょうご
Hyogo

●●●

すばやい流れを思わせる「ひょう」音を、「ご」音の重さがしっかりと受ける

名前	画数	総画
兵吾	7・7	14
兵庫	7・10	17
彪吾	11・7	18
彪冴	11・7	18
彪悟	11・10	21

ひらく
Hiraku

●○○

物事を始める意味ももつ「開く」と同音。静かなエネルギーを秘めた、知的な響き

名前	画数	総画
拓	8	8
発	9	9
啓	11	11
開	12	12
墾	16	16

ひりゅう
Hiryu

●○○

「ひ」音の勢いを受けて、「りゅう」音の流れが、涼しげな余韻をつくる、さわやかな名前

名前	画数	総画
飛竜	9・10	19
飛隆	9・11	20
毘隆	9★・11	20
飛龍	9・16	25
陽龍	12・16	28

ひろあき
Hiro-aki

●●○

ともに明るさをもつ「ひろ」と「あき」両音を合わせた、男の子らしく元気な名前

名前	画数	総画
弘明	5・8	13
洋晃	9・10	19
博明	12・8	20
宏彰	7・14	21
博昭	12・9	21

英語圏の人にとっての発音のしやすさの目安　●●● しやすい　●●○ ややしにくい　●○○ しにくい

ひろひこ
Hiro-hiko

「ひ」音の繰り返しがリズミカルに響き、「ひこ」音の古風な男らしさを際立たせる

名前	画数	総画
寛彦	13・9	22
比呂彦	4・7・9	20
紘彦	10・9	19
宏彦	7・9	16
弘彦	5・9	14

ひろたけ
Hiro-take

「ひろ」音の明るさに、元気で男の子らしい「たけ」音を連ねた、高揚感をもった名前

名前	画数	総画
寛武	13・8	21
紘孟	10・8	18
浩岳	10・8	18
尋丈	12・3	15
央丈	5・3	8

ひろふみ
Hiro-fumi

「ひろ」音のおおらかさを、優しい「ふみ」音が、温もりをもって包むようにまとめる

名前	画数	総画
寛文	13・4	17
尋史	12・5	17
博文	12・4	16
啓史	11・5	16
浩史	10・5	15

ひろたつ
Hiro-tatsu

「ひろ」音の前向きな響きを、男らしい「たつ」音が力強く支えた、堅実な印象の名前

名前	画数	総画
裕龍	12・16	28
博達	12・12	24
尋建	12・9	21
浩竜	10・10	20
弘達	5・12	17

ひろま
Hero-ma*

おおらかな「ひろ」音に、明るい「ま」音が自然になじんだ、男の子らしい名前

名前	画数	総画
宥磨	9・16	25
尋真	12・10	22
浩馬	10・10	20
洋真	9・10	19
汎★萬★	6・12	18

ひろつぐ
Hiro-tsugu

躍動感をもつ「ひろ」音と、堅実そうな響きの「つぐ」音が、バランスよく連なる名前

名前	画数	総画
浩嗣	10・13	23
博承	12・8	20
央嗣	5・13	18
浩次	10・6	16
大嗣	3・13	16

ひろまさ
Hiro-masa

若い躍動感をもつ「ひろ」音と力強い「まさ」音の連なりが、希望に満ちた響きをつくる

名前	画数	総画
洋昌	9・8	17
宏柾	7・9	16
浩正	10・5	15
広政	5・9	14
大将	3・10	13
寛雅	13・13	26
博勝	12・12	24
裕征	12・8	20
紘昌	10・8	18
弘雅	5・13	18

ひろと
Hiroto

明るく軽快な音のまとまりが、夢や希望を感じさせる、若々しさに満ちた名前

名前	画数	総画
尋斗	12・4	16
弘兜★	5・11	16
比呂斗	4・7・4	15
博人	12・2	14
汎★人	6・2	8

ひろとし
Hiro-toshi

「ひろ」音の躍動感と「とし」音のもつ落ちつきが、バランスよくなじむ

名前	画数	総画
博敏	12・10	22
裕俊	12・9	21
浩敏	10・10	20
裕利	12・7	19
広敏	5・10	15

ひろみ
Hiromi

親しみやすい「ひろ」音とやわらかい「み」音が連なった、明るい優しさに満ちた名前

名前	画数	総画
浩実	10・8	18
寛巳	13・3	16
広海	7・9	16
裕巳	12・3	15
弘海	5・9	14

ひろのすけ
Hiro-nosuke

清廉な「ひろ」音に、古風な伝統音「のすけ」を添えた、ゆったりした自信に満ちた名前

名前	画数	総画
裕乃輔	12・2・14	28
博之祐	12・3・9	24
宥乃亮	9・2・9	20
浩之介	10・3・4	17
弘之祐	5・3・9	17

ひろみち
Hiro-michi

「ひろ」と「みち」、好相性の2音を合わせた、強い意志を内包する、明るい響きの名前

名前	画数	総画
博路	12・13	25
裕道	12・12	24
尋道	12・12	24
宏道	7・12	19
拓通	8・10	18

ひろのり
Hiro-nori

軽快な明るさをもつ「ひろ」音に、なめらかな「のり」音が、優しい落ちつきをプラス

名前	画数	総画
寛典	13・8	21
博則	12・9	21
浩則	10・9	19
宏典	7・8	15
広宣	5・9	14

★新人名漢字

ひろむ

Hiromu

●●○

明るく活発な「ひろ」音を、優れた収束力でまとめる「む」音の力強い響きが新鮮

名前	画数	総画
大夢	3・13	16
裕武	12・8	20
拡夢	8・13	21
裕夢	12・13	25
飛路夢	9・13・13	35

ひろや

Hiroya

●●●

「ひろ」という空間的な広がりを感じさせる音に、止め字「や」が上昇力をプラス

名前	画数	総画
宏也	7・3	10
裕也	12・3	15
浩哉	10・9	19
博哉	12・9	21
寛弥	13・8	21

ひろやす

Hiro-yasu

●●○

若々しく活動的な「ひろ」音と、飾り気がなく健やかな印象の「やす」音の組み合わせ

名前	画数	総画
弘保	5・9	14
弘康	5・11	16
宥保	9・9	18
洋泰	9・10	19
広靖	7・13	20
裕保	12・9	21
博泰	12・10	22
尋康	12・11	23
裕康	12・11	23
寛康	13・11	24

ひろゆき

Hiro-yuki

●●○

「ひろ」音の明るさと、「ゆき」音のしっとりした雰囲気が、バランスよく引き立て合う

名前	画数	総画
弘之	5・3	8
広幸	5・8	13
寛之	13・3	16
裕行	12・6	18
博幸	12・8	20

ひろよし

Hiro-yoshi

●●○

明るい広がりをもつ「ひろ」音と、伝統的な奥深さのある「よし」音が、好男児を思わせる

名前	画数	総画
弘義	5・13	18
博良	12・7	19
裕佳	12・8	20
浩義	10・13	23
博義	12・13	25

びんご

Bingo

●●●

弾みと重量感を併せもつ、個性的な響き。Ⓔ祭り、ビンゴ(ゲーム) Ⓢビンゴ(ゲーム)

名前	画数	総画
敏吾	10・7	17
敏冴	10・7	17
敏悟	10・10	20
秤悟	10★・10	20
敏瑚	10・13	23

ふ【Fu】

ふうが

Fuga

●●○

ともに新感覚の「ふう」音と止め字「が」を合わせた、しゃれた名前。ⒹⓈⒾ遁走曲

名前	画数	総画
風牙	9・4★	13
風芽	9・8	17
風雅	9・13	22
富雅	12・13	25
楓賀	13・12	25

ふうき

Fuki

●●○

新鮮な流れをもつ「ふう」音に、シャープな「き」音を組み合わせた、個性的な響き

名前	画数	総画
風季	9・8	17
風輝	9・15	24
富貴	12・12	24
風樹	9・16	25
風騎	9・18	27

ふうし

Fooshi*

●●●

軽やかでやわらかい「ふう」音と、スマートな「し」音で、颯爽とした印象に

名前	画数	総画
風士	9・3	12
風志	9・7	16
風姿	9・9	18
富志	12・7	19
楓志	13・7	20

ふうた

Fu-ta

●●●

「ふう」音の柔軟性と、はつらつとした「た」音の、バランスのよい響き

名前	画数	総画
風大	9・3	12
風太	9・4	13
布羽太	5・6・4	15
楓太	13・4	17
富汰	12・7	19

ふうま

Fu-ma

●●●

軽快な「ふう」音に、元気な「ま」音を添えた、敏捷性を感じさせる名前

名前	画数	総画
[illegible]	[illegible]	[illegible]
[illegible]	[illegible]	[illegible]
[illegible]	[illegible]	[illegible]
[illegible]	[illegible]	[illegible]
風舞	[illegible]	24

英語圏 … すさの目安 ●●● しやすい ●●○ ややしにくい ●○○ しにくい

ふみお
Fumio

やわらかく優しい印象の音を連ねた、思いやりに満ちた、ほっとする響きの名前

名前	画数	総画
富美男	12・9・7	28
郁雄	9・12	21
史雄	5・12	17
文雄	4・12	16
郁央	9・5	14

ふうや
Who-yah*

軽やかな「ふう」音に、「や」音がやわらかくなじんだ、動きのある響き

名前	画数	総画
楓耶	13・9	22
風椰	9・13	22
富耶	12・9	21
風弥	9・8	17
風矢	9・5	14

ふみのり
Fumi-nori

温かい「ふみ」音となめらかな「のり」音、優しさと思いやりを感じさせる組み合わせ

名前	画数	総画
文憲	4・16	20
郁紀	9・9	18
文規	4・11	15
史宣	5・9	14
史紀	5・9	14

ふかし
Fukashi

奥行きのある落ちつきを、さらりと感じさせる、和風の響きをもつ、個性的な名前

名前	画数	総画
深志	11・7	18
深史	11・5	16
深司	11・5	16
深	11	11
玄	5	5

ふみや
Fumiya

「ふ」の優しさ、「み」のやわらかさ、「や」の快活さが、温かいイメージをつくる

名前	画数	総画
史哉	5・9	14
文耶	4・9	13
文哉	4・9	13
郁也	9・3	12
文也	4・3	7
富美也	12・9・3	24
風巳弥	9・3・8	20
郁弥	9・8	17
文埜★	4・11	15
史耶	5・9	14

ふさき
Fusaki

やわらかく、さわやかな音で構成された新鮮な響きのなかに、穏やかさを漂わせる名前

名前	画数	総画
総騎	14・18	32
総貴	14・12	26
英樹	8・16	24
房希	8・7	15
英希	8・7	15

ふさじ
Fusaji

優しく穏やかな「ふさ」音と「じ」音が、親しみやすい人柄を思わせる響きをつくる

名前	画数	総画
英路	8・13	21
英慈	8・13	21
扶佐司	7・7・5	19
房治	8・8	16
房次	8・6	14

ふゆき
Fuyuki

穏やかな「ふゆ」音とシャープな「き」音が、凛とした空気をつくる、スマートな印象の名前

名前	画数	総画
富裕紀	12・12・9	33
冬麒★	5・19	24
冬騎	5・18	23
冬樹	5・16	21
冬輝	5・15	20

ふじお
Fujio

「富士山」で広く知られる「ふじ」音に、伝統的な止め字「お」を合わせた、和風の名前

名前	画数	総画
藤夫	18・4	22
富士夫	12・3・4	19
冨★士夫	11・3・4	18
不二雄	4・2・12	18
不二男	4・2・7	13

ぶんご
Boon-go*

濁音と「ん」音で構成された重みのある響きが、文芸的な印象を与える名前

名前	画数	総画
豊後	13・9	22
文瑚	4・13	17
文悟	4・10	14
文冴	4・7	11
文吾	4・7	11

ふじと
Fujito

「ふじ」音は、海外でも「富士山」で有名。落ちつきのある「と」音で、まとまりのよい響きに

名前	画数	総画
藤斗	18・4	22
富士杜	12・3・7	22
芙滋人	7・12・2	21
富士斗	12・3・4	19
不二人	4・2・2	8

★新人名漢字

ぶんた
Bunta

●●○

名前	画数	総画
聞汰	14・7	21
聞多	14・6	20
文汰	4・7	11
文多	4・6	10
文太	4・4	8

穏やかな「ぶん」音の弾みを明るい「た」音が際立たせた、快活な印象の名前

ぶんぺい
Bum-pei

●○○

名前	画数	総画
聞平	14・5	19
文陛	4・10	14
文並	4・8	12
文兵	4・7	11
文平	4・5	9

「ぶん」音の適度な重さと、「ぺい」音の軽快さが、絶妙なバランスを保つ

ぶんめい
Bun-mei

●○○

名前	画数	総画
聞盟	14・13	27
文銘	4・14	18
文盟	4・13	17
文明	4・8	12
文名	4・6	10

重みと勢いを併せもつ「ぶん」音を、軽やかな「めい」音が受けた、優しい響き

へ 【He】

へいじ
Heiji

●●●

名前	画数	総画
平嗣	5・13	18
平滋	5・12	17
平治	5・8	13
平志	5・7	12
平次	5・6	11

やわらかい「へい」音に、親しみやすい止め字「じ」が加わった、気さくな印象の名前

へいすけ
Heisuke

●○○

名前	画数	総画
平輔	5・14	19
兵典	7・8	15
平亮	5・9	14
兵介	7・4	11
平介	5・4	9

ともに飾り気のない「へい」と「すけ」の連なりが、すがすがしい男らしさを思わせる

へいた
Heita

●●●

名前	画数	総画
平舵	5・11★	16
兵太	7・4	11
平多	5・6	11
平太	5・4	9
平大	5・3	8

純朴そうな「へい」音に、明るい「た」音を続けた、元気な男の子らしい名前

ほ 【Ho】

ほくと
Hokuto

●●○

名前	画数	総画
北豊	5・13	18
北登	5・12	17
北都	5・11	16
北杜	5・7	12
北斗	5・4	9

スピーディーでまとまりのよい音。夢とロマンを感じさせる、雄大な響きの名前

ほしき
Hoshiki

●●○

名前	画数	総画
星騎	9・18	27
星輝	9・15	24
星綺	9・14	23
星紀	9・9	18
星希	9・7	16

「ほし」というロマンに満ちた音に、「き」音のキレのよさが、勢いを添える

ほしひこ
Hoshi-hiko

●●○

名前	画数	総画
星飛児	9・9・7	25
保志彦	9・7・9	25
帆志彦	6・7・9	22
星彦	9・9	18
星比古	9・4・5	18

ロマンチックな「ほし」音と、伝統的な止め字「ひこ」が、レトロ調でかえって新鮮

ほずみ
Hozumi

●●○

名前	画数	総画
穂澄	15・15	30
穂純	15・10	25
穂泉	15・9	24
保澄	9・15	24
帆澄	6・15	21

やわらかい3音で構成された、穏やかな響きの名前。奥ゆかしい和風情緒を醸し出す

英語圏の人にとっての発音のしやすさの目安　●●●しやすい　●●○ややしにくい　●○○しにくい

まいく
Mike*

まとまりのよい洋風音が、モダンで洒脱なイメージを漂わせる。Ⓔ男性名

名前	画数	合計
米玖	6・7	13
真育	10・8	18
麻伊久	11・6・3	20
麻郁	11・9	20
萬郁	12★・9	21
真以玖	10・5・7	22
舞玖	15・7	22
舞育	15・8	23
摩伊玖	15・6・7	28
馬伊駈	10・6・15★	31

ほせ
Hose

スピード感のある簡潔な響きをもつ、新鮮で印象的な名前。Ⓢ男性名Ⓓズボン

名前	画数	合計
保世	9・5	14
帆勢	6・13	19
帆瀬	6・19	25
保瀬	9・19	28
穂勢	15・13	28

ほたか
Hotaka

優しい「ほ」音と、鋭い「たか」音が相まって、明るい安心感と力強さをつくり出す

名前	画数	合計
保昂	9・8	17
帆貴	6・12	18
保高	9・10	19
穂高	15・10	25
穂嵩	15・13	28

まお
Mao

まろやかな響きで、エキゾチックな雰囲気をもつ、しなやかな印象の名前。Ⓒ姓

名前	画数	合計
真央	10・5	15
真生	10・5	15
麻央	11・5	16
萬央	12★・5	17
磨央	16・5	21

ほたる
Hotaru

優美な光が古来日本人に愛されてきた、「蛍」と同じ音をもつ、風情のある名前

名前	画数	合計
蛍	11	11
帆樽	6・16★	22
帆多琉	6・6・11	23
保太留	9・4・10	23
穂太琉	15・4・11	30

まきお
Makio

前向きな「まき」音に、「お」音が実直な落ちつきを加えた、男らしい印象の名前

名前	画数	合計
牧夫	8・4	12
牧雄	8・12	20
蒔於	13・8	21
槙雄	14・12	26
真希雄	10・7・12	29

ほづみ
Hozumi

落ちつきのある音でまとまった名前。「づ」音のクラシカルなイメージが、印象的

名前	画数	合計
保津巳	9・9・3	21
帆津海	6・9・9	24
葡摘	12★・14	26
穂摘	15・14	29
穂積	15・16	31

まきし
Makishi

明るい洋風音の「まき」に、「し」音がまとまりよくなじんだ、しゃれた印象の響き

名前	画数	合計
牧志	8・7	15
槙史	14・5	19
蒔志	13・7	20
牧詩	8・13	21
真騎士	10・18・3	31

まきや
Makiya

「まき」というしゃれた響きに、男の子らしい止め字「や」で、活動的な勢いをプラス

名前	画数	合計
牧哉	8・9	17
槙弥	14・8	22
真木哉	10・4・9	23
蒔埜	13・11★	24
真輝矢	10・15・5	30

ま【Ma】

まこと
Makoto

はっきりした音で構成されたまとまりが、謙虚な力強さを感じさせる、なじみ深い名前

名前	画数	合計
真	10	10
真人	10・2	12
誠	13	13
諒	15	15
真詞	10・12	22

まあく
Mark*

愛称的な親しみやすさをもつ音。Ⓔ男性名Ⓕ近い音の男性名Ⓓ「マルク」に近い音

名前	画数	合計
真亜久	10・7・3	20
真吾久	10・7・3	20
茉阿玖	8・8・7	23
真亜駒	10・7・15	32
麻亜駆	11・7・14	32

★新人名漢字

まさあき
Masa-aki

●●○

しっかりした「まさ」「あき」、両音を連ねた明るい響きで、誠実な印象を与える名前

名前	画数	総画
昌明	8・8	16
政昭	9・9	18
真彬	10・11	21
柾彰	9・14	23
雅章	13・11	24

まさお
Masao

●●●

りりしい「まさ」音と穏やかな「お」音がつくる、安心感のあるなじみ深い名前

名前	画数	総画
征夫	8・4	12
昌生	8・5	13
理央	11・5	16
雅夫	13・4	17
勝雄	12・12	24

まさおみ
Masa-omi

●●○

誠実そうな「まさ」音に、優雅なイメージの「おみ」が加わった、高貴な響きの名前

名前	画数	総画
正臣	5・7	12
匡臣	6・7	13
昌臣	8・7	15
柾臣	9・7	16
雅臣	13・7	20

まさかげ
Masa-kage

●●○

まっすぐな「まさ」音と、謙虚で古風な「かげ」音との、趣のある個性的な組み合わせ

名前	画数	総画
正景	5・12	17
昌景	8・12	20
勝景	12・12	24
雅景	13・12	25
優景	17・12	29

まさき
Masaki

●●○

まっすぐな「まさ」音にシャープな「き」音を添えた、快活な響き。スマートな印象の名前

名前	画数	総画
真咲	10・9	19
正輝	5・15	20
誠希	13・7	20
正樹	5・16	21
将貴	10・12	22
雅紀	13・9	22
昌樹	8・16	24
真輝	10・15	25
雅貴	13・12	25
勝騎	12・18	30

まさくに
Masa-kuni

●●○

やわらかい「くに」音が、「まさ」音の明るさを受けて、ノスタルジックな響きをつくる

名前	画数	総画
正邦	5・7	12
昌久仁	8・3・4	15
政邦	9・7	16
将国	10・8	18
勝邦	12・7	19

まさご
Masago

●●●

雅語的に「細かい砂」を示す音。止め字「ご」の重みが安心感を醸し、優しい余韻を響かせる

名前	画数	総画
真冴	10・7	17
真砂	10・9	19
真悟	10・10	20
雅吾	13・7	20
真佐吾	10・7・7	24

まさし
Masashi

●●●

「まさ」音のもつまっすぐな響きを、「し」音の勢いがストレートに生かした名前

名前	画数	総画
正志	5・7	12
柾志	9・7	16
雅史	13・5	18
真佐志	10・7・7	24
雅獅	13・13★	26

まさしげ
Masa-shige

●●○

りりしい「まさ」音に、「しげ」音の温もり感が加わった、親しみのある響き

名前	画数	総画
正成	5・6	11
政重	9・9	18
将重	10・9	19
雅茂	13・8	21
真繁	10・16	26

まさずみ
Masazumi

●○○

きりっとした響きの「まさ」音と、落ちつきのある「ずみ」音の、バランスのよい響き

名前	画数	総画
正純	5・10	15
昌純	8・10	18
政澄	9・15	24
雅清	13・11	24
雅澄	13・15	28

まさたか
Masa-taka

●●○

明るく元気な「まさ」と「たか」、両音を合わせた、はつらつとした男の子らしい名前

名前	画数	総画
昌孝	8・7	15
正隆	5・11	16
政孝	9・7	16
匡隆	6・11	17
雅鷹	13・24	37

まさつぐ
Masatsugu

●○○

前向きな「まさ」音に、謙虚な「つぐ」音が調和した、秘めた底力を感じさせる名前

名前	画数	総画
政次	9・6	15
真次	10・6	16
正継	5・13	18
匡継	6・13	19
雅嗣	13・13	26

英語圏の人にとっての発音のしやすさの目安　●●● しやすい　●●○ ややしにくい　●○○ しにくい

まさひと
Masa-hito

名前	画数	総画
誠史	13・5	18
聖仁	13・4	17
雅仁	13・4	17
誠人	13・2	15
匡人	6・2	8

明るく前向きな「まさ」音の特性を、素直な「ひと」音が、ストレートに生かす

まさひろ
Masa-hiro

名前	画数	総画
真裕	10・12	22
政博	9・12	21
雅弘	13・5	18
匡博	6・12	18
昌弘	8・5	13
雅博	13・12	25
勝尋	12・12	24
雅浩	13・10	23
理裕	11・12	23
将寛	10・13	23

正義感に満ちた「まさ」と、広がりをもつ「ひろ」、ともに明るい2音の組み合わせ

まさふみ
Masa-fumi

名前	画数	総画
優史	17・5	22
雅文	13・4	17
柾史	9・5	14
政史	9・5	14
正文	5・4	9

りりしい響きをもつ「まさ」音と、優しく温かい「ふみ」音が、バランスよく連なる

まさみ
Masami

名前	画数	総画
勝海	12・9	21
真実	10・8	18
政実	9・8	17
昌海	8・9	17
雅己	13・3	16

きりっとした響きの「まさ」音に、やわらかい「み」音を添えた、優しい余韻をもつ名前

まさと
Masato

名前	画数	総画
雅登	13・12	25
真佐人	10・7・2	19
理人	11・2	13
真人	10・2	12
将刀	10・2	12

「まさ」音のもつ快活さを、「と」音がストレートに生かし、元気な男の子を思わせる

まさとし
Masa-toshi

名前	画数	総画
優利	17・7	24
雅俊	13・9	22
昌利	8・7	15
正俊	5・9	14
正寿	5・7	12

「まさ」のまっすぐな響きと、深い落ちつきをもつ「とし」音が、バランスよく連なる

まさなお
Masa-nao

名前	画数	総画
雅尚	13・8	21
理尚	11・8	19
柾直	9・8	17
匡直	6・8	14
正直	5・8	13

しっかりした「まさ」音と、やわらかい「なお」音が、絶妙なバランスを保つ

まさのぶ
Nasa-nobu

名前	画数	総画
雅宣	13・9	22
政信	9・9	18
昌伸	8・7	15
正信	5・9	14
正伸	5・7	12

りりしく毅然とした「まさ」音に、「のぶ」音のもつ純朴な親しみやすさを加えて

まさはる
Masa-haru

名前	画数	総画
雅晴	13・12	25
雅春	13・9	22
将晴	10・12	22
昌晴	8・12	20
正治	5・8	13

「まさ」と「はる」、明るく共鳴する両音を、「る」音の余韻が楽しくまとめ上げた名前

まさひこ
Masa-hiko

名前	画数	総画
雅彦	13・9	22
理彦	11・9	20
真比古	10・4・5	19
昌彦	8・9	17
正彦	5・9	14

りりしい音をもつ「まさ」に、伝統的な止め字「ひこ」を添え、和風の男らしさを強調

まさひで
Masa-hide

名前	画数	総画
雅英	13・8	21
政秀	9・7	16
昌英	8・8	16
正英	5・8	13
正秀	5・7	12

「ひで」音の適度な重みが、「まさ」のまっすぐな音に添い、堅実な意志力を思わせる

★新人名漢字

ますみ
Masumi

●●○

素直な3音でまとまりよく構成された、なじみ深い名前。明るく澄んだイメージをもつ

表記	画数	総画数
益三	10・3	13
益実	10・8	18
真純	10・10	20
増実	14・8	22
真澄	10・15	25

まどか
Madoka

●●○

雅語的に「丸い」「円満な」の意味をもつ、まとまりのよい明るい響きの名前

表記	画数	総画数
円	4	4
まどか	4・4・3	11
円珈	4・9★	13
圓	13★	13
円嘉	4・14	18

まなと
Manato

●●●

明確な「ま」と「と」の音を、「な」音がやわらかくつないだ、すっきりした聡明な響き

表記	画数	総画数
真人	10・2	12
真斗	10・4	14
愛兜	13・11★	24
真那登	10・7・12	29
真奈翔	10・8・12	30

まなぶ
Manabu

●●●

「勉強する」の意味を持ち、向上心や健やかな成長をイメージさせる、なじみ深い音

表記	画数	総画数
学	8	8
まなぶ	4・5・6	15
真歩	10・8	18
学葡	8・12★	20
麻那歩	11・7・8	26

まもる
Mamoru

●○○

「守る」と同音の、温かみのある音。「る」音が全体を明るく収束する、なじみ深い名前

表記	画数	総画数
守	6	6
まもる	4・3・3	10
衛	16	16
鎮	18	18
護	20	20

まゆと
Mayuto

●●●

まろやかな「まゆ」音を、シャープな「と」音が引き立てた、印象的な響きをもつ名前

表記	画数	総画数
麻由人	11・5・2	18
真由斗	10・5・4	19
繭斗	18・4	22
磨友斗	16・4・4	24
真由登	10・5・12	27

まよ
Mayo

●●●

明るい「ま」に添う、しっとりした「よ」が個性を主張。Ⓒ男性名Ⓢ「5月」に近い音

表記	画数	総画数
万葉	3・12	15
麻世	11・5	16
磨世	16・5	21
真誉	10・13	23
麻葉	11・12	23

まさみち
Masa-michi

●●○

「まさ」と「みち」、ともに折り目正しい雰囲気の音を重ねた、毅然とした響きの名前

表記	画数	総画数
正道	5・12	17
政道	9・12	21
晶満	12・12	24
雅道	13・12	25
優道	17・12	29

まさや
Masaya

●●●

りりしい「まさ」音と、活発な人気の止め字「や」が、明るい男の子らしさをつくる

表記	画数	総画数
柾也	9・3	12
公哉	4・9	13
将也	10・3	13
政矢	9・5	14
正哉	5・9	14
勝也	12・3	15
昌哉	8・9	17
聖夜	13・8	21
雅弥	13・8	21
雅哉	13・9	22

まさゆき
Masa-yuki

●●○

まっすぐな響きの「まさ」音に、潤いをもつ「ゆき」音を連ねた、澄んだ印象の名前

表記	画数	総画数
正行	5・6	11
真之	10・3	13
昌行	8・6	14
雅之	13・3	16
将幸	10・8	18

まさよし
Masa-yoshi

●●○

明るい「まさ」音に「よし」音がほどよい重みを加えた、素朴な人柄のよさを思わせる響き

表記	画数	総画数
将芳	10・7	17
正義	5・13	18
雅由	13・5	18
政義	9・13	22
雅善	13・12	25

まさる
Masaru

●●○

「まさ」というひたむきな響きが、「る」音に明るく収束する、まとまりのよい名前

表記	画数	総画数
大	3	3
勝	12	12
優	17	17
昌琉	8・11	19
雅琉	13・11	24

ましゅう
Masyu

●○○

優しく温かな洋風の響きをもつ、新感覚の名前。Ⓔ男性名Ⓕ近い音の男性名

表記	画数	総画数
茉周	8・8	16
真州	10・6	16
真秀	10・7	17
磨修	16・10	26
摩鷲	15・23★	38

英語圏の人にとっての発音のしやすさの目安　●●● しやすい　●●○ ややしにくい　●○○ しにくい

まりお
Mario

なめらかな響きをもつ、印象的な名前。ゲームのキャラクターとしても有名。(F)(I)(S)男性名

名前	画数	総画
万里央	3・7・5	15
毬夫	11・4	15
茉莉男	8・10・7	25
真理央	10・11・5	26
鞠雄	17・12	29

まれすけ
Maresuke

男らしい「すけ」音と相性のよい、リズミカルな「まれ」音が、楽しげに響く

名前	画数	総画
希佑	7・7	14
希典	7・8	15
希亮	7・9	16
稀介	12・4	16
稀輔	12・14	26

まんさく
Mansaku

早春に咲く花の名と同音。古風な響きが、穏やかな温かさや豊かなイメージを漂わせる

名前	画数	総画
万作	3・7	10
万佐久	3・7・3	13
万策	3・12	15
萬咲	12★・9	21
萬朔	12★・10	22

み【Mi】

みお
Mio

はっきりした音の組み合わせが和風の情趣と奥ゆかしい気品を感じさせる。(S)私の家

名前	画数	総画
未央	5・5	10
実旺	8・8	16
澪	16	16
弥雄	8・12	20
実緒	8・14	22

みかさ
Mikasa

はっきりした音の組み合わせが奥行きをもち、和風の情趣と気品を感じさせる。(S)私の家

名前	画数	総画
三笠	3・11★	14
海笠	9・11★	20
深笠	11・11★	22
御笠	12・11★	23
海夏砂	9・10・9	28

みきお
Mikio

活動的な「みき」音に、落ちつきのある「お」音が、安定感を添える。(E)(F)近い音の男性名

名前	画数	総画
未来央	5・7・5	17
幹夫	13・4	17
樹於	16・8	24
美喜夫	9・12・4	25
幹雄	13・12	25

みきと
Mikito

利発な「みき」音と、澄んだ落ちつきをもつ止め字「と」が、穏やかな爽快感をつくる

名前	画数	総画
幹人	13・2	15
未来斗	5・7・4	16
弥希人	8・7・2	17
美喜斗	9・12・4	25
美紀登	9・9・12	30

みきや
Mikiya

「みき」と「や」、ともに活発そうな響きをもつ音を組み合わせた、元気な印象の名前

名前	画数	総画
未来弥	5・7・8	20
海希矢	9・7・5	21
幹弥	13・8	21
樹哉	16・9	25
実樹也	8・16・3	27

みくに
Mikuni

「祖国」の敬称でもある音。和風情趣を感じさせる、たおやかで美しい響きをもつ名前

名前	画数	総画
実邦	8・7	15
海久仁	9・3・4	16
海邦	9・7	16
美国	9・8	17
深久仁	11・3・4	18

みずき
Mizuki

潤いのある「みず」音と、シャープな「き」音を合わせた、若々しい響きをもつ名前

名前	画数	総画
水輝	4・15	19
瑞喜	13・12	25
瑞貴	13・12	25
瑞輝	13・15	28
瑞樹	13・16	29

みずほ
Mizuho

「みず」音の潤い感を、優しい「ほ」音が引き立て、静かな波紋のように趣深く響く

名前	画数	総画
壬保	4★・9	13
瑞帆	13・6	19
瑞保	13・9	22
瑞圃	13・10★	23
瑞穂	13・15	28

★新人名漢字

みちお
Michio
●●●
すっきりした「みち」音に、安定感をもつ止め字「お」を添えた、理知的な印象を与える名前

名前	画数	総画
倫夫	10・4	14
道生	12・5	17
三千雄	3・3・12	18
道雄	12・12	24
美智男	9・12・7	28

みちと
Michito
●●○
明確な音の「みち」と「と」の組み合わせが、穏やかな知性を感じさせる

名前	画数	総画
満人	12・2	14
理斗	11・4	15
道斗	12・4	16
未知登	5・8・12	25
美智登	9・12・12	33

みちとし
Michi-toshi
●●○
穏やかな「とし」音が、「みち」音の文芸的で気品のあるイメージをさらに強調

名前	画数	総画
三千年	3・3・6	12
充俊	6・9	15
通利	10・7	17
倫俊	10・9	19
通敏	10・10	20
倫敏	10・10	20
満俊	12・9	21
道斗志	12・4・7	23
道淑	12・11	23
美智駿	9・12・17	38

みちのぶ
Michi-nobu
●●○
道徳的な響きの「みち」に、親しみやすい「のぶ」が続く、人柄のよさを思わせる名前

名前	画数	総画
理伸	11・7	18
倫宣	10・9	19
道延	12・8	20
未知展	5・8・10	23
満暢	12・14	26

みちまさ
Michi-masa
●●○
「みち」と「まさ」、きちんと整ったイメージの両音を重ねた、格調高いイメージの名前

名前	画数	総画
未知匡	5・8・6	19
通柾	10・9	19
通将	10・10	20
道政	12・9	21
美智雅	9・12・13	34

みちゆき
Michi-yuki
●●○
奥深い印象の「ゆき」音を得て、「みち」音の知性が、文芸的な雰囲気を漂わせる

名前	画数	総画
倫之	10・3	13
路之	13・3	16
倫幸	10・8	18
道幸	12・8	20
満幸	12・8	20

みちる
Michiru
●●○
やわらかい音で構成された、まとまりのよい名前、優しくロマンチックな印象をもつ

名前	画数	総画
充	6	6
満	12	12
三千琉	3・3・11	17
未知留	5・8・10	23
道瑠	12・14	26

みつお
Mitsuo
●○○
控えめな輝きを思わせる「みつ」音を、「お」音が安定感をもってさりげなく支える

名前	画数	総画
光央	6・5	11
充於	6・8	14
三津夫	3・9・4	16
満生	12・5	17
満雄	12・12	24

みつき
Mitsuki
●○○
「みつ」音の品格を、止め字「き」のシャープな響きが生かした、高潔な印象の名前

名前	画数	総画
光希	6・7	13
充貴	6・12	18
光毅	6・15	21
光樹	6・16	22
満輝	12・15	27

みづき
Mizuki
●●○
優しい「み」とキレのよい「き」に挟まれた、多用されていない「づ」音が個性を放つ

名前	画数	総画
実月	8・4	12
深月	11・4	15
満月	12・4	16
実槻	8・15	23
海津輝	9・9・15	33

みつとし
Mitsutoshi
●○○
「みつ」音の若々しい清潔感と、「とし」音の落ちついた熟成感のバランスが絶妙

名前	画数	総画
光年	6・6	12
光利	6・7	13
充寿	6・7	13
光俊	6・9	15
光敏	6・10	16

英語圏の人にとっての発音のしやすさの目安　●●● しやすい　●●○ ややしにくい　●○○ しにくい

みなせ
Minasé*

やわらかい「みな」音に新感覚の止め字「せ」が印象的な余韻を残す、和風情趣のある名前

名前（画数）	総画
南9 星9	18
南9 聖13	22
水4 瀬19	23
皆9 瀬19	28
南9 瀬19	28

みなと
Minato

「港」と同じ、まとまりのよい音で、さわやかさと安心感を併せもった名前

名前（画数）	総画
皆9 人2	11
港12	12
湊12★	12
皆9 兜11★	20
実8 那7 登12	27

みねあつ
Mine-atsu

雄大なイメージをもつ「みね」を、しっかりした「あつ」音で受けた、男らしい名前

名前（画数）	総画
峯10★ 厚9	19
峰10 淳11	21
峰10 篤16	26
美9 祢9★ 淳11	29
嶺17 敦12	29

みねかず
Mine-kaz*

穏やかな知性を秘める「かず」音が、「みね」音のりりしさを際立たせる組み合わせ

名前（画数）	総画
峰10 一1	11
峯10★ 一1	11
峰10 和8	18
峯10★ 数13	23
嶺17 寿7	24

みねたか
Mine-taka

雄々しい響きをもつ「みね」音に、凛とした「たか」音を連ねた、男らしく力強い名前

名前（画数）	総画
峰10 孝7	17
峰10 高10	20
峯10★ 貴12	22
嶺17 嵩13	30
峰10 鷹24	34

みねと
Minéto*

「みね」音のもつ特性を、落ちついた止め字「と」が生かした、雄大なイメージの名前

名前（画数）	総画
峰10 人2	12
峰10 斗4	14
峯10★ 登12	22
嶺17 音9	26
嶺17 翔12	29

みつはる
Mitsuharu

優雅な和風音「みつ」と、晴れやかで明るい「はる」音がつくる、収まりのよい名前

名前（画数）	総画
光6 治8	14
光6 春9	15
光6 晴12	18
光6 遥12	18
光6 陽12	18
充6 陽12	18
実8 晴12	20
満12 春9	21
満12 晴12	24
満12 遥12	24

みつひこ
Mitsuhiko

「みつ」と「ひこ」両音の特性がストレートに生きた、清潔感にあふれる名前

名前（画数）	総画
光6 彦9	15
充6 彦9	15
満12 彦9	21
蜜14★ 彦9	23
美9 津9 彦9	27

みつひろ
Mitsuhiro

「みつ」音のもつ穏やかな知性に、おおらかな「ひろ」音が、豊かな広がりを加える

名前（画数）	総画
光6 洋9	15
満12 広5	17
光6 尋12	18
充6 博12	18
満12 比4 呂7	23

みつみ
Mitsumi

やわらかい「み」音にはさまれた「つ」音が、適度な緊張感を与える、穏やかな雰囲気の名前

名前（画数）	総画
光6 実8	14
充6 実8	14
光6 海9	15
満12 巳3	15
美9 津9 巳3	21

みつや
Mitsuya

優しい光沢を思わせる「みつ」音と、明るい「や」音がつくる、温かい響き

名前（画数）	総画
光6 也3	9
充6 弥8	14
充6 哉9	15
満12 埜11★	23
美9 津9 弥8	26

みつる
Mitsuru

はっきりとした音が、収束力のある「る」音に心地よくまとまった、明るい響きの名前

名前（画数）	総画
充6	6
満12	12
未5 弦8	13
光6 流10	16
満12 琉11	23

★新人名漢字

みのり
Minori
●●○
豊かな「実り」と同じ、まとまりのよい音をもつ、穏やかで親しみやすい名前

名前	総画
実(8)	8
巳(3)則(9)	12
稔(13)	13
壬(4★)能(10)	14
充(6)典(8)	14
実(8)里(7)	15
実(8)紀(9)	17
実(8)徳(14)	22
深(11)教(11)	22
稔(13)理(11)	24

みのる
Minoru
●●●
優しい「み」「の」を、「る」音が明るくまとめた、元気な印象を与える名前

名前	総画
実(8)	8
稔(13)	13
未(5)之(3)瑠(14)	22
美(9)野(11)留(10)	30
海(9)野(11)瑠(14)	34

みはる
Me-hal*
●●○
「はる」音のもつ晴れやかな明るさを、やわらかい「み」音の一拍が、際立たせる

名前	総画
実(8)治(8)	16
実(8)春(9)	17
深(11)春(9)	20
海(9)晴(12)	21
御(12)春(9)	21

みゆう
Myu
●●○
やわらかい音を連ねた、個性的な優しい響き。ⒻよりよいⒺ「音楽」に近い音

名前	総画
未(5)悠(11)	16
美(9)勇(9)	18
海(9)悠(11)	20
海(9)雄(12)	21
実(8)優(17)	25

みよし
Miyoshi
●●○
落ちついた和風の趣を漂わせる、個性的な名前。同音で「船の舳先」の意味もある

名前	総画
三(3)芳(7)	10
美(9)好(6)	15
深(11)由(5)	16
実(8)与(3)志(7)	18
実(8)善(12)	20

みらい
Mirai
●●○
「未来」と同じ音で、ストレートに夢や希望をイメージさせる、明るい響きの名前

名前	総画
未(5)来(7)	12
実(8)来(7)	15
海(9)来(7)	16
満(12)来(7)	19
実(8)頼(16)	24

む
【Mu】

むさし
Musashi
●●●
謙虚な「む」音と、さわやかな「さ」「し」音がよくなじむ。剣豪の名前としても知られる

名前	総画
ム(2)サ(3)シ(3)	8
武(8)沙(7)司(5)	20
武(8)早(6)志(7)	21
武(8)佐(7)志(7)	22
武(8)蔵(15)	23

むつお
Mutsuo
●○○
奥ゆかしい響きが、だれからも好かれる人柄と、深く豊かな愛情を感じさせる名前

名前	総画
睦(13)夫(4)	17
睦(13)央(5)	18
睦(13)雄(12)	25
陸(11)奥(12)央(5)	28
夢(13)都(11)央(5)	29

むつき
Mutsuki
●○○
「陰暦1月」の別称。しっかりしたまとまりのよい響きのなかに、和風の情趣を秘める

名前	総画
睦(13)月(4)	17
夢(13)月(4)	17
武(8)槻(15)	23
務(11)槻(15)	26
睦(13)輝(15)	28

むつみ
Mutsumi
●○○
やわらかく穏やかな3音のまとまりが、ほっと安心するような温かい響きをつくる

名前	総画
睦(13)	13
睦(13)実(8)	21
睦(13)深(11)	24
武(8)津(9)実(8)	25
夢(13)積(16)	29

むねお
Muneo
●●○
歴史を感じさせる「むね」音に、伝統的な止め字「お」がなじむ、落ちつきに満ちた名前

名前	総画
宗(8)夫(4)	12
宗(8)男(7)	15
宗(8)郎(9)	17
宗(8)雄(12)	20
夢(13)音(9)夫(4)	26

英語圏の人にとっての発音のしやすさの目安　●●● しやすい　●●○ ややしにくい　●○○ しにくい

むねと
Muneto

●●○

「むね」という古風な音に、シャープな落ちつきをもつ「と」音を続けた、りりしい響き

漢字	画数	総画
宗人	8・2	10
宗斗	8・4	12
宗兜★	8・11	19
宗登	8・12	20
武音斗	8・9・4	21

むねとし
Mune-toshi

●●○

ともに伝統的なイメージの音、「むね」「とし」を合わせ、古風な男らしさを強調

漢字	画数	総画
宗利	8・7	15
宗俊	8・9	17
宗敏	8・10	18
宗駿	8・17	25
夢祢★年	13・9・6	28

もとあき
Moto-aki

●●○

「もと」という謙虚な響きと、「あき」音の明るさが相まって、誠実な印象の響きをつくる

漢字	画数	総画
元昭	4・9	13
求章	7・11	18
素章	10・11	21
基晃	11・10	21
幹明	13・8	21

もとお
Moto-o

●●●

すべて落ちつきのある「お行音」で構成された、堅実なイメージの名前。Ⓢ「バイク」に近い音

漢字	画数	総画
素央	10・5	15
元雄	4・12	16
資生	13・5	18
基雄	11・12	23
源雄	13・12	25

もとき
Motoki

●●○

穏やかな「もと」音に、キレのよい「き」音を加えた、鋭くしっかりした印象の名前

漢字	画数	総画
元気	4・6	10
元希	4・7	11
求希	7・7	14
志基	7・11	18
基貴	11・12	23

もとなり
Moto-nari

●●○

謙虚な印象の「もと」と「なり」、両音が合わさった、古典的な雰囲気をもつ高潔な名前

漢字	画数	総画
元成	4・6	10
元斉	4・8	12
素也	10・3	13
元就	4・12	16
基成	11・6	17

もとはる
Moto-haru

●●○

「もと」という堅実な響きから、明るい「はる」音へと、晴れやかに広がるイメージをもつ

漢字	画数	総画
元治	4・8	12
元春	4・9	13
元晴	4・12	16
素春	10・9	19
基治	11・8	19

めい
May*

●●●

簡潔な響きのなかに、穏やかで、やわらかな流れをもつ名前。Ⓔ5月

漢字	画数	総画
明	8	8
盟	13	13
銘	14	14
芽惟	8・11	19
芽唯	8・11	19

めいほう
Meiho

●●○

ともに流れるような音をもつ「めい」「ほう」の、エキゾチックな組み合わせ

漢字	画数	総画
名宝	6・8	14
明邦	8・7	15
名峰	6・10	16
明峰	8・10	18
銘萌	14・11	25

めぶき
Mebuki

●○○

「芽吹く」に通じる音が、さわやかなエネルギーを感じさせる、個性的な印象の名前

漢字	画数	総画
めぶき	2・6・4	12
芽吹	8・7	15
芽蕗	8・16	24
萌武希	11・8・7	26
芽武樹	8・8・16	32

★新人名漢字

もとむ
Mo-tom*

●●○

名前	画数	総画
求夢	7・13	20
基武	11・8	19
元武	4・8	12
もとむ	3・2・4	9
求	7	7

「求める」音に通じ、穏やかな響きのなかにも、「む」音の力強い収束力が光る

もとや
Motoya

●●○

名前	画数	総画
源弥	13・8	21
素哉	10・9	19
素矢	10・5	15
基也	11・3	14
元哉	4・9	13

温和な「もと」音と快活な「や」音の、バランスのよい組み合わせ。Ⓢ今すぐバイクがほしい

もりお
Morio

●●●

名前	画数	総画
護男	20・7	27
盛郎	11・9	20
守雄	6・12	18
森生	12・5	17
盛夫	11・4	15

「り」音の清涼感が光る、穏やかな名前。優しく典雅な雰囲気を醸す。Ⓔ近い音の女性名

もりす
Morris*

●●●

名前	画数	総画
森諏	12・15★	27
盛州	11・6	17
守栖	6・10★	16
杜州	7・6	13
杜主	7・5	12

レトロな感覚を忍ばせる、洋風のしゃれたまとまり音。Ⓕ男性名Ⓔ近い音の男性名

もりひこ
Mori-hiko

●●○

名前	画数	総画
森彦	12・9	21
盛彦	11・9	20
杜彦	7・9	16
守彦	6・9	15
守比古	6・4・5	15

たくましい「もり」音と、伝統的な男らしさを漂わせる「ひこ」音の組み合わせ

もりよし
Mori-yoshi

●●○

名前	画数	総画
護良	20・7	27
盛義	11・13	24
守善	6・12	18
森由	12・5	17
杜芳	7・7	14

頼もしい「もり」音と、伝統と知性を感じさせる「よし」音が、格調高い響きをつくる

もんた
Monta

●●○

名前	画数	総画
聞多	14・6	20
聞太	14・4	18
門汰	8・7	15
紋太	10・4	14
文太	4・4	8

個性的な「もん」音と明るい「た」音がつくる、親しみやすい響き。Ⓢ乗れ

や
【Ya】

やえぞう
Yaezo

●○○

名前	画数	総画
弥恵造	8・10・10	28
八重蔵	2・9・15	26
八栄蔵	2・9・15	26
矢永蔵	5・5・15	25
八重造	2・9・10	21

たおやかな「やえ」を、伝統の重みをもつ「ぞう」でまとめた、和風の名前

やすあき
Yasu-aki

●●○

名前	画数	総画
康昭	11・9	20
康秋	11・9	20
保晃	9・10	19
泰明	10・8	18
保昭	9・9	18
恭顕	10・18	28
康彰	11・14	25
寧明	14・8	22
靖昭	13・9	22
泰晶	10・12	22

気さくな「やす」音と、明るく元気な「あき」音が、さわやかな安心感をもって響く

英語圏の人にとっての発音のしやすさの目安　●●● しやすい　●●○ ややしにくい　●○○ しにくい

やすとも
Yasu-tomo

名前	総画数
靖(13)智(12)	25
康(11)智(12)	23
寧(14)朋(8)	22
保(9)伴(7)	16
康(11)友(4)	15

ともに純朴な響きをもつ「やす」と「とも」がなじんだ、温もり感のある優しい名前

やすなり
Yasu-nari

名前	総画数
靖(13)成(6)	19
恭(10)斉(8)	18
康(11)成(6)	17
泰(10)成(6)	16
康(11)也(3)	14

古風な響きの「なり」を得て、「やす」音の素直さが、謙虚な品性をもって響く

やすのり
Yasu-nori

名前	総画数
康(11)則(9)	20
安(6)徳(14)	20
泰(10)法(8)	18
泰(10)典(8)	18
保(9)紀(9)	18

だれからも好かれる響きの「やす」音と、柔軟な「のり」音が、好相性でなじんだ名前

やすはる
Yasu-haru

名前	総画数
靖(13)遥(12)	25
寧(14)春(9)	23
泰(10)治(8)	18
安(6)晴(12)	18
保(9)治(8)	17

「やす」の純朴そうな音を、明るい「はる」音が、ふわりとした温もりで包み込む

やすひこ
Yasu-hiko

名前	総画数
寧(14)彦(9)	23
靖(13)彦(9)	22
泰(10)彦(9)	19
保(9)彦(9)	18
安(6)彦(9)	15

素直な「やす」音に、男らしく古風な「ひこ」音が加わった、穏やかな雄々しさを帯びた名前

やすひで
Yasu-hide

名前	総画数
靖(13)日(4)出(5)	22
康(11)英(8)	19
康(11)秀(7)	18
泰(10)英(8)	18
保(9)英(8)	17

気さくな「やす」と「ひで」、両音の連なりのなかで、濁音がきっぱりと力強く響く

やすひろ
Yasu-hiro

名前	総画数
靖(13)裕(12)	25
康(11)寛(13)	24
康(11)博(12)	23
安(6)紘(10)	16
保(9)弘(5)	14

「やす」の素朴な響きに、空間的な広がりをもつ「ひろ」音で、おおらかさをプラス

やすお
Yasuo

名前	総画数
靖(13)男(7)	20
寧(14)央(5)	19
康(11)夫(4)	15
泰(10)生(5)	15
恭(10)夫(4)	14

「やす」と「お」、なじみ深い両音が自然に融合し、親しみやすい印象を与える

やすき
Yasuki

名前	総画数
康(11)騎(18)	29
恭(10)輝(15)	25
保(9)樹(16)	25
安(6)毅(15)	21
靖(13)希(7)	20

親しみのある「やす」音と、シャープな「き」音が相性よくまとまる。キレのよい余韻をもつ

やすし
Yasushi

名前	総画数
靖(13)史(5)	18
泰(10)孜(7)★	17
恭(10)士(3)	13
也(3)寸(3)志(7)	13
泰(10)	10

穏やかな「やす」音と「し」音が自然にまとまった、好人物を思わせるなじみ深い名前

やすじ
Yasuji

名前	総画数
靖(13)路(13)	26
保(9)慈(13)	22
康(11)司(5)	16
泰(10)而(6)★	16
保(9)次(6)	15

飾り気のない音の連なりで、親しみやすく純朴な好漢をイメージさせる

やすたか
Yasu-taka

名前	総画数
康(11)鷹(24)	35
靖(13)隆(11)	24
康(11)隆(11)	22
安(6)貴(12)	18
保(9)孝(7)	16

素朴な「やす」音に、積極性をもつ「たか」音を合わせ、まっすぐな男らしさを強調

やすたけ
Yasu-take

名前	総画数
靖(13)威(9)	22
泰(10)偉(12)	22
康(11)剛(10)	21
保(9)猛(11)	20
安(6)武(8)	14

親しみやすい「やす」音と、男らしい「たけ」音が、頼りがいのある好漢を思わせる

やすとし
Yasu-toshi

名前	総画数
寧(14)俊(9)	23
靖(13)敏(10)	23
泰(10)敏(10)	20
康(11)利(7)	18
泰(10)利(7)	17

「やす」音の気さくさと「とし」音の穏やかさが、安心感のある心地よい響きをつくる

★新人名漢字

やすみつ
Yasu-mitsu

●●○

純朴な「やす」音と、しっかりした印象の「みつ」音の組み合わせが、清潔感を漂わせる

名前	画数	総画
也寸充	3・3・6	12
泰光	10・6	16
康光	11・6	17
靖光	13・6	19
恭満	10・12	22

やすゆき
Yasu-yuki

●●○

「やす」という温厚な音に、潤いを感じさせる「ゆき」音が加わった、奥ゆかしい響き

名前	画数	総画
保之	9・3	12
恭行	10・6	16
泰幸	10・8	18
康幸	11・8	19
靖行	13・6	19

やすろう
Yasu-ro

●●○

素直な「やす」音を、伝統的な止め字「ろう」の緩やかな響きが、個性的に生かす

名前	画数	総画
安朗	6・10	16
泰郎	10・9	19
康郎	11・9	20
靖朗	13・10	23
寧郎	14・9	23

やまと
Yamato

●●●

はっきりした音のなじみ深い組み合わせで、男らしい印象。「日本国」の別名でもある

名前	画数	総画
倭	10	10
大和	3・8	11
山都	3・11	14
耶麻斗	9・11・4	24
矢馬兜	5・10・11★	26

ゆ【Yu】

ゆい
Yui

●●○

簡潔なやわらかい響きのなかに、強い意志を感じさせる名前。Ⓕ「8」に近い音

名前	画数	総画
由	5	5
惟	11	11
唯	11	11
有依	6・8	14
有威	6・9	15

ゆいき
Yuiki

●○○

若々しい「ゆい」音に、キレのよい「き」音を添えた、勢いのある力強い響き

名前	画数	総画
唯希	11・7	18
由騎	5・18	23
惟貴	11・12	23
唯毅	11・15	26
結輝	12・15	27

ゆいと
Yuito

●○○

柔軟な「ゆい」音に、知性的な「と」音添えた、若い才気を秘めた名前。Ⓕ8

名前	画数	総画
唯人	11・2	13
結斗	12・4	16
由登	5・12	17
惟登	11・12	23
悠唯杜	11・11・7	29

ゆう
Yu

●●●

優しく温かな流れをもつ、簡潔な音で、意志の強さを感じさせる。Ⓚ姓Ⓔあなた Ⓕ目

名前	画数	総画
勇	9	9
悠	11	11
脩	11	11
裕	12	12
優	17	17

ゆういち
Yuichi

●○○

やわらかい「ゆう」音と、スマートな「いち」音の、優しげでなじみ深い組み合わせ

名前	画数	総画
友一	4・1	5
悠一	11・1	12
裕一	12・1	13
雄一	12・1	13
祐市	9・5	14

ゆういちろう
Yuichiro

●○○

優しい「ゆう」音に、落ちつきのある「いちろう」が連なった、英才を思わせる響き

名前	画数	総画
祐一郎	9・1・9	19
悠一朗	11・1・10	22
湧一郎	12・1・9	22
裕一郎	12・1・9	22
雄一朗	12・1・10	23

ゆうが
Yuga

●●○

流れるような動きをもつ「ゆう」音と、強い「が」音が、勢いのある響きをつくる

名前	画数	総画
友俄	4・9★	13
勇牙	9・4★	13
裕我	12・7	19
悠雅	11・13	24
優雅	17・13	30

英語圏の人にとっての発音のしやすさの目安　●●● しやすい　●●○ ややしにくい　●○○ しにくい

ゆうじん
Eugene*

「ゆう」音の流れを受ける「じん」音が個性的。ⒹⓀ男性名ⒺⒾ近い音の男性名

名前	画数	総画
優尽	17・6	23
悠臣	11・7	18
裕仁	12・4	16
勇迅	9・6	15
勇仁	9・4	13

ゆうすけ
Yusuke

「ゆう」というやわらかい音を受け、「すけ」音の伝統的な男らしさが美しく引き立つ

名前	画数	総画
勇祐	9・9	18
雄介	12・4	16
勇助	9・7	16
佑助	7・7	14
友祐	4・9	13
優輔	17・14	31
裕輔	12・14	26
悠輔	11・14	25
裕亮	12・9	21
裕祐	12・9	21

ゆうせい
You-say*

やわらかな「ゆう」音とさわやかな「せい」音、2つの特性が心地よくなじんだ名前

名前	画数	総画
優誠	17・13	30
裕靖	12・13	25
雄清	12・11	23
勇勢	9・13	22
悠星	11・9	20

ゆうぞう
Yuzo

奥深い「ゆ」「ぞ」からの流れを、「う」音の繰り返しが穏やかにまとめる

名前	画数	総画
悠蔵	11・15	26
宥蔵	9・15	24
勇造	9・10	19
雄三	12・3	15
湧三	12・3	15

ゆうだい
Yudai

「だい」の止め字が男の子らしく、優しい「ゆう」音に雄々しさを加える

名前	画数	総画
佑醍★	7・16	23
優大	17・3	20
雄大	12・3	15
悠大	11・3	14
祐大	9・3	12

ゆうご
Ugo*

穏やかな「ゆう」音の流れを、「ご」音が力強く受ける。ⒺⒻⒾ近い音の男性名

名前	画数	総画
優悟	17・10	27
裕吾	12・7	19
悠冴	11・7	18
勇吾	9・7	16
佑吾	7・7	14

ゆうごう
Ugo*

流れるような抑えめの音の連なりが、力強く響く。ⒺⒻⒾ近い音の男性名

名前	画数	総画
裕豪	12・14	26
勇豪	9・14	23
悠郷	11・11	22
勇剛	9・10	19
佑剛	7・10	17

ゆうさく
Yusaku

優しげな響きの「ゆう」音と、気さくな響きをもつ「さく」音が、互いに引き立て合う

名前	画数	総画
優作	17・7	24
雄策	12・12	24
悠作	11・7	18
有策	6・12	18
勇作	9・7	16

ゆうし
Yu-shi

深くやわらかい「ゆう」音の流れを「し」音が生かした、聡明な印象の名前。Ⓚ男性名

名前	画数	総画
勇獅★	9・13	22
悠史	11・5	16
勇志	9・7	16
有志	6・7	13
祐士	9・3	12

ゆうじ
Yu-ji

ともになじみ深い「ゆう」と「じ」両音を合わせた、親しみやすい名前。Ⓚ男性名

名前	画数	総画
友爾	4・14	18
雄司	12・5	17
裕史	12・5	17
勇治	9・8	17
悠士	11・3	14

ゆうしゅん
Yushun

「ゆう」音のやわらかな流れと、「しゅん」音のスピード感を併せもつ名前

名前	画数	総画
優駿	17・17	34
雄駿	12・17	29
悠峻	11・10	21
勇竣	9・12	21
侑舜	8・13	21

ゆうしょう
Yusho

優しい「ゆう」音と快活な「しょう」音が、リズミカルな流れをつくる、雅やかな名前

名前	画数	総画
雄翔	12・12	24
悠翔	11・12	23
裕祥	12・10	22
邑彰	7・14	21
勇将	9・10	19

★新人名漢字

ゆうら
Yura

●●○

しなやかな動きを感じさせる、まとまりのよい音。個性的な印象をもつ

名前	総画
悠(11)羅(19)	30
勇(9)羅(19)	28
侑(8)楽(13)	21
雄(12)良(7)	19
由(5)浦(10)	15

ゆうり
Yuri

●●●

優しくさわやかな余韻を残す、スマートな印象の名前。ⒻⒹⓇ男性名Ⓚ女性名

名前	総画
勇(9)理(11)	20
祐(9)利(7)	16
侑(8)吏(6)	14
佑(7)吏(6)	13
友(4)俐(9★)	13
優(17)利(7)	24
優(17)里(7)	24
裕(12)哩(10★)	22
悠(11)理(11)	22
悠(11)浬(10★)	21

ゆきお
Yukio

●●○

奥ゆかしい「ゆき」音を、落ちつきのある「お」音が素直に支えた、親しみ深い印象の名前

名前	総画
悠(11)紀(9)夫(4)	24
幸(8)雄(12)	20
由(5)紀(9)夫(4)	18
逞(11★)央(5)	16
幸(8)生(5)	13

ゆきと
Yukito

●●○

「ゆき」音のもつ深みを、「と」音が穏やかに受け止め、美しくまとめた名前

名前	総画
由(5)貴(12)人(2)	19
有(6)希(7)斗(4)	17
倖(10)人(2)	12
征(8)斗(4)	12
幸(8)斗(4)	12

ゆきなり
Yuki-nari

●●○

「ゆき」音の清廉さに、古風な「なり」音が品格を添えた、凛とした印象の名前

名前	総画
由(5)紀(9)成(6)	20
雪(11)成(6)	17
幸(8)成(6)	14
倖(10)也(3)	13
夕(3)希(7)也(3)	13

ゆきひこ
Yuki-hiko

●●○

穏やかな「ゆき」音を男らしい「ひこ」音が際立たせ、優しさにあふれた響きをつくる

名前	総画
由(5)貴(12)彦(9)	26
倖(10)彦(9)	19
征(8)彦(9)	17
幸(8)彦(9)	17
行(6)彦(9)	15

ゆうたろう
Yutaro

●○○

「ゆう」音の流れを、明るい「たろう」が生かした、元気なイメージの名前

名前	総画
優(17)太(4)郎(9)	30
雄(12)太(4)朗(10)	26
悠(11)太(4)郎(9)	24
勇(9)太(4)朗(10)	23
有(6)太(4)朗(10)	20

ゆうひ
Yuhi

●●○

優しくやわらかい音が人気の「ゆう」と、新感覚の止め字「ひ」が、個性的に響く

名前	総画
裕(12)緋(14)	26
悠(11)陽(12)	23
雄(12)飛(9)	21
勇(9)飛(9)	18
有(6)斐(12)	18

ゆうへい
Yuhei

●●●

やわらかく親しみやすい音「ゆう」「へい」を合わせた、素直な印象の名前

名前	総画
雄(12)平(5)	17
悠(11)平(5)	16
祐(9)平(5)	14
勇(9)平(5)	14
侑(8)平(5)	13

ゆうほ
Yuho

●●○

「ゆう」音の深みに添えた「ほ」音が、新鮮な余韻をつくる。Ⓚ男性名Ⓔ「UFO」に近い音

名前	総画
勇(9)穂(15)	24
雄(12)保(9)	21
悠(11)浦(10)	21
勇(9)歩(8)	17
祐(9)甫(7)	16

ゆうま
Yuma

●●●

穏やかな「ゆう」音に、明るい止め字「ま」がよくなじんだ、元気なイメージの名前

名前	総画
裕(12)磨(16)	28
優(17)真(10)	27
雄(12)馬(10)	22
悠(11)馬(10)	21
勇(9)馬(10)	19

ゆうや
Yu-ya

●●●

優しい「ゆう」音に「や」音が元気な余韻を添える。快活な男の子を思わせる名前

名前	総画
優(17)耶(9)	26
雄(12)哉(9)	21
雄(12)也(3)	15
裕(12)也(3)	15
友(4)哉(9)	13

英語圏の人にとっての発音のしやすさの目安　●●●しやすい　●●○ややしにくい　●○○しにくい

ゆりや
Eurea*

名前	画数	総画
悠里耶	11・7・9	27
有里哉	6・7・9	22
友里埜★	4・7・11	22
由理也	5・11・3	19
由里矢	5・7・5	17

優しく清廉な「ゆり」音に、元気な「や」音で男らしさをプラス。❶近い音の女性名

よ

【Yo】

よう
Yoh*

名前	画数	総画
鷹	24	24
耀	20	20
陽	12	12
要	9	9
洋	9	9

広さと明るさを感じさせる流れをもつ。🅔ヨー(呼びかけの語)🅢「私」に近い音

よういち
Yoichi

名前	画数	総画
瑶一	13・1	14
陽一	12・1	13
遥一	12・1	13
要一	9・1	10
洋一	9・1	10

「よう」音のもつ落ちつきに、スマートな「いち」が続き、聡明なイメージをつくる

よういちろう
Yo-ichiro

名前	画数	総画
瑶一朗	13・1・10	24
陽一郎	12・1・9	22
葉一郎	12・1・9	22
要一郎	9・1・9	19
洋一郎	9・1・9	19

ゆったりした広がりを思わせる「よう」音と「いちろう」の、男らしい組み合わせ

ようが
Yogah*

名前	画数	総画
遥賀	12・12	24
洋雅	9・13	22
楊河	13・8	21
陽芽	12・8	20
遥河	12・8	20

「よう」音の低い流れを「が」が勢いづけ、スピーディーに響かせる。🅔🅢ヨーガ

ゆきひろ
Yuki-hiro

名前	画数	総画
幸洋	8・9	17
幸宏	8・7	15
之博	3・12	15
征広	8・5	13
行弘	6・5	11

「ゆき」音のもつ奥深い落ちつきと、「ひろ」のおおらかな響きとが、バランスよくなじむ

ゆずる
Yuzuru

名前	画数	総画
由瑞琉	5・13・11	29
譲	20	20
柚琉	9・11	20
謙	17	17
ゆずる	3・5・3	11

ストレートに謙譲の精神を思わせる音。日本人の美徳にも通じる、まとまりのよい名前

ゆたか
Yutaka

名前	画数	総画
悠鷹	11・24	35
雄孝	12・7	19
優	17	17
豊	13	13
裕	12	12

「豊かな」の意味を表すまとまりのよい音。やわらかく明るい響きで、なじみが深い

ゆづき
Yuzuki

名前	画数	総画
祐槻	9・15	24
諭月	16・4	20
弓槻	3・15	18
悠月	11・4	15
祐月	9・4	13

やわらかな「ゆ」音が率いる美しくまとまった響きが、静かな風情を感じさせる名前

ゆづる
Yuzuru

名前	画数	総画
雄鶴	12・21	33
湧津琉	12・9・11	32
佑鶴	7・21	28
勇弦	9・8	17
弓弦	3・8	11

なじみの深い音のなかで、「づ」音が適度なアクセントを添える、個性的な名前

ゆめじ
Yumeji

名前	画数	総画
夢爾	13・14	27
夢路	13・13	26
夢児	13・7	20
夢士	13・3	16
夢二	13・2	15

親しみやすい雰囲気の止め字「じ」が「ゆめ」音を引き立て、ノスタルジックな響きをつくる

ゆめと
Yumeto

名前	画数	総画
夢登	13・12	25
夢都	13・11	24
結芽斗	12・8・4	24
夢斗	13・4	17
夢人	13・2	15

「ゆめ」というロマンチックな音に、「と」が落ちつきを加えた、バランスのよい名前

★新人名漢字

ようすけ
Yousuke*
●○○

名前	画数	総画
洋輔	9・14	23
洋祐	9・9	18
陽介	12・4	16
庸介	11・4	15
洋介	9・4	13

深い「よう」音に、伝統的な男らしさをもつ「すけ」を添えた、元気なイメージの名前

ようた
Yohta*
●●●

名前	画数	総画
耀多	20・6	26
楊太	13・4	17
陽太	12・4	16
要太	9・4	13
洋太	9・4	13

人気の「た」音が「よう」音の明るさを引き出し、さわやかさと快活さをアピール

ようたろう
Youtaro*
●○○

名前	画数	総画
耀太郎	20・4・9	33
陽太郎	12・4・9	25
遥太郎	12・4・9	25
洋太朗	9・4・10	23
要太郎	9・4・9	22

落ちつきのある「よう」音に、活発な「たろう」を合わせた、バランスのよい連なり

ようのすけ
Yohno-suke*
●○○

名前	画数	総画
洋之輔	9・3・14	26
遥之亮	12・3・9	24
陽之介	12・3・4	19
容之介	10・3・4	17
要之介	9・3・4	16

奥行きのある「よう」音を、古典的な「のすけ」でまとめた、新鮮で個性的な響き

ようへい
Yohei
●●○

名前	画数	総画
耀平	20・5	25
曜平	18・5	23
陽平	12・5	17
要平	9・5	14
洋平	9・5	14

「よう」音の深みと「へい」音の軽快さがバランスよくなじみ、親しみやすく響く

ようめい
Yohmei*
●●○

名前	画数	総画
鷹盟	24・13	37
陽明	12・8	20
遥明	12・8	20
庸明	11・8	19
洋明	9・8	17

ともに落ちつきのある「よう」「めい」で構成された、聡明な印象の大人びた名前

ようき
Yoki
●●○

名前	画数	総画
鷹軌	24・9	33
遥騎	12・18	30
陽樹	12・16	28
洋輝	9・15	24
洋希	9・7	16

シャープな「き」音を得て、「よう」の深い流れが、キレよくまとまった名前

ようこう
Yoko
●●●

名前	画数	総画
遥航	12・10	22
要煌	9・13★	22
瑛洸	12・9	21
洋晃	9・10	19
陽光	12・6	18

「よう」「こう」、2つの流れるような音を重ねた、安定感のある大人びた名前

ようじ
Yohji*
●●●

名前	画数	総画
耀路	20・13	33
鷹児	24・7	31
遥路	12・13	25
陽司	12・5	17
洋司	9・5	14

ともに落ちついた明るさをもつ「よう」音と「じ」音が、なじみよく連なる

ようしゅん
Youshun*
●○○

名前	画数	総画
耀春	20・9	29
遥駿	12・17	29
洋駿	9・17	26
陽春	12・9	21
要竣	9・12	21

「よう」音に合わせた「しゅん」の音が新鮮で、エキゾチックな響きをつくる

ようじろう
Yo-jiro
●●○

名前	画数	総画
遥史朗	12・5・10	27
陽司郎	12・5・9	26
蓉二郎	13・2・9	24
洋次郎	9・6・9	24
洋二郎	9・2・9	20

穏やかな「よう」音と親しみやすい「じろう」を合わせた、安心感を与える名前

ようすい
Yosui
●○○

名前	画数	総画
陽翠	12・14	26
遥翠	12・14	26
耀水	20・4	24
陽水	12・4	16
遥水	12・4	16

ともに穏やかな響きの「よう」と「すい」の組み合わせ。潤いに満ちた、大人びた響き

英語圏の人にとっての発音のしやすさの目安　●●● しやすい　●●○ ややしにくい　●○○ しにくい

よしあき
Yoshi-aki

深い知性を秘めた「よし」音と、明るく聡明そうな響きをもつ「あき」音が相性よくなじむ

名前	画数	総画
淑秋	11・9	20
美晃	9・10	19
佳昭	8・9	17
好章	6・11	17
芳明	7・8	15
義章	13・11	24
慶明	15・8	23
嘉昭	14・9	23
佳滉	8・13	21
善明	12・8	20

よしお
Yoshio

古風な落ちつきをもつ「よし」音と伝統的な止め字「お」の、親しみやすい組み合わせ

名前	画数	総画
嘉郎	14・9	23
芳雄	7・12	19
喜生	12・5	17
祥男	10・7	17
良夫	7・4	11

よしおみ
Yoshi-omi

毅然とした「よし」音と、優美な「おみ」音の特性を併せもつ、古風な趣のある名前

名前	画数	総画
嘉臣	14・7	21
義臣	13・7	20
佳臣	8・7	15
良臣	7・7	14
芳臣	7・7	14

よしかず
Yoshi-kaz*

深みのある伝統音、「よし」と「かず」の自然な連なりが、静かな男らしさを漂わせる

名前	画数	総画
淑和	11・8	19
慶一	15・1	16
芳和	7・8	15
義一	13・1	14
由和	5・8	13

よしかつ
Yoshi-katsu

「かつ」音の強い響きを、先行する「よし」音の落ちつきが、品よくまとめた名前

名前	画数	総画
義勝	13・12	25
善克	12・7	19
佳活	8・9	17
尚克	8・7	15
由克	5・7	12

よしき
Yoshiki

古風な印象が強い「よし」音を、キレのよい人気の止め字「き」で、現代風にアレンジ

名前	画数	総画
善樹	12・16	28
善輝	12・15	27
祥樹	10・16	26
佳騎	8・18	26
義基	13・11	24

よしきよ
Yoshi-kiyo

落ちつきのある「よし」音に「きよ」のすがすがしさを加え、高潔な響きにまとめた

名前	画数	総画
嘉清	14・11	25
淑聖	11・13	24
祥清	10・11	21
良清	7・11	18
由清	5・11	16

よしくに
Yoshi-kuni

「よし」という毅然とした音に、柔軟な「くに」音を合わせた、バランスのよい名前

名前	画数	総画
義邦	13・7	20
佳国	8・8	16
佳那	8・7	15
良邦	7・7	14
芳邦	7・7	14

よししげ
Yoshi-shige

古風な趣をもつ「よし」と「しげ」の組み合わせが、武将のような立派な印象を与える

名前	画数	総画
義茂	13・8	21
吉慈	6・13	19
佳重	8・9	17
芳重	7・9	16
好成	6・6	12

よしずみ
Yoshi-zumi

落ちついた正義感を含む「よし」と「ずみ」の音が、きちんとしたイメージを醸し出す

名前	画数	総画
禎澄	13・15	28
善澄	12・15	27
義純	13・10	23
由澄	5・15	20
芳純	7・10	17

よしたか
Yoshi-taka

ともに毅然とした強さと正しさをもつ「よし」「たか」が、相性よくなじむ組み合わせ

名前	画数	総画
芳鷹	7・24	31
義高	13・10	23
善隆	12・11	23
佳嵩	8・13	21
好孝	6・7	13

よしたけ
Yoshi-take

穏やかな「よし」に、男らしい「たけ」が続く伝統的な響きが、和風の雰囲気を醸し出す

名前	画数	総画
慶岳	15・8	23
義威	13・9	22
由毅	5・15	20
佳長	8・8	16
善丈	12・3	15

★新人名漢字

よしのり

Yoshi-nori

●●○

まっすぐなイメージの「よし」音と、柔軟性に富んだ「のり」音が、バランスよくなじむ

名前	画数	総画数
良典	7・8	15
佳教	8・11	19
好範	6・15	21
義則	13・9	22
芳憲	7・16	23

よしはる

Yoshi-haru

●●○

深い落ちつきを醸す「よし」音と、晴れやかな明るさをもつ「はる」音の組み合わせ

名前	画数	総画数
芳春	7・9	16
善治	12・8	20
嘉治	14・8	22
義晴	13・12	25
嘉晴	14・12	26

よしひこ

Yoshi-hiko

●●○

「よし」音の特性を、伝統的な止め字「ひこ」が際立たせた、男らしさを思わせる名前

名前	画数	総画数
良彦	7・9	16
佳彦	8・9	17
禎比古	13・4・5	22
禎彦	13・9	22
嘉彦	14・9	23

よしひで

Yoshi-hide

●●○

温厚な「よし」音と、きっぱりした「ひで」音の対比が、古風な男らしさを感じさせる

名前	画数	総画数
良秀	7・7	14
佳秀	8・7	15
義秀	13・7	20
善日出	12・4・5	21
嘉英	14・8	22

よしひろ

Yoshi-hiro

●●○

悠然とした落ちつきをもつ「よし」音と、おおらかな「ひろ」音が、互いに引き立て合う

名前	画数	総画数
好紘	6・10	16
美宏	9・7	16
佳祐	8・9	17
義弘	13・5	18
芳尋	7・12	19
芳寛	7・13	20
淑浩	11・10	21
善洋	12・9	21
善比呂	12・4・7	23
禎尋	13・12	25

よしふみ

Yoshi-fumi

●●○

「よし」音の含む正義感に、「ふみ」音の優しさが加わり、親しみやすい響きとなった

名前	画数	総画数
芳史	7・5	12
佳史	8・5	13
祥文	10・4	14
義文	13・4	17
嘉史	14・5	19

よしつぐ

Yoshi-tsugu

●○○

「よし」音の穏やかさに、謙虚な印象の「つぐ」音を加えた、奥深い印象の名前

名前	画数	総画数
芳次	7・6	13
好嗣	6・13	19
禎次	13・6	19
義貢	13・10	23
禎嗣	13・13	26

よしてる

Yoshi-teru

●●○

「よし」音のもつ落ちつきと、「てる」音の明朗な響きが、バランスよくなじむ

名前	画数	総画数
良照	7・13	20
芳輝	7・15	22
禎映	13・9	22
嘉照	14・13	27
義輝	13・15	28

よしと

Yoshito

●●●

はっきりした理知的な響きをもつ「よし」を、止め字「と」が効果的にキレよくまとめる

名前	画数	総画数
淑人	11・2	13
嘉人	14・2	16
義斗	13・4	17
佳都	8・11	19
義渡	13・12	25

よしとも

Yoshi-tomo

●●○

伝統的な「よし」音に、温かみのある「とも」音を添えた、深い円熟味に包まれた名前

名前	画数	総画数
由友	5・4	9
良伴	7・7	14
義友	13・4	17
淑智	11・12	23
義朝	13・12	25

よしなお

Yoshi-nao

●●○

落ちついた「よし」音と、素直な「なお」音が相まって、すっきりした清潔感を醸し出す

名前	画数	総画数
由直	5・8	13
好直	6・8	14
芳尚	7・8	15
喜直	12・8	20
佳奈央	8・8・5	21

よしのぶ

Yoshi-nobu

●●○

毅然とした音の「よし」に、「のぶ」音で親しみやすい気さくなイメージをプラス

名前	画数	総画数
佳伸	8・7	15
芳暢	7・14	21
嘉信	14・9	23
慶延	15・8	23
慶喜	15・12	27

英語圏の人にとっての発音のしやすさの目安　●●● しやすい　●●○ ややしにくい　●○○ しにくい

ら【Ra】

よしまさ Yoshi-masa

明快な「まさ」音が、「よし」音の控えめな知性を引き出し、利発なイメージを強調

名前	画数
由5 将10	15
義13 正5	18
芳7 雅13	20
善12 政9	21
義13 政9	22

よしみ Yoshimi

「よし」音の深い安定感を、「み」音が素直に生かした、堂々と太く構えた印象の名前

名前	画数
由5 巳3	8
吉6 実8	14
佳8 実8	16
禎13 巳3	16
義13 海9	22

らいあん Ryan*

繊細なイメージをもつ、洒脱な洋風音が印象的な名前。Ⓔ男性名Ⓕ近い音の男性名

名前	画数
礼5 安6	11
礼5 庵11★	16
雷13 按9★	22
頼16 安6	22
頼16 庵11★	27

よしみつ Yoshi-mitsu

きちんとした印象の「よし」音と、潤いを感じさせる「みつ」音が、和風の響きをつくる

名前	画数
善12 充6	18
良7 満12	19
義13 光6	19
嘉14 充6	20
義13 満12	25

らいき Rye-ki*

明るくシャープな響きが、新感覚の個性を光らせる、スピード感のある名前

名前	画数
来7 希7	14
礼5 貴12	17
雷13 季8	21
頼16 喜12	28
頼16 騎18	34

よしや Yoshiya

「よし」音の伝統的な落ちつきと、「や」音の明るさが、バランスよくまとまった名前

名前	画数
芳7 哉9	16
良7 哉9	16
淑11 矢5	16
義13 也3	16
善12 耶9	21

らいた Raita

明るくスピード感のある響きが男の子らしい。Ⓔ「より明るい」に近い音Ⓚライター

名前	画数
礼5 太4	9
雷13 太4	17
雷13 汰7	20
頼16 太4	20
頼16 多6	22

よしゆき Yoshi-yuki

毅然とした「よし」音に、和風の趣を含む「ゆき」音が自然になじむ、伝統色の濃い響き

名前	画数
芳7 幸8	15
善12 之3	15
義13 行6	19
祥10 雪11	21
嘉14 幸8	22

らいと Raito

ロマンチックな雰囲気をまといながら、キレのよさも併せもつ。Ⓔ光、明るい、正しい

名前	画数
礼5 人2	7
来7 人2	9
礼5 豊13	18
雷13 杜7	20
頼16 斗4	20

よしろう Yoshiro

伝統的な止め字「ろう」を合わせ、「よし」音の古風な安定感にしなやかさをプラス

名前	画数
芳7 郎9	16
芳7 朗10	17
与3 史5 朗10	18
淑11 郎9	20
嘉14 郎9	23

よはん Yohan

個性的なまとまりで、深い余韻を残すロマンチックな響きをもつ。ⒹⓀ男性名

名前	画数
与3 絆11★	14
洋9 帆6	15
誉13 帆6	19
誉13 汎6★	19
世5 範15	20

★新人名漢字

らいむ
Raimu
●●●

夢のある、しゃれた名前。同音の果実名からフレッシュな印象も。Ⓔ菩提樹ⒺⒹ韻

頼16 夢13	頼16 武8	雷13 武8	来7 夢13	礼5 睦13
29	24	21	20	18

らいもん
Rymon*
●●●

洋風の洒脱な音が個性的に、まとまりよく響く。Ⓢ男性名ⒺⒻ近い音の男性名

頼16 門8	頼16 文4	徠11★ 門8	礼5 聞14	礼5 紋10
24	20	19	19	15

らく
Raku
●●●

楽しく明快な「ら」音と、素直な響きの「く」の、簡潔な組み合わせ。Ⓕ「湖」に近い音

羅19 玖7	羅19 久3	良7 駆14	楽13	良7 久3
26	22	21	13	10

らくと
Lacto*
●●●

明るくリズミカルな「らく」音を、「と」音の落ちつきがまとめる。Ⓢ牛乳に関するもの

楽13 登12	楽13 渡12	楽13 音9	洛9★ 都11	楽13 人2
25	25	22	20	15

らもん
Ramon
●●●

スピーディーな印象を与える、まとまりのよい個性的な名前。ⒺⒻⓈⒸ男性名

羅19 紋10	羅19 門8	螺17★ 紋10	羅19 文4	良7 文4
29	27	27	23	11

らん
Lan*
●●●

キレよくまとまった、華やかな響きをもつ。Ⓕ近い音の男性名Ⓔ走る

欄20	蘭19	藍18	覧17	嵐12
20	19	18	17	12

らんのすけ
Ranno-suke
●○○

古風で伝統的な連なり音「のすけ」が、「らん」音のもつ華麗な響きを強調する

藍18 之3 輔14	蘭19 乃2 助7	藍18 之3 介4	嵐12 之3 甫7	嵐12 之3 介4
35	28	25	22	19

らんま
Lan-ma*
●●○

明るい弾みをもった「らん」音に、元気なイメージの「ま」音が相性よくなじむ

蘭19 磨16	藍18 馬10	藍18 真10	覧17 真10	嵐12 馬10
35	28	28	27	22

り【Ri】

りいち
Lee-ichi*
●●○

涼やかな「り」音に、スマートな「いち」音を合わせた、聡明な響きの名前

璃15 一1	理11 一1	浬10★ 一1	李7 一1	利7 一1
16	12	11	8	8

りいちろう
Riichiro
●●○

清涼感のある「り」と「いちろう」がまとまりよく、さわやかな男らしさをもって響く

理11 一1 郎9	浬10★ 一1 郎9	俐9★ 一1 郎9	利7 一1 朗10	吏6 一1 郎9
21	20	19	18	16

りおん
Rion
●●●

涼しげでスピーディーな洋風音が新鮮。Ⓚ男性名Ⓔ近い音の男性名Ⓕライオン

璃15 音9	理11 温12	理11 音9	李7 音9	里7 苑8
24	23	20	16	15

りき
Riki

●●●

ストレートに「力」を思わせる、すっきりとした響き。Ⓔ近い音の男性名

力(2)	2
理(11)希(7)	18
利(7)輝(15)	22
李(7)輝(15)	22
里(7)樹(16)	23

りきと
Rikito

●●○

さわやかなキレをもつ「りき」と澄んだ「と」が、スマートでパワフルな名前をつくる

力(2)人(2)	4
力(2)兜(11★)	13
力(2)登(12)	14
理(11)希(7)斗(4)	22
俐(9★)輝(15)人(2)	26

りきや
Rikiya

●●○

力強い「りき」音に、快活なイメージの「や」を添えた、男の子らしい元気な響き

力(2)也(3)	5
力(2)矢(5)	7
力(2)弥(8)	10
力(2)哉(9)	11
力(2)耶(9)	11

りくお
Rikuo

●●○

のびやかな響きの「りく」に、穏やかな「お」音が添い、温厚なイメージをつくる

陸(11)央(5)	16
陸(11)於(8)	19
陸(11)郎(9)	20
浬(10★)玖(7)央(5)	22
里(7)駆(14)雄(12)	33

りくと
Rikuto

●●○

「り」の清涼感、「く」の柔軟性、「と」の澄んだ落ちつきを併せもつ、新感覚の名前

陸(11)人(2)	13
陸(11)斗(4)	15
理(11)久(3)斗(4)	18
陸(11)登(12)	23
里(7)駈(15★)登(12)	34

りくや
Rikuya

●●○

はつらつとした「りく」音に、明るい止め字「や」を合わせた、快活なイメージの名前

陸(11)也(3)	14
哩(10★)久(3)矢(5)	18
陸(11)弥(8)	19
陸(11)哉(9)	20
理(11)玖(7)耶(9)	27

りすけ
Risuke

●○○

涼しげな「り」音と、伝統的な男らしさをもつ「すけ」音が、まとまりよく、りりしく響く

浬(10★)介(4)	14
理(11)佑(7)	18
吏(6)輔(14)	20
理(11)祐(9)	20
理(11)亮(9)	20

りずむ
Rizm*

●●●

まとまりのよい、楽しく個性的な響きで印象に残りやすい、新感覚の名前Ⓔリズム

俐(9★)栖(10★)	19
里(7)杜(7)武(8)	22
利(7)澄(15)	22
里(7)澄(15)	22
理(11)澄(15)	26

りつお
Ritzuo*

●○○

しっかりとした印象の「りつ」音に、落ちつきのある止め字「お」で、安心感を強調

律(9)夫(4)	13
律(9)央(5)	14
律(9)音(9)	18
率(11)雄(12)	23
利(7)津(9)雄(12)	28

りつや
Ritz-ya*

●○○

「りつ」という毅然とした音に、快活な「や」音を添えた、りりしいイメージの名前

律(9)也(3)	12
律(9)矢(5)	14
律(9)耶(9)	18
率(11)哉(9)	20
里(7)津(9)矢(5)	21

りひと
Rihito

●●●

清涼感をもつ「り」音と、優しい「ひと」音の組み合わせが、個性的に響く。Ⓓ光

李(7)人(2)	9
利(7)仁(4)	11
理(11)人(2)	13
理(11)仁(4)	15
浬(10★)飛(9)斗(4)	23

りもん
Rimon

●●●

さわやかなスピード感が印象的な、新感覚の音。知的な雰囲気をもつ名前。ⒻⓈレモン

里(7)門(8)	15
理(11)文(4)	15
里(7)紋(10)	17
理(11)門(8)	19
璃(15)文(4)	19

★新人名漢字

りゅう
Ryu
●○○

力強さと流麗感、和風の落ちつきを併せもつ、男らしい名前。Ⓚ女性名 Ⓒ男性名

名前	画数	総画
立	5	5
柳	9	9
流	10	10
竜	10	10
琉	11	11
隆	11	11
笠★	11	11
瑠	14	14
劉★	15	15
龍	16	16

りゅういち
Ryuichi
●○○

なだらかな「りゅう」音と、スマートな止め字「いち」が、洗練された印象をつくる

名前	画数	総画
竜一	10・1	11
琉一	11・1	12
隆一	11・1	12
竜壱	10・7	17
龍一	16・1	17

りゅうき
Ryuki
●○○

力強い「りゅう」音に、シャープな「き」音が連なり、高揚感をもって響く

名前	画数	総画
琉希	11・7	18
竜紀	10・9	19
隆起	11・10	21
竜輝	10・15	25
龍樹	16・16	32

りゅうご
Ryugo
●○○

「りゅう」音の力強い流れを、重量感のある「ご」が受け止める、骨太な名前

名前	画数	総画
竜吾	10・7	17
琉冴	11・7	18
隆吾	11・7	18
龍冴	16・7	23
龍悟	16・10	26

りゅうじ
Ryuji
●○○

男らしい「りゅう」音に、親しみやすい「じ」音が添う、なじみの深い名前

名前	画数	総画
竜司	10・5	15
竜児	10・7	17
隆児	11・7	18
龍二	16・2	18
龍司	16・5	21

りゅうすけ
Ryusuke
●○○

和風の男らしさを感じさせる「りゅう」「すけ」両音を合わせた、雄々しい印象の名前

名前	画数	総画
隆介	11・4	15
龍介	16・4	20
龍佑	16・7	23
竜輔	10・14	24
龍輔	16・14	30

りゅうせい
Ryusei
●○○

なだらかに落ちついた「りゅう」音に、「せい」の洗練された響きを添えて

名前	画数	総画
竜生	10・5	15
流星	10・9	19
劉★生	15・5	20
琉清	11・11	22
隆盛	11・11	22

りゅうた
Ryuta
●○○

「りゅう」音の明るい力、「た」音の活発さを生かした、男の子らしい名前。Ⓒ男性名

名前	画数	総画
竜太	10・4	14
琉太	11・4	15
隆太	11・4	15
琉汰	11・7	18
龍太	16・4	20

りゅうたろう
Ryutaro
●○○

伝統的な男子名「たろう」が、「りゅう」音のもつ流麗な力強さをアピールする

名前	画数	総画
竜太朗	10・4・10	24
隆太郎	11・4・9	24
琉太朗	11・4・10	25
隆太朗	11・4・10	25
龍太郎	16・4・9	29

りゅうと
Ryuto
●○○

気品のある音を奏でる撥弦楽器「リュート」と同音の、格調高い名前

名前	画数	総画
琉斗	11・4	15
龍斗	16・4	20
竜渡	10・12	22
隆登	11・12	23
龍登	16・12	28

りゅうどう
Ryudo
●○○

「りゅう」と「どう」、頼もしい音どうしが共鳴する、和風の趣をもつ男らしい名前

名前	画数	総画
竜堂	10・11	21
琉道	11・12	23
隆童	11・12	23
劉★堂	15・11	26
龍童	16・12	28

りゅうのすけ
Ryunosuke
●○○

古風ななかにも、はつらつとした明るさを含む、動きとリズムを感じさせる名前

名前	画数	総画
竜乃介	10・2・4	16
竜之介	10・3・4	17
琉乃佑	11・2・7	20
隆之助	11・3・7	21
龍之介	16・3・4	23

英語圏の人にとっての発音のしやすさの目安　●●● しやすい　●●○ ややしにくい　●○○ しにくい

りゅうへい
Ryuhei

力強い「りゅう」音と穏やかな「へい」音が、親しみやすい元気な子のイメージをつくる

名前	画数	総画
竜平	10・5	15
隆平	11・5	16
隆兵	11・7	18
龍平	16・5	21
龍兵	16・7	23

りゅうま
Ryuma

和風の力強い「りゅう」音と、やわらかさももつ明るい止め字「ま」が、バランスよくなじむ

名前	画数	総画
竜馬	10・10	20
琉馬	11・10	21
隆真	11・10	21
隆馬	11・10	21
龍磨	16・16	32

りゅうや
Ryuya

「りゅう」音がもつ力に、明るい「や」を加えて、男らしい快活な弾みをプラス

名前	画数	総画
柳也	9・3	12
隆矢	11・5	16
瑠矢	14・5	19
琉耶	11・9	20
龍哉	16・9	25

りょう
Rio*

潤いと清涼感にあふれた、まとまりのよいスピーディーな流れが、知的な印象を与える

名前	画数	総画
亮	9	9
涼	11	11
菱★	11	11
諒	15	15
遼	15	15

りょういち
Ryoichi

「りょう」と「いち」、スマートな両音が、洗練された知性を思わせる響きをつくる

名前	画数	総画
亮一	9・1	10
涼一	11・1	12
梁★一	11・1	12
諒一	15・1	16
遼一	15・1	16

りょうえい
Ryoei

涼しげな「りょう」音に、繊細なイメージの「えい」音が加わった、格調高い響き

名前	画数	総画
亮瑛	9・12	21
嶺永	17・5	22
良衛	7・16	23
諒栄	15・9	24
亮衛	9・16	25

りょうが
Ryoga

「りょう」音の涼やかな流れに、「が」音の勢いが加わり、積極的な強さを思わせる

名前	画数	総画
怜牙★	8・4	12
亮雅	9・13	22
諒我	15・7	22
涼雅	11・13	24
遼賀	15・12	27

りょうき
Ryoki

ともにシャープな印象をもつ「りょう」と「き」が連なった、才気にあふれた響き

名前	画数	総画
怜希	8・7	15
良紀	7・9	16
遼生	15・5	20
梁★貴	11・12	23
嶺輝	17・15	32

りょうご
Ryogo

涼やかな「りょう」音と、落ちついた重みをもつ止め字「ご」が、知性を感じさせる

名前	画数	総画
涼冴	11・7	18
亮悟	9・10	19
稜吾	13・7	20
良醐★	7・16	23
嶺吾	17・7	24

りょうじ
Ryoji

「りょう」音の潤い感が、穏やかな「じ」音になじんだ、親しみのある軽快な響き

名前	画数	総画
亮司	9・5	14
涼士	11・3	14
亮次	9・6	15
怜路	8・13	21
嶺治	17・8	25

りょうすけ
Ryosuke

「りょう」音の清涼感と、和風の「すけ」音が続く、さわやかな男らしさをもつ名前

名前	画数	総画
亮介	9・4	13
怜甫	8・7	15
亮助	9・7	16
凌甫	10・7	17
亮祐	9・9	18
領介	14・4	18
遼介	15・4	19
怜輔	8・14	22
諒助	15・7	22
諒祐	15・9	24

りょうぞう
Ryozo

スマートな「りょう」と穏やかな「ぞう」、流れるような音どうしが美しくまとまった名前

名前	画数	総画
了造	2・10	12
遼三	15・3	18
嶺三	17・3	20
良蔵	7・15	22
稜造	13・10	23

★新人名漢字

りん
Lynn*

●●●

簡潔でキレのよい音のなかに、りりしさを感じさせる名前。Ⓔ男性名Ⓒ女性名、姓

麟(24)	凜(15)	凛(15)★	琳(12)	倫(10)
24	15	15	12	10

りんた
Lynnta*

●●○

明るい「た」音を得て、「りん」音の涼やかな弾みが、朗らかに輝くように響く

麟(24)汰(7)	麟(24)多(6)	凛(15)★太(4)	綸(14)太(4)	琳(12)多(6)
31	30	19	18	18

りんたろう
Rintaro

●●○

伝統をもつ元気な音「りん」と「たろう」で構成された、りりしく男の子らしい名前

麟(24)太(4)郎(9)	凛(15)★太(4)郎(9)	綸(14)太(4)郎(9)	鈴(13)太(4)郎(9)	倫(10)太(4)郎(9)
37	28	27	26	23

りんや
Rin-ya

●●●

明るい弾みのある「りん」音と、やわらかな止め字「や」の組み合わせが新鮮

麟(24)也(3)	凜(15)哉(9)	琳(12)耶(9)	凛(15)★矢(5)	倫(10)哉(9)
27	24	21	20	19

る【Ru】

るい
Louie*

●●●

簡潔でキレのよい楽しげな音。印象に残りやすい洋風音。ⒻⒸ男性名

琉(11)唯(11)	留(10)偉(12)	流(10)唯(11)	類(18)	塁(12)
22	22	21	18	12

りょうたろう
Ryotaro

●○○

涼やかな「りょう」音と、伝統的な男子名「たろう」を組み合わせた、颯爽とした響き

陵(11)大(3)郎(9)	亮(9)太(4)郎(9)	怜(8)太(4)朗(10)	良(7)多(6)郎(9)	了(2)太(4)郎(9)
23	22	22	22	15

諒(15)多(6)郎(9)	遼(15)太(4)郎(9)	崚(11)太(4)朗(10)	涼(11)太(4)朗(10)	菱(11)★太(4)郎(9)
30	28	25	25	24

りょうと
Ryoto

●○○

「りょう」音のもつ流れと潤いを、「と」という歯切れのよい音が、美しく落ちつかせる

嶺(17)登(12)	遼(15)斗(4)	綾(14)斗(4)	涼(11)斗(4)	凌(10)斗(4)
29	19	18	15	14

りょうへい
Ryohei

●○○

「りょう」音のもつ清涼感を、「へい」音が軽快に流して生かした、リズミカルな名前

遼(15)平(5)	諒(15)平(5)	涼(11)平(5)	亮(9)平(5)	良(7)平(5)
20	20	16	14	12

りょうま
Ryoma

●○○

涼しげな「りょう」音に、明るい「ま」音で、さわやかさを強調。幕末の志士名と同音

龍(16)馬(10)	遼(15)馬(10)	涼(11)馬(10)	竜(10)馬(10)	亮(9)真(10)
26	25	21	20	19

りょうめい
Ryomei

●○○

「りょう」音の清涼感に、穏やかな流れの「めい」音が、大人びた落ちつきを添える

遼(15)盟(13)	良(7)盟(13)	涼(11)明(8)	凌(10)明(8)	良(7)明(8)
28	20	19	18	15

りょうや
Ryoya

●○○

さわやかな印象をもつ「りょう」音と、快活な「や」音の、男の子らしい組み合わせ

嶺(17)哉(9)	遼(15)矢(5)	怜(8)哉(9)	良(7)哉(9)	亮(9)也(3)
26	20	17	16	12

英語圏の人にとっての発音のしやすさの目安　●●● しやすい　●●○ ややしにくい　●○○ しにくい

るいご
Ruigo

明るい「るい」音と、落ちついた「ご」音が、和洋折衷のしゃれた雰囲気を醸す

名前	画数	総画
塁伍	12・6	18
塁吾	12・7	19
塁冴	12・7	19
類悟	18・10	28
流唯悟	10・11・10	31

るいと
Louie-to*

楽しげな響きの「るい」音と、澄んだ落ちつきのある「と」音の、個性的な組み合わせ

名前	画数	総画
塁人	12・2	14
瑠弦	14・8	22
類斗	18・4	22
留唯人	10・11・2	23
塁登	12・12	24

れいたろう
Reitaro

「れい」音の冷静な流れと、「たろう」の明るい男らしさが、バランスよくまとまる

名前	画数	総画
礼太郎	5・4・9	18
伶多郎	7・6・9	22
怜太朗	8・4・10	22
羚★太郎	11・4・9	24
澪太朗	16・4・10	30

れいと
Late*

スマートな「れい」音に穏やかな「と」音がなじんだ、澄んだ響きの名前

名前	画数	総画
令人	5・2	7
玲人	9・2	11
玲斗	9・4	13
鈴音	13・9	22
嶺登	17・12	29

れいま
Reima

「れい」音の怜悧なイメージと、「ま」音の快活さ、両特性を併せもつ名前

名前	画数	総画
伶真	7・10	17
礼磨	5・16	21
玲満	9・12	21
怜磨	8・16	24
麗馬	19・10	29

れい
Ray*

簡潔な鋭い響きが、静かな知性を思わせる。ⒻⒸ男性名Ⓔ光線Ⓢ王様、法律

名前	画数	総画
礼	5	5
怜	8	8
玲	9	9
羚★	11	11
澪	16	16

れいもん
Raymond*

まとまりがよく、洒脱な雰囲気を漂わせる洋風の音。ⒺⒻ近い音の男性名

名前	画数	総画
玲文	9・4	13
令紋	5・10	15
玲紋	9・10	19
麗文	19・4	23
澪門	16・8	24

れいじ
Reiji

理知的な「れい」音に、親しみやすい「じ」音を合わせた、しっとりとした響き

名前	画数	総画
令治	5・8	13
励児	7・7	14
怜治	8・8	16
玲治	9・8	17
麗二	19・2	21

れいや
Layer*

「れい」音のもつ静かな流れを、「や」音がやわらかく受け止める。Ⓔ近い音の男性名

名前	画数	総画
礼弥	5・8	13
怜哉	8・9	17
玲哉	9・9	18
嶺也	17・3	20
麗耶	19・9	28

れいすけ
Ray-suke*

怜悧な流れをもつ「れい」音と、伝統的な和風音「すけ」の、個性的な組み合わせ

名前	画数	総画
礼甫	5・7	12
玲介	9・4	13
怜輔	8・14	22
澪佑	16・7	23
麗友	19・4	23

★新人名漢字

れいら
Lay-la*

●●●

名前	画数	総画
伶良	7・7	14
礼以良	5・5・7	17
羚★良	11・7	18
鈴良	13・7	20
澪良	16・7	23
伶螺★	7・17	24
嶺良	17・7	24
怜羅	8・19	27
嶺浦	17・10	27
玲羅	9・19	28

全体に流れるような心地よい響きをもつ、華麗なイメージの名前。Ⓔ女性名

れお
Leo*

●●●

名前	画数	総画
礼央	5・5	10
伶央	7・5	12
玲央	9・5	14
礼緒	5・14	19
澪旺	16・8	24

印象的な音。ラテン語で「しし座」の意味も。ⒻⓀⒸ男性名Ⓔ近い音の男性名Ⓢ私が読む

れおな
Reona

●●●

名前	画数	総画
礼於名	5・8・6	19
伶央奈	7・5・8	20
玲央那	9・5・7	21
玲於奈	9・8・8	25
玲緒那	9・14・7	30

優雅で格調高い雰囲気をもつ響き。Ⓔ男性名Ⓕ近い音の男性名Ⓢ雌ライオン

れおん
Leon*

●●●

名前	画数	総画
伶音	7・9	16
玲音	9・9	18
玲恩	9・10	19
令穏	5・16	21
麗音	19・9	28

スピード感のある、しゃれたまとまりをもつ音。ⒺⒻⓈⒾ男性名Ⓢ雄ライオン

れん
Len*

●●●

名前	画数	総画
廉	13	13
蓮	13	13
漣★	14	14
錬	16	16
簾★	19	19

歯切れのよい、簡潔な響きをもつ、男らしくスマートな印象の名前。Ⓔ男性名

れんじ
Renji

●●●

名前	画数	総画
廉次	13・6	19
連滋	10・12	22
錬志	16・7	23
蓮慈	13・13	26
漣★路	14・13	27

なじみ深い止め字「じ」を添えて、キレのよい「れん」音を親しみやすくアレンジ

れんた
Renta

●●○

名前	画数	総画
蓮太	13・4	17
練太	14・4	18
漣★太	14・4	18
廉多	13・6	19
蓮汰	13・7	20

「れん」音の弾みに、止め字「た」が明るい余韻をプラス。Ⓢゆっくりとした

れんたろう
Ren-taro

●●○

名前	画数	総画
連太郎	10・4・9	23
廉太郎	13・4・9	26
蓮太郎	13・4・9	26
錬太郎	16・4・9	29
漣★多朗	14・6・10	30

歯切れのよい「れん」音に、伝統的な「たろう」を合わせた、潔い男らしさを備えた名前

ろ【Ro】

ろき
Rokki*

●●●

名前	画数	総画
路希	13・7	20
芦★輝	7・15	22
蕗季	16・8	24
露紀	21・9	30
鷺★希	24・7	31

まろやかな「ろ」音とシャープな「き」音が個性的に響く。Ⓔ近い音の男性名

ろく
Rock*

●●●

名前	画数	総画
禄	12	12
録	16	16
麓★	19	19
蕗玖	16・7	23
鷺★来	24・7	31

天から授かる幸い「禄」と同音の、親しみやすい響き。Ⓔ「石」に近い音

ろくや
Rokuya

●○○

名前	画数	総画
緑也	14・3	17
禄弥	12・8	20
禄哉	12・9	21
麓★矢	19・5	24
麓★弥	19・8	27

個性的な音のなかに親しみを秘める「ろく」音と、快活な音の止め字「や」の、新鮮な響き

英語圏の人にとっての発音のしやすさの目安　●●● しやすい　●●○ ややしにくい　●○○ しにくい

わかひろ
Waka-hiro

広がりと奥行きをもつ「ひろ」音が、「わか」音の元気なイメージを効果的に生かす

名前	画数	総画
若寛	8・13	21
若尋	8・12	20
若比呂	8・4・7	19
若浩	8・10	18
若洋	8・9	17

ろみお
Romeo*

シェークスピアの作品で、なじみの深い洋風音。Ⓔ男性名Ⓢ私のこと(もの)

名前	画数	総画
鷺★巳雄	24・3・12	39
蕗澪	16・16	32
侶★澪	9・16	25
呂澪	7・16	23
呂実旺	7・8・8	23

わかふみ
Wakafumi

文芸的なやわらかさをもった「ふみ」音を加え、若々しいなかにも知性を秘めた名前に

名前	画数	総画
和歌史	8・14・5	27
和歌文	8・14・4	26
稚史	13・5	18
若史	8・5	13
若文	8・4	12

わ

【Wa】

わかやす
Waka-yasu

「わか」という元気な和風音と、温厚な「やす」音の、親しみ感に満ちた組み合わせ

名前	画数	総画
和歌泰	8・14・10	32
稚恭	13・10	23
若寧	8・14	22
若靖	8・13	21
若康	8・11	19

わたる
Wataru

一連の明確な音がつくる、しっかりした堅実な響き。「る」音が明るい余韻を添える

名前	画数	総画
渡	12	12
渉	11	11
航	10	10
恒	9	9
亘	6	6

わかお
Wakao

「わか」のはつらつとした響きを、なじみ深い止め字「お」が、さりげなく支える

名前	画数	総画
和歌央	8・14・5	27
若緒	8・14	22
稚於	13・8	21
若雄	8・12	20
若央	8・5	13

わかし
Wakashi

しっかりとした3音で構成された名前で、若々しさとともに、落ちつきも漂わせる

名前	画数	総画
和歌史	8・14・5	27
和加志	8・5・7	20
若志	8・7	15
若史	8・5	13
若士	8・3	11

わかと
Wakato

和風の「わか」音と、落ちついたキレをもつ止め字「と」の組み合わせが、レトロで印象的

名前	画数	総画
和歌斗	8・14・4	26
若兜★	8・11	19
若杜	8・7	15
若斗	8・4	12
若人	8・2	10

わかはる
Waka-haru

ともにすがすがしさを感じさせる音、「わか」と「はる」を合わせた、のびやかな響き

名前	画数	総画
和歌晴	8・14・12	34
若波留	8・8・10	26
稚春	13・9	22
若晴	8・12	20
若春	8・9	17

★新人名漢字

うしろの音から引く名前一覧

最後の音も、その名前の余韻をつくる大切な要素です。66〜173ページの名前について、「うしろの音」ごとにまとめましたので、名づけの際の参考にしてください。

あ
がいあ
のあ

あき
かずあき
かつあき
しげあき
たかあき
たけあき
たつあき
てつあき
てるあき
としあき
とよあき
のぶあき
のりあき
はるあき
ひろあき
まさあき
もとあき
やすあき
よしあき

あつ
ともあつ
みねあつ

い
あおい
あれい
いっけい
かい
がい
けい
せい
だい
とうい
ねい
みらい
めい
ゆい
ようすい
るい
れい

いち
えいいち
きょういち
きいち
ぎいち
けいいち
けんいち
こういち
しゅういち
しゅんいち
しょういち
しんいち
せいいち
せんいち
たいち
だいち
ゆういち
よういち
りゅういち
りょういち
りいち

う
いっこう
うきょう
きどう
けんこう
けんゆう
こう
ごう
こうよう
こどう
さきょう
しこう
しどう
しゅう
じゅんゆう
しょう
そう
たいよう
みゆう
ゆう
ゆうごう
よう
ようこう
りゅう
りゅうどう
りょう

えい
しゅうえい
しょうえい
じえい
せいえい
そうえい
ひょうえい
りょうえい

お
あきお
あさお
あつお
いくお
いさお
うしお
かづお
きしお
きみお
くにお
くりお
さちお
さわお
しずお
じつお
たお
たかお
たきお
たけお
たつお
つぐお
つねお
てつお
ときお
とくお
としお
とみお
ともお
なぎお
なつお
のぶお
のりお
はやお
はるお
ひさお
ひでお
ひろお
ふじお
ふみお
まお
まきお
まさお
まりお
みお
みきお
みちお
みつお
むつお
むねお
もとお
もりお
やすお
ゆきお
よしお
りくお
りつお
れお
ろみお
わかお

おみ
さだおみ
なおみ
まさおみ
よしおみ

おん
いおん
しおん
りおん
れおん

か
あすか
こうか
しずか
はるか
ひだか
まどか

が
おうが
ぎんが
くうが
けいが
こうが
せいが
たいが
ひゅうが
ふうが
ゆうが
ようが
りょうが

かげ
まさかげ

かず
としかず
ともかず
とよかず
のぶかず
のりかず
はるかず
ひでかず
みねかず
よしかず

かつ
きよかつ
なおかつ
よしかつ

き
あさき
あすき
あつき
あやき
あらき
いさき
いちき
いつき
いぶき
えいき
おうき
かいき
かげき
かずき
かつき
かづき
けいき
げんき
こうき
ごうき
さかき
さつき
さとき
さわき
しき
しげき
せいき
そうき
だいき
たえき
たかき
たつき
たまき
つよき
てるき
とうき
としき
ともき
なおき
なつき
なみき
なるき
にしき
にちき
のぶき
のりき
はやき
はるき
ひでき
ひとき
ひびき
ひろき
ひろおき
ふうき
ふさき
ほしき
まさき
みずき
みつき
みづき
むつき
めぶき
もとき
やすき
ゆいき
ゆうき
ゆづき
ようき
よしき
らいき
りき
りゅうき
りょうき
ろき

ぎ
あまぎ

きち
きち
えいきち
とうきち

きよ
これきよ
よしきよ

く
あれく
いっかく
がく
きずく
こうろく
しゃらく
たく
たすく
ばく
はるく
ひらく
まあく
まいく
らく
りく
ろく

くに
としくに
ともくに
まさくに
みくに
よしくに

ご
あいご
あんご
えいご
おるご
かいご
かんご
きょうご
きんご
けいご
けんご
しゅうご
しゅんご
じゅんご
しょうご
しんご
せいご
そうご
だいご
はるご
ひょうご
びんご
ぶんご
まさご
ゆうご
りゅうご
るいご

さ
いっさ
かずさ
きよふさ
つかさ
つばさ
みかさ

さく
えいさく
けんさく
こうさく
しゅうさく
しんさく
せいさく
そうさく
まんさく
ゆうさく

し
あけし
あつし
えいし
がくし
かずし
かつし
けいし
けんし
ごうし
すずし
せいし
そうし
たいし
だいし
たかし
たけし
ただし
たつし
ちかし
てつし
なおし
ひさし
ひろし
ふうし
ふかし
まきし
まさし
むさし
やすし
ゆうし
わかし

じ
えいじ
えつじ
かいじ
かんじ
きゅうじ
きんじ
けいじ

けんじ
げんじ
こうじ
じゅんじ
しょうじ
じょうじ
しんじ
せいじ
そうじ
たくじ
たつじ
ちょうじ
ていじ
てつじ
とうじ
とくじ
としじ
とよじ
ねんじ
ふさじ
へいじ
やすじ
ゆうじ
ゆめじ
ようじ
りゅうじ
りょうじ
れいじ
れんじ

しげ

かずしげ
たかしげ
ひろしげ
まさしげ
よししげ

じゅ

えいじゅ
けいじゅ
そうじゅ
だいじゅ

しゅう

あしゅう
かいしゅう
せいしゅう
たいしゅう
ましゅう

しゅん

ゆうしゅん
ようしゅん

しょう

えいしょう
ばんしょう
ゆうしょう

す

くりす
はんす
もりす

すけ

えいすけ
おうすけ
きすけ
きょうのすけ
けいすけ
けんすけ
こうすけ
さすけ
しゅうすけ
しょうすけ
しょうのすけ
しんすけ
しんのすけ
じゅんすけ
じゅんのすけ
せいすけ
そうすけ
だいすけ
たくのすけ
ちよすけ
とうすけ
ひろのすけ
へいすけ
まれすけ
ゆうすけ
ようすけ
ようのすけ
らんのすけ
りすけ
りゅうすけ
りゅうのすけ
りょうすけ
れいすけ

すみ

きよすみ
たかすみ
ますみ

ずみ

いずみ
かずみ
なおずみ
ほずみ
まさずみ
よしずみ

せ

ほせ
みなせ

せい

いっせい
かいせい
けいせい
こうせい
しゅうせい
しょうせい
すいせい
たいせい
ゆうせい
りゅうせい

ぞう

けいぞう
けんぞう
こうぞう
しゅうぞう
じゅんぞう
ぜんぞう
としぞう
やえぞう
ゆうぞう
りょうぞう

た

あやた
あらた
いくた
えいた
かいた
かなた
かんた
きょうた
きよた
けいた
けんた
げんた
こうた
ごうた
さきた
さやた
しゅうた
しゅんた
しょうた
しんた
じんた
せいた
せんた
そうた
そなた
ちょうた
てつた
なゆた
のぶかた
はんた
ふうた
ぶんた
へいた
もんた
ゆうた
ようた
らいた
りゅうた
りょうた
りんた
れんた

だ

かずただ
ともさだ
ひでただ

だい

えいだい
こうだい
じゅんだい
しょうだい
じんだい
ゆうだい

たか

かずたか
かつたか
しげたか
ひでたか
ひろたか
ほたか
まさたか
みねたか
やすたか
ゆたか
よしたか

たけ

ともたけ
のりたけ
ひろたけ
やすたけ
よしたけ

たつ

えいたつ
けいたつ
ひろたつ

たろう

かんたろう
けいたろう
ごうたろう
こたろう
さいたろう
さくたろう
しゅんたろう
しょうたろう
しんたろう
せいたろう
せんたろう
たろう
てつたろう
ゆうたろう
ようたろう
りゅうたろう
りょうたろう
りんたろう
れいたろう
れんたろう

ちか

たけちか
ともちか
にちか

つ

いってつ
たもつ
てつ

つぐ

すみつぐ
ともつぐ
ひろつぐ
まさつぐ
よしつぐ

と

あおと
あきと
あさと
あすと
あつと
あやと
あゆと
ありと
あると
いくと
おくと
おと
かいと
がくと
かずと
かなと
きよと
けいと
けんと
ごうと
これと
さやと
しげと
しずと
しゅうと
しんと
すみと
せいと
せんと
だいと
たかと
たくと
たけと
たつと
ちさと
てつと
ないと
なおと
なぎと
なると
のぶと
のりと
はやと
はると
ひでと
ひろと
ふじと
ほくと
まこと
まさと
まなと
まゆと
みきと
みちと
みなと
みねと
むねと
やまと
ゆいと
ゆうと
ゆきと
ゆめと
よしと
らいと
らくと
りきと
りくと
りゅうと
りょうと
るいと
れいと
わかと

ど

くろうど
はいど

とう

たかとう
はやとう

とし

さとし
たけとし
たつとし
ためとし
つぐとし
ひとし
ひろとし
まさとし
みちとし
みつとし
むねとし
やすとし

とも

あきとも
かずとも
ためとも
ひでとも
やすとも
よしとも

な

せな
ひでつな
れおな

なお

すなお
としなお
ななお
まさなお
よしなお

なり

あきなり
かずなり
てつなり
もとなり
やすなり
ゆきなり

ね

あまね
たかね

のぶ

あきのぶ
しげのぶ
しのぶ
たかのぶ
ただのぶ
とものぶ
はるのぶ
まさのぶ
みちのぶ
よしのぶ

のり

あきのり
あつのり
ありのり
かずのり
かつのり
たけのり
ただのり
たつのり
としのり
とものり
ひさのり
ひでのり
ひろのり
ふみのり
みのり
やすのり
よしのり

はる

おとはる
しげはる
たかはる
てつはる
としはる
ともはる
まさはる
みつはる
みはる
もとはる
やすはる
よしはる
わかはる

ひ

あさひ
ゆうひ

ひこ

あきひこ
あつひこ
おとひこ
かつひこ
きよひこ
しげひこ
すずひこ
たけひこ
たつひこ
つねひこ
てるひこ
ときひこ
としひこ
なつひこ
はるひこ
ひろひこ
ほしひこ
まさひこ
みつひこ
もりひこ
やすひこ
ゆきひこ
よしひこ

ひさ

あつひさ
としひさ
ともひさ
なおひさ
のりひさ
はるひさ

ひで

あつひで
かずひで
としひで
ともひで
なおひで
まさひで
やすひで
よしひで

ひと

あきひと
かずひと
くにひと
これひと
なおひと
なりひと
なるひと
まさひと
りひと

ひろ

あきひろ
あつひろ
かつひろ
きみひろ
くにひろ
さだひろ
たかひろ
たくひろ
たけひろ
たつひろ
てつひろ
ともひろ
のぶひろ

まさひろ
みつひろ
やすひろ
ゆきひろ
よしひろ
わかひろ

ぶ
げんぶ
まなぶ

ふみ
あきふみ
おとふみ
かずふみ
たかふみ
なおふみ
ひろふみ
まさふみ
よしふみ
わかふみ

へい
かいへい
きょうへい
こうへい
しゅうへい
しょうへい
そうへい
ゆうへい
ようへい
りゅうへい
りょうへい

ぺい
いっぺい
くんぺい
しゅんぺい
じゅんぺい
しんぺい
たっぺい
てっぺい
ぶんぺい

ほ
あきほ
しゅうほ
せいほ
たかほ
たくほ
たけほ
みずほ
ゆうほ

ぽ
しんぽ

ほう
しゅうほう
めいほう

ま
あずま
あるま
いくま
えいま
かずま
かつま
きゅうま
きよま
けいま
けんま
こうま
さつま
しいま
しずま
しゅうま
じゅんま
しょうま
せいま
そうま
たくま
たけま
たつま
ちゅうま
てんま
とうま
とくま
はやま
はゆま
はりま
はるま
ひゅうま
ひろま
ふうま
ゆうま
らんま
りゅうま
りょうま
れいま

まさ
かずまさ
きよまさ
たかまさ
たくまさ
たつまさ
としまさ
なおまさ
ひでまさ
ひろまさ
みちまさ
よしまさ

み
いくみ
いさみ
いつみ
おさみ
かずなみ
かつみ
くにみ
さくみ
さとみ
しげみ
たくみ
たけみ
たつみ
ちなみ
てるみ
としみ
ともみ
とよみ
ななみ
はるみ
ひでみ
ひろみ
ほづみ
まさみ
みつみ
むつみ
よしみ

みち
かずみち
たかみち
としみち
なおみち
のりみち
ひでみち
ひろみち
まさみち

みつ
あきみつ
たけみつ
はるみつ
やすみつ
よしみつ

む
あとむ
あゆむ
いさむ
おさむ
きわむ
さとむ
さむ
じむ
すすむ
たいむ
つとむ
てんむ
とむ
とりむ
のぞむ
はるむ
ひとむ
ひろむ
もとむ
らいむ
りずむ

め
かなめ
はじめ

めい
こうめい
しゅうめい
せいめい
そうめい
ぶんめい
ようめい
りょうめい

もり
あきもり
たけもり

もん
あもん
えいもん
かもん
くもん
さいもん
さもん
しもん
しゅもん
だいもん
たもん
らいもん
らもん
りもん
れいもん

や
あさや
あつや
いくや
いさや
いちや
いりや
うたや
えいや
えつや
おうや
おきや
おとや
かいや
かずや
かつや
きんや
けいや
けんや
こうや
さくや
さちや
しずや
しゅうや
しゅんや
じゅんや
しょうや
しんや
すずや
すみや
せいや
そうや
たかや
たくや
たけや
たつや
ちはや
ちゅうや
つきや
てつや
てるや
とうや
ときや
としや
ともや
なおや
のぶや
はるや
ひさや
ひでや
ひろや
ふうや
ふみや
まきや
まさや
みきや
みつや
もとや
ゆうや
ゆりや
よしや
りきや
りくや
りつや
りゅうや
りょうや
りんや
れいや
ろくや

やす
しげやす
ともやす
のぶやす
はるやす
ひろやす
わかやす

ゆき
さとゆき
しげゆき
たかゆき
たつゆき
つゆき
てるゆき
としゆき
ともゆき
なおゆき
のぶゆき
のりゆき
ひろゆき
ふゆき
まさゆき
みちゆき
やすゆき
よしゆき

よ
ひでよ
まよ

よし
あきよし
あつよし
かずよし
かつよし
きよし
たつよし
つよし
ともよし
のぶよし
のりよし
はるよし
ひろよし
まさよし
みよし
もりよし

ら
あきら
いら
せら
そら
たいら
たから
ちから
ゆうら
れいら

り
あぐり
いおり
かいり
しゅり
じゅり
しんり
ばんり
ひかり
ひじり
ゆうり

りゅう
きりゅう
せいりゅう
てんりゅう
ひりゅう

る
あたる
いずる
いたる
かいる
かおる
かける
きたる
ごうる
さとる
しげる
すぐる
すばる
たける
たつる
てつる
とおる
のぼる
はる
ひかる
ほたる
まさる
まもる
みちる
みつる
みのる
ゆずる
ゆづる
よしてる
わたる

れ
ながれ

ろ
あむろ
いちろ

ろう
あつろう
いちろう
かつろう
けいじろう
けんしろう
こういちろう
こうじろう
こじろう
ごろう
さくろう
さんしろう
じゅんいちろう
しろう
そういちろう
たくろう
たつろう
ていいちろう
てつろう
としろう
ともろう
やすろう
ゆういちろう
よういちろう
ようじろう
よしろう
りいちろう

わ
とわ

ん
あらん
あれん
いあん
いしん
うこん
えいしん
かん
けいしん
けいん
けん
げん
けんしん
こううん
こうけん
こうじゅん
こなん
さこん
しゅん
じゅん
しょうけん
しん
じん
ぜん
だん
てん
ばん
ゆうじん
よはん
らいあん
らん
りん
れん

音から引く
漢字一覧

「この音に当てる漢字には、どんなものがあるの？」。名前を考えるときに必ず出てくる、そんな疑問にお答えする、音（読み方）から引ける漢字の一覧をご用意しました。五十音順に並んでいるので検索にも便利です。

あ

- あ：安6 有6 亜7 吾7 阿8 娃9★
- ああ：乎5★ 於8
- あい：娃9★ 挨10★ 逢11★ 集12 愛13 藍18
- あう：逢11★
- あえ：饗22★
- あお：青8 蒼13
- あおい：青8 葵12
- あおぎり：梧11
- あか：赤7 明8 茜9
- あかつき：暁12
- あかなし：杜7
- あかね：茜9
- あかり：明8
- あがる：昂8 揚12
- あき：日4 夫4 文4 右5 旦5 旭6 在6 成6 壮6 享8 尭8 昂8 昌8 明8 映9 研9 秋9 昭9 信9 亮9 晃10 晄10★ 晋10 哲10 朗10 菊11 郷11 啓11 章11 彬11 瑛12 覚12 暁12 堯12★ 敬12 卿12★ 皓12 晶12 陽12 揚12 暉13 義13 煌13★ 照13 誠13 彰14 聡14 慧15 璃15 諒15 謙17 瞭17 顕18 曜18 燿18 麒19★ 耀20
- あきら：士3 壬4★ 央5 旦5 礼5 旭6 行6 光6 在6 全6 亨7 吟7 良7 英8 旺8 学8 享8 昊8★ 昂8 昌8 東8 明8 威9 映9 秋9 昭9 省9 亮9 玲9 剣10 晃10 晄10★ 高10 祥10 哲10 敏10 朗10 郷11 章11 爽11 彪11 彬11 瑛12 覚12 暁12 景12 卿12★ 皓12 晶12 陽12 揚12 暉13 幌13★ 滉13 照13 新13 爾14 彰14 聡14 輝15 慧15 徹15 憲16 瞳17 瞭17 顕18 曜18 燿18 麒19★ 麗19 耀20
- あきらか：瞭17
- あく：空8 明8 開12
- あけ：旦5 明8 南9 暁12
- あげ：景12
- あける：空8 明8 開12
- あげる：揚12 擢17★
- あさ：元4 日4 旦5 旭6 麻11

読み	漢字（画数）
（あさ）	滋12 朝12 諒15
あさひ	旭6
あし	芦7★ 葦13★
あした	旦5 朝12
あずさ	梓11
あずま	東8 雷13
あそぶ	遊12
あたか	恰9★
あたたか	温12
あたる	中4 任6 当6
あつ	充6 孝7 宏7 孜7★ 京8 按9★ 厚9 春9 純10 強11 淳11 惇11 涼11 貴12 敦12 富12 豊13 斡14★ 徳14 諄15 篤16
あつい	厚9 惇11 敦12
あづさ	椅12★
あつし	忠8 厚9 重9 純10 淳11 惇11 陸11 温12 敦12 富12 渥12 睦13 篤16
あつまる	湊12★
あつむ	伍6 侑8 修10 輯16★
あつめる	輯16★
あて	貴12
あてる	充6
あま	天4 海9
あまねし	周8
あめ	天4
あや	文4 礼5 英8 采8 郁9 恵10 彩11 章11 琢11 彪11 彬11 絢12 綺14 彰14 綾14 操16
あやめ	菖11
あゆみ	歩8
あゆむ	歩8
あら	新13
あらし	嵐12
あらた	新13
あり	也3 可5 在6 有6 作7 惟11 照13
ある	在6 有6
あるく	歩8
あれる	蕪15★
あん	安6 行6 杏7 按9★ 晏10 案10 庵11★ 鞍15★
あんず	杏7

い

読み	漢字（画数）
い	以5 伊6 衣6 壱7 依8 委8 威9 泉9 莞10 惟11 唯11 尉11 椅12★ 偉12 集12 葦13★ 意13 維14 緯16

★新人名漢字

いえ　宅6

いお　庵11★

いおり　庵11★

いきおい　勢13

いきる　生5

いく　生5 行6 育8 郁9 活9 幾12

いさ　伊6 沙7 武8 勇9 勉10 勲15

いさお　力2 功5 勇9 庸11 敢12 勲15

いさみ　勇9 敢12

いさむ　力2 武8 勇9 浩10 偉12 敢12

いず　出5 稜13 厳17

いずみ　泉9

いずる　出5

いそ　勲15

いたす　致10

いたる　至6 周8 到8 造10 致10 格10 達12 詣13★ 諄15 徹15 親16

いち　一1 市5 壱7 都11

いつ　一1 乙1 伍6 逸11 厳17

いつき　樹16 厳17

いつくしむ　慈13

いと　文4 弦8 絃11

いぬい　乾11

いのり　祈8

いのる　祈8

いばら　楚13★

いま　今4 未5

いや　未5

いよいよ　弥8

いる　要9

いろ　色6 彩11

いろどる　彩11

いわ　岩8 磐15★ 巌20 巖23

いわう　祝9

いわお　磐15★ 巌20

いん　音9 馴13★

う

う　右5 生5 卯5 宇6 有6 佑7 侑8 胡9

うい　初7

うえ　高10

うえる　蒔13

うかぶ　汎6★

うける　饗22★

うしお　潮15

うすぎぬ　紗10

- **うた**：唄10 唱11 詠12 歌14 謡16
- **うたい**：謡16
- **うたう**：歌14 謡16
- **うち**：心4 裡12★
- **うつ**：全6 摑14★
- **うつくし**：寵19★
- **うつす**：映9
- **うつる**：映9
- **うな**：海9
- **うね**：采8
- **うばら**：楚13★
- **うま**：午4 宇6 馬10
- **うみ**：海9 洋9
- **うや**：欽12 譲20
- **うやまう**：敬12
- **うらら**：麗19
- **うる**：閏12★
- **うるう**：閏12★
- **うるむ**：潤15
- **うわぐすり**：釉12★
- **うん**：雲12 運12

え

- **え**：永5 衣6 江6 依8 杷8★ 栄9 重9 柄9 恵10 彗11 瑛12 詠12 榎14★ 慧15 衛16
- **えい**：永5 英8 映9 栄9 瑛12 詠12 営12 鋭15 影15 叡16 衛16
- **えだ**：繁16
- **えつ**：悦10 越12
- **えのき**：榎14★
- **えびす**：胡9
- **えらい**：偉12
- **えらむ**：撰15★
- **えん**：延8

お

- **お**：乙1 力2 士3 夫4 央5 巨5 乎5★ 弘5 広5 生5 壮6 均7 臣7 男7 良7 阿8 於8 弦8 和8 音9 彦9 保9 郎9 桜10 峯10★ 朗10 絃11 麻11 隆11 雄12 興17★ 厳20
- **おい**：笈10★
- **おう**：王4 央5 欧8 旺8 皇9 桜10 庵11★ 凰11★ 煌13★ 鷗22★ 鷹24
- **おお**：大3 太4 巨5
- **おおい**：壬4★ 多6 偉12
- **おおし**：多6

★新人名漢字

おおとり　凰11★　鳳14

おか　岳8　岡8★

おき　気6　宋7★　宙8　典8　起10　致10　隆11　幾12　興16

おさ　令5　吏6　長8　紀9　政9　晏10　修10　容10　理11　総14　領14

おさむ　士3　司5　平5　伊6　京8　治8　秋9　耕10　修10　倫10　経11　脩11　惣12　統12　道12　敦12　靖13　蔵15　整16　磨16　穣18

おす　雄12

おそい　晏10

おつ　乙1

おっと　夫4

おと　乙1　己3　吟7　男7　呂7　音9　律9　響20

おとこ　男7

おみ　臣7

おもい　重9

おもう　思9　惟11

おや　親16

おり　宅6

おわる　竣12

おん　音9　温12

か

か　力2　日4　可5　加5　乎5★　甲5　圭6　伽7　芳7　河8　佳8　庚8★　和8　郁9　珂9★　珈9★　迦9★　哉9　耶9　夏10　賀12　翔12　歌14　榎14★　嘉14　駕15★　馨20

が　牙4★　伽7　我7　峨10★　賀12　雅13　駕15★

かい　介4　快7　改7　迦9★　海9　恢9★　桧10★　堺12★　開12　凱12　鎧18★　櫂18★

がい　凱12　鎧18★

かいり　浬10★

かおり　薫16　馨20

かおる　芳7　郁9　薫16　馨20

かがやく　煌13★　輝15　燿18　耀20

かき　堅12

かぎ　鍵17★

かく　拡8　格10　覚12　摑14★

がく　岳8　学8　楽13

かげ　景12

かける　翔12　駆14　駈15★　繋19★

かさ　笠11★　塁12

かざ　風9

かじ 舵11★ 櫂18★

かしこい 賢16

かしら 孟8 頭16

かす 春9

かず 一1 二2 八2 三3 千3 万3 司5 冬5 多6 年6 壱7 寿7 利7 宗8 知8 法8 和8 紀9 重9 春9 政9 計9 起10 兼10 航10 教11 葛12★ 策12 萬12★ 数13 憲16 麗19

かずら 葛12★

かぜ 風9

かた 兼10 剛10 教11 崇11 結12 堅12 犀12★ 賢16 謙17

かたい 堅12

かたし 介4 拳10 堅12

かちどき 凱12

かつ 万3 甲5 亘6 克7 活9 恰9★ 亮9 桂10 勉10 強11 健11 捷11 曽11★ 葛12★ 勝12 雄12 豪14 優17

がつ 月4

かつて 嘗14★

かつみ 克7

かつら 桂10 葛12★

かど 圭6 門8 矩10 葛12★ 稜13

かな 乎5★ 協8 門8 哉9 奏9

かなでる 奏9

かなめ 要9

かぬ 兼10 詠12 謙17

かね 宝8 矩10 兼10 務11 詠12 鉄13 銀14 謙17

かねる 兼10

かのう 協8

かのえ 庚8★

かぶ 蕪15★

かぶと 兜11★

かぶら 蕪15★

かみ 天4 正5 守6 甫7 昇8 省9 神9 竜10 乾11 卿12★

かもしか 羚11★

かもめ 鷗22★

かや 草9 菅11★ 萱12★

から 空8 唐10

かり 雁12★

かる 駆14 駈15★

かわ 川3 河8

かわく 乾11

かん 甲5 完7 柑9★ 冠9 莞10 栞10 乾11 菅11★ 貫11 敢12 寛13 幹13 勧13 斡14★ 緩15

★新人名漢字

かん 歓15 環17 観18 鑑23

がん 丸3 元4 岩8 雁12★ 巌20 巖23

き

き 己3 甲5 生5 気6 企6 希7 玖7 求7 来7 季8 祈8 東8 林8 恢9★ 紀9 祇9★ 哉9 城9 軌9 起10 記10 造10 規11 埼11★ 基11 章11 揮12 幾12 葵12 稀12 貴12 喜12 期12 幹13 暉13 綺14 旗14 輝15 毅15 嬉15 槻15 畿15★ 器15 興16 樹16 機16 徽17★ 騎18 麒19★

ぎ 技7 宜8 祇9★ 埼11★ 葵12 義13 毅15 麒19★

きく 利7 菊11 鞠17

きずな 絆11★

きそう 競20

きた 北5 朔10

きたす 来7

きたる 来7

きち 吉6

きつ 吉6 桔10★

きぬ 衣6

きのえ 甲5

きのと 乙1

きみ 王4 公4 仁4 正5 江6 君7 林8 卿12★ 鉄13

きゃ 伽7 迦9★

きゃん 侠9★

きゅう 久3 弓3 及3 究7 玖7 求7 赳10 笈10★ 球11

きよ 心4 巨5 圭6 斉8 青8 研9 政9 浄9 粋10 淑11 淳11 清11 雪11 晴12 舜13 聖13 廉13 静14 潔15 澄15 摩15 磨16 馨20

きよい 清11

きょう 匡6 共6 杏7 亨7 協8 享8 京8 侠9★ 笈10★ 恭10 教11 郷11 強11 経11 梗11★ 喬12 卿12★ 蕎15★ 興16 競20 響20 馨20 饗22★

ぎょう 行6 尭8 暁12 堯12★

きょく 旭6 極12

きよし 忠8 泉9 純10 淑11 淳11 清11 雪11 晴12 陽12 靖13 潔15 澄15

きよむ 雪11

きらめく 煌13★

きり　桐10

きわみ　極12

きわむ　極12

きわめ　格10　極12

きん　均7　芹7　近7　君7　欣8　金8　菫11　欽12　琴12　勤12　謹17

ぎん　吟7　菫11　銀14

く

く　久3　工3　公4　勾4★　玖7　来7　空8　矩10　貢10　琥12★　駆14　駈15★　鴎22★

ぐ　弘5

くう　空8

くさ　草9

くす　樟15★

くず　葛12★

くすのき　樟15★

くに　之3　州6　地6　呉7　宋7★　邦7　邑7　国8　洲9　城9　晋10　都11　葉12

くま　阿8　熊14

くみ　伍6

くも　雲12

くら　倉10　椋12　鞍15★　蔵15

くる　来7　牽11★

くれ　呉7

くろ　玄5　黒11

くん　君7　訓10　馴13★　勲15　勳16　薫16

け

け　斗4　気6　圭6　迦9★　稀12　蹴19★

げ　牙4★　夏10

けい　兄5　圭6　佳8　京8　計9　恵10　桂10　啓11　渓11　経11　蛍11　彗11　景12　敬12　卿12★　詣13★　継13　肇14　慶15　慧15　稽15★　憩16　繫19★　競20　馨20

げい　芸7　詣13★

けさ　祇9★

けつ　桔10★　結12　傑13　潔15

げつ　月4

ける　蹴19★

けん　柑9★　建9　研9　兼10　拳10　剣10　乾11　萓11★　健11　牽11★　舷11★　絢12　堅12　萱12★　硯12★　献13　権15　憲16　賢16　謙17　鍵17★　顕18

げん　元4　玄5　弦8　彦9　拳10

★新人名漢字

音から引く漢字

げん
原10 絃11 舷11★ 現11 硯12★ 源13 厳17 巌20

こ

こ
己3 乎5★ 児7 来7 虎8 胡9 虹9 琥12★ 湖12 瑚13 鼓13 醐16★

ご
互4 午4 伍6 呉7 吾7 冴7 胡9 悟10 梧11 瑚13 醐16★ 護20

こう
工3 公4 勾4★ 甲5 弘5 巧5 広5 功5 江6 考6 行6 好6 光6 向6 亘6 亨7 孝7 更7 宏7 攻7 昊8★ 昂8 岡8★ 庚8★ 幸8 岬8 侠9★ 恒9 洸9 厚9 皇9 恰9★ 巷9★ 虹9 郊9 格10 航10 晃10 晄10★ 浩10 貢10 倖10 高10 耕10 紘10 凰11★ 康11 皐11 梗11★ 皓12 港12 煌13★ 幌13★ 滉13 閤14★ 綱14 構14 興16 縞16★ 鋼16 鴻17 轟21★ 饗22★

ごう
巷9★ 剛10 郷11 強11 豪14 轟21★

こえ
吟7 声7

こく
克7 国8 欽12

こぐ
漕14★

ごく
極12

こころ
心4

こし
江6 輿17★

こずえ
槙14

こと
采8 詞12 肇14 勲15

ことぶき
寿7

この
好6

このむ
好6

こはく
琥12★

こぶし
拳10

これ
之3 也3 比4 以5 伊6 実8 是9 荘9 時10 惟11 維14

ころも
衣6

こわ
強11

こん
近7 欣8 建9 欽12

ごん
欣8 厳17

さ

さ
二2 三3 早6 佐7 沙7 冴7 作7 咲9 倖10 紗10 彩11 爽11 朝12 嵯13 瑳14 聡14

さい
采8 哉9 埼11★ 彩11 砦11★

犀12★ 最12 歳13

ざい 在6

さいわい 幸8 倖10 禎13

さえ 冴7 朗10

さえる 冴7

さお 操16

さかい 堺12★

さかえ 栄9 富12 潤15

さかえる 栄9

さかき 榊14★

さかし 盛11

さかり 盛11

さかる 盛11

さかん 旺8 昌8 盛11

さき 早6 作7 咲9 祥10 埼11★ 福13

さく 作7 咲9 索10 朔10 開12 策12

さくら 桜10

ささ 楽13 讃22★

さざなみ 漣14★

さしがね 矩10

さずく 授11

さだ 右5 正5 安6 完7 究7 治8 定8 信9 貞9 晏10 真10 渉11 節13 禎13 寧14 憲16

さだか 定8

さだむ 定8

さち 吉6 幸8 倖10 祥10 葛12★ 禎13 福13

さっ 早6

さつ 珊9★ 颯14

さつき 皐11

さと 公4 吏6 邑7 里7 学8 知8 怜8 彦9 巷9★ 恵10 悟10 敏10 郷11 彗11 都11 理11 覚12 智12 聡14 徳14 慧15 賢16 諭16 識19

さとい 慧15

さとし 邑7 里7 知8 怜8 悟10 哲10 敏10 啓11 捷11 彗11 覚12 暁12 惺12★ 智12 聖13 聡14 鋭15 慧15 賢16 諭16

さとす 諭16

さとる 学8 俠9★ 悟10 哲10 惺12★ 智12 慧15 賢16

さね 人2 心4 平5 守6 壱7 志7 実8 城9 真10 翔12 嗣13 諄15 護20

さぶ 三3 珊9★

★新人名漢字

- さま：閃10★
- さます：覚12 醒16★
- さむい：凜15 凛15★
- さむらい：侍8
- さむる：醒16★
- さめ：醒16★
- さめる：覚12 醒16★
- さや：清11 爽11
- さら：更7
- さらい：杷8★
- さわ：爽11
- さわやか：爽11
- さん：三3 珊9★ 撰15★ 讃22★

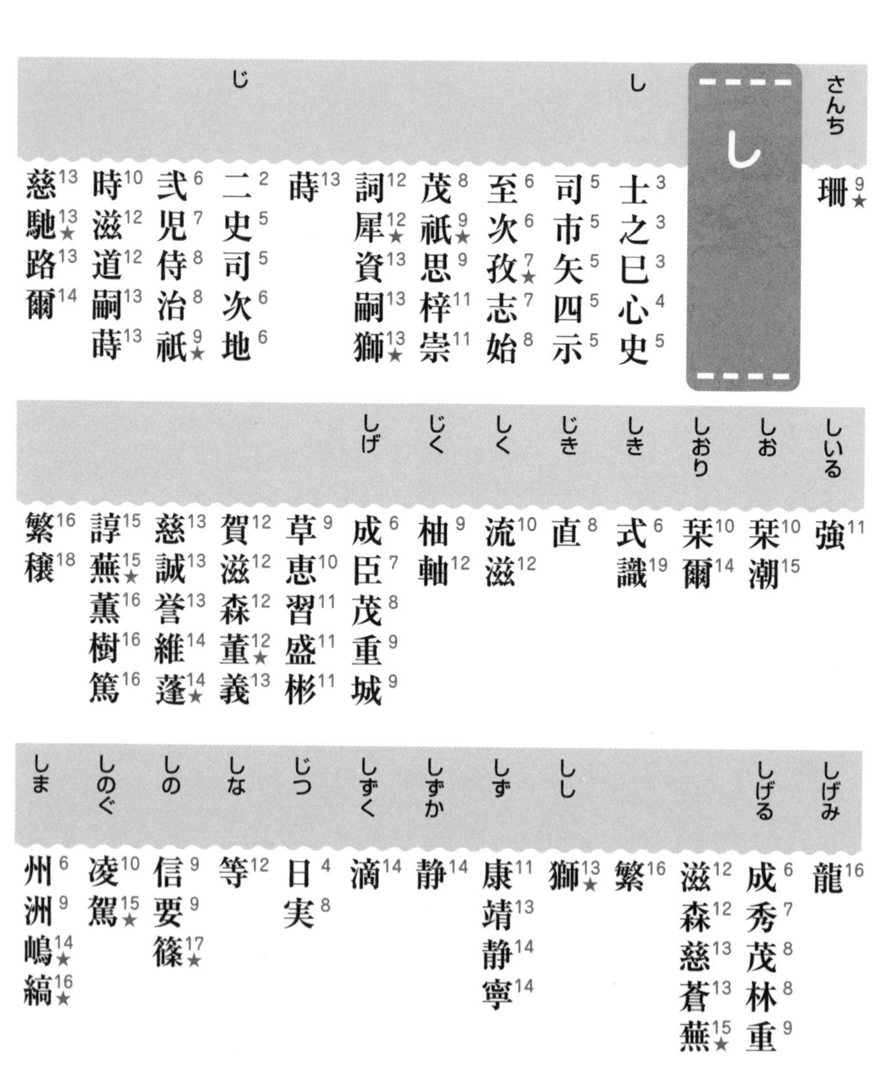

- さんち：珊9★

し

- し：士3 之3 巳3 心4 史5 司5 市5 矢5 四5 示5 至6 次6 孜7★ 志7 始8 茂8 祇9★ 思9 梓11 崇11 詞12 犀12★ 資13 嗣13 獅13★ 蒔13
- じ：二2 史5 司5 次6 地6 弐6 児7 侍8 治8 祇9★ 時10 滋12 道12 嗣13 蒔13 慈13 馳13★ 路13 爾14
- しいる：強11
- しお：栞10 潮15
- しおり：栞10 爾14
- しき：式6 識19
- じき：直8
- しく：流10 滋12
- じく：柚9 軸12
- しげ：成6 臣7 茂8 重9 城9 草9 恵10 習11 盛11 彬11 賀12 滋12 森12 董12★ 義13 慈13 誠13 誉13 維14 蓬14★ 諄15 蕪15★ 薫16 樹16 篤16 繁16 穣18
- しげみ：龍16
- しげる：成6 秀7 茂8 林8 重9 滋12 森12 慈13 蒼13 蕪15★ 繁16
- しし：獅13★
- しず：康11 靖13 静14 寧14
- しずか：静14
- しずく：滴14
- じつ：日4 実8
- しな：等12
- しの：信9 要9 篠17★
- しのぐ：凌10 駕15★
- しま：州6 洲9 嶋14★ 縞16★

しもと
楚13★

しゃ
写5 沙7 紗10

じゃく
若8

しゅ
守6 修10 衆12 楢13★ 竪14★ 諏15★ 趣15

じゅ
寿7 受8 授11 竪14★ 樹16 鷲23★

しゅう
収4 州6 舟6 秀7 宗8 周8 秋9 洲9 柊9 祝9 修10 習11 脩11 集12 衆12 萩12 嵩13 楢13★ 漱14 輯16★ 蹴19★ 鷲23★

じゅう
充6 重9

しゅく
祝9 淑11 蹴19★

しゅつ
出5

しゅん
旬6 俊9 春9 洵9 隼10 峻10 訊10★ 竣12 舜13 馴13★ 楯13★ 詢13 諄15 駿17 瞬18

じゅん
旬6 巡6 洵9 隼10 純10 淳11 惇11 絢12 順12 閏12★ 準13 馴13★ 楯13★ 詢13 潤15 諄15 醇15

しょ
初7 楚13★

じょ
助7

しょう
生5 正5 匠6 庄6 尚8 昌8 昇8 青8 咲9 昭9 省9 星9 政9 祥10 将10 章11 渉11 捷11 菖11 笙11 唱11 清11 晶12 翔12 勝12 湘12★ 董12★ 奨13 照13 聖13 楢13★ 蔣14★ 彰14 嘗14★ 槍14★ 樟15★ 醒16★ 篠17★

じょう
丈3 成6 定8 城9 挺10★ 盛11 靖13 嘗14★ 静14 穣18 譲20

しょうぶ
菖11

しらべる
按9★

しる
知8

しるし
印6 瑞13 徽17★

しるす
記10

しろ
白5 城9 素10

しろい
皓12

しろし
素10

しん
心4 申5 芯7★ 臣7 辰7 伸7 信9 津9 秦10 晋10 真10 訊10★ 紳11 進11 深11 清11 森12 新13 慎13 賑14★ 槙14 親16 薪16

じん
人2 仁4 壬4★ 迅6 尽6 臣7 辰7 甚9 秦10 訊10★ 陣10 稔13

★新人名漢字

す

- **す**：守6 州6 寿7 宋7★ 洲9 春9 素10 陶11 順12 嵩13 数13 諏15★
- **ず**：杜7 津9 瑞13
- **すい**：出5 珀9★ 粋10 彗11
- **ずい**：瑞13
- **すう**：崇11 嵩13 数13
- **すえ**：末5 君7 季8 淑11 陶11 葉12
- **すが**：菅11★ 清11 廉13
- **すかす**：透10
- **すき**：好6 透10
- **すぎ**：杉7
- **すく**：好6 透10
- **すぐ**：直8
- **すくう**：賑14★
- **すぐる**：克7 英8 卓8 俊9 逸11 捷11 勝12 傑13 賢16 優17
- **すぐれる**：優17
- **すけ**：介4 夫4 友4 右5 弐6 佐7 助7 伴7 扶7 甫7 佑7 良7 育8 延8 典8 祐9 宥9 亮9 高10 将10 脩11 涼11 喬12 裕12 資13 奨13 維14 輔14 翼17 讃22★
- **すげ**：菅11★
- **すける**：透10
- **すこやか**：健11
- **すず**：紗10 涼11 鈴13
- **すすぐ**：漱14
- **すすむ**：万3 年6 亨7 延8 享8 昇8 歩8 侑8 貢10 将10 晋10 勉10 乾11 皐11 進11 新13 奨13 範15
- **すずり**：硯12★
- **すな**：沙7
- **すなお**：忠8 直8 是9 純10 素10 淳11 惇11 廉13
- **すばる**：昴9
- **すぶ**：総14
- **すべる**：統12
- **すます**：澄15
- **すみ**：好6 在6 邑7 宜8 恭10 純10 淑11 清11 遥12 稜13 遙14★ 澄15 篤16
- **ずみ**：泉9
- **すみれ**：菫11
- **すむ**：澄15
- **すめる**：澄15
- **すもも**：李7

- すわえ　楚13★
- すん　峻10

せ

- せ　世5　聖13　瀬19
- ぜ　是9
- せい　生5　正5　世5　成6　西6　斉8　征8　青8　省9　星9　政9　彗11　清11　盛11　犀12★　惺12★　晴12　聖13　勢13　靖13　誠13　静14　誓14　精14　醒16★　整16
- せき　隻10　績17
- せち　節13
- せつ　雪11　節13　説14
- せり　芹7
- せる　競20
- せん　千3　川3　仙5　宣9　茜9　泉9　閃10★　扇10　船11　撰15★　鮮17　譲20
- ぜん　全6　善12　然12　撰15★

そ

- そ　衣6　征8　素10　曽11★　楚13★　想13
- そう　庄6　壮6　早6　宋7★　走7　宗8　相9　荘9　奏9　草9　笈10★　倉10　笙11　崇11　爽11　曽11★　湘12★　惣12　湊12★　創12　装12　蒼13　想13　颯14　聡14　総14　漕14★　漱14　槍14★　諏15★　操16　瀧19★
- ぞう　三3　造10　曽11★　創12　漕14★　蔵15
- そく　則9
- そそぐ　雪11
- そだつ　育8
- そなわる　彬11
- そめる　初7
- そら　天4　空8　昊8★　宙8
- そん　尊12　巽12

た

- た　大3　太4　多6　汰7　舵11★　馳13★
- だ　太4　那7　舵11★　椰11★　馳13★
- たい　大3　太4　汰7　泰10　醍16★
- だい　大3　太4　醍16★
- だいだい　橙16★
- たいら　平5　庄6
- たえ　巧5　紗10
- たか　乙1　万3　王4　公4　太4

★新人名漢字

たか

天4 右5 立5 宇6 考6
行6 好6 竹6 共6 孝7
岳8 学8 宜8 享8 尭8
空8 昂8 幸8 卓8 宝8
茂8 和8 俊9 荘9 飛9
峨10★ 恭10 高10 剛10 峻10
能10 峯10★ 峰10 教11 皐11
章11 渉11 崇11 琢11 猛11
理11 陸11 隆11 貴12 喬12
堯12★ 敬12 堅12 尊12 登12
等12 萬12★ 雄12 陽12 揚12
塁12 嵩13 誠13 節13 楚13★
誉13 稜13 旗14 鳳14 賢16
厳17 顕18 鷹24

たかい

高10 峻10 喬12 堯12★ 嵩13

たかし

大3 天4 仙5 立5 充6
任6 孝7 岳8 京8 尭8
昂8 宗8 尚8 卓8 宝8
郁9 俊9 荘9 峨10★ 高10
剛10 峻10 峯10★ 峰10 崇11
陸11 隆11 梁11★ 貴12 喬12
堯12★ 敬12 尊12 幹13 嵩13
節13 駿17

たから

宝8

たき

滝13 瀧19★

たきぎ

薪16

たく

宅6 托6★ 卓8 拓8 啄10
琢11 擢17★ 櫂18★

たくま

逞11★

たくましい

逞11★

たくみ

工3 巧5 匠6

たけ

丈3 広5 全6 壮6 竹6
岳8 虎8 武8 宝8 孟8
建9 勇9 赳10 高10 勉10
強11 健11 盛11 彪11 猛11
偉12 貴12 雄12 嵩13 滝13
豪14 毅15

たけお

猛11

たけき

猛11

たけし

丈3 大3 壮6 英8 武8
孟8 長8 威9 建9 洸9
赳10 剛10 馬10 乾11 健11
梗11★ 彪11 猛11 雄12 豪14
毅15 瀧19★

たける

武8 建9 猛11

だす

出5

たすく

介4 比4 匡6 伍6 佐7
助7 扶7 佑7 侑8 祐9
資13 奨13 輔14 翼17

ただ

一1 工3 也3 公4 矢5
正5 由5 伊6 匡6 江6
考6 旬6 地6 均7 伸7

- （ただ 続き）：斉8 忠8 按9★ 祇9★ 政9 貞9 格10 恭10 祥10 真10 粋10 挺10★ 惟11 規11 渉11 唯11 理11 欽12 萱12★ 渡12 董12★ 資13 禎13 肇14 蔵15
- ただし：正5 旦5 伊6 匡6 延8 征8 忠8 直8 按9★ 是9 荘9 貞9 律9 格10 矩10 将10 淳11 覚12 善12 義13 禎13 廉13 憲16
- ただす：匡6 孜7★ 治8 直8 貞9 律9 矩10 董12★
- ただちに：直8
- たち：立5 楯13★
- たつ：立5 辰7 建9 起10 竜10 達12 竪14★ 樹16 龍16
- たつき：樹16
- たつみ：巽12
- たつる：立5 建9
- たて：立5 建9 達12 楯13★ 竪14★
- たてる：立5 建9
- たに：渓11 葉12
- たのし：凱12
- たのむ：托6★ 頼16
- たま：丸3 圭6 玖7 珂9★ 珀9★ 玲9 球11 琥12★ 瑞13 瑶13 環17
- たまき：環17
- たみ：人2 民5 在6 彩11 黎15
- ため：為9 集12
- たもつ：全6 有6 完7 扶7 侠9★ 保9 維14
- たよる：頼16
- たる：善12 稜13
- たん：旦5
- だん：男7

ち

- ち：千3 市5 地6 池6 治8 知8 致10 集12 智12 道12 馳13★
- ちえ：智12
- ちか：力2 丸3 元4 比4 史5 至6 次6 年6 近7 京8 周8 知8 直8 恒9 哉9 信9 時10 峻10 規11 務11 悠11 幾12 集12 登12 愛13 慈13 新13 慎13 睦13 爾14 静14 誓14 畿15★ 慶15 親16
- ちかい：近7
- ちかう：誓14
- ちかし：悠11 幾12 爾14

★新人名漢字

- ちから：力 2
- ちく：竹 6、築 16
- ちまた：巷 9★
- ちゅう：中 4、仲 6、沖 7、宙 8、忠 8
- ちゅん：椿 13★
- ちょう：丁 2、兆 6、長 8、重 9、挺 10★、彫 11、張 11、朝 12、超 12、禎 13、暢 14、肇 14、潮 15、澄 15、橙 16★、寵 19★
- ちょく：直 8

つ

- つ：津 9、通 10、都 11
- ついたち：朔 10
- ついばむ：啄 10
- つう：通 10
- つか：束 7、策 12、緑 14
- つかさ：士 3、司 5、吏 6
- つかむ：摑 14★
- つき：月 4、右 5、槻 15
- つぎ：乙 1、二 2、月 4、世 5、次 6、亜 7、連 10、継 13、嗣 13
- つぐ：二 2、壬 4★、世 5、次 6、亜 7、更 7、庚 8★、貢 10、継 13、嗣 13、禎 13、静 14、諭 16、繋 19★
- つくる：作 7、造 10
- つち：地 6
- つづみ：鼓 13
- つづら：葛 12★
- つどう：集 12
- つとむ：力 2、工 3、司 5、孜 7★、努 7、励 7、孟 8、拳 10、剣 10、耕 10、勉 10、乾 11、強 11、務 11、敦 12、勤 12、義 13、奨 13、勲 15
- つとめる：務 11
- つな：是 9、紘 10、統 12、道 12、維 14、綱 14、緑 14、繋 19★
- つなぐ：繋 19★
- つね：久 3、比 4、玄 5、法 8、恒 9、則 9、矩 10、経 11、曽 11★、庸 11、統 12、愛 13、雅 13、継 13、綱 14、識 19
- つばさ：翼 17
- つぼみ：蕾 16★
- つみ：祇 9★、積 16
- つむ：万 3、萬 12★
- つや：釉 12★
- つよ：健 11、務 11、豪 14、厳 17
- つよい：強 11、毅 15
- つよし：威 9、赳 10、剛 10、強 11、梗 11★、彪 11、猛 11、敢 12、堅 12、豪 14、毅 15、競 20

つら 青8 定8 貞9 航10 連10 貫11 葛12★ 羅19

つる 弦8 絃11 敦12

つるぎ 剣10

つれる 連10

て

で 出5

てい 丁2 汀5 定8 貞9 挺10★ 逞11★ 禎13 醍16★

でい 祢9★

てき 的8 笛11 擢17★ 櫂18★

てすり 楯13★

てつ 哲10 鉄13 徹15

てらす 暉13 照13

てる 旭6 光6 明8 映9 栄9 珂9★ 昭9 毘9★ 晃10 晄10★ 瑛12 皓12 晴12 暉13 煌13★ 照13 彰14 輝15 顕18 曜18 燿18 耀20

でる 出5

てれる 照13

てん 天4 典8 展10 槙14

でん 伝6

と

と 人2 十2 太4 斗4 任6 年6 杜7 門8 音9 飛9 留10 徒10 都11 兜11★ 渡12 登12 富12 豊13

ど 努7

とう 刀2 斗4 冬5 当6 灯6 延8 到8 東8 訊10★ 透10 桐10 桃10 能10 陶11 兜11★ 萄11★ 勝12 塔12 董12★ 統12 登12 等12 道12 嶋14★ 橙16★ 瞳17 櫂18★

どう 桐10 萄11★ 堂11 道12 童12 瞳17

とうとい 尊12

とお 更7 昊8★ 茂8 通10 竜10 深11 野11 埜11★ 達12 遥12 遙14★ 遼15 龍16

とおる 亘6 亨7 亮9 泰10 通10 透10 竜10 達12 博12 暢14 澄15 徹15 龍16

とき 世5 旬6 迅6 辰7 季8 国8 林8 怜8 秋9 祝9 春9 則9 時10 朗10 牽11★ 凱12 暁12 朝12 鋭15 稽15★

★新人名漢字

とき 論15 讃22★

とぎ 伽7

とく 更7 徳14 篤16

とぐ 研9

とし 世5 冬5 平5 迅6 年6 亨7 寿7 利7 季8 宗8 斉8 威9 紀9 哉9 秋9 俊9 星9 要9 記10 隼10 峻10 敏10 倫10 逸11 健11 牽11★ 淑11 惇11 捷11 逞11★ 理11 暁12 等12 舜13 準13 照13 馳13★ 鉄13 稔13 福13 聡14 肇14 鋭15 毅15 蔵15 憲16 繁16 駿17

とせ 年6

とどろき 轟21★

となう 唱11

とばり 幌13★

とぶ 飛9

とまる 留10

とみ 吉6 臣7 宝8 富12 福13 賑14★

とむ 富12

とめ 留10

とめる 留10

とも 丈3 大3 比4 文4 友4 以5 共6 伍6 有6 近7 作7 那7 伴7 呂7 幸8 始8 知8 宝8 朋8 毘9★ 兼10 致10 流10 倫10 衆12 智12 朝12 等12 義13 節13 賑14★ 興16

とよ 富12 豊13

とら 虎8 彪11 龍16

とりで 砦11★

とる 采8 操16

とん 惇11 敦12

な

な 己3 多6 那7 来7 南9 梛11★

ない 祢9★

なお 三3 巨5 矢5 多6 亨7 均7 君7 作7 若8 尚8 真10 通10 挺10★ 梗11★ 脩11 野11 埜11★ 順12 董12★ 竪14★

なおし 道12

なおす 直8

なおる 治8 直8

なか 心4 務11 極12

なが
久3 右5 永5 市5 寿7 呂7 延8 長8 律9 隆11 詠12 遊12 暢14

ながい
永5 脩11

ながす
流10

なぎ
梛11★

なぎさ
汀5

なごむ
和8

なす
成6

なず
摩15

なつ
夏10

なま
生5

なみ
巨5 波8 泉9 南9 洋9 浪10 漣14★

なめる
嘗14★

なら
楢13★

ならう
習11

ならす
馴13★

なり
也3 生5 平5 令5 考6 成6 亨7 克7 作7 育8 斉8 忠8 威9 音9 城9 記10 造10 規11 曽11★ 詞12 晴12 慈13 勢13 誠13 稔13 整16 響20

なる
考6 匠6 成6 育8 登12 愛13 稔13 徳14 親16

なれ
馴13★

なん
男7 南9

なんじ
爾14

なんぞ
胡9

に

に
二2 仁4 弐6 児7 爾14

にい
新13

にお
勾4★

にぎやか
賑14★

にじ
虹9

にち
日4

にゃく
若8

にん
人2 壬4★ 任6

ぬ

ぬ
野11

ぬく
挺10★ 擢17★

ぬさ
麻11

ね

ね
宇6 音9 祢9★ 峯10★ 峰10 根10 稔13 寧14 嶺17

ねい
寧14

ねん
年6 稔13

★新人名漢字

の

の
之 3、野 11、埜 11★

のう
能 10

のき
宇 6

のぞみ
希 7、志 7、望 11

のぞむ
志 7、望 11

のっと
浬 10★

のどか
温 12

のばす
伸 7、延 8

のびる
伸 7、延 8

のぶ
一 1、之 3、仁 4、永 5、申 5、江 6、亘 6、更 7、寿 7、辰 7、伸 7、延 8、宜 8、治 8、恒 9、重 9、洵 9、信 9、政 9、宣 9、毘 9★、悦 10、展 10、惟 11、経 11、脩 11、進 11、庸 11、喜 12、喬 12、順 12、惣 12、董 12★、敦 12、揚 12、葉 12、遥 12、寛 13、照 13、靖 13、睦 13、総 14、暢 14、遙 14★、諄 15、撰 15★、劉 15★、薫 16、整 16

のぶる
辰 7、伸 7

のべる
延 8、暢 14

のぼる
伸 7、昂 8、昇 8、登 12

のり
士 3、文 4、以 5、永 5、玄 5、仙 5、令 5、礼 5、考 6、行 6、至 6、舟 6、任 6、孝 7、児 7、甫 7、利 7、里 7、宜 8、尭 8、実 8、宗 8、周 8、昇 8、典 8、法 8、威 9、紀 9、祇 9★、祝 9、宣 9、則 9、律 9、格 10、記 10、矩 10、悟 10、修 10、哲 10、能 10、倫 10、規 11、基 11、教 11、郷 11、啓 11、経 11、庸 11、賀 12、幾 12、堯 12★、極 12、敬 12、卿 12★、詞 12、順 12、勝 12、朝 12、統 12、登 12、雄 12、遥 12、雅 13、寛 13、準 13、慎 13、数 13、節 13、誉 13、路 13、徳 14、遙 14★、緑 14、駕 15★、毅 15、慶 15、稽 15★、範 15、論 15、憲 16、頼 16、謙 17、騎 18、識 19、譲 20

のる
駕 15★

は

は
牙 4★、芭 7★、波 8、杷 8★、葉 12

ば
芭 7★、馬 10

はい
杷 8★

はえ
栄 9

はえる
映 9、栄 9

はかる
斗 4、法 8、詢 13、諏 15★

はぎ
萩 12

はく
伯 7、珀 9★、博 12

- **ばく**　博12
- **はげむ**　励7
- **はし**　梁11★
- **はじむ**　基11　創12
- **はじめ**　一1　大3　元4　吉6　壱7　児7　初7　甫7　始8　東8　孟8　祝9　春9　朔10　素10　造10　基11　創12　朝12　源13　新13　肇14
- **はじめる**　肇14
- **はす**　芙7　蓉13　蓮13
- **はせる**　馳13★
- **はた**　秦10　旗14　幡15★
- **はち**　八2
- **はっ**　法8
- **はつ**　初7　肇14
- **ばつ**　茉8
- **はな**　芳7
- **はなぶさ**　英8
- **はま**　浜10
- **はや**　迅6　早6　快7　勇9　隼10　速10　逸11　捷11　鋭15　駿17
- **はやい**　早6
- **はやお**　駿17
- **はやし**　林8　隼10　馳13★　駿17
- **はやと**　隼10
- **はやぶさ**　隼10
- **はらす**　晴12
- **はり**　梁11★　晴12
- **はる**　日4　玄5　立5　令5　全6　始8　治8　青8　知8　東8　明8　孟8　春9　昭9　美9　晏10　浩10　時10　流10　脩11　張11　温12　開12　喜12　晴12　陽12　遥12　斡14★　遙14★
- **はるか**　悠11　遥12　遙14★　遼15
- **はるき**　開12
- **はれる**　晴12
- **はん**　半5　帆6　汎6★　伴7　絆11★　範15　幡15★　磐15★　繁16
- **ばん**　万3　伴7　絆11★　萬12★　満12　幡15★　磐15★

ひ

- **ひ**　日4　比4　枇8★　飛9　毘9★　菊11　葡12★　陽12
- **び**　枇8★　弥8　毘9★　美9　葡12★
- **ひいでる**　秀7
- **ひいらぎ**　柊9
- **ひがし**　東8
- **ひかり**　光6　晃10　晄10★　暉13
- **ひかる**　光6　晃10　閃10★　皓12　輝15

★新人名漢字

ひき　牽11★

ひく　牽11★

ひこ　人2 久3 彦9

ひさ　久3 之3 比4 永5 央5 仙5 向6 玖7 学8 尚8 胡9 恒9 宣9 桐10 留10 悠11 喜12

ひさし　久3 永5 寿7 尚8 弥8 栄9 悠11

ひさしい　久3

ひし　菱11★

ひじり　聖13

ひた　牽11★

ひで　未5 次6 成6 任6 求7 秀7 英8 季8 幸8 東8 栄9 継13 嗣13 豪14 榮14★ 薫16

ひと　一1 人2 士3 仁4 史5 仙5 民5 均7 侍8

ひとし　一1 人2 仁4 平5 伍6 旬6 均7 斉8 恒9 洵9 欽12 結12 等12 舜13 準13 徹15 整16

ひとみ　瞳17

ひのき　桧10★

ひび　響20

ひびき　響20

ひびく　響20

ひも　紘10

ひゃく　珀9★

ひゅう　彪11

ひょう　兵7 彪11

びょう　平5

ひら　平5 行6 旬6 拓8 数13

ひらく　拓8 通10 開12

ひらめく　閃10★

ひろ　丈3 央5 玄5 弘5 広5 光6 托6★ 汎6★ 完7 宏7 助7 昊8★ 拓8 弥8 門8 恢9★ 彦9 洸9 厚9 宥9 洋9 浩10 紘10 泰10 展10 容10 啓11 康11 都11 野11 埜11★ 景12 皓12 衆12 博12 裕12 寛13 滉13 豊13 嘉14 勲15 潤15 衛16 優17

ひろい　弘5 広5 汎6★ 宏7 恢9★ 浩10 滉13

ひろし　大3 央5 弘5 広5 亘6 汎6★ 宏7 京8 昊8★ 周8 拓8 宙8 洸9 厚9 洋9 浩10 紘10 泰10 容10 啓11 湖12 皓12 博12 裕12 寛13

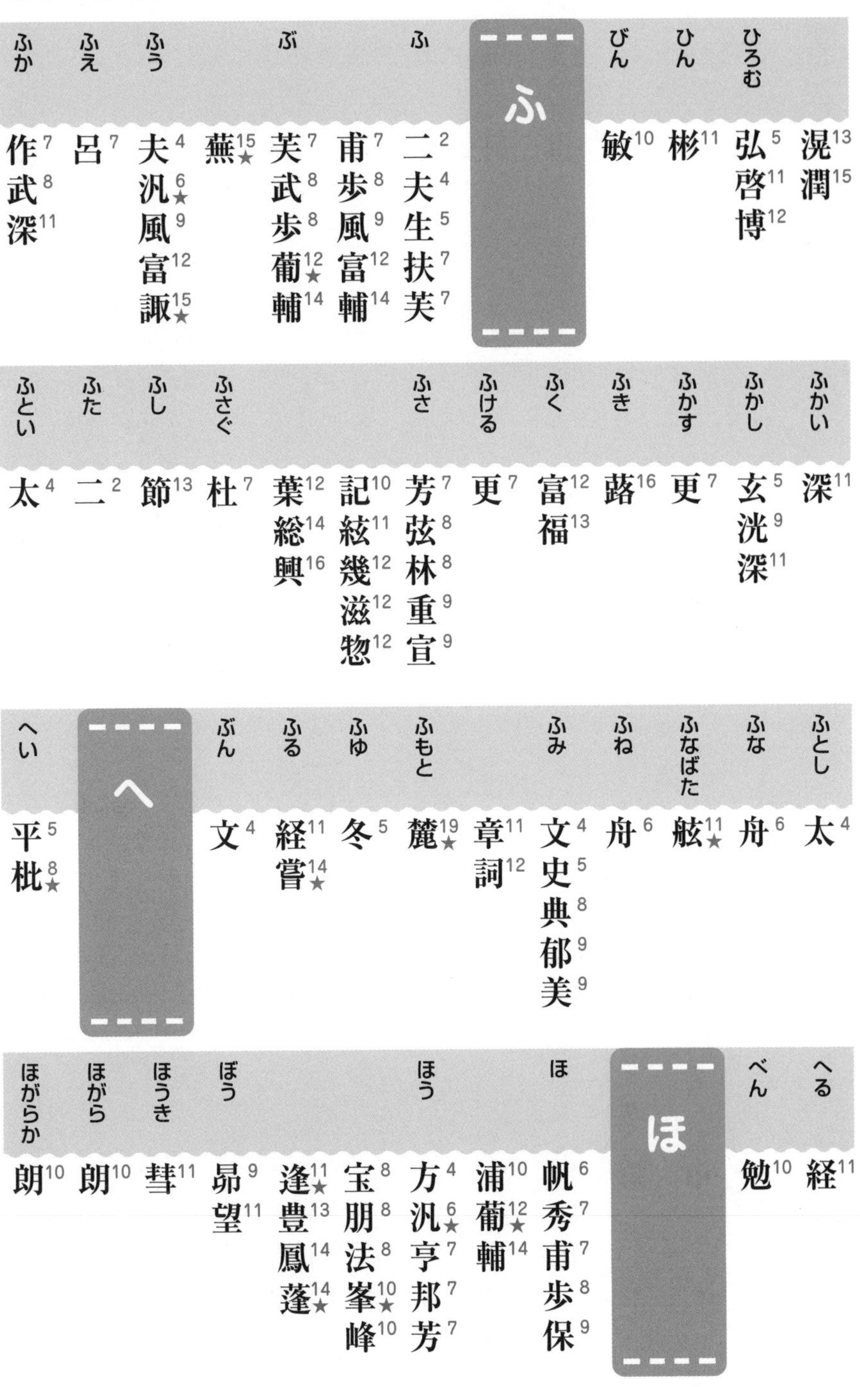

（前ページより）滉13 潤15

ひろむ　弘5 啓11 博12

ひん　彬11

びん　敏10

ふ

ふ　二2 夫4 生5 扶7 芙7 甫7 歩8 風9 富12 輔14

ぶ　芙7 武8 歩8 葡12★ 輔14 蕪15★

ふう　夫4 汎6★ 風9 富12 諷15★

ふえ　呂7

ふか　作7 武8 深11

ふかい　深11

ふかし　玄5 洸9 深11

ふかす　更7

ふき　蕗16

ふく　富12 福13

ふける　更7

ふさ　芳7 弦8 林8 重9 宣9 記10 絃11 幾12 滋12 惣12 葉12 総14 興16

ふさぐ　杜7

ふし　節13

ふた　二2

ふとい　太4

ふとし　太4

ふな　舟6

ふなばた　舷11★

ふね　舟6

ふみ　文4 史5 典8 郁9 美9 章11 詞12

ふもと　麓19★

ふゆ　冬5

ふる　経11 嘗14★

ぶん　文4

へ

へい　平5 枇8★

へる　経11

べん　勉10

ほ

ほ　帆6 秀7 甫7 歩8 保9 浦10 葡12★ 輔14

ほう　方4 汎6★ 亨7 邦7 芳7 宝8 朋8 法8 峯10★ 峰10 逢11★ 豊13 鳳14 蓬14★

ぼう　昂9 望11

ほうき　彗11

ほがら　朗10

ほがらか　朗10

★新人名漢字

ほく 北5

ぼく 牧8 睦13

ほこ 槍14★

ほし 斗4 星9

ほじし 脩11

ほず 秀7

ほだし 絆11★

ほだす 絆11★

ほたる 蛍11

ほっ 法8

ほまれ 誉13

ほめる 讃22★

ほろ 幌13★

ほん 汎6★ 幡15★

ま

ま 万3 茉8 真10 馬10 麻11 萬12★ 満12 摩15 磨16

まいる 哩10★

まかす 任6

まがね 鉄13

まがり 勾4★

まがる 勾4★

まき 充6 牧8 槙14 薪16

まく 巻9 蒔13

まこと 允4 良7 実8 周8 卓8 洵9 信9 純10 真10 淳11 惇11 欽12 董12★ 詢13 慎13 誠13 諄15 諒15

まさ 大3 元4 公4 仁4 正5 匡6 旬6 庄6 壮6 多6 完7 求7 均7 甫7 若8 尚8 昌8 征8 祇9★ 政9 毘9★ 柾9 格10 修10 将10 真10 容10 連10 逸11 理11 温12 萱12★ 滋12 晶12 勝12 雅13 幹13 聖13 誠13 暢14 蔵15 諒15 整16 優17 譲20 鷹24

まさき 柾9

まさし 正5 匡6 昌8 晶12 雅13

まさに 祇9★

まさる 大3 甲5 平5 多6 克7 昌8 卓8 俊9 捷11 勝12 智12 雅13 潤15 優17

ます 丈3 斗4 加5 助7 勉10 益10 逸11 曽11★ 増14 潤15

また 也3 加5 定8

またたく 瞬18

まち 市5

まつ 末5 茉8

まな 愛13

まなぶ　学8

まもり　守6　衛16

まもる　守6　葵12　衛16　護20

まゆ　繭18

まり　莉10　球11

まる　丸3　斡14★

まれ　希7　稀12

まろ　丸3

まわり　周8

まん　万3　孟8　萬12★　満12　幡15★

み

み　己3　三3　巳3　心4　壬4★　巨5　史5　未5　民5　究7　臣7　実8　弥8　海9　省9　美9　洋9　造10　規11　深11　望11　視11　堅12　登12　満12　幹13　稔13　爾14　親16

みお　澪16

みがく　琢11　磨16

みかん　柑9★

みき　幹13　樹16

みぎ　右5

みぎわ　汀5

みさ　操16

みさお　貞9　節13　操16

みさき　岬8

みず　壬4★　泉9　瑞13

みずうみ　湖12

みずち　劉15★

みたす　満12

みたみ　民5

みち　行6　至6　充6　有6　亨7　吾7　芳7　利7　学8　享8　宙8　典8　律9　峻10　通10　倫10　教11　康11　進11　務11　理11　陸11　極12　惣12　達12　道12　満12　遥12　路13　総14　遙14★　慶15　徹15　巌20

みちる　満12

みつ　三3　弘5　広5　光6　充6　巡6　完7　秀7　実8　弥8　映9　則9　美9　恭10　晃10　晄10★　貢10　閃10★　盛11　満12　舜13　照13　慎13　暢14　潤15

みつぎ　貢10

みつぐ　貢10

みつる　光6　在6　充6　満12　爾14　暢14

みどり　緑14

みな　汎6★　南9　惣12

みなと　港12　湊12★

★新人名漢字

- みなみ　南9
- みなもと　源13
- みね　峻10 峯10★ 峰10 嶺17 巌20
- みの　稔13 穣18
- みのる　年6 季8 実8 秋9 登12 稔13 豊13 穣18
- みやこ　都11 畿15★
- みやび　雅13
- みょう　明8
- みる　臣7 実8 省9 親16
- みん　民5

む

- む　武8 務11 陸11 睦13 夢13 蕪15★
- むく　向6 椋12
- むすぶ　結12
- むつ　陸11 睦13 輯16★
- むつぶ　睦13
- むつみ　睦13
- むね　至6 志7 宗8 致10 能10 梁11★ 極12 統12 領14
- むら　邑7 城9 樹16

め

- め　人2 馬10
- めい　明8 盟13 銘14
- めぐみ　恵10
- めぐむ　恵10 竜10 愛13 龍16
- めぐる　巡6 斡14★

も

- も　茂8 萌11 雲12
- もう　孟8 望11 猛11
- もく　睦13
- もち　以5 卓8 茂8 将10 挺10★ 望11 庸11
- もと　元4 太4 民5 本5 求7 近7 志7 初7 扶7 甫7 始8 宗8 征8 茂8 孟8 林8 紀9 泉9 索10 朔10 素10 倫10 規11 基11 喬12 智12 統12 雅13 楽13 寛13 幹13 源13 資13 福13 誉13
- もとい　基11
- もとむ　求7 要9
- もも　李7 桃10
- もり　司5 守6 壮6 托6★ 杜7 保9 彬11 策12 衆12 森12

衛16 護20

もる 盛11

もろ 壱7 脩11 衆12

もん 文4 門8

や

や 八2 也3 乎5★ 矢5 弥8 哉9 耶9 野11 埜11★ 椰13

やか 宅6

やけ 宅6

やさしい 優17

やし 椰13

やす 安6 考6 快7 求7 那7 育8 協8 庚8★ 定8 弥8 彦9 毘9★ 保9 要9 晏10 恭10 恵10 耕10 修10 祥10 泰10 能10 容10 連10 逸11 健11 康11 庸11 裕12 慈13 靖13 誉13 楊13 廉13 静14 徳14 寧14 慶15

やすい 安6

やすし 安6 欣8 保9 恭10 泰10 康11 靖13 寧14

やつ 八2

やな 梁11★

やなぎ 柳9 楊13

やね 梁11★

やまと 倭10

やり 槍14★

やわ 和8

ゆ

ゆ 弓3 友4 由5 有6 佑7 柚9 祐9 悠11 結12 裕12 遊12 湧12 楢13★ 諭16 優17

ゆい 由5 惟11 唯11 結12

ゆう 友4 右5 由5 有6 佑7 邑7 侑8 勇9 柚9 祐9 宥9 脩11 悠11 結12 釉12★ 裕12 雄12 遊12 湧12 楢13★ 優17

ゆき 之3 千3 介4 元4 以5 由5 至6 巡6 行6 孝7 志7 来7 享8 幸8 征8 到8 門8 侑8 是9 起10 倖10 時10 将10 晋10 致10 通10 透10 敏10 教11 進11 雪11 逞11★ 喜12 敬12 順12 道12 遊12 詣13★ 廉13 維14 潔15 徹15

ゆく 之3 行6 征8 雲12 巽12 路13

★新人名漢字

ゆず　柚9 橙16★

ゆずる　謙17 譲20

ゆた　逞11★ 豊13

ゆたか　完7 浩10 紘10 隆11 温12 裕12 寛13 豊13 優17 穣18

ゆみ　弓3

ゆめ　夢13

ゆるす　宥9

よ

よ　与3 予4 乎5★ 世5 四5 吉6 余7 於8 勇9 洋9 晶12 葉12 誉13 楊13 輿17★

よい　良7 善12 嘉14 徽17★

よう　八2 洋9 要9 容10 庸11 瑛12 陽12 揚12 葉12 遥12 湧12 蓉13 瑶13 楊13 遙14★ 謡16 曜18 燿18 耀20 鷹24

よく　可5 翼17

よし　工3 之3 介4 元4 仁4 壬4★ 可5 巧5 由5 令5 伊6 吉6 圭6 好6 至6 成6 全6 任6 快7 君7 孝7 克7 佐7 秀7 辰7 甫7 芳7 利7 良7 芦7★ 佳8 宜8 尭8 欣8 幸8 治8 若8 尚8 昌8 斉8 青8 到8 弥8 栄9 紀9 彦9 俊9 是9 省9 宣9 南9 毘9★ 美9 祐9 亮9 悦10 記10 恵10 桂10 時10 純10 祥10 泰10 致10 哲10 能10 敏10 容10 惟11 康11 淑11 逞11★ 陶11 彬11 椅12★ 温12 賀12 凱12 覚12 貴12 喜12 敬12 晶12 勝12 善12 巽12 達12 董12★ 雄12 愛13 葦13★ 楽13 義13 源13 資13 慈13 舜13 馴13★ 新13 慎13 誠13 滝13 禎13 福13 睦13 誉13 嘉14 静14 徳14 毅15 嬉15 慶15 稽15★ 潔15 蔵15 賢16 整16 頼16 徽17★ 厳17 寵19★ 麗19 瀧19★ 巌20 馨20 譲20

よしみ　好6 美9 嘉14

よむ　詠12

よもぎ　蓬14★

より　之3 以5 可5 由5 利7 依8 宜8 若8 典8 宣9 保9 時10 偉12 賀12 順12 幹13 資13 親16 頼16 麗19

よろい 鎧18★

よろこぶ 欣8

よろず 萬12★

ら

ら 良7 芦7★ 羅19

らい 礼5 来7 雷13 頼16 蕾16★

らく 楽13

らん 嵐12 漣14★ 藍18

り

り 吏6 利7 里7 李7 莉10 浬10★ 哩10★ 理11 璃15

りき 力2

りく 陸11

りち 律9

りつ 立5 律9

りゅ 瀧19★

りゅう 立5 柳9 竜10 留10 流10 隆11 笠11★ 琉11 瑠14 劉15★ 龍16

りょ 呂7 芦7★

りょう 良7 伶7 亮9 竜10 凌10 涼11 梁11★ 菱11★ 崚11 羚11★ 椋12 量12 滝13 稜13 領14 綾14 僚14 遼15 諒15 龍16 瞭17 嶺17 瀧19★

りょく 力2 緑14

りん 林8 倫10 琳12 鈴13 凜15 凛15★

る

る 児7 留10 流10 琉11 滝13 瑠14 劉15★ 瀧19★

るい 塁12 類18

れ

れ 礼5 伶7 玲9 鈴13 澪16 麗19

れい 令5 礼5 励7 伶7 怜8 玲9 羚11★ 鈴13 黎15 澪16 嶺17 麗19

れん 怜8 連10 廉13 蓮13 漣14★

ろ

ろ 呂7 芦7★ 路13 蕗16

ろう 郎9 浪10 狼10★ 朗10 滝13 稜13 瀧19★

ろく 緑14 麓19★

ろん 論15

★新人名漢字

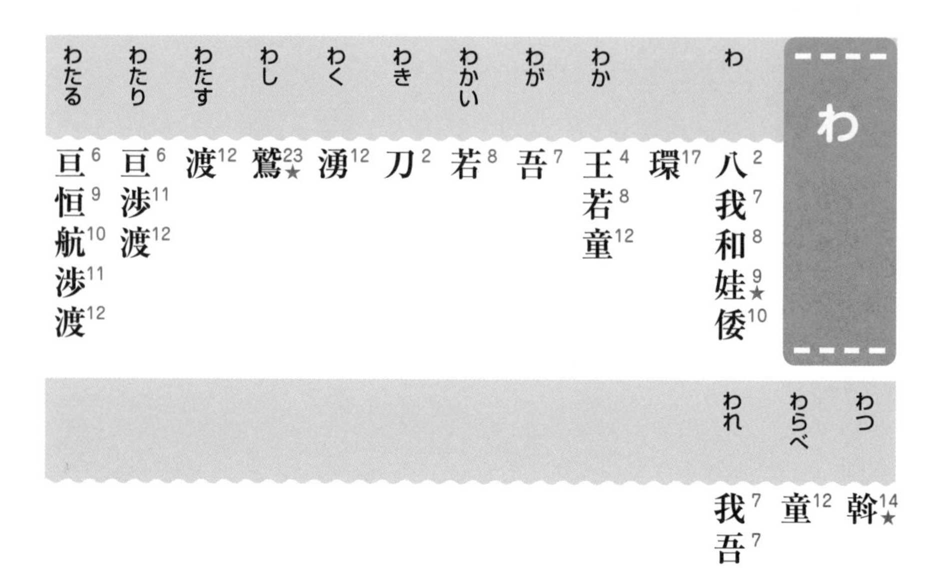

わ

- わ：八 2　我 7　和 8　娃 9★　倭 10　環 17
- わか：王 4　若 8　童 12
- わが：吾 7
- わかい：若 8
- わき：刀 2
- わく：湧 12
- わし：鷲 23★
- わたす：渡 12
- わたり：亘 6　渉 11　渡 12
- わたる：亘 6　恒 9　航 10　渉 11　渡 12
- わつ：斡 14★
- わらべ：童 12
- われ：我 7　吾 7

COLUMN

赤ちゃんのお祝い行事②

出生通知

赤ちゃんが生まれたら、お世話になった人や親戚、友人に知らせるようにしましょう。年賀状や暑中見舞いと兼ねて出すのも一案ですが、妊娠を知っている人には、早めに出したほうがよいでしょう。

「赤ちゃんの名前」「生年月日」「身長・体重」に、赤ちゃんの写真、パパやママのひと言を添えたりすると、ほほえましい印象になります。赤ちゃんの名前には、必ずふりがなを。パソコンなどを使って、オリジナルの出生通知をつくり、手元にも1枚残しておけば、すてきな記念の品にもなります。

また、複数の人に迅速に知らせたい場合は、メールが便利です。赤ちゃんの誕生第一報などに、利用してみてはいかがでしょうか。

第4章

こだわり名づけ体験談

こだわり名づけ 体験談

赤ちゃんの名前が決まるまでには、多くのドラマがあります。ここでは名前が決まるまでのエピソードを先輩ママ・パパに聞きました。名づけの際の参考にしてください。

FILE: 1

梅谷一十（いっと）くん

UMETANI Itto

いつのまにかパパに命名権が!?

Comment

ありそうでなさそうな、独創的な名前です。名づけの由来もユニークですね

ママが考えた最初の名前とは？

初めての子どもだったので、あれこれ思案。梅谷という名字がシンプルなので、重厚なイメージの名前がいいかな、なんて思ってたんです。

最初は「叡智」とか、そんな名前を考えていたんですけど、ありがちな気もしてきて、慣用句やだれかの句をヒントにすることにしたんです。そこで私は、「一か八か」で一八（かずや）はどうだろうか、ってパパに推薦したんです。

パパ一押しの名前の由来とは？

パパはどうも「一八」という名前が気に入らなかったらしく、「第1子だからオレが決める！」というワケのわからない理由で、命名権がパパに移ることに！　最終的には「八」が「十」に変わり、「一十」（いっと）に決まりました。

由来を尋ねると「一を聞いて十を知る」とのこと。なかなか奥の深い名前だな、と私も賛成しました。音の響きも気に入っています。

FILE: 2

福長和葉（かずは）くん

FUKUNAGA Kazuha

名づけとは、自分の大切なものを探す旅!?

Comment
ママとパパの愛情が感じられる名前です。自分の感性を生かした名づけ方ですね

緑が好きなママが思いついた名前とは?

植物関係の名前がよくて、「大樹」が候補だったんですが、しっくりこなくて…。出産前の早春、枯れ木が一斉に芽吹き、草花が顔を出したのを見て「私が好きなのは樹じゃなくて葉っぱだ」って気づいたんです。「葉」は、植物のパワーと神秘的な役割が一番表れるところ。静かながら、新しいことをつくり出し、世の中のためになるような人になってほしいと思ったのです。

パパのアイデアですてきな名前に

早速、「葉」という字を使った名前に変更。でも女の子っぽい感じの名前しか浮かばず悩んでいると、夫が「『和』という字の組み合わせは?」と提案。並べて発音してみると響きもよく、画数もよかったんです。

また、当時イギリスにいたので「和」という字は懐かしく、そして日本人のアイデンティティーがあるような感じがして、大変気に入り、「和葉」に決めました。

FILE: 3

藤井遥斗（はると）くん

FUJII Haruto

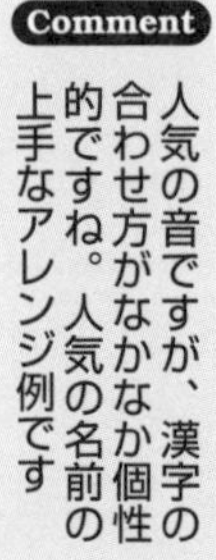

届け出の直前まで悩んでつけた名前！

Comment
人気の音ですが、漢字の合わせ方がなかなか個性的ですね。人気の名前の上手なアレンジ例です

候補がありすぎてまとまらない!!

パパは、自分の名前が1文字の「崇」なので、1文字にこだわっていたんですが、私がどうしても「斗」という字を使いたかったんです。でもさすがに「斗」1文字の名前ってわけにいかないので、押し問答の末、私が考えることに。「斗」がつく名前ということで考えていくと、いろいろな候補が出てきて収拾がつかず、あれこれ考えているうちに届け出の期日が目前に…。

ギリギリまで考えてなんとか間に合った！

名前の候補を絞り込むのが大変で「あれもいいし、これもいい…」と、悩みに悩んで届け出の時間ギリギリまで考え、結局、「遥斗」に決定しました。

届け出たあと、改めて見てみると画数もいいし、響きもなかなか。音は比較的あるけどこの字はあまりないし、我ながらいい名前を考えたのでは？　と満足。パパにも鼻が高かったです。

FILE: 4

伊藤守生（しゅう）くん

ITO Shu

あらゆる面からみてパーフェクトな名前に!!

Comment
響き、画数、漢字すべてを満たす名前はなかなかないもの。パパとママの苦労の結晶ですね

最高の名前を贈るため、夜な夜な検討

とことんこだわった名づけ。とくにパパの「運勢が最高の名前をつけたい！」というこだわりが大変強く、数冊の本とネットを駆使して、どれをとってもよくなるパーフェクトな名前を探しました。

響きは、姓と相性のよい「サ行」から探し、「しゅう」に決定。短くて響きがよく、海外でも通じやすいということで、「しゅう」がダントツで気に入りました。

響きに合う、最高の画数を求めて

次に画数を検討。「しゅう」だと圧倒的に1文字名が多いのですが、「6画・5画」がよいということで、「しゅ」と「う」で漢字を探しました。

そして、意味、見た目ともに一番よい「守」と「生」に決定。毎日をいきいきと生き、すべての生き物を大切にする愛情あふれる子に、という願いも込めました。珍しい漢字を使うことで個性的な名前ができ、満足しています。

FILE: 5

ブラディ海庵（かいあん）くん

BRADY Kaian

スコットランドでメジャーな名前に決定！

Comment

音は英語圏のものながら、日本の風情も感じさせる、すてきな漢字を当てていますね

●●● イギリス人のパパの「これだ！」でキマリ

パパはイギリス生まれのスコティッシュで、ママは日本人。赤ちゃんができたとき、ふたりが考えたのは英語圏で通用する名前がいいということでした。ただ、私が日本人なので、名前には漢字を使いたいと思っていました。

男の子だとわかったとき、パパが「カイアン」という名前を譲らなかったので、日本人の名前としてはどうかなと思いつつ、私も同意しました。

●●● 私が漢字を考え、「海庵」に決定！

「カイアン」という名前は、スコットランドではメジャーな名前なのだそうです。日本のように、名前をいろいろ創作することはないみたい。

漢字は私に任されることになり、私が海好きだったので、「カイ」は「海」に、「アン」は名づけ事典などを見て、2004年に新たに人名用漢字になった「庵」に。漢字を当ててみると我ながらなかなか。私自身も気に入っています。

FILE: 6

桂　将材（まさき）くん

KATSURA Masaki

名づけサイトであわてて決めた名前!?

Comment
しりとりでピンとくる名前があるとよかったのでしょうが、やはり気に入った名前が一番です

親と兄弟の名前でしりとりに!?

パパの名前が武司(たけし)、上の子どもの名前が伸之介(しんのすけ)、私の名前が朋美(ともみ)だったので、「たけし→しんのすけ→○○→ともみ」と、しりとりになるような名前がいいね、などと冗談を言っていて、生まれるまでは真剣に考えていなかったんです…。男の子だというのはわかっていたんですけどね。それで、生まれてからあわてて考えることに…。

あわてたわりにはいい名前が!

「けいと」「けんと」など、しりとりになるものも含め(?)考えたのですが、ピンとくるものがなく、結局インターネットの名づけサイトで探しまくりました。そのなかで浮上してきたのが「将材」でした。

勇ましくて気に入っているのですが、読みにくいのがちょっと難点。よく「何て読むの?」って聞かれます。それが、本人には申し訳なかったかなと思っています。

FILE: 7

宮崎悠元（ゆうげん）くん

MIYAZAKI Yugen

伝統を重んじつつ、現代的にアレンジ!

Comment
発想を上手に転換したことがキーポイントですね。すてきな名前になりました

パパの家系で使われてきた字から発想

出産が予定日より1か月も早かったので、名前は案すら考えていなかった私たち。ただ、パパの家族の男性は、代々「二」や「元」のつく名前なので、「元」を使おうということだけは決まっていました。

パパの名前が「もと」で始まるので、家の中がややこしくならないように、後半に「もと」を使うことに…。でも、なかなかよいものが思い浮かばなかったんです。

発想の転換でいい響きを発見!

ところがある日、産院のベッドの中でふと、「〜げん」と音読みにしては、とひらめきました。前の部分にいろいろ当てはめていってピンときたのが「ゆうげん」。字も「悠」が広がりを感じさせ、息子のイメージにも合っていたので「悠元」に決めました。画数も一応調べたところ、全く問題ないことが判明。家族の賛成も得られたため、めでたく命名の運びとなりました。

FILE: 8

石上聖陽（せいや）くん

ISHIGAMI Seiya

感謝の気持ちを込めて命名！

Comment

誕生した瞬間の感動がつまったすてきな名前ですね。ママの気持ちがよく表れています

不安な気持ちで強制入院に

実は私は、出産予定日2週間近く過ぎても、何の兆候もなく、強制入院することになってしまったんです。初めての子どもだったし、すごく不安でした。

病院内にチャペルがあり、礼拝堂で、おなかの赤ちゃんの無事を、すがるような気持ちで一生懸命お祈りしました。そのおかげか、翌日のお昼に、元気な男の子が生まれたんです。

感動的な誕生の瞬間

生まれた日は雨模様。でも、生まれてくるときだけ、見事に晴れたんです！　木漏れ日の中、赤ちゃんとの感動的な対面を果たしました。ずっと励ましてくれた先生や助産師さんには、感謝の気持ちでいっぱい。

それで、病院の名前から1字を取って「聖」、太陽の光の中で生まれたので「陽」。読み方は「せいよう」にしようかとも思いましたが、響きがいいので「せいや」にしました。

出産予定日を2週間過ぎても何の兆候もなかったため
強制入院することになった私
不安…

病院内にある礼拝堂で赤ちゃんの無事を一生懸命お祈りしました。
どうか無事に生まれますように

そして…翌日のお昼に、元気な男の子を出産
オギャ

なんと赤ちゃんとの感動的な対面のとき雨模様だった天気が見事に晴れたのです！
木漏れ日の中対面!!

ずっと励ましてくれた先生たちに感謝の気持ちを込め…
病院の名前から「聖」
太陽の光の中で生まれたから「陽」で
せいや
聖陽と名づけました!!
おめでとう〜

FILE: 9

植松知也(ともや)くん

UEMATSU Tomoya

決めていた名前が友人の子どもといっしょ!?

Comment
友人の子どもと同じ名前だったというのはよく聞く話です。そんなときこそ発想転換が大事ですね

候補の名前を変更し、最初から選び直し

赤ちゃんができたと知ったときから、名づけ事典などを参考に画数を研究。名字との相性もいい名前が見つかり、「これにしよう」と決めていたのですが、友人の子どもと同じ名前だとわかってガックリ。あわてて別の名前を探しました。

いくつか考え、「知也」と「和也」が候補に。生まれた息子の顔を見て、直感で「知也」に決めました。

名前に込められた親の思いとは?

「知」という字には、「知る・悟る・知恵」という意味があるそうです。息子には、「人の気持ちを察することのできる、優しい子になってほしい」という願いを込めて、「知」の字を使いたいと思ったのです。

「知」の字に簡潔に「也」を添え、「知也」に決定。急な変更を余儀なくされて焦りましたが、いい名前が見つかり、満足しています。

FILE: 10

酒井　柊(しゅう)くん

SAKAI Shu

生まれた季節から漢字を発想。意味にも満足!

Comment
生まれたときの気候や風物はパパやママの胸に深く刻まれます。名づけのモチーフには最適ですね

凛とした冬の季節感を取り入れた名前に

息子は冬生まれで、季節にまつわる名前にしようと決めていました。名づけの本で「柊」という字を見つけ、その意味を読むと「冬に枝葉を広げる→逆境に強い→強く生きる」とあり、とてもすてきな字だと思いました。

12月生まれなので、クリスマスリースなどの楽しげなイメージもあり、「柊」と書いて「しゅう」と読ませることにしました。

漢字1文字に精一杯の思いを込めて

息子には、冬に枝葉を広げる「柊」のように、何事にも負けない強い子になってほしいと願っています。

また柊は、節分のときに魔よけに使われることから、「家族を守る」という意味もあるんですよね。1文字の名前だけれど、そこに含まれた意味は盛りだくさん。この名前にはパパも納得。大きくなったら、名前の由来を話してあげたいと思っています。

FILE: 11

大家拓実(たくみ)くん

OYA Takumi

ギリギリ間に合った名前の届け出

Comment
男の子が3人ともなると名づけも大変ですね。でも、字面や音のバランスもよい、すてきな名前です

3人目ともなると名前が浮かばない!?

上の2人も男の子で、末っ子も男の子。3人目ともなると、なかなか思い浮かばなくて、パパとふたりで頭を抱えてしまいました。どうしよう、どうしようと悩んでいるうちに、届け出の期日は迫ってくるし…。とにかく、赤ちゃんの名前に関する本を読みあさりました。子どもにとっては、一生ついてまわる名前だし、それなりの深みのある名前にしたいと悩みました。

苦労したおかげでピッタリの名前が!

本を参考にして見つけたのが「拓実」という名前。「切り拓き、実を結ぶ」という意味にもなると思い、候補にしました。次に、名字との相性や画数などもチェック。何度も紙に名字と名前を書き、じっくり眺めました。名字との相性も悪くないし、全体の画数もよかったので、ようやく「拓実」に決定。ギリギリだったけど、納得のいく名前が見つかってよかったです。

FILE: 12

前田峰希（たかき）くん

MAEDA Takaki

親の願いを込めた練りに練った名前！

Comment

こだわりの感じられるすてきな名前ですね。字面、音ともに、男らしく印象的です

山のように大きな希望をもてる大人に

子どもの名前をつけるとき、夫とあれこれ思案し、まず、どういう人間になってほしいかを考えました。その結果出てきたのが、自分がやりたいことを成し遂げられる大人になってほしい、ということでした。そのためには、夢をもつことが大切です。夢をもち、山のように大きな希望に向かって努力すれば、きっと実現できるはず。そんな思いを込めて命名しました。

画数を合わせるために試行錯誤の日々

名前のイメージはつかめたものの、画数を調べてみると、なかなかよい組み合わせが見つからず、あの漢字、この漢字と、パズルのように合わせてみました。

そうやってやっとの思いで見つけたのが、「峰希」という名前。読み方が難しく、「何て読むの?」と聞かれることが多いけれど、「いい名前ですね」と評判もよく、満足しています。

FILE: 13

フィリップス豊夢（とむ）くん

PHILLIPS Tomu

英語圏でポピュラーで呼びやすいのが一番！

Comment

ニュージーランド人のパパが納得できる音に、日本人のママ納得の漢字。上手な名づけ法です

夫婦一致で音はあっさり決定

ニュージーランド人のパパと、日本人のママの間に生まれた息子。名づけるときは、ニュージーランドで暮らしていることもあって、とにかく英語圏で一般的な名前にしようと思いました。

だから、実はあんまり深く考えたりはしなかったんです。パパもあっさりした人で、「呼びやすい名前がいいよね」って感じ。それで、音は「トム」に決まりました。

そのぶん漢字の当て方にはこだわって

当てる漢字を考えたのは私。「ム」という字はすぐに「夢」を思いつきました。その次に「ト」を考えたのですが、乗っていた自家用車がトヨタのものだったので、「豊」にしようかなと思ったんです。

「豊夢」と書いてみると、夢をいっぱいもった心の豊かな人、というプラスのイメージが浮かんできました。パパも私も納得したので、「豊夢」に決定しました。

FILE: 14

根本篤史（あつし）くん

NEMOTO Atsushi

「アットゥ」と呼ばれるタンザニアの日本人!?

Comment
こだわりを上手に織り込んでいますね。好きなものから発想して、すてきな名前になりました

いくら競馬が好きだからって…

息子はタンザニアで誕生。男の子が生まれたら、パパが名づけることになっていたので、私はお任せ状態。ところが、最初に候補に挙げた名前は「馬太郎」。競馬好きが高じての名前でしたが、さすがに周りの日本人の反対にあい、断念。そこで、馬の字が入っている「篤」と、パパの好きな歴史の「史」をとって、「篤史」になりました。「馬太郎」にならなくて、一安心でした…。

スワヒリ語にはない「つ」の発音

「篤」という字には、「物事に真摯、大切にする」という意味があり、「歴史から教訓を学んでほしい」という思いも込められています。単純に「馬」がつくから選んだわけではない、とパパは力説しています。

また、「あつし」の「つ」の発音は、こちらの人には難しいようで、「アトゥシ」となってしまいます。小学生になった息子は、友だちに「アットゥ」と呼ばれているようです。

FILE: 15

石川拓実(たくみ)くん
ISHIKAWA Takumi

名づけのスタートは伝統との闘い!?

Comment
名づけには、家独自の風習がある場合も…。でも、パパとママが納得できることが一番大切です

伝統から解放された自由な名づけを…

パパの家には、「正」の字を男子につける伝統がありました。「正和」「和正」など、親戚中「正」だらけ。もう出尽くしているし、因習にもとらわれたくなくて、子どもが男の子とわかったときには困ってしまいました。

ところがパパの両親が、「うちは分家だし、『正』にこだわらなくてもいい」と言ってくれたのです。大喜びでパパと、「拓実」に決めました。

事態急変！どうなる!?息子の名前

しかし、出産直前にやはり「正」をつけてほしいということに！　私たちの思いも固く、双方譲らないまま出産に。

息子が生まれ、お祝いに訪れた義母は「まさくん」と呼びかけ、夫は横から「たっくん」と応戦しています。結局、反対を押しきって「拓実」で届け出てしまったのですが、今では義父母も「たっくん、たっくん」と猫かわいがりしてくれ、ホッとしています。

FILE: 16

大河原伶央(れお)くん
OGAWARA Reo

外国でも活躍できるジャングルの王者に！

Comment
ローマ字だと「Reo」ですが、「Leo」にすれば、英語圏の人も発音しやすい名前ですね

きっかけはレンタルしたＤＶＤ!?

パパも私も名前は純和風。子どもは海外で通用するような名前にしたい！　それが私の願いでした。赤ちゃんができて、男の子だとわかったとき、英語読みもできて、なおかつカッコいい名前はないかと考えました。

あるとき、レンタルビデオ屋で、パパが「ライオンキング」のＤＶＤを借りてきて、いっしょに見たんです。そのときひらめいたんですよね。

しゃれた響きがあり、英語読みもバッチリ！

「ライオンキング」の基になったストーリーって、「ジャングル大帝レオ」じゃなかったっけ？　そうだ、「レオ」はどうだろう？　そう思った私はパパに相談。すると、パパも快諾してくれたんです。

それから名づけ事典などを調べて、いくつかある漢字の中から「伶央」に決定。息子にはレオのように、勇気と元気のある子に育ってほしいと思っています。

FILE: 17

松下幸弘（ゆきひろ）くん

MATSUSHITA Yukihiro

ピンと浮かんだ字を名前の1文字に！

Comment
ひらめきは大切ですね。使う文字がひとつでも決まると、名づけは意外にスムーズになります

出産後にひらめいた「幸」の1文字

子どもが生まれて、まだ入院中だったとき、なんとなく「幸」という字が頭に浮かんだんです。これが「いわゆるひらめきってやつね」ってことでパパに告げると、「じゃあ次は画数だ」というので、「幸」に合う画数の文字を探すことに。

名づけ本を病室に持ってきて、消灯の時間までパパとあれこれ相談しながら、候補を挙げていきました。

ぴったりの画数で納得の名前に

入院中、毎晩のようにパパとふたり名づけ本に頭をくっつけあって、「幸」と合う字を探していきました。ところが、名前をノートに書き出していったら、かなりの数になってしまったんです。

そこで、近所に住む画数に詳しい方に見てもらい、5つくらいに絞り込みました。その中から選んだのが「幸弘」だったんです。画数もよく、とても気に入っています。

FILE: 18

菅谷新明（にいみょう）くん

SUGAYA Nimyo

ミャンマー人のパパが届け出直前に名前変更!?

Comment
2国間で通用する名前を考えるのは案外難しいもの。でも、なかなかないすてきな名前ですね

●●● ビルマ語の発音が混乱の元!?

パパが考えた息子の名前は「にいみょう」。正確には「ねいみょう」だったのですが、私には「にいみょう」と聞こえたので、これに漢字を当てはめて「新明」とつけました。意味はビルマ語で「太陽の家族」。太陽のように強くなってもらいたいという願いを込めました。けれどもその後、やっぱり発音が微妙に違うことが気になってきて、「ねいみょう」に変更することにしました。

●●● 届け出る前と後で違う名前になったワケ

お坊さんに「寧明」で画数をみてもらうと、今ひとつ。じゃあカタカナにしようと「ネイミン（太陽）」とし、パパが役所に届けにいきました。

ところが、届ける寸前にパパが、日本で暮らすんだからやっぱり漢字のほうがいいと考え直し、かといって「太陽」では強すぎると、はじめの「新明」に変えて届けたのです。

おかげで、その後1週間は夫婦ゲンカでした…。

FILE: 19

大林陸王（れお）くん

OBAYASHI Reo

名前の由来はなんとマーライオン！

Comment
日本でもシンガポールでも通用するよい音を見つけましたね。意味や漢字も男らしく、すてきです

●●● シンガポールだからレオにこだわって

パパも私も日本人ですが、パパの仕事の関係でシンガポールで暮らしています。子どももシンガポールで産みました。だから、シンガポールに由来する名前にしようと、パパと話していました。

生まれたのが男の子だったので、勇気があって元気に育ってほしいという願いもありました。そこで浮かんだのが、シンガポールの象徴、マーライオンだったのです。

●●● ライオンを別の読み方にすると?

マーライオンの「ライオン」は「レオ」ともいいます。漢字は「陸の王」と当てて、「レオ」と読ませることにしました。

ローマ字にすると「Reo」になってしまうとパパは嘆いていましたが、シンガポールで知り合いに紹介するときには、「Leo」で問題なし。

「男の子らしくてナイス!」とほめてくれます。日本でもシンガポールでも通用する音だし、満足しています。

FILE: 20

神田　弘（ひろし）くん

KANDA Hiroshi

親の願いは大きく、将来は政治家に!?

Comment
なかなかユニークな発想法ですね。書きやすい字かどうかというのも、案外大事なポイントです

●●●人々の上に立つ大物になってほしい！

教員のママと公務員のパパの間に生まれた男の子。大きくなったら、弱きを助け、強きをくじくような人徳のある人になってほしい、というのが私たちの願いでした。あれこれ考えるうちにどんどん夢がふくらみ、「政治家になったらスゴイよね」なんて話にまで発展！　そこで私たちの名づけは、「政治家に似つかわしい名前は？」というところからスタートしたのでした。

●●●覚えやすく、書きやすい名前に

政治家になるためには、選挙に勝たなければならない！　それなら、覚えてもらいやすい名前、投票するときに書きやすい名前にしよう！　勝手に子どもの将来を決めてしまった(？)私たちは、読みやすいように1文字の名前にすることにしました。名づけ本を見ていたときに「弘」という字が目に入り、名字とも相性がよかったので即決定。将来は大物政治家になってくれるかな？

FILE: 21

佐々木修衛（しゅえ）くん

SASAKI Shue

末っ子だからこうなりました!?

Comment ユニークな名づけ方ですね。上手に漢字を当てて、個性的な名前になっています

ママもびっくりの妊娠騒動

女の子が3人生まれて、にぎやかに暮らしていた我が家に4人目の子が！　パパもママもまったく予期していなかったのでびっくり。どうしよう、といっている間にどんどんおなかが大きくなって、男の子だとわかったものの、名前がなかなか浮かばないまま、出産を迎えてしまいました。そして、無事、男の子が誕生。それでも、名前が決まらず、焦るばかりでした。

ギリギリまで考えた結果は？

いろいろ悩んだ末、少子化の日本で4人目の「末っ子」っていうのは珍しいから、それにちなんだ名前にしようということになりました。それで、私が「修」という字が好きだったので、「修」に「衛」を組み合わせて「修衛（しゅえ）」にしました。「しゅえ」なんてなかなかない響きだし、漢字もよいものが見つかってパパも私も大満足！　もし5人目ができたら、困っちゃいますね。

FILE: 22

落合健太朗（けんたろう）くん

OCHIAI Kentaro

健康に育ってほしい！それがパパとママの願い

Comment ご両親の願いがこもった名前ですね。たしかに画数は多めですが、まとまりのある名前です

小さな赤ちゃんに込めた私たちの思い

出産後、乳児室で見た我が子は、ほかの赤ちゃんに比べて小さくて、「大丈夫かなぁ」なんて心配するほどだったんです。それで、とにかく健康に育ってほしいと「健」の字を入れることにしました。さらに、男の子らしい「太朗」をつけて、スクスクと育ってほしいという願いも込めました。「朗」にしたのは、太郎じゃあ、「桃太郎」の太郎になっちゃうと思ったからです。

子どもには長すぎる名前!?

名前をつけて、しばらくして気づいたんですけど、字画が多くて、漢字で書くのがけっこう大変なんです。ひらがなにしても文字が多くて時間がかかるし、実際、息子も苦労しているみたい。テストのときも、名前を書くだけで時間をとられそう。これは予定外だったなぁと思っています。

でも、親の願いどおり、元気に育ってくれているので、ホッとしています。

第5章

漢字から考える

とびっきりの漢字を探そう！

名づけに使える漢字を知り、ありったけの思いを込めて「こだわりの字」を見つけましょう。

漢字はストレートに願いを表す

表意文字である漢字には、一見しておおよその意味が通じるという、優れた特性があります。「優しく明るい子に」「国際社会で活躍する人に」といった、赤ちゃんに対するパパやママの願いを、ストレートに表現する名前をつくりやすいのです。

また、漢字はその成り立ちにおいて多くの変遷を経たものもあり、多岐にわたる意味を含むなど、奥深さを備えています。1つの漢字には1つの物語がある、といってもよいでしょう。名づけの際、漢字のそんな魅力を使わない手はありません。本書では、２３１ページから、おすすめの漢字８００字について、その字のもつ意味やイメージを紹介していますので、参考にしてください。

願いを込めるほかにも、「好きな漢字を赤ちゃんの名前に取り入れたい」「親の名前から1字取って名づけたい」「本人が書きやすいように、小学校低学年で習う字を使いたい」など、名づけの際に漢字にこだわりをもつ人は、少なくありません。あるいは、先に音を決めておき、そこに漢字を当てはめようと考える人もいるでしょう。

漢字に秘められた物語は、その名前を贈られた赤ちゃんの物語ともなります。パパとママが漢字について知識を深めることは、名づけのためだけでなく、将来、本人にも名前の由来を説明してあげる際にも役立ちます。その子自身が、自分の名前を誇りをもって語れるような、すてきな漢字を探し、名づけてあげたいものです。

新人名漢字に注目

名づけに使える漢字には、「常用漢字」と「人名用漢字」があります。2004年に「新人名漢字」（493字）が認定され、「琥」「兜」「芯」など、新たに使用できる漢字が増えました。

これらの新しい漢字は、それまでの名づけには使用されていない、いわば新鮮な文字です。個性的な印象を与える名前をつくるためには、適した字といえるでしょう。

ただし、新人名漢字の中には旧字や俗字、また、名前にはふさわしくないと思われる字も含まれています。意味や正確な表記と合わせて、パソコンで容易に変換できるかどうかも、確認しておいたほうがよいでしょう。

音読み「力」を「リョク」「リキ」と、音で読む方法。カタカナで表記されています

訓読み「力」を「ちから」と、意味を当てて読む方法。ひらがなで表記されています

【力】
²
リョク・リキ
ちから

意味①ちから。「体力」。②つとめる。つとめ。つとめて「努力」。③はたらき
名乗りいさお。つとむ。
【力士】りきし ①力の強い男。②金剛力士の略。仏法守護の大力者。
【力田】りきでん 農事にほねおること。

意味 通常使われている意味に加えて、成り立ちや由来なども解説されています。熟語も名づけのヒントとなるでしょう

名乗り「力」を「いさお」「つとむ」と読む、名前のための読み方で、1字名として使用できるものも多くあります。辞典によっては、「人名」「人の名」と表記されていることもあります

漢和辞典を参考に

漢字を用いた名前を考える場合に強い味方となるのが、漢和辞典です。漢字の読みや意味、成り立ち、画数など、すべて調べることができます。眺めているうちに、自分では思いつかなかった漢字と出合うこともあるでしょう。

いつもなにげなく書いている漢字には、誤って記憶しているものもあるかもしれません。よく調べてみると、元の意味が悪かったということもあります。逆に名前にふさわしい意味をもつ、新たな漢字に出合えることもあるでしょう。読みや意味とともに、必ず正しい字を確認しておきましょう。ヘンやツクリなど、似たような字があるものはとくに注意が必要です。

止め字から考える

漢和辞典には、膨大な数の漢字が載っています。気に入った漢字を探そうとしても、あれこれと目移りし、迷ってしまうこともあるでしょう。そんなときは、「止め字」から考えるという方法もあります。

「止め字」とは「亮太」の「太」、「賢斗」の「斗」のように、名前を結ぶ文字のことです。あらかじめ使いたい止め字を決めておけば、あとはその字に組み合わせる漢字を見つければよいので、名前を考えやすくなります。最近では、新感覚の止め字も多く見られるようになりました。

まずは、どんな止め字がよいか、考えてみましょう。本書でも、「止め字一覧」（３１８ページ）で代表的なものを紹介していますので、参考にしてください。

漢字を選ぶポイント

①よい意味をもつ漢字を選ぶ

漢字の成り立ちなどに含まれる、よくない意味を知らずに使ってしまったり、個性的な名前をと考えるあまり、奇異な字を選んでしまったりすることのないよう注意しましょう。似たような字との書き間違いを避けるためにも、確認が必要です。

②字面（じづら）も考慮する

漢字はその字形により、さまざまな印象を人に与えます。すっきりとした形、穏やかな安心感のある形、美しく華やかな形など、好ましいイメージのものを選びましょう。姓と組み合わせて書いてみると、視覚的に受ける印象がよくわかります。

③人気名前に個性的な漢字を当ててアレンジ

人気名前の「翔太」や「優斗」も、「祥多」「夕杜」と表記すると、あまり目にしたことのない新鮮な印象の名前になります。つけたい名前の音が決まっている場合には、多用されていない漢字を選ぶのもよいでしょう。

④止め字から考える方法もある

最後に「や」がつく名前がいいなど、結びの1字が決まっていることにより、組み合わせの候補となる漢字を、かなり絞り込むことができます。名づけの基本的なテクニックとして、活用してください。

これらの点に注意し、最高の漢字を見つけてください。

漢字を選ぶポイント

よい意味をもつ漢字を

善　理　聖

字面も考慮する

音を生かして個性的に

止め字から考える

雄斗　北斗　晴斗

最終チェックもしっかりと

名前に用いる漢字が決まったら、漢字を選ぶ過程において調べてきた正しい表記・読み・意味などについて、再度漢和辞典を引き、念入りに確認しましょう。

まずは、実際に姓と合わせて紙に書いてみましょう。全体のバランスや字面など、さまざまな面からチェックできます。また、パソコンに入力してスムーズに変換できるかどうかも、確認しておきたいものです。

この章では、漢字を選ぶ際に参考となる要素を項目ごとにまとめ、実例を挙げながら紹介しています。大切な赤ちゃんの物語をつくる、運命的な字を見つけるよいヒントになれば幸いです。

おすすめ 漢字800 から考える名前

ここでは、おすすめの漢字800字をご紹介します。新人名漢字もおすすめのものを厳選し、収録しています。画数の少ない順に掲載してあるので、漢字を選ぶ際の参考にしてください。

232ページ以降の表の見方

- 漢字
- 画数
- 人名用漢字には人のマークを、新人名漢字には★のマークを入れています

- その漢字を使った、名前例を挙げています。読み方は一例です。漢字の右の数字は画数を示します
- 「名乗り」の中で比較的よく使われる読みを入れています

名前例	おもな意味	名乗り	音訓	画数・漢字
壬（じん） 壬晴12（じんせい） 孝7壬（たかよし） 壬敏10（つぐとし） 悠11壬（ゆうじん）	五行で水。人当たりがよいという意味ももつ、バランスのよい字	あきら おおい つぐ み みず よし	ジン ニン みずのえ	人 ★ 4 壬

- その漢字のもつ、代表的な意味やイメージを紹介しています
- カタカナは音読み、ひらがなは訓読みを示します

画数・漢字	音訓	名乗り	おもな意味	名前例
1 一	イチ、イツ、ひと、ひとつ	かず、ただ、のぶ、はじめ、ひとし	始まりや無比のもの、優れた様子を示す。長男の止め字に長く人気	一太郎(4・9) いちたろう、一輝(15) いつき、一志(7) かずし、一馬(10) かずま、一哉(9) かずや
1 乙	オツ	いつ、お、おと、きのと、たか、つぎ	若い草木の新芽を表す字体が、伸びやかな成長を期待させる	乙樹(16) いつき、乙流(10) いつる、乙紀(9) おとき、乙彦(9) おとひこ、乙矢(5) おとや
2 人	ジン、ニン、ひと	さね、たみ、と、ひこ、ひとし、め	ヒューマニティーを感じさせる、組み合わせやすい人気の止め字	武人(8) たけと、人志(7) ひとし、雅人(13) まさと、勇人(9) ゆうと、悠人(11) ゆうと
2 刀	トウ、かたな	わき	鋭い刀剣を携える武士の高潔なイメージをもった、個性的な名前に	貴刀(12) たかとう、刀樹(16) とうき、刀吾(7) とうご、刀矢(5) とうや、雅刀(13) まさと
2 二	ニ、ふた、ふたつ	かず、さ、じ、つぎ、つぐ、ふ	一に次ぐもの、並ぶもの。一が重なる縁起のよい字ともされる	英二(8) えいじ、真二(10) しんじ、二尊(12) つぐたけ、二千翔(3・12) にちか、一二三(1・3) ひふみ
2 八	ハチ、や、やつ、やっつ、よう	かず、わ、わかつ	分ける。数が多いこと。古来、末広がりで縁起のよい字とされる	八登(12) かずと、心八(4) しんや、八尋(12) やひろ、八祐(9) ようすけ、八大(3) ようだい
2 力	リョク、リキ、ちから	いさお、いさむ、お、か、ちか、つとむ	生命力・精神力など、あらゆる強さや勢いに通じる、男らしい字	力 ちから、力斗(4) りきと、力登(12) りきと、力也(3) りきや、力哉(9) りきや
3 丸	ガン、まる、まるい、まるめる	たま、ちか、まろ	球形・円形から、円満の意味やすべてを包括するイメージも	日吉丸(4・6) ひよしまる、由希丸(5・7) ゆきまる、芳丸(7) よしまる、嵐丸(12) らんまる、蘭丸(19) らんまる
3 久	キュウ、ク、ひさしい	つね、なが、ひこ、ひさ、ひさし	長く続く時の流れを表した縁起のよい字で、ロマンを感じさせる	久遠(13) くおん、多久哉(6・9) たくや、久輝(15) ひさてる、久弥(8) ひさや、理久(11) りく
3 弓	キュウ、ゆみ	ゆ	しなやかな柔軟性と、何事にもくじけない強さ、鋭さを併せもつ字	弓一郎(1・9) きゅういちろう、弓弦(8) ゆづる、弓都留(11・10) ゆづる、弓斗(4) ゆみと、弓彦(9) ゆみひこ

画数・漢字	音訓	名乗り	おもな意味	名前例
3 己	コ キ おのれ	おと な み	自分自身を表す字なので、深い意味と可能性を秘めた名前に	一己 1 いつき / 克己 7 かつみ / 雅己 13 まさき / 幹己 13 もとき / 優己 17 ゆうき
3 工	コウ ク	たくみ ただ つとむ よし	たくみ、上手である。高い技術や伝統の技への誇りを思わせる字	工志 7 こうし / 工志郎 7・9 こうしろう / 工造 10 こうぞう / 工太郎 4・9 こうたろう / 工 たくみ
3 三	サン み みつ みっつ	かず さ さぶ ぞう なお	数が多くある様子も示すため、子孫繁栄の願いを込めて用いられる	三朗 10 さぶろう / 三太 4 さんた / 朝三 12 ともみつ / 勇三 9 ゆうぞう / 義三 13 よしみつ
3 士	シ	あきら お おさむ つかさ のり ひと	侍のように高い志をもち、りりしく才能にあふれた人格者を表す	士気 6 しき / 士朗 10 しろう / 泰士 10 たいし / 剛士 10 たけし / 裕士 12 ゆうじ
3 人 之	シ の これ ゆく	くに のぶ ひさ ゆき よし より	行く、至る。前進する様子を示す。伝統と気品を感じさせる字	之人 2 これと / 孝之 7 たかゆき / 俊之 9 としゆき / 教之 11 のりゆき / 之也 3 ゆきや
3 人 巳	シ み		十二支の六番目、水や知性の神に通じる。五行では火の意味も	卓巳 8 たくみ / 雅巳 13 まさみ / 巳季彦 8・9 みきひこ / 巳来 7 みらい / 元巳 4 もとみ
3 丈	ジョウ たけ	たけし とも ひろ ます	大人。健康で、強くしっかりした偉丈夫となる期待を込めて	丈治 8 じょうじ / 丈雄 12 たけお / 丈利 7 たけとし / 丈流 10 たける / 史丈 5 ふみたけ
3 千	セン ち	かず ゆき	数が多いこと。種類や色が豊かなさまを表す、縁起のよい字	左千夫 5・4 さちお / 千斗 4 せんと / 千里 7 せんり / 千秋 9 ちあき / 三千彦 3・9 みちひこ
3 大	ダイ タイ おお おおきい おおいに	たかし たけし とも はじめ ひろし まさる	優れる、力強い、立派、豊かなど、あらゆる面でよい意味をもつ字	大雅 13 たいが / 大器 15 たいき / 大介 4 だいすけ / 寛大 13 ひろまさ / 雄大 12 ゆうだい
3 万	マン バン	かず かつ すすむ たか ま つむ	数が多いこと。すべて、必ず、といった意味ももつ、縁起のよい字	万機也 16・3 まきや / 万佐雄 7・12 まさお / 万沙斗 7・4 まさと / 万須雄 12・12 ますお / 万作 7 まんさく

★新人名漢字

画数・漢字	音訓	名乗り	おもな意味	名前例
3 人 也	ヤ なり	あり これ ただ なり また や	断定や勢いを強調する、潔さを含む字。止め字として人気が高い	健也(11) けんや 新也(13) しんや 卓也(8) たくや 智也(12) ともなり 史也(5) ふみや
4 王	オウ	きみ たか わか	優れた実力や権力を誇る最高位の統率者。雄々しい印象を与える	王哉(9) おうや 王彦(9) きみひこ 峻王(10) たかお 王道(12) たかみち 将王(10) まさお
4 人★ 牙	ガ ゲ きば は		敵の攻撃を防ぎ、守るものという意味も。シャープな新感覚の名前に	牙惟亜(11・7) がいあ 牙門(8) がもん 大牙(3) たいが 泰牙(10) たいが 勇牙(9) ゆうが
4 介	カイ	かたし すけ たすく ゆき よし	助ける、取り次ぐ、引き合わせる。男気とたくましさをもつ字	慎介(13) しんすけ 大介(3) だいすけ 裕介(12) ゆうすけ 雄介(12) ゆうすけ 洋介(9) ようすけ
4 月	ゲツ ガツ つき	づき	自然界にちなんだ穏やかな明るさと、神秘的な力を感じさせる	偉月(12) いつき 嘉月(14) かづき 月雄(12) つきお 月彦(9) つきひこ 月也(3) つきや
4 元	ゲン ガン もと	あさ ちか はじめ まさ ゆき よし	大きい、よい、正しい。万物を成長させる大きな徳という意味ももつ	元気(6) げんき 元樹(16) もとき 元春(9) もとはる 元彦(9) もとひこ 元哉(9) もとや
4 公	コウ おおやけ	きみ く さと たか ただ まさ	平等に正しいものを見極める目と、広い心をもつよう願いを込めて	公大(3) きみひろ 公理(11) きみよし 公生(5) こうせい 公正(5) こうせい 公明(8) こうめい
4 人★ 勾	コウ ク まがる	にお まがり	鍵、留め金。信頼され、活動の要となるリーダーシップを期待して	勾治(8) こうじ 勾正(5) こうせい 勾平(5) こうへい 太勾也(4・3) たくや 理勾(11) りく
4 心	シン こころ	うち きよ さね し なか み	物事の中央、真ん中。思いやりに満ちた人格者に、と願いを込めて	心一(1) しんいち 心朔(10) しんさく 心祐(9) しんすけ 心太郎(4・9) しんたろう 誠心(13) せいしん
4 仁	ジン ニ	きみ のぶ ひと ひとし まさ よし	人と親しむこと。徳の高い人。情に厚く、思いやりにあふれた子に	仁成(6) きみなり 仁義(13) きみよし 武仁(8) たけひと 仁近(7) にちか 勇仁(9) ゆうじん

画数・漢字	音訓	名乗り	おもな意味	名前例
4 壬 人★	ジン ニン みずのえ	あきら おおい つぐ み みず よし	五行で水。人当たりがよいという意味ももつ、バランスのよい字	壬 じん / 壬晴12 じんせい / 孝7壬 たかよし / 壬敏10 つぐとし / 悠11壬 ゆうじん
4 太	タイ タ ふとい ふとる	おお だい たか と ふとし もと	大きくたくましく、明朗な印象があり、止め字にも人気	太河8 たいが / 太吾7 だいご / 太一1 たいち / 太陽12 たいよう / 裕12太 ゆうた
4 天	テン あめ あま	かみ そら たか たかし	正義、真理。最高の神や自然界にも通じる、スケールの大きな字	天明8 たかあき / 天志7 たかし / 天道12 たかみち / 天真10 てんしん / 天馬10 てんま
4 斗	ト	け とう はかる ほし ます	容量の単位として度量を表す。星座を思わせるロマンあふれる面も	星9斗 せいと / 琢11斗 たくと / 斗喜12雄12 ときお / 南9斗 なんと / 雄12斗 ゆうと
4 日	ニチ ジツ ひ か	あき あさ はる	日の出の勢いや明日への可能性、元気で積極的な子を思わせる字	亜7明8日 あす / 朝12日 あさひ / 日出5海9 ひでみ / 日出5也3 ひでや / 日向6 ひなた
4 比	ヒ くらべる	これ たすく ちか つね とも ひさ	及ぶ、等しい、仲間、親しむといった、人との関わりを多く示す	比親16 これちか / 比紀9 ともき / 比奈8太4 ひなた / 比呂7樹16 ひろき / 比呂7志7 ひろし
4 夫	フ フウ おっと	あき お すけ	一人前の男。安心感を与える止め字として、伝統的に多用される	信9夫 しのぶ / 崇11夫 たかお / 武8夫 たけお / 時10夫 ときお / 将10夫 まさお
4 文	ブン モン ふみ	あき あや いと とも のり	古来「武」と並んで尊重される学問を示す。美しい模様の意味も	和8文 かずふみ / 文隆11 ふみたか / 文彦9 ふみひこ / 文雅13 ふみまさ / 文也3 ふみや
4 友	ユウ とも	すけ ゆ	多くの友と、困っている人を助ける度量に恵まれるよう願って	友親16 ともちか / 友仁4 ともひと / 友哉9 ともや / 友慈13 ゆうじ / 友平5 ゆうへい
5 以	イ	これ とも のり もち ゆき より	用いる、思う。和風の雰囲気を漂わせる、個性的な名前に	以心4 いしん / 以智12朗10 いちろう / 以知8郎9 いちろう / 以津9樹16 いつき / 以理11哉9 いりや

★新人名漢字

画数・漢字	音訓	名乗り	おもな意味	名前例
5 右	ウ ユウ みぎ	あき さだ すけ たか つき なが	尊ぶ、大事にする、助ける、穏健な、といった深い意味をもつ字	右京 8 うきょう / 右近 7 うこん / 右慈 13 ゆうじ / 祐 9 右 ゆうすけ / 右平 5 ゆうへい
5 永	エイ ながい	え なが のぶ のり ひさ ひさし	とこしえに、限りなく。悠久の流れを思わせる、ロマンに満ちた字	永一 1 えいいち / 永吉 6 えいきち / 永年 6 ながとし / 永久 3 ながひさ / 永大 3 ながひろ
5 央	オウ	あきら お ひさ ひろ ひろし	真ん中。頼む。鮮やか。穏やかな気品が、やわらかな印象を与える字	嵩 13 央 たかひさ / 央 ひろし / 央道 12 ひろみち / 真 10 央 まさお / 三 3 樹 16 央 みきお
5 可	カ	あり よく よし より	よい、できる。時間・空間などの範囲も表す、広い意味をもつ	可寿 7 雄 12 かずお / 可津 9 基 11 かづき / 可津 9 則 9 かつのり / 汰 7 可 たか / 智 12 可 ともよし
5 加	カ くわえる くわわる	ます また	増やす、重ねるなど、プラスされていく意味をもつ、縁起のよい字	加偉 12 かい / 加寿 7 史 5 かずし / 加津 9 雄 12 かづお / 加津 9 之 3 かづゆき / 多 6 加志 7 たかし
5 巨	キョ	お おお なお なみ み	大きい、多いさまを示す。スケールの大きさを誇る人物にと願って	貴 12 巨 たかお / 巨樹 16 なおき / 巨人 2 なおと / 壮 6 巨 まさなお / 雅 13 巨 まさなお
5 玄	ゲン	くろ つね のり はる ひろ ふかし	清く静か。奥深く、優れている。天の別名という神秘性も備えた字	玄気 6 げんき / 玄汰 7 げんた / 玄之 3 輔 14 げんのすけ / 玄武 8 げんぶ / 玄弥 8 げんや
人★ 5 乎	コ・オ ああ か かな や よ	お か	疑問・推測・感嘆など、人の感情を示す。奥深く、個性的な名前に	乎汰 7 かなた / 乎太 4 郎 9 こたろう / 乎鉄 13 こてつ / 乎南 9 こなん / 乎也 3 太 4 こやた
5 甲	コウ カン	か かつ き きのえ まさる	鎧。五行では木。最も優れたもの。男らしい印象の名前に	甲一 1 こういち / 甲騎 18 こうき / 甲吉 6 こうきち / 甲輔 14 こうすけ / 甲太 4 郎 9 こうたろう
人 5 弘	コウ グ ひろい	お ひろ ひろし ひろむ みつ	広く大きい。心にゆとりがある意味から、器の大きさにも通じる	弘平 5 こうへい / 弘典 8 ひろのり / 弘文 4 ひろふみ / 弘道 12 ひろみち / 弘之 3 ひろゆき

画数・漢字	音訓	名乗り	おもな意味	名前例
5 巧	コウ たくみ	たえ よし	たくみ。技術が上手であること。常に修業を怠らない、向上心を期待	巧一 1 こういち / 巧政 9 こうせい / 巧也 3 こうや / 巧 たくみ / 匡巧 6 まさよし
5 広	コウ ひろい ひろまる ひろめる ひろがる ひろげる	お たけ ひろ ひろし みつ	のびのびとおおらかに、人間的な広がりや成長をイメージさせる字	広雅 13 こうが / 広志 7 ひろし / 広昌 8 ひろまさ / 広道 12 ひろみち / 義広 13 よしひろ
5 史	シ	じ ちか ひと ふみ み	歴史書。文人。歴史や文学の才能に恵まれた、まじめな努力家に	淳史 11 あつし / 詠史 12 えいじ / 史隆 11 ふみたか / 史矢 5 ふみや / 優史 17 ゆうじ
5 司	シ	おさむ かず じ つかさ つとむ もり	まつり事をつかさどること。人の上に立つ、大人物の技量を期待	健司 11 けんじ / 庄司 6 しょうじ / 司朗 10 しろう / 斗司郎 4 9 としろう / 政司 9 まさし
5 市	シ いち	ち なが まち	人が集まる場所を示す。友人や人脈に恵まれるように、と願って	健市 11 けんいち / 幸市 8 こういち / 泰市 10 たいし / 太市 4 たいち / 祐市 9 ゆういち
5 矢	シ や	ただ なお	貫く、誓う、正しい、などを象徴。シャープな感覚の名前に	翔矢 12 しょうや / 伸矢 7 しんや / 孝矢 7 たかや / 哲矢 10 てつや / 優矢 17 ゆうや
5 出	シュツ スイ でる だす	いず いずる	内から外へ。出世や成長といった発展性に通じる、安定感のある字	出帆 6 いずほ / 出流 10 いずる / 比出則 4 9 ひでのり / 日出哉 4 9 ひでや / 陽出世 12 5 ひでよ
5 生	セイ ショウ いきる うまれる き なま	いく う お なり ふ み	命。純粋。初初しい。躍動的なイメージと、やわらかみを併せもつ	生治 8 せいじ / 未生也 5 3 みきや / 幸生 8 ゆきお / 善生 12 よしお / 龍生 16 りゅうせい
5 正	セイ ショウ ただしい ただす まさ	かみ きみ さだ ただ ただし まさし	まっすぐ。戒める。善悪を見極める判断力を備えた、正義漢に	和正 8 かずまさ / 正義 13 せいぎ / 隆正 11 たかまさ / 正徳 14 ただのり / 正直 8 まさなお
5 世	セイ セ よ	つぎ つぐ とき とし	人の生涯。時代。何かを築き、成し遂げる、強い力を連想させる	世緒利 14 7 せおり / 世那 7 せな / 逸世 11 はやせ / 雅世 13 まさつぐ / 真世 10 まよ

★新人名漢字

画数・漢字	音訓	名乗り	おもな意味	名前例
5 仙	セン	たかし のり ひさ ひと	世俗を離れた高尚な人。歌や詩への並外れた才能も表す	仙一 1 せんいち 仙一郎 1 9 せんいちろう 仙吉 6 せんきち 仙造 10 せんぞう 仙太 4 せんた
5 人 旦	タン あした あさ	あき あきら あけ あさ ただし	夜明け、明日。昇る朝日の勢いにも似た、新しい可能性を秘めた字	旦羅 19 あきら 慈旦 13 じたん 旦吾 7 たんご 朝旦 12 ともあき 将旦 10 まさあき
5 人 汀	テイ みぎわ	なぎさ	波打ち際、渚。水面の平らな様子から、穏やかな人柄にも通じる	汀一 1 ていいち 汀治 8 ていじ 汀輔 14 ていすけ 汀蔵 15 ていぞう 汀羅 19 なぎら
5 冬	トウ ふゆ	かず とし	雪景色や樹氷、冷たく澄んだ空気など、きりりとしたイメージに	冬至 6 とうじ 冬樹 16 ふゆき 冬騎 18 ふゆき 冬彦 9 ふゆひこ 雅冬 13 まさとし
5 平	ヘイ ビョウ たいら ひら	おさむ さね とし なり ひとし まさる	穏やか、等しい、正しい。活発で健康的な響きが、止め字に人気	一平 1 いっぺい 泰平 10 たいへい 平羅 19 たいら 徹平 15 てっぺい 義平 13 よしひら
5 北	ホク きた		冷たい風や雪、冴えた星の輝きなどを思わせる、シャープな名前に	北郎 9 きたろう 北星 9 ほくせい 北斗 4 ほくと 北登 12 ほくと 真北 10 まきた
5 未	ミ	いま いや ひで	大きな可能性を秘めた未来を象徴する字。開拓者精神も期待して	貴未知 12 8 たかみち 多未雄 6 12 たみお 未来生 7 5 みきお 未明 8 みめい 未来 7 みらい
5 民	ミン たみ	ひと み みたみ もと	自然体で、協調性があり、だれからも好かれる人柄を思わせる	民雄 12 たみお 民俊 9 たみとし 民彦 9 たみひこ 民弘 5 たみひろ 民斗 4 みんと
5 由	ユ ユウ ユイ よし	ただ ゆき より	いわれ。正す、助けるという意味も。のびのびとした音感で人気	由樹 16 ゆうき 由起夫 10 4 ゆきお 由希太 7 4 ゆきた 由則 9 よしのり 由幸 8 よしゆき
5 立	リツ リュウ たつ たてる	たか たかし たち たつる たて はる	独立心が旺盛な、自立した一人前の人間となるよう期待して	立則 9 たつのり 立哉 9 たつや 立朗 10 たつろう 立治 8 りゅうじ 立生 5 りゅうせい

画数・漢字	音訓	名乗り	おもな意味	名前例
5 令	レイ	おさ なり のり はる よし	清らかな。おさ。清廉で人望の厚い、優れたリーダーを思わせる字	令一 1 れいいち / 令二 2 れいじ / 令太郎 4 9 れいたろう / 令門 8 れいもん / 令哉 9 れいや
5 礼	レイ ライ	あきら あや のり れ	感謝や誠意を表す。折り目正しい姿勢と思いやりが育つよう願って	礼人 2 あやと / 礼斗 4 あやと / 礼記 10 らいき / 礼夢 13 らいむ / 礼門 8 れいもん
6 安	アン やすい	あ さだ やす やすし	人に安心感を与えつつ、自分自身も納得のいく人生を送れるように	安吾 7 あんご / 友安 4 ともやす / 安徳 14 やすのり / 安洋 9 やすひろ / 安博 12 やすひろ
6 人 伊	イ これ	いさ おさむ ただ ただし よし	天下を治める人。人から慕われる、度量の深い人格者に通じる	伊織 18 いおり / 伊玖磨 7 16 いくま / 伊佐夫 7 4 いさお / 伊蔵 15 いぞう / 伊羅 19 いら
6 衣	イ ころも	え きぬ そ	はつらつとした軽やかなイメージがあり、個性的で新感覚の名前に	衣作 7 いさく / 衣知朗 8 10 いちろう / 衣門 8 いもん / 雅衣 13 がい / 衣雄 12 きぬお
6 宇	ウ	うま たか ね のき	大空。すべての空間から、人の器量や心にも通じる奥深さをもつ	宇一朗 1 10 ういちろう / 宇宙 8 うちゅう / 宇志 7 たかし / 宇信 9 たかのぶ / 宇秀 7 たかひで
6 気	キ ケ	おき	元気、勇気、心意気など、多く勢いを表す字で、男らしい印象に	英気 8 えいき / 気鋭 15 きえい / 元気 4 げんき / 大気 3 たいき / 良気 7 よしき
6 吉	キチ キツ	さち とみ はじめ よ よし	伝統的な印象をつくる、あらゆるよいことを象徴する縁起のよい字	吉之助 3 7 きちのすけ / 吉平 5 きっぺい / 新吉 13 しんきち / 勇吉 9 ゆうきち / 吉直 8 よしなお
6 人 匡	キョウ ただす	たすく ただ ただし まさ まさし	救う、助ける。堅実で頼りがいのある、落ちついた賢人を思わせる	右匡 5 うきょう / 隆匡 11 たかまさ / 匡臣 7 ただおみ / 匡史 5 まさし / 匡直 8 まさなお
6 共	キョウ とも	たか	大切に保持するという意味から、友情に厚い好漢のイメージにも	共一 1 きょういち / 共太 4 きょうた / 共平 5 きょうへい / 共成 6 ともなり / 共彦 9 ともひこ

★新人名漢字

画数・漢字	音訓	名乗り	おもな意味	名前例
人 6 旭	キョク あさひ	あき あきら あさ あさひ きょく てる	勢いよく昇る朝日。光り輝く太陽を思わせる、明るく元気な子に	旭生 5 あきお 旭成 6 あきなり 旭正 5 あきまさ 旭 あきら 旭輝 15 てるあき
人 6 圭	ケイ たま	か かど きよ けい たま よし	潔い。すっきりとした字体で、高貴な印象と安定感とを併せもつ	圭吾 7 けいご 圭之 3 けいし 圭介 4 けいすけ 圭太郎 4 9 けいたろう 正圭 5 まさよし
人 6 伍	ゴ くみ	あつむ いつ たすく とも ひとし	肩を並べる。仲間。よい友人や豊かな人間関係に恵まれるように	伍朗 10 ごろう 秀伍 7 しゅうご 祥伍 10 しょうご 慎伍 13 しんご 大伍 3 だいご
6 江	コウ え	きみ こし ただ のぶ	大陸を貫く大河のように、悠々とした力強い大人物にと期待して	江河 8 こうが 江輝 15 こうき 江太 4 こうた 江之慎 3 13 こうのしん 大江 3 たいこう
6 考	コウ かんがえる	たか ただ なり なる のり やす	思慮深さを象徴しつつ、遠くまで進むという行動的な意味ももつ	一考 1 いっこう 考太 4 こうた 考平 5 こうへい 考成 6 たかなり 考道 12 たかみち
6 行	コウ ギョウ アン いく ゆく おこなう	あきら たか のり ひら みち ゆき	行動力を伴った意志の強さと、大成を感じさせる男らしい名前に	行男 7 いくお 行星 9 こうせい 敏行 10 としゆき 業行 13 なりひら 行耶 9 ゆきや
6 好	コウ このむ すく	この すみ たか よし よしみ	多くの人から好かれ、自らも人を愛することのできる子にと願って	好祐 9 こうすけ 好政 9 こうせい 友好 4 ともよし 好騎 18 よしき 好信 9 よしのぶ
6 光	コウ ひかる ひかり	あきら てる ひろ みつ みつる	名誉、恵み、徳など。人を引きつける魅力、秀でた才能を思わせる	光輝 15 こうき 孝光 7 たかみつ 光政 9 てるまさ 光流 10 みつる 嘉光 14 よしみつ
6 向	コウ むく むける むかう むこう	ひさ	もとは空気の流れ。安定した字体ながら、自然体の積極性を示す	向輔 14 こうすけ 向星 9 こうせい 向太郎 4 9 こうたろう 向陽 12 こうよう 日向 4 ひなた
人 6 亘	コウ わたる	とおる のぶ ひろし わたり	広がりを示す。活躍の場を広くもち、多くの人に親しまれる子に	亘純 10 こうじゅん 亘輔 14 こうすけ 亘輝 15 のぶてる 行亘 6 ゆきのぶ 遥亘 12 ようこう

画数・漢字	音訓	名乗り	おもな意味	名前例
6 在	ザイ ある	あき あきら あり すみ たみ みつる	じっと止まる意味から、自身の内観に通じる、深い意味をもつ字	在信 9 ありのぶ / 在人 2 ありひと / 在昌 8 ありまさ / 在良 7 ありよし / 光在 6 みつあき
6 至	シ いたる	ちか のり みち むね ゆき よし	最高の。極点。高みをめざす向上心と、成果に恵まれるように	至 いたる / 至留 10 いたる / 賢至 16 けんじ / 聡至 14 さとし / 進至 11 しんじ
6 次	ジ シ つぐ つぎ	ちか ひで	立ち止まって休息する。充電して始める、続く、といった意味ももつ	次郎 9 じろう / 真次 10 しんじ / 次晴 12 つぐはる / 次哉 9 つぐや / 政次 9 まさつぐ
6 守	シュ ス まもる もり	かみ さね まもり	庇護や責任を示すほか、心構えを変えない、初志貫徹の意味も	守 まもる / 守央 5 もりお / 守彦 9 もりひこ / 守行 6 もりゆき / 保守 9 やすもり
6 州	シュウ す	くに しま	川の中の島、大陸。砂地の柔軟性と、地の安定感を併せもつ字	九州男 2 7 くすお / 州太 4 しゅうた / 州明 8 しゅうめい / 大州 3 たいしゅう / 忠州 8 ただくに
6 舟	シュウ ふね ふな	のり	時に応じて流れを読み、臨機応変に対応できる判断力を感じさせる	海舟 9 かいしゅう / 舟一郎 1 9 しゅういちろう / 舟吾 7 しゅうご / 舟司 5 しゅうじ / 舟渡 12 しゅうと
6 充	ジュウ あてる	あつ たかし まき みち みつ みつる	子どもが独り立ちできるほど、健やかに成長することを意味する字	時充 10 ときみつ / 充輝 15 みつき / 充 みつる / 充流 10 みつる / 義充 13 よしみつ
6 旬	ジュン	ただ とき ひとし ひら まさ	物事の適期。チャンスを見極める確かな目と、行動力を備えた子に	旬 じゅん / 旬一 1 じゅんいち / 旬之輔 3 14 じゅんのすけ / 旬兵 7 じゅんぺい / 旬也 3 じゅんや
6 巡	ジュン めぐる	みつ ゆき	ぐるりと回る意味から回帰に通じ、永遠や不変のニュアンスも	巡一 1 じゅんいち / 巡治 8 じゅんじ / 巡平 5 じゅんぺい / 巡哉 9 じゅんや / 敏巡 10 としみつ
6 匠	ショウ	たくみ なる	優れた技能をもたらす豊かな感性と創造力、芸術的な才能を願って	輝匠 15 きしょう / 匠一 1 しょういち / 匠詠 12 しょうえい / 匠治 8 しょうじ / 匠 たくみ

★新人名漢字

画数・漢字	音訓	名乗り	おもな意味	名前例
6 人 庄	ショウ ソウ	たいら まさ	田舎を示す。のどかで美しい風景のように、人の心を和ませる子に	庄悟 10 しょうご、庄治 8 しょうじ、庄太 4 しょうた、庄平 5 しょうへい、庄介 4 そうすけ
6 迅	ジン	とき とし はや	速い。スピード感を端的に表す字。爽快で力強い印象の名前に	迅晴 12 じんせい、迅也 3 ときなり、迅雄 12 はやお、迅人 2 はやと、迅実 8 はやみ
6 成	セイ ジョウ なる なす	あき しげ しげる なり ひで よし	成功する、できあがる。責任感をもった一人前の大人を象徴する	一成 1 いっせい、成治 8 せいじ、成二郎 2 9 せいじろう、光成 6 みつなり、良成 7 よしなり
6 全	ゼン まったく	あきら うつ たけ たもつ はる よし	やり遂げる。すべてにおいて、スケールの大きな人を思わせる字	全 あきら、全一 1 ぜんいち、全次 6 ぜんじ、大全 3 たいぜん、全浩 10 よしひろ
6 壮	ソウ	あき お たけ たけし まさ もり	強い、勇ましい。健全で、意気揚々とした、男らしいイメージ	壮一郎 1 9 そういちろう、壮吾 7 そうご、壮志 7 そうし、壮太 4 そうた、壮平 5 そうへい
6 早	ソウ サッ はやい はやまる はやめる	さ さき はや	夜明け。速やか。すばやい行動力を伴った、若々しいパワーを期待	早俊 9 さとし、早介 4 そうすけ、早雄 12 はやお、早太 4 はやた、早斗 4 はやと
6 多	タ おおい	おおし かず まさ な なお まさる	勝る、優れているという意味もあり、さまざまな願いを託せる字	慶多 15 けいた、幸多 8 こうた、祥多 10 しょうた、多助 7 たすけ、勇多 9 ゆうた
6 宅	タク	いえ おり やか やけ	草が根を定着させるさまから、人に憩いを与えられる子にと願って	宅成 6 いえなり、宅治 8 たくじ、宅斗 4 たくと、宅実 8 たくみ、正宅 5 まさいえ
6 人★ 托	タク たのむ	ひろ もり	預ける。人との信頼関係を大切にし、よい友人に恵まれるように	托雄 12 たくお、托斗 4 たくと、托馬 10 たくま、托矢 5 たくや、托郎 9 たくろう
6 地	ジ チ	くに ただ つち	あらゆる生命をはぐくむ大地の、雄大で力強いイメージを備えた字	大地 3 だいち、地迅 6 ちはや、地平 5 ちへい、光地 6 みつくに、優地 17 ゆうじ

画数・漢字	音訓	名乗り	おもな意味	名前例
6 竹	チク たけ	たか	しなやかで強靭なもの、まっすぐ成長する子のたとえともされる	竹満12 たけみつ、竹也3 たけや、竹流10 たける、竹真10 ちくま、雅13竹 まさたけ
6 弐	ニ	じ すけ	変更を退ける強さを秘める字。古風な雰囲気の個性的な名前になる	健11弐 けんじ、勝12弐 しょうじ、真10弐 しんじ、弐誓14 にちか、裕12弐郎9 ゆうじろう
6 任	ニン まかせる まかす	あたる たかし と のり ひで よし	引き受ける。責任を果たし、信頼に応える人になるよう願って	任 あたる、隼10任 はやと、昌8任 まさと、雅13任 まさと、任憲16 よしのり
6 年	ネン とし	かず すすむ ちか と とせ みのる	もとは作物が実る期間。大きな成果を期待させる、誠実な印象の字	年雄12 としお、年彦9 としひこ、年幸8 としゆき、昌8年 まさとし、光6年 みつとし
6 帆	ハン ほ		大海原を進む帆船の、さわやかでスピード感にあふれたイメージ	数13帆 かずほ、南9帆人2 なほと、帆州6 はんす、帆蔵15 はんぞう、帆高10 ほだか
6 人★ 汎	ハン・ホン フウ ホウ あまねし うかぶ ひろい	ひろ ひろし みな	漂う。行き渡る。博愛や広い精神性に通じ、アカデミックな印象に	隆11汎 たかひろ、汎治8 はんじ、汎明8 ひろあき、汎史5 ひろし、汎匡6 ひろまさ
6 有	ユウ ウ ある	あ あり たもつ とも みち ゆ	持つ、保つといった意味から、富も示す。才能や魅力も期待して	有雅13 ありまさ、有治8 ゆうじ、有甫7 ゆうほ、有紀9男7 ゆきお、有羅19 ゆら
6 吏	リ	おさ さと つかさ	もとは旗印を立てること。役人。すっきりした知的なイメージに	海9吏 かいり、吏 つかさ、吏一1 りいち、吏久3 りく、吏人2 りひと
7 亜	ア	つぎ つぐ	準ずる。アジアの意味ももつ、安定感とスマートな印象を与える字	亜輝15良7 あきら、亜南9 あなん、凱12亜 がいあ、亜彦9 つぐひこ、芳7亜 よしつぐ
7 壱	イチ	い かず さね はじめ もろ	文書上で誤解や変更を避ける一の代字。毅然とした強さを秘める字	壱太4朗10 いちたろう、壱郎9 いちろう、壱紗10 かずさ、光6壱 こういち、友4壱 ゆういち

★新人名漢字

画数・漢字	音訓	名乗り	おもな意味	名前例
7 人 伽	カ ガ キャ とぎ		話し相手を務める。梵語の音訳用字で、エキゾチックな印象をもつ	伽寿雄（7・12） かずお 伽州史（6・5） かずし 伽津見（9・7） かつみ 伽門（8） がもん 泰伽（10） たいが
7 我	ガ われ わ		自分自身を示す字で、強さや慎み深さなど多彩な意味に通じる	我門（8） がもん 光我 こうが 大我（3） たいが 唯我（11） ゆいが 優我（17） ゆうが
7 快	カイ こころよい	はや やす よし	さっぱりする。速い。さわやかな魅力を振りまく、元気な子に	明快（8） あきよし 快人（2） かいと 快里（7） かいり 雅快（13） まさよし 快嗣（13） やすし
7 完	カン	さだ たもつ ひろ まさ みつ ゆたか	成し遂げる。大切なものを守り通す意味もある、力強さをもつ字	完一（1） かんいち 完吾（7） かんご 完司（5） かんじ 完太郎（4・9） かんたろう 完平（5） かんぺい
7 希	キ	のぞみ まれ	めずらしい。未来へ望む。明るい希望と可能性を感じさせる字	一希（1） かずき 希望（11） きぼう 玄希（5） げんき 勇希（9） ゆうき 由希也（5・3） ゆきや
7 究	キュウ きわめる	さだ み	特に学問を究めること。高い到達点をめざし、真摯に励む姿を期待	究吾（7） きゅうご 究悟（10） きゅうご 究児（7） きゅうじ 究太郎（4・9） きゅうたろう 究 きわむ
7 人 玖	キュウ ク	き たま ひさ	美しい黒色の石。数の多さや豊かさも表し、優雅な印象をもつ	伊玖馬（6・10） いくま 汰玖（7） たく 玖輝（15） たまき 玖史（5） ひさし 由玖（5） よしひさ
7 求	キュウ もとめる	き ひで まさ もと もとむ やす	常に好奇心をもち、自分の夢に向かって邁進していける子に	求一郎（1・9） きゅういちろう 求太郎（4・9） きゅうたろう 求希（7） もとき 求実（8） もとみ 求 もとむ
7 人 杏	キョウ アン あんず	あん あんず きょう	種子が薬用となる果樹。中国の故事でも、学問や医療に多く通じる	杏一（1） きょういち 杏介（4） きょうすけ 杏太（4） きょうた 杏太郎（4・9） きょうたろう 杏平（5） きょうへい
7 人 亨	キョウ コウ ホウ たてまつる とおる	あきら すすむ とし なお なり みち	奉る。進める。もとは遠くを眺める高い建物を表す、風流な字	亨平（5） きょうへい 亨汰（7） こうた 高亨（10） たかとし 亨 とおる 亨哉（9） としや

画数・漢字	音訓	名乗り	おもな意味	名前例
7 均	キン	お ただ なお ひと ひとし まさ	土を平らにする。基礎を大切に、堅実な積み重ねを忘れない人に	均壱 7 きんいち / 均治 8 きんじ / 均也 3 きんや / 均 ひとし / 均志 7 ひとし
7 人 芹	キン せり		芳香があり、春の七草として親しまれる。スマートな印象の名前に	芹一 1 きんいち / 芹路 13 きんじ / 芹太 4 きんた / 芹之介 3 4 きんのすけ / 芹哉 9 きんや
7 近	キン ちかい	こん ちか とも もと	密接。多くの人に親しまれ、目標に向かってまっすぐ突き進む子に	右近 5 うこん / 近一郎 1 9 きんいちろう / 左近 5 さこん / 近良 7 ちから / 雅近 13 まさちか
7 吟	ギン	あきら おと こえ	詩歌を口ずさむ。格調高く、静かな文化芸術の風情にあふれた字	吟彦 9 おとひこ / 吟也 3 おとや / 吟牙 4★ ぎんが / 吟治 8 ぎんじ / 吟耶 9 ぎんや
7 君	クン きみ	きん すえ なお よし	人民を治める王。人の意見を尊重できるリーダーシップを期待して	君雄 12 きみお / 君成 6 きみなり / 君彦 9 きみひこ / 君久 3 きみひさ / 君平 5 くんぺい
7 呉	ゴ	くに くれ	もとは人が笑いさざめくさま。いつも明るく、元気な人気者に	瑛呉 12 えいご / 呉雄 12 くれお / 呉朗 10 ごろう / 翔呉 12 しょうご / 文呉 4 ぶんご
7 人 吾	ゴ われ	あ ご みち わが	自己を指す奥深い字。古風で落ちついた雰囲気をもつ名前になる	吾希良 7 7 あきら / 秀吾 7 しゅうご / 慎吾 13 しんご / 大吾 3 だいご / 東吾 8 とうご
7 孝	コウ	あつ たか たかし のり ゆき よし	父母を大切にする。情に厚く、優しさに満ちた子になるよう願って	孝慈 13 こうじ / 孝輔 14 こうすけ / 孝平 5 こうへい / 孝則 9 たかのり / 康孝 11 やすたか
7 更	コウ さら ふける ふかす	つぐ とお とく のぶ	しゃんと引き締める、受け継ぐ、経験を積むなど、意味深長な字	更一 1 こういち / 更一郎 1 9 こういちろう / 更吉 6 こうきち / 更介 4 こうすけ / 更平 5 こうへい
7 人 宏	コウ ひろい	あつ ひろ ひろし	もとは奥行きのある家。心の広さや、度量の大きさを思わせる	宏介 4 こうすけ / 哲宏 10 てつひろ / 宏紀 9 ひろき / 宏夢 13 ひろむ / 昌宏 8 まさひろ

★新人名漢字

画数・漢字	音訓	名乗り	おもな意味	名前例
7 克	コク	かつ かつみ すぐる なり まさる よし	打ち勝つ、成し遂げる。困難を耐え忍ぶ美徳と、克己心を思わせる	克成(6) かつなり / 克也(3) かつや / 定克(8) さだかつ / 英克(8) ひでかつ / 宗克(8) むねかつ
7 佐	サ	すけ たすく よし	助ける。みんなに好かれ、頼りにされる人となるように願って	佐輔(14) さすけ / 佐多男(6・7) さだお / 佐智夫(12・4) さちお / 佐都司(11・5) さとし / 慎之佐(13・3) しんのすけ
7 人 沙	サ シャ すな	いさ	水際の砂。ごく微細な、尽きないもの。しゃれた感覚の名前に	沙希也(7・3) さきや / 沙智雄(12・12) さちお / 沙斗志(4・7) さとし / 沙斗留(4・10) さとる / 沙武(8) さむ
7 人 冴	さ さえ さえる	ご	澄みきった、鮮やか。鋭い感性や、回転の速さを印象づける名前に	衣冴夢(6・13) いさむ / 冴朗(10) ごろう / 冴留(10) さえる / 慎冴(13) しんご / 大冴(3) だいご
7 作	サク サ つくる	あり さき とも なお なり ふか	人の基本となる作業を表す、温かみのある字。止め字として人気	幸作(8) こうさく / 耕作(10) こうさく / 作太郎(4・9) さくたろう / 慎作(13) しんさく / 勇作(9) ゆうさく
7 人★ 孜	シ	あつ ただす つとむ	努め励む、休まず働く。勤勉さを象徴する、しゃれた印象の字	孜希(7) あつき / 孜毅(15) しき / 孜門(8) しもん / 孜 つとむ / 比佐孜(4・7) ひさし
7 志	シ こころざす こころざし	さね のぞみ のぞむ むね もと ゆき	目的をもつ。信念。困難にくじけず、前進していける子にと願って	和志(8) かずし / 光志(6) こうし / 壮志(6) そうし / 隆志(11) たかし / 誉志輝(13・15) よしき
7 児	ジ ニ	こ のり はじめ る	元気で快活なイメージ。子へのいとおしさを反映する字でもある	健児(11) けんじ / 洸児(9) こうじ / 乎児郎(5★・9) こじろう / 児太郎(4・9) こたろう / 友児(4) ゆうじ
7 寿	ジュ ことぶき	かず す とし なが のぶ ひさし	命や長寿を意味する、縁起のよい字。古風な雰囲気をもつ名前に	寿一(1) じゅいち / 寿正(5) としまさ / 寿之(3) としゆき / 寿 ひさし / 満寿夫(12・4) ますお
7 秀	シュウ ひいでる	しげる ひで ほ ほず みつ よし	稲穂の形から、優れた才能に恵まれつつも、謙虚さを忘れない人に	秀伍(6) しゅうご / 秀平(5) しゅうへい / 秀樹(16) ひでき / 秀成(6) ひでなり / 義秀(13) よしひで

画数・漢字	音訓	名乗り	おもな意味	名前例
7 初	ショ はじめ はじめて はつ うい そめる	もと	初心を忘れず、常に人の一歩先を行くような人に、と願いを込めて	初 はじめ／初雄(12) はつお／初志(7) はつし／初範(15) はつのり／初之(3) はつゆき
7 助	ジョ たすける たすかる すけ	たすく ひろ ます	人のために尽力できる、心の広いヒューマニストのイメージをもつ	英(8)助 えいすけ／公(4)助 こうすけ／幸(8)之(3)助 こうのすけ／太(4)助 たすけ／龍(16)之(3)助 りゅうのすけ
7 人★ 芯	シン		物事の根本、本質。一本気で気骨のある、快男児を思わせる名前に	剣(10)芯 けんしん／芯一(1)郎(9) しんいちろう／芯太(4) しんた／芯平(5) しんぺい／芯也(3) しんや
7 臣	シン ジン	お おみ しげ とみ み みる	忠義を尽くし、人の道を正しく歩むことにも通じる、格調高い字	和(8)臣 かずおみ／高(10)臣 たかおみ／臣彦(9) とみひこ／雅(13)臣 まさおみ／義(13)臣 よしおみ
7 人 辰	シン ジン たつ	とき のぶ のぶる よし	時刻や日。天体。竜。元気よく奮い立つ。広くロマンにあふれた字	辰慈(13) しんじ／辰輔(14) しんすけ／辰巳(3) たつみ／辰郎(9) たつろう／雅(13)辰 まさたつ
7 伸	シン のびる のばす	ただ のぶ のぶる のぼる	まっすぐな瞳と向上心を兼ね備えた、健康的な男の子のイメージ	伸一(1) しんいち／伸吾(7) しんご／伸朔(10) しんさく／伸也(3) しんや／伸人(2) のぶと
7 人★ 宋	ソウ ス	おき くに	伝統と文化を重んじた中国の国名。逆境にくじけない強さを秘める	宋 そう／宋一(1)郎(9) そういちろう／宋吾(7) そうご／宋志(7)郎(9) そうしろう／宋太(4) そうた
7 人 汰	タ タイ よなげる		洗い流す。多い、豊か。勢いを示す字でもあり、明るく元気な印象	一(1)汰 いちた／恵(10)汰 けいた／光(6)汰郎(9) こうたろう／翔(12)汰 しょうた／汰一(1) たいち
7 人 那	ナ ダ	とも やす	多い。豊かな。もとは地名・種族名を示す、異国情緒に満ちた字	沙(7)那斗(4) さだと／那彦(9) ともひこ／那央(5)紀(9) なおき／那津(9)雄(12) なつお／那由(5)汰(7) なゆた
7 男	ダン ナン おとこ	お おと	特に一人前の成人男子を指し、強さや大きなものの象徴ともなる	和(8)男 かずお／孝男 たかお／武(8)男 たけお／昌(8)男 まさお／幹(13)男 みきお

★新人名漢字

画数・漢字	音訓	名乗り	おもな意味	名前例
人 7 杜	ト ズ やまなし ふさぐ	あかなし もり	神聖な場所。果樹、山梨。すっきりと静かな知性を感じさせる	快杜 7 かいと 佳杜士 8 3 かずし 杜毅也 15 3 ときや 杜生 5 もりお 杜寿 7 もりす
7 努	ド つとめる	つとむ	あらゆる力を尽くす姿勢を示す字。勤勉で粘り強い子になるように	亜努 7 あつと 榎努 14★ かつと 努 つとむ 努武 8 つとむ 俳努 10 はいど
人★ 7 芭	ハ バ		芭蕉。古来、薬や織物に利用され、優れた俳人名としても有名	芭蕉 15 ばしょう 芭津雄 9 12 はつお 芭耶人 9 2 はやと 芭留記 10 10 はるき 芭瑠斗 14 4 はると
7 伴	ハン バン ともなう	すけ とも	一緒に行く。相棒。よい人間関係に恵まれ、人の力になれる子に	伴彦 9 ともひこ 伴久 3 ともひさ 伴哉 9 ともや 伴次郎 6 9 はんじろう 伴造 10 はんぞう
7 扶	フ	すけ たすく たもつ もと	力を貸す。守る。だれからも信頼される人柄と能力を期待して	扶沙雄 7 12 ふさお 扶志雄 7 12 ふじお 扶実彦 8 9 ふみひこ 扶未也 5 3 ふみや 扶佑樹 7 16 ふゆき
人 7 芙	フ はす	ぶ	芙蓉、蓮、アジアのイメージをもつ花。優雅な魅力を思わせる	芙彦 9 はすひこ 芙次雄 6 12 ふじお 芙実生 8 5 ふみお 芙由樹 5 16 ふゆき 芙佑彦 7 9 ふゆひこ
人 7 甫	フ ホ はじめ	かみ すけ のり まさ もと よし	多い、大きい。男子の美称。伝統的な男らしい名前をつくる字	伸甫 7 しんすけ 甫 はじめ 甫高 10 ほだか 甫汰流 7 10 ほたる 亮甫 9 りょうすけ
7 邦	ホウ	くに	国、都。故郷を愛し、常に感謝の心を忘れない人となるよう願って	邦生 5 くにお 邦彦 9 くにひこ 志邦 7 しほう 邦市 5 ほういち 悠邦 11 ゆうほう
7 芳	ホウ かんばしい	か かおる はな ふさ みち よし	名誉。優れた人。名声が花の香りのように広く及ぶことにも通じる	芳一 1 ほういち 芳牙 4★ ほうが 芳生 5 ほうせい 芳明 8 よしあき 芳樹 16 よしき
人 7 佑	ユウ ウ たすける	すけ たすく ゆ	助ける。情に厚く、大切なものを守り抜く意志と力を備えた人に	恭佑 10 きょうすけ 佑一 1 ゆういち 佑輝 15 ゆうき 佑次郎 6 9 ゆうじろう 佑介 4 ゆうすけ

画数・漢字	音訓	名乗り	おもな意味	名前例
7 邑 (人)	ユウ むら	くに さと さとし すみ	領土。個性的な字体。活躍の場を広く求め続ける積極性を期待して	邑 ゆう／邑助[7] ゆうすけ／邑太郎[4][9] ゆうたろう／邑斗[4] ゆうと／邑哉[9] ゆうや
7 来	ライ くる きたる きたす	き く こ な ゆき	もとは天から授かった麦。天賦の才や未来への希望にも通じる	春来[9] はるき／未来雄[5][12] みきお／未来[5] みらい／来人[2] らいと／来夢[13] らいむ
7 利	リ きく	かず とし のり みち よし より	鋭い。賢い、優れている。頭脳明晰で活発な子をイメージさせる	利彦[9] としひこ／湧利[12] ゆうり／利一[1] りいち／利樹也[16][3] りきや／利駒[15] りく
7 里	リ さと	さとし のり	すっきりと安定した字体。寛容で穏やかな人柄となるよう願って	亜久里[7][3] あぐり／里志[7] さとし／里流[10] さとる／千里[3] せんり／萬里[12★] ばんり
7 李 (人)	リ すもも	もも	もとは実りの多い果樹。子孫繁栄にも通じる、縁起のよい名前に	翔李[12] しょうり／李太郎[4][9] ももたろう／李一[1] りいち／李規斗[11][4] りきと／李澄[15] りずむ
7 良	リョウ よい	あきら お すけ まこと よし ら	賢い。正しい。あらゆる面で好ましい意味をもつ、応用の利く字	亜樹良[7][16] あきら／良一[1] りょういち／良治[8] りょうじ／良輔[14] りょうすけ／良平[5] りょうへい
7 励	レイ はげむ はげます	つとむ	強い力を込めること。何事にも全力投球できる、一途な努力家に	励 つとむ／励一郎[1][9] れいいちろう／励次[6] れいじ／励介[4] れいすけ／励太郎[4][9] れいたろう
7 伶 (人)	レイ わざおぎ	りょう れ	清い。賢い。楽人。音楽や演劇など、芸術分野での活躍を期待して	伶司[5] りょうじ／伶児[7] れいじ／伶次郎[6][9] れいじろう／伶太郎[4][9] れいたろう／伶斗[4] れいと
7 呂 (人)	ロ リョ	おと とも なが ふえ	脊椎。音階。人を支え、物事の中心をなす芯の通った強さに通じる	一呂[1] いちろ／比呂和[4][8] ひろかず／比呂志[4][7] ひろし／呂敏[10] ろびん／呂澪[16] ろみお
7 芦 (人★)	ロ リョ ラ あし	よし	古来日本人に親しまれてきた植物。しなやかな強さをもつ名前に	芦平[5] あしへい／一芦[1] いちろ／芦檀[17] ろだん／芦敏[10] ろびん／芦澪[16] ろみお

★新人名漢字

画数・漢字	音訓	名乗り	おもな意味	名前例
8 人 阿	ア、オ、くま、おもねる		丘。アフリカ、オランダなどを表記する、エキゾチックな一面も	阿佐彦 7 9 あさひこ 阿星 9 あせい 阿南 9 あなん 阿紋 10 あもん 阿蘭 19 あらん
8 依	エイ	より	助ける、慈しむ。頼りにされ、寄せられた信頼に応えられる子に	依知郎 8 9 いちろう 依津樹 9 16 いつき 牙依 4★ がい 君依 7 きみより 依彦 9 よりひこ
8 育	イク、そだつ、そだてる	すけ、なり、なる、やす	はぐくむ。子どもの成長を見守る、温かい視線を感じさせる名前に	育生 5 いくお 育斗 4 いくと 育馬 10 いくま 育也 3 いくや 育朗 10 いくろう
8 英	エイ	あきら、あや、すぐる、たけし、はなぶさ、ひで	優れた人。スマートな印象を与える字で、傑出した才能を思わせる	英悟 10 えいご 英輔 14 えいすけ 慈英 13 じえい 翔英 12 しょうえい 英樹 16 ひでき
8 延	エン、のびる、のべる、のばす	すけ、すすむ、ただし、とう、なが、のぶ	長い道をゆっくり行くことを示し、堅実な努力家の姿に通じる	延斗 4 のぶと 延彦 9 のぶひこ 延哉 9 のぶや 延幸 8 のぶゆき 正延 5 まさのぶ
8 人 於	オ、ヨ、ああ		感嘆をはじめ多くの用法をもつ字。現代的でしゃれた印象の名前に	高於 10 たかお 奈於希 8 7 なおき 那於都 7 11 なおと 真理於 10 11 まりお 玲於奈 9 8 れおな
8 欧	オウ		ヨーロッパ。モダンな香りが漂う。文化芸術分野での活躍を願って	欧貴 12 おうき 欧治 8 おうじ 欧州 6 おうしゅう 欧介 4 おうすけ 欧太 4 おうた
8 人 旺	オウ、さかん	あきら	盛ん。光を四方に放つさま。何事にも意欲的な輝く笑顔の持ち主に	旺 あきら 旺牙 4★ おうが 旺星 9 おうせい 旺太郎 4 9 おうたろう 雅旺 13 まさお
8 河	カ、かわ		大きな川、黄河。悠々たる流れにあやかり、スケールの大きな男に	銀河 14 ぎんが 大河 3 たいが 泰河 10 たいが 遥河 12 はるか 悠河 11 ゆうが
8 佳	カ	けい、よし	優れた、立派な。人から信頼される、穏やかで聡明な人のイメージ	佳一 1 かいち 佳津也 9 3 かつや 佳門 8 かもん 佳樹 16 よしき 佳彦 9 よしひこ

画数・漢字	音訓	名乗り	おもな意味	名前例
8 岳	ガク たけ	おか たか たかし	雄大な風景や、何事にも動じない堂々とした大人物を思わせる字	岳人 2 がくと 岳陽 12 がくよう 岳志 7 たけし 岳史 5 たけふみ 岳留 10 たける
8 学	ガク まなぶ	あきら さと さとる たか ひさ みち	勤勉な姿勢のほか、指導者と弟子の交流も示す、奥深さをもつ字	学人 2 がくと 大学 3 たいがく 学 まなぶ 学武 8 まなぶ 学哉 9 まなや
8 季	キ	すえ とき とし ひで みのる	もとは穀物の実る期間。豊かな自然の恵みを表す、風情のある字	季介 4 きすけ 季次 6 すえつぐ 登季夫 12 4 ときお 都四季 11 5 としき 勇季 9 ゆうき
8 祈	キ いのる	いのり	強い意志の力を秘めた敬虔な姿勢を思わせる字で、高尚な名前に	祈一郎 1 9 きいちろう 祈念雄 8 12 きねお 昌祈 8 まさき 実祈雄 8 12 みきお 光祈 6 みつき
8 宜	ギ	すみ たか のぶ のり よし より	よろしい、都合がよい。好む。品行方正でまじめなイメージをもつ	宜一 1 ぎいち 宜輔 14 ぎすけ 宜明 8 のぶあき 宜雄 12 のぶお 宜也 3 のぶや
8 協	キョウ	かな かのう やす	叶う。人と力を合わせ、大きな目標を達成できる子にと願って	協一 1 きょういち 協祐 9 きょうすけ 協太郎 4 9 きょうたろう 協平 5 きょうへい 協哉 9 きょうや
8 享	キョウ	あき あきら すすむ たか みち ゆき	もてなす。受ける。多くの幸運と、よい人間関係に恵まれるように	享 あきら 享一 1 きょういち 享助 7 きょうすけ 享輔 14 きょうすけ 享平 5 きょうへい
8 京	キョウ ケイ	あつ おさむ たかし ちか ひろし	都。大きい。伝統的な雅を秘めた、豊富な人脈を感じさせる名前に	右京 5 うきょう 京一 1 きょういち 京介 4 きょうすけ 京太 4 きょうた 左京 5 さきょう
8 人 尭	ギョウ	あき たか たかし のり よし	高い。豊か。中国の貴人名にあやかり、広い視野と先見の明を期待	尭良 7 あきら 尭雄 12 たかお 尭 たかし 尭司 5 たかし 尭之 3 たかゆき
8 人 欣	キン コン ゴン よろこぶ	やすし よし	喜ぶ、楽しむ。周囲の人を笑顔にさせる、元気で朗らかな子に	欣一 1 きんいち 欣司 5 きんじ 欣史郎 5 9 きんしろう 欣哉 9 きんや 欣喜 12 よしき

★新人名漢字

画数・漢字	音訓	名乗り	おもな意味	名前例
8 空	クウ そら あく あける から	たく たか	晴れ渡った青空の明るい清清しさ、無限の広がりにあやかって	天空 4 あまたか／空哉 9 くうや／空 そら／大空 3 ひろたか／海 9 空斗 4 みくと
8 弦	ゲン つる	いと お ふさ	弓のつる。楽器に張った糸。文武両道に通じる、侍を思わせる字	弦起 10 げんき／弦輔 14 げんすけ／弦多 6 げんた／弦太 4 郎 9 げんたろう／美 9 弦 みつる
人 8 虎	コ とら	たけ	強く勇猛なもののたとえともされる、アジアを代表する美しい猛獣	虎太 4 郎 9 こたろう／虎童 12 こどう／虎次 6 郎 9 とらじろう／虎彦 9 とらひこ／竜 10 虎 りゅうこ
人★ 8 昊	コウ	あきら そら とお ひろ ひろし	明るく高い夏の空。さわやかで元気いっぱいな男の子を思わせる字	昊 こう／そら／昊一 1 こういち／昊輝 15 こうき／昊平 5 こうへい／昊明 8 こうめい
人 8 昂	コウ あがる	あき あきら こう たか たかし のぼる	高まる、上がる。上昇する勢いを感じさせる字。向上心を願って	昂 あきら／昂慈 13 こうじ／昂太 4 こうた／昂達 12 こうたつ／昂典 8 たかのり
人★ 8 岡	コウ おか		固くまっすぐな意味を含む。自然にちなんだ、新感覚の名前に	岡哉 9 おかや／岡一 1 こういち／岡一 1 郎 9 こういちろう／岡毅 15 こうき／岡太 4 こうた
人★ 8 庚	コウ かのえ	か つぐ やす	固く芯の通ったさま。強い意志を秘める、しなやかで個性的な字	庚一 1 こういち／庚紀 9 こうき／庚介 4 こうすけ／庚汰 7 こうた／庚太 4 郎 9 こうたろう
8 幸	コウ さいわい さち しあわせ	たか とも ひで ゆき よし	幸せを願う親の思いを端的に象徴する字。優しい印象の名前に	栄 9 幸 えいこう／幸祈 8 こうき／幸太 4 郎 9 こうたろう／幸之 3 助 7 こうのすけ／幸也 3 さちや
8 国	コク くに	とき	どこにいても、育った土地への愛着と誇りを忘れないよう願って	国雄 12 くにお／国武 8 くにたけ／国彦 9 くにひこ／国幸 8 くにゆき／雅 13 国 まさくに
人 8 采	サイ とる	あや うね こと	選ぶ。彩り。日本的な情趣の漂う字体で、個性的な名前に	采人 2 あやと／采斗 4 あやと／采彦 9 あやひこ／采一 1 さいいち／采市 5 さいいち

画数・漢字	音訓	名乗り	おもな意味	名前例
8 始	シ はじめる はじまる	とも はじめ はる もと	新たに何かを行うことを表す字。強い意志と原動力を感じさせる	晃[10]始（こうし） 始乃[2]介[4]（しのすけ） 壮[6]始（そうし） 泰[10]始（たいし） 始（はじめ）
8 侍	ジ さむらい	ひと	忠誠・名誉・尚武・礼節などを重んじる、武士道精神を期待して	栄[9]侍（えいじ） 侍衛[16]（じえい） 侍門[8]（じもん） 侍郎[9]（じろう） 洋[9]侍（ようじ）
8 治	ジ チ おさめる おさまる なおる なおす	おさむ さだ ただす のぶ はる よし	鎮める。営む、築く。優れたリーダーシップで人望を集める人に	治（おさむ） 修[10]治（しゅうじ） 宗[8]治（そうじ） 泰[10]治（たいち） 雅[13]治（まさはる）
8 実	ジツ み みのる	これ さね のり まこと みつ みる	本質、真心。本質を見失わず、成果にも恵まれるようにと願って	実也[3]（じつや） 実（まこと） 実流[10]（みのる） 実善[12]（みよし） 芳[7]実（よしみ）
8 若	ジャク ニャク わかい もしくは	なお まさ よし より わか	もとは、やわらかい新芽。生き生きとした生命力を感じさせる字	秋[9]若（あきなお） 正[5]若（まさよし） 若志[7]（わかし） 若斗[4]（わかと） 若史[5]（わかふみ）
8 宗	シュウ ソウ	かず たかし とし のり むね もと	本家、祖先、おさ。尊ぶ。骨太な、男らしいイメージの名前になる	宗玄[5]（しゅうげん） 宗作[7]（しゅうさく） 宗一[1]朗[10]（そういちろう） 宗佑[7]（そうすけ） 宗平[5]（そうへい）
8 周	シュウ まわり	あまねし いたる ちか のり ひろし まこと	あまねく行き渡る。自然に気配りのできる、協調性のある子に	周市[5]（しゅういち） 周作[7]（しゅうさく） 周次[6]（しゅうじ） 周太[4]郎[9]（しゅうたろう） 周平[5]（しゅうへい）
8 尚	ショウ	たかし なお ひさ ひさし まさ よし	高くする。上に重ねる。尊ぶ。安定した、崇高なイメージをもつ字	尚吾[7]（しょうご） 尚太[4]（しょうた） 尚人[2]（なおと） 尚裕[12]（なおひろ） 尚（ひさし）
8 人 昌	ショウ さかん	あき あきら まさ まさし まさる よし	勢いが盛ん、栄える。太陽のように快活な、周囲を明るくする子に	昌（あきら） 昌一[1]（しょういち） 昌吉[6]（しょうきち） 昌太[4]郎[9]（しょうたろう） 昌彦[9]（まさひこ）
8 昇	ショウ のぼる	かみ すすむ のぼる のり	常に向上や前進をめざして努力する、ひたむきな姿勢を思わせる字	昇一[1]（しょういち） 昇悟[10]（しょうご） 昇太[4]（しょうた） 昇竜[10]（しょうりゅう） 昇（のぼる）

★新人名漢字

画数・漢字	音訓	名乗り	おもな意味	名前例
8 斉	セイ	きよ ただ とし なり ひとし よし	整う。等しい。調和する。きちんとしたイメージを与える名前に	斉吉 6 せいきち 斉次郎 6 9 せいじろう 斉心 4 せいしん 斉太郎 4 9 せいたろう 斉羅 19 せいら
8 征	セイ	そ ただし まさ もと ゆき ゆく	遠方の目標へと、まっすぐ進むこと。ひたむきで精悍な印象をもつ	征吾 7 せいご 征斗 4 せいと 征哉 9 せいや 征博 12 まさひろ 征人 2 ゆきひと
8 青	セイ ショウ あお あおい	きよ つら はる よし	けがれなく澄みきったイメージの色。若若しさの象徴ともされる	青維 14 あおい 青児 7 せいじ 青志 7 せいじ 青哉 9 せいや 青龍 16 せいりゅう
8 卓	タク	すぐる たか たかし まこと まさる もち	並び立つものがないほど優秀であることを表す、知的な印象の字	卓 たかし 卓馬 10 たくま 卓実 8 たくみ 卓也 3 たくや 卓郎 9 たくろう
8 拓	タク	ひら ひらく ひろ ひろし	困難に負けないパワーと、開拓者精神にあふれた、たくましい子に	拓斗 4 たくと 拓真 10 たくま 拓海 9 たくみ 拓也 3 たくや 拓郎 9 たくろう
8 知	チ しる	かず さと さとし ちか とも はる	悟る。認める。親しむ。学問の分野における優秀さを象徴する字	沙知哉 7 9 さちや 知史 5 さとし 知哉 9 ともや 知之 3 ともゆき 知郎 9 ともろう
8 宙	チュウ	おき ひろし みち	大空。時間の広がり。無限の可能性と未来への希望を抱く名前に	明宙 8 あきひろ 宇宙 6 たかみち 宙也 3 ちゅうや 宙輝 15 ひろき 宙 ひろし
8 忠	チュウ	あつし きよし すなお ただ ただし なり	相手を敬い真心を尽くす。清廉な武士道を思わせる、格調高い字	忠明 8 ただあき 忠夫 4 ただお 忠 ただし 忠尚 8 ただなお 忠彦 9 ただひこ
8 直	チョク ジキ ただちに なおす なおる	すぐ すなお ただし ただす ちか なお	善悪を判断できる澄んだ目をもった、一途で純粋な子にと願って	直栄 9 なおえ 直毅 15 なおき 直樹 16 なおき 直海 9 なおみ 5 正直 まさなお
8 定	テイ ジョウ さだめる さだまる さだか	さだ さだむ つら また やす	もとは、家の中にまっすぐ立つさま。しっかりした堅実なイメージ	定雄 12 さだお 定慈 13 じょうじ 定太郎 4 9 じょうたろう 定一 1 ていいち 16 憲定 のりさだ

画数・漢字	音訓	名乗り	おもな意味	名前例
8 典	テン	おき すけ のり ふみ みち より	貴いふみ。規則。道。礼儀正しく道徳心のある、模範となる人に	瑛12典 えいすけ／典明8 てんめい／典雄12 のりお／典之3 のりゆき／昌8典 まさのり
8 到	トウ	いたる ゆき よし	全力を尽くし目標に達することを身上とした、意志の強い努力家に	到 いたる／到一1郎9 とういちろう／到吾7 とうご／到理11 とうり／到明8 よしあき
8 東	トウ ひがし	あきら あずま き はじめ はる ひで	太陽が昇る方角。夢や希望に満ちた、新しい日の到来を思わせる字	東 あずま／東樹16 とうき／東吾7 とうご／東洋9 とうよう／東留10 とうる
8 波	ハ なみ		光り輝く大海原の、雄大でさわやかなイメージ。大人物にと願って	波生5 なみお／波雄12 なみお／波輝15 なみき／波彦9 なみひこ／波瑠14木4 はるき
8 杷 人★	ハ ハイ え さらい		もとは農具名。耕作の基本をなし、努力や向上心にもつながる	杷津9男7 はつお／杷瑠14 はる／杷留10樹16 はるき／杷琉11彦9 はるひこ／昌8杷琉11 まさはる
8 枇 人★	ビ ヒ ヘイ		初夏に実を結ぶ果樹、枇杷。櫛や木刀の材料として、頑丈さを誇る	枇沙7司5 ひさし／枇斗4志7 ひとし／枇々3輝15 ひびき／枇勇9峨10★ ひゅうが／勇9枇 ゆうひ
8 武	ブ ム	いさ いさむ たけ たけし たける ふか	武道や腕力のほか、前向きな強さ、精神的なたくましさも秘める	沙7武 さむ／武生5 たけお／武史5 たけし／登12武 とむ／武蔵15 むさし
8 歩	ホ ブ フ あるく あゆむ	あゆみ すすむ	堅実な努力を重ねて確実に進む、未来への希望を感じさせる名前に	歩夢13 あゆむ／歩斗4 あると／逸11歩 いっぽ／一1歩 かずほ／歩希7 ほまれ
8 宝	ホウ たから	かね たか たかし たけ とみ とも	大切なものを表す字。親の愛情に満ちたまなざしを感じさせる	至6宝 しほう／宝 たから／宝一1 ほういち／宝成6 ほうせい／宝星9 ほうせい
8 朋 人	ホウ とも		仲間。生涯の宝となる、よい友人に恵まれるよう願いを込めて	有6朋 ありとも／朋樹16 ともき／朋也3 ともや／朋哉9 ともや／朋郎9 ともろう

★新人名漢字

画数・漢字	音訓	名乗り	おもな意味	名前例
8 法	ホウ ハッ ホッ	かず つね のり はかる	規律を守って正義を貫く強さを備えた、リーダーシップを期待して	孝法(7) たかのり 法男(7) のりお 法和(8) のりかず 法彦(9) のりひこ 基法(11) もとのり
8 牧	ボク まき		養う。教養を豊かにする。牧場のすがすがしさと、知性を秘めた字	啄牧(10) たくぼく 牧夫(4) まきお 牧志(7) まきし 牧彦(9) まきひこ 牧矢(5) まきや
8 人 茉	マツ バツ	ま	茉莉、ジャスミン。芳香のように優しく、人の心を癒す子にと願って	茉須雄(12・12) ますお 茉生(5) まつお 茉樹(16) まつき 茉理(11) まつり 茉莉夫(10・4) まりお
8 人 弥	ミ ビ いよいよ	ひさし ひろ みつ や やす よし	広く行き渡る。弓の弦を緩める様子から、ゆとりの意味も含む	和弥(8) かずみ 欣弥(8) きんや 徹弥(15) てつや 広弥(5) ひろみ 雅弥(13) まさみ
8 岬	みさき	こう	広々と視野の開けた爽快な風景と、さわやかな快男児を思わせる	岬一(1) こういち 岬二(2) こうじ 岬星(9) こうせい 岬太郎(4・9) こうたろう 岬 みさき
8 明	メイ・ミョウ あかり あかるい あきらか あける・あく あかす	あか あき あきら てる はる みつ	光。賢い。明朗で、いつも前向きに輝いている元気な子のイメージ	明憲(16) あきのり 明仁(4) あきひと 明 あきら 唯明(11) ただあき 英明(8) ひであき
8 茂	モ しげる	し しげ たか とお もち もと	優れる。豊か。命あるもの、成長するものを象徴する字でもある	和茂(8) かずしげ 茂生(5) しげお 茂之(3) しげゆき 茂 しげる 茂瑠(14) しげる
8 人 孟	モウ マン かしら	たけ たけし つとむ はじめ はる もと	かしら。はじめ。努める。力を尽くし、人の上に立つ立派な人に	孟雄(12) たけお 孟 たけし 孟志(7) たけし 孟弘(5) たけひろ 正孟(5) まさたけ
8 門	モン かど	かな と ひろ ゆき	最初の手引き。学派や宗派の仲間。落ちつきのある男らしい名前に	亜門(7) あもん 賀門(12) がもん 佐門(7) さもん 慈門(13) じもん 門努(7) もんど
8 人 侑	ユウ ウ たすける	あつむ すすむ たすく ゆき	人のために尽力し、互いに助け合える、豊かな人間関係を願って	侑久(3) たすく 侑樹(16) ゆうき 侑介(4) ゆうすけ 侑多(6) ゆうた 侑真(10) ゆうま

名前例	おもな意味	名乗り	音訓	画数・漢字
啓林(11) けいりん 恒林(9) こうりん 林 りん 林太郎(4・9) りんたろう 林哉(9) りんや	多くあるさま。盛ん。自然の豊かさと、人を癒す空間を意味する字	き きみ しげる とき ふさ もと	リン はやし	8 林
伶一(1) れいいち 伶児(7) れいじ 伶介(4) れいすけ 伶太郎(4・9) れいたろう 伶多郎(6・9) れいたろう	賢い。哀れむ。鋭敏な感性と、慈しみの心を備えた人となるように	さと さとし とき	レイ レン	人 8 伶
和央(5) かずお 和則(9) かずのり 和己(3) かずみ 大和(3) やまと 和平(5) わへい	穏やか。一致する。「日本」も意味するため、国際感覚にも通じる	か かず たか やわ	ワ オ やわらぐ やわらげる なごむ なごやか	8 和
娃一郎(1・9) あいいちろう 娃作(7) あいさく 娃郷(11) あさと 娃斗夢(4・13) あとむ 娃南(9) あなん	すっきりと際立って美しいさま。人を引きつける魅力の持ち主に		アイ ア ワ	人★ 9 娃
按雄(12) あつお 按行(6) あつゆき 按吾(7) あんご 如按(6) じょあん 頼按(16) らいあん	一つずつ調べる。慎重を期する作業もこなす、冷静な知性を期待	ただ ただし	アン アツ おさえる しらべる	人★ 9 按
威久真(3・10) いくま 威佐武(7・8) いさむ 佳威(8) かい 牙威(4★) がい 威 つよし	人を圧する力や厳かな品格を表す。強く勢いを感じさせる名前に	あきら たけし つよし とし なり のり	イ	9 威
郁夫(4) いくお 郁太(4) いくた 郁馬(10) いくま 郁也(3) いくや 真郁(10) まいく	文明開化を表す字で、パワフルで華やかなイメージをもつ	あや か かおる たかし ふみ	イク	人 9 郁
映浩(10) あきひろ 映伍(6) えいご 映二(2) えいじ 映介(4) えいすけ 映太郎(4・9) えいたろう	もとは光が照り返す様子から。輝くような明るい魅力に満ちた子に	あき あきら てる みつ	エイ うつる うつす はえる	9 映
栄一(1) えいいち 栄吉(6) えいきち 栄治(8) えいじ 栄介(4) えいすけ 栄衛(16) さかえ	名誉。輝き。草木が茂る。字体、意味ともに末広がりで縁起がよい	え さかえ てる ひさし ひで よし	エイ さかえる はえ はえる	9 栄
音晴(12) おとはる 音彦(9) おとひこ 音弥(8) おとや 七音(2) なおと 理音(11) りおん	音楽のように、人に潤いを与える子に。趣のある、やわらかい印象	お と なり	オン イン おと ね	9 音

★新人名漢字

画数・漢字	音訓	名乗り	おもな意味	名前例
9 人★ 珂	カ	たま てる	白メノウ。白色のクツワ貝。自然の輝きにも似た品格を期待させる	珂一郎 1・9 かいちろう 珂惟人 11・2 かいと 珂介 4 かすけ 珂月 4 かづき 珂平 5 かへい
9 人★ 珈	カ		婦人の髪飾り。大正ロマン的な、華麗でしゃれた印象の名前になる	珈維 14 かい 珈一郎 1・9 かいちろう 珈依斗 8・4 かいと 珈津雄 9・12 かつお 琉珈 11 るか
9 人★ 迦	カ ケ カイ キャ		行き合う。人やものとの縁を大切にする、殊勝な賢人を思わせる	迦一 1 かいち 迦津彦 9・9 かつひこ 迦津実 9・8 かつみ 迦平 5 かへい 太迦志 4・7 たかし
9 海	カイ うみ	あま うな み	物事が集まるところも示す。雄大でのびのびしたイメージで人気	海彦 9 うみひこ 海斗 4 かいと 海里 7 かいり 拓海 8 たくみ 大海 3 ひろみ
9 人★ 恢	カイ キ ひろい	ひろ	ゆったりとして余裕のある様子を示し、精神的な大きさにも通じる	恢児 7 かいじ 恢渡 12 かいと 恢貴 12 ひろき 恢志 7 ひろし 恢海 9 ひろみ
9 活	カツ	いく	もとは水が勢いよく流れること。生き生きとしたイメージを与える	活憲 16 かつのり 活彦 9 かつひこ 活矢 5 かつや 誠活 13 まさかつ 義活 13 よしかつ
9 人★ 柑	カン ケン みかん		蜜柑の一種。明るい色の果実は、健康で快活な子を思わせる	柑一郎 1・9 かんいちろう 柑司 5 かんじ 柑児 7 かんじ 柑介 4 かんすけ 柑太郎 4・9 かんたろう
9 紀	キ	おさ かず とし のり もと よし	はじめ。筋道。やわらかく、すっきりした字体で、多様な意味をもつ	数紀 13 かずき 紀一 1 きいち 紀久彦 3・9 きくひこ 直紀 8 なおき 芳紀 7 よしき
9 人★ 祇	ギ・キ シ ジ くにつかみ ただ まさに	けさ つみ のり まさ もと	国津神。ひたすらに。強い意志と実行力で、初志貫徹できる子に	祇一 1 ぎいち 正祇 5 せいぎ 祇之 3 ただゆき 直祇 8 なおき 祇晶 12 まさあき
9 人★ 俠	キョウ コウ きゃん	さとる たもつ	一身を顧みずに弱いものを助けるなど、男気のあるさまを表す	羽俠 6 うきょう 俠市 5 きょういち 俠次郎 6・9 きょうじろう 俠平 5 きょうへい 佐俠 7 さきょう

画数・漢字	音訓	名乗り	おもな意味	名前例
9 建	ケン、コン、たてる、たつ	たけ、たけし、たける、たつる、たて	しっかり立つ。大きく堂々と構えた、堅固なイメージをもつ名前に	建 けん／建一 1 けんいち／建太郎 4 9 けんたろう／建人 2 けんと／建夫 4 たつお
9 研	ケン、とぐ	あき、きよ	磨く。極める。鋭い感性と、シャープな頭のよさを思わせる字	研 けん／研二 2 けんじ／研多 6 けんた／研太郎 4 9 けんたろう／研之介 3 4 けんのすけ
人 9 彦	ゲン、ひこ	お、さと、ひろ、やす、よし	男子の美称。学問や才徳の優れた人。伝統的な名前をつくる止め字	昭彦 9 あきひこ／乙彦 1 おとひこ／喜代彦 12 5 きよひこ／彦太 4 げんた／宣彦 9 のぶひこ
人 9 胡	コ、ゴ、ウ、なんぞ、えびす	ひさ	大きく覆う。外来のものを示す、エキゾチックなイメージをもつ字	胡太朗 4 10 こたろう／胡徹 15 こてつ／胡南 9 こなん／大胡 3 だいご／柾比胡 9 4 まきひこ
9 恒	コウ	ちか、つね、のぶ、ひさ、ひとし、わたる	いつまでも変わらない。初心を忘れず、強い意志を貫き通せる人に	恒祈 8 こうき／恒治朗 8 10 こうじろう／恒星 9 こうせい／恒太 4 こうた／恒明 8 こうめい
人 9 洸	コウ	たけし、ひろ、ひろし、ふかし	水がわき出るさま。勇ましい。ほのか。若々しく躍動感のある字	洸太 4 こうた／洸乃輔 2 14 こうのすけ／洸平 5 こうへい／洸哉 9 こうや／洸輝 15 ひろき
9 厚	コウ、あつい	あつ、あつし、ひろ、ひろし	深い。豊か。こまやか。義理人情に厚く、穏やかな人柄を願って	厚成 6 あつなり／厚郎 9 あつろう／厚希 7 こうき／厚志 7 こうし／厚司 5 こうじ
9 皇	コウ、オウ		偉大な開祖、王。神。大きい。スマートな字体で、崇高な印象に	皇一 1 こういち／皇児 7 こうじ／皇輔 14 こうすけ／皇太郎 4 9 こうたろう／皇平 5 こうへい
人★ 9 恰	コウ、カツ、あたかも	あたか	ちょうど。才能を存分に発揮できる、天職を見出せるよう願って	恰紀 9 こうき／恰輔 14 こうすけ／恰平 5 こうへい／恰陽 12 こうよう／広恰 5 ひろかつ
人★ 9 巷	コウ、ゴウ、ちまた	さと	下町の人情味や公衆道徳など、広く社会的なルールにも通じる	巷一 1 こういち／巷汰 7 こうた／巷太郎 4 9 こうたろう／巷平 5 こうへい／巷陽 12 こうよう

★新人名漢字

画数・漢字	音訓	名乗り	おもな意味	名前例
人 9 虹	コウ にじ	こ	詩的な印象の字。架け橋の意味から、国際社会での活躍を期待して	一虹 1 いっこう 虹太郎 4 9 こうたろう 虹平 5 こうへい 虹陽 12 こうよう 虹也 3 にじや
人 9 哉	サイ かな や	か き ちか とし	初めて。さまざまな語気を示す助辞としても、広く応用される	哉太 4 かなた 健哉 11 けんや 真哉 10 しんや 星哉 9 せいや 悠哉 11 ゆうや
9 咲	さく	さ さき ショウ	笑う、喜ぶ。好ましい意味と、明るく華やかな雰囲気をもつ字	幸咲 8 こうさく 咲爾 14 さくじ 咲也 3 さくや 咲久哉 3 9 さくや 咲祐 9 しょうすけ
人★ 9 珊	サン サツ サンチ	さぶ	七宝の一つ、珊瑚。大自然が生んだ宝のように輝かしい存在に	珊紀 9 さつき 珊真 10 さつま 珊瑚 13 さんご 珊汰 7 さんた 珊平 5 さんぺい
9 秋	シュウ あき	あきら おさむ とき とし みのる	収穫の季節を指すことから、大切なときというニュアンスを秘める	秋彦 9 あきひこ 秋羅 19 あきら 秋平 5 しゅうへい 千秋 3 ちあき 朋秋 8 ともあき
人 9 洲	シュウ ス す しま	くに	川の中の島。大陸。周囲の声に動じない、独立独歩の強さを願って	央洲 5 おうしゅう 九里洲 2 7 くりす 洲男 7 しまお 洲悟 10 しゅうご 洲平 5 しゅうへい
人 9 柊	シュウ ひいらぎ		日本では節分に飾る木として親しまれる。スマートな印象の名前に	柊一 1 しゅういち 柊二 2 しゅうじ 柊斗 4 しゅうと 柊平 5 しゅうへい 柊弥 8 しゅうや
9 重	ジュウ チョウ え おもい かさねる かさなる	あつし かず しげ しげる のぶ ふさ	大切にする。努力の積み重ねによる大成も表す、縁起のよい字	重雄 12 しげお 重臣 7 しげおみ 重人 2 しげと 重彦 9 しげひこ 雅重 13 まさしげ
9 祝	シュク シュウ いわう	とき のり はじめ	神に仕えるもの。ことほぐ。祈りや喜びを表す縁起のよい字	祝雄 12 いわお 祝一 1 しゅういち 祝次 6 しゅうじ 祝弥 8 しゅうや 祝之 3 のりゆき
9 俊	シュン	すぐる たか たかし とし まさる よし	優れる。どんなことにも機敏に対応できる才知と瞬発力を期待して	俊輔 14 しゅんすけ 俊太朗 4 10 しゅんたろう 俊平 5 しゅんぺい 俊也 3 しゅんや 英俊 8 ひでとし

画数・漢字	音訓	名乗り	おもな意味	名前例
9 春	シュン はる	あつ かす かず す とき はじめ	芽吹く、花が咲くなど華やかで暖かい季節。新たなスタートも象徴	春平5 しゅんぺい 春輝15 はるき 春彦9 はるひこ 政9春 まさはる 芳7春 よしはる
9 人 洵	ジュン シュン まことに	のぶ ひとし まこと	等しい。もとは渦巻く水の様子を示した、潤い感のある個性的な字	洵一1 じゅんいち 洵介4 しゅんすけ 洵平5 じゅんぺい 洵哉9 じゅんや 洵洋9 のぶひろ
9 昭	ショウ	あき あきら てる はる	照り輝く。日光を表す明るさをもちつつ、落ちつきも感じさせる	昭雄12 あきお 昭人2 あきと 昭一1 しょういち 昭汰7 しょうた 昭平5 しょうへい
9 城	ジョウ しろ	き くに さね しげ なり むら	築く。強い力と慈しみの心をもち、大切なものを守る人にと願って	城而6★ じょうじ 城太4郎9 じょうたろう 弘5城 ひろき 浩10城 ひろき 祐9城 ゆうき
9 信	シン	あき さだ しの ちか のぶ まこと	真心。あかし。人の信頼に誠心誠意応えられる、まじめな人に	信一1 しんいち 信介4 しんすけ 信太4郎9 しんたろう 信彦9 のぶひこ 信 まこと
9 津	シン つ	ず	港。潤う。人が集まる憩いの場に通じる。よい友人関係を期待して	江6津志7 えつし 志7津男7 しずお 津介4 しんすけ 多6津也3 たつや 津月4 つづき
9 是	ゼ	これ すなお ただし つな ゆき よし	正しい。確かな肯定や認定の意味から、実力を伴った自信に通じる	是明8 これあき 是崇11 これたか 是彦9 これひこ 是雅13 これまさ 是哉9 これや
9 省	セイ ショウ かえりみる はぶく	あきら かみ み みる よし	わきまえる。常に謙虚な心を忘れず、冷静に自分を見つめる人に	省一1 しょういち 省吾7 しょうご 省汰7 しょうた 省弥8 しょうや 省明8 せいめい
9 星	セイ ショウ ほし	とし	いろいろな場で光り輝く、魅力的な存在であるよう願いを込めて	恒9星 こうせい 星輝15 せいき 星児7 せいじ 星治8 せいじ 星哉9 ほしや
9 政	セイ ショウ まつりごと	おさ かず きよ ただ のぶ まさ	正す。統率力と行動力を兼ね備えた、スケールの大きな正義漢に	政司5 せいじ 政司朗10 せいしろう 政羅19 せいら 崇11政 たかまさ 政嗣13 まさつぐ

★新人名漢字

画数・漢字	音訓	名乗り	おもな意味	名前例
9 宣	セン	のぶ のり ひさ ふさ よし より	述べる。広める。自分の考えをもち、はっきり自己主張できる子に	宣次 6 せんじ／宣汰 7 せんた／宣明 8 のぶあき／宣彦 9 のぶひこ／宣行 6 よしゆき
9 人 茜	セン あかね	あか	染料や薬品となる草。夕焼けの赤色。自然現象を表す風情ある字	茜一 1 せんいち／茜一朗 1 10 せんいちろう／茜介 4 せんすけ／茜太 4 せんた／茜哉 9 せんや
9 泉	セン いずみ	い きよし ずみ なみ みず もと	生命の源を象徴することも。潤い豊かで、さわやかなイメージ	泉一 1 せんいち／泉吉 6 せんきち／泉太郎 4 9 せんたろう／泉也 3 せんや／芳泉 7 よしずみ
9 荘	ソウ	これ たか たかし ただ ただし	厳かなさま。すらりと整った様子も示し、洗練された印象の名前に	荘 そう／荘悟 10 そうご／荘司 5 そうじ／荘介 4 そうすけ／荘多 6 そうた
9 奏	ソウ かなでる	かな	成し遂げる意味も。音楽のように人の心を和ませ、親しまれる子に	奏汰 7 かなた／奏 そう／奏志 7 そうし／奏平 5 そうへい／奏馬 10 そうま
9 草	ソウ くさ	かや しげ	青々とした爽快感や強い生命力、広大な草原のイメージをもつ	草悟 10 そうご／草介 4 そうすけ／草太 4 そうた／草太郎 4 9 そうたろう／草也 3 そうや
9 則	ソク	つね とき のり みつ	決まり。模範。後進のよい手本となる、まじめな努力家にと願って	孝則 7 たかのり／敬則 12 たかのり／俊則 9 としのり／則親 16 のりちか／則靖 13 のりやす
9 貞	テイ	さだ ただ ただし ただす つら みさお	古風な落ちつきを感じさせる字。穏やかで、道徳心を忘れない子に	貞雄 12 さだお／貞臣 7 さだおみ／貞治 8 さだはる／貞志 7 ただし／貞一郎 1 9 ていいちろう
9 南	ナン ナ みなみ	あけ な なみ みな よし	豊富な花や果実、穏やかな人柄など、温かなイメージをもつ字	亜南 7 あなん／南津樹 9 16 なつき／南留 10 なる／美南雄 9 12 みなお／南海 9 みなみ
9 人★ 祢	デイ ネ	ない	霊廟や神職を示す。祖先を敬い、文化を重んじる、謙虚な賢人に	和祢 8 かずね／祢音 9 ねお／祢恩 10 ねおん／望祢彦 11 9 みねひこ／流祢 10 るね

画数・漢字	音訓	名乗り	おもな意味	名前例
9 珀 (人★)	ハク ヒャク	すい たま	宝飾品として珍重される、琥珀。神秘的なイメージの名前ができる	琥(12★)珀 こはく / 胡(9)珀 こはく / 珀亜(7) はくあ / 珀馬(10) はくば / 璃(15)珀 りはく
9 飛	ヒ とぶ とばす	たか	印象的な字体で、空を舞う鳥のように、未来への希望を感じさせる	飛斗(4)史(5) ひとし / 飛雄(12)馬(10) ひゅうま / 飛竜(10) ひりゅう / 悠(11)飛 ゆうひ / 龍(16)飛 りゅうと
9 毘 (人★)	ヒ ビ	てる とも のぶ まさ やす よし	そばにいて助ける。梵語の音訳にも多用され、エキゾチックな趣も	毘加(5)流(10) ひかる / 毘紗(10)也(3) ひさや / 毘斗(4)史(5) ひとし / 毘呂(7)志(7) ひろし / 毘彦(9) まさひこ
9 美	ビ うつくしい	はる ふみ み みつ よし よしみ	よい、立派な、麗しい。清廉潔白な心の持ち主に、と願いを込めて	季(8)美則(9) きみのり / 扶(7)美雄(12) ふみお / 美紀(9)彦(9) みきひこ / 美国(8) みくに / 美樹(16) よしき
9 風	フウ フ かぜ かざ		勢い。趣。さわやかで自由なイメージ。現代的な雰囲気の名前に	風吾(7) ふうご / 風太(4) ふうた / 風馬(10) ふうま / 風見(7)也(3) ふみや / 海(9)風 みかぜ
9 保	ホ たもつ	お もり やす やすし より	もとは子どもを守り育てることから。温もりや愛情の伝わる字	保 たもつ / 規(11)保 のりやす / 保樽(16★) ほたる / 保於(8) やすお / 保彦(9) やすひこ
9 昴 (人)	ボウ すばる		秋を代表する星座、六連星。宇宙のロマンを感じさせる名前になる	希(7)昴 きぼう / 輝(15)昴 きぼう / 昴 すばる / 昴琉(11) すばる / 昴瑠(14) すばる
9 柾 (人)	まさ	まさき	まっすぐな木目。りりしく、のびのびと成長する姿の象徴にも	柾志(7) まさし / 柾直(8) まさなお / 柾流(10) まさる / 行(6)柾 ゆきまさ / 義(13)柾 よしまさ
9 耶 (人)	ヤ	か	感情を表す助詞。存在感のある字体で、エキゾチックな印象も	心(4)耶 しんや / 星(9)耶 せいや / 友(4)耶 ともや / 耶一(1) やいち / 力(2)耶 りきや
9 勇	ユウ いさむ	いさ いさお いさみ たけ はや よ	心からわき出る力を示す。心身ともにたくましく健康的なイメージ	勇深(11) いさみ / 勇 いさむ / 勇武(8) いさむ / 勇吾(7) ゆうご / 勇平(5) ゆうへい

★新人名漢字

画数・漢字	音訓	名乗り	おもな意味	名前例
人 9 柚	ユウ ジク ゆず	ゆ	柚子。芳香が邪気をはらうとされる。清く正しく、さわやかな印象	柚太朗 4 10 ゆうたろう 柚也 3 ゆうや 柚莉 10 ゆうり 柚紀 9 ゆずき 柚瑠 14 ゆずる
人 9 祐	ユウ たすける	すけ たすく ゆ よし	天の助け。福、幸い。生まれつき徳をもった子にも通じる	康祐 11 こうすけ 祐司 5 ゆうじ 祐次 6 ゆうじ 祐介 4 ゆうすけ 祐太 4 ゆうた
人 9 宥	ユウ ゆるす	すけ ひろ	もとは広い家を表す。人を受け入れる、大きな度量を誇る人に	宥晃 10 ひろあき 宥輝 15 ゆうき 宥治 8 ゆうじ 宥太 4 ゆうた 宥登 12 ゆうと
9 洋	ヨウ	うみ なみ ひろ ひろし み よみ	大海。広く大きいさま。スケールの大きさを感じさせる、爽快な字	幸洋 8 こうよう 太洋 4 たいよう 洋輝 15 ひろき 洋一 1 よういち 洋平 5 ようへい
9 要	ヨウ いる	かなめ しの とし もとむ やす	肝心なところ。いざというとき頼りになる、リーダーシップを期待して	要 かなめ 要一 1 よういち 要治 8 ようじ 要祐 9 ようすけ 要平 5 ようへい
9 律	リツ リチ	おと ただし ただす なが のり みち	もとは一筋の道。自らを律する精神力を備えた、一途な努力家に	和律 8 かずのり 律道 12 のりみち 律紀 9 りつき 律斗 4 りつと 律也 3 りつや
9 柳	リュウ やなぎ		優れた柔軟性をもって困難もやり過ごす、自然体の強さを期待して	飛柳 9 ひりゅう 柳一 1 りゅういち 柳紀 9 りゅうき 柳吾 7 りゅうご 柳平 5 りゅうへい
人 9 亮	リョウ あきらか	あき あきら かつ すけ とおる よし	はっきりしている。真実。助ける。明るく涼しげなイメージをもつ	敬亮 12 けいすけ 亮栄 9 りょうえい 亮貴 12 りょうき 亮介 4 りょうすけ 亮太 4 りょうた
人 9 玲	レイ	あきら たま れ	透き通った宝玉。光り輝くさま。清らかに澄んだ心を象徴する	玲一 1 れいいち 玲児 7 れいじ 玲太 4 れいた 玲人 2 れいと 玲於奈 8 8 れおな
9 郎	ロウ	お	男子の美称、特に清らかな特性を示す。伝統を感じさせる名前に	悟郎 10 ごろう 士郎 3 しろう 健郎 11 たけお 汰郎 7 たろう 禄郎 12 ろくろう

画数・漢字	音訓	名乗り	おもな意味	名前例
人★ 10 挨	アイ		そばに近寄ることから、挨拶の意味へ。礼節の基本精神を表す字	挨一郎(1・9) あいいちろう 挨児(7) あいじ 挨斗(4) あいと 挨羅(19) あいら 挨流(10) あいる
人 10 晏	アン おそい	おさ さだ やす はる	静かに落ちついている様子を表す。安心感を与える名前に	晏吾(7) あんご 晏治(8) あんじ 慈晏(13) じあん 寿晏(7) じゅあん 如晏(6) じょあん
10 悦	エツ	のぶ よし	喜ぶ、楽しむ。前向きに喜びを見つけ、人と分かち合える子に	悦史(5) えつし 悦朗(10) えつろう 晃悦(10) こうえつ 法悦(8) のりよし 悦成(6) よしなり
10 桜	オウ さくら	お	春を代表する日本の国花。愛国心や国際感覚を意識した名前になる	桜雅(13) おうが 桜樹(16) おうき 桜次郎(6・9) おうじろう 桜太(4) おうた 桜也(3) おうや
10 夏	カ ゲ なつ		大きい、盛んという意味も。元気で躍動的なイメージが好まれる	夏維(14) かい 夏一郎(1・9) かいちろう 夏男(7) なつお 夏輝(15) なつき 夏斗(4) なつと
人★ 10 峨	ガ	たか たかし	雄大な山の厳しさにあやかり、毅然たる態度を備えた大人物に	峨唯(11) がい 峨以亜(5・7) がいあ 峨久登(3・12) がくと 峨門(8) がもん 太峨(4) たいが
人★ 10 桧	カイ ひのき		高級建築材として重宝される。きりりとした和風の香りが漂う字	桧 かい 桧一郎(1・9) かいいちろう 桧斗(4) かいと 桧哉(9) かいや 桧琉(11) かいる
10 格	カク コウ	いたる きわめ ただ ただし のり まさ	法則。正す。人が芯にもつ本質も示す。まじめで礼儀正しい子に	格 いたる 格之慎(3・13) かくのしん 格一(1) こういち 格介(4) こうすけ 格太郎(4・9) こうたろう
人 10 莞	カン い		もとは丸い管状の草。まろやか。穏やかで素直な性質に通じる	莞一(1) かんいち 莞吾(7) かんご 莞治(8) かんじ 莞祐(9) かんすけ 莞太郎(4・9) かんたろう
人 10 栞	カン しおり	しお	手引き。文学的、芸術的な雰囲気が漂う、個性的な名前に	栞 かん 栞一(1) かんいち 栞吾(7) かんご 栞汰(7) かんた 栞平(5) かんぺい

★新人名漢字

画数・漢字	音訓	名乗り	おもな意味	名前例
10 起	キ おきる おこる おこす	おき かず たつ ゆき	始める。先駆者、開拓者を思わせる字。先見の明と行動力を期待	泰起(10) たいき / 大起(3) だいき / 匡起(6) まさき / 雄起(12) ゆうき / 由起夫(5・4) ゆきお
10 記	キ しるす	とし なり のり ふさ よし	書き留める。文才に恵まれた、清潔感あふれる好人物にと願って	記一(1) きいち / 光記(6) こうき / 記雄(12) のりお / 記彦(9) のりひこ / 英記(8) ひでき
人★ 10 桔	キツ ケツ		桔梗。自然の中で花咲く強さと、りりしい和風の美しさをもつ	桔太郎(4・9) きちたろう / 桔弥(8) きちや / 桔哉(9) きちや / 桔平(5) きっぺい / 康桔(11) こうきち
人 10 赳	キュウ	たけ たけし つよし	もとは力強く進むこと。困難にくじけない、勇敢な姿勢を思わせる	赳太郎(4・9) きゅうたろう / 赳馬(10) きゅうま / 赳 たけし / 赳大(3) たけひろ / 赳流(10) たける
人★ 10 笈	キュウ キョウ ソウ おい		書物などを背負う箱。実直で勤勉なイメージと、落ちつきの漂う字	亜笈(7) あおい / 笈太郎(4・9) きゅうたろう / 笈吾(7) きょうご / 笈平(5) きょうへい / 笈也(3) そうや
10 恭	キョウ うやうやしい	すみ たか ただ みつ やす やすし	敬う、慎む。人に敬意を払い、自身を冷静に省みる謙虚な人に	羽恭(6) うきょう / 恭一(1) きょういち / 恭太郎(4・9) きょうたろう / 恭平(5) きょうへい / 恭仁(4) やすひと
人 10 矩	ク さしがね のり	かど かね ただし ただす つね のり	曲尺。規準。道徳心に富んだ、人の間違いも正していける子に	克矩(7) かつのり / 汰矩実(7・8) たくみ / 忠矩(8) ただのり / 矩和(8) のりかず / 玲矩(9) れいく
10 恵	ケイ エ めぐむ	あや さと しげ めぐみ やす よし	人間の根本的な優しさを示し、思いやりに満ちたイメージをもつ	恵一(1) けいいち / 恵吾(7) けいご / 恵介(4) けいすけ / 恵佑(7) けいすけ / 恵太(4) けいた
人 10 桂	ケイ かつら	かつ よし	中国の伝説で、月にある木。格調高く、落ちついた印象の名前に	桂一(1) けいいち / 桂一郎(1・9) けいいちろう / 桂治(8) けいじ / 桂汰(7) けいた / 桂斗(4) けいと
10 兼	ケン かねる	かず かた かぬ かね とも	2つのものを併せもつこと。いっしょに。多才さと協調性に通じる	兼一(1) けんいち / 兼好(6) けんこう / 兼作(7) けんさく / 兼介(4) けんすけ / 兼太(4) けんた

画数・漢字	音訓	名乗り	おもな意味	名前例
10 人 拳	ケン ゲン こぶし	かたし つとむ	こぶし。素手の意味から根本的な強さを表す。男らしい印象に	拳 けん 拳起 10 げんき 拳吾 7 けんご 拳助 7 けんすけ 拳太郎 4 9 けんたろう
10 剣	ケン つるぎ	あきら つとむ	両刃のまっすぐな刀。武具として力を、輝きから高い精神性を示す	剣一 1 けんいち 剣介 4 けんすけ 剣太 4 けんた 剣斗 4 けんと 剣矢 5 けんや
10 悟	ゴ さとる	さと さとし のり	会得する。心のうちで明らかにすること。聡明なイメージのある字	悟朗 10 ごろう 悟志 7 さとし 悟流 10 さとる 翔 12 悟 しょうご 大 3 悟 だいご
10 航	コウ	かず つら わたる	海や空を行く。広い世界を知り、器の大きな子となるよう願って	航希 7 こうき 航而 6★ こうじ 航生 5 こうせい 航明 8 こうめい 勇 9 航 ゆうこう
10 人 晃	コウ あきらか	あき あきら てる ひかり ひかる みつ	光る、輝く。いつも陽気で朗らかな、だれからも好かれる子に	栄 9 晃 えいこう 晃吉 6 こうきち 晃平 5 こうへい 晃矢 5 こうや 広 5 晃 ひろあき
10 人★ 晄	コウ あきらか	あき あきら てる ひかり みつ	光が四方に広がるさま。才能や魅力など、多くのよい要素に通じる	晄大 3 あきひろ 晄亮 9 こうすけ 晄太 4 こうた 晄平 5 こうへい 晄久 3 てるひさ
10 人 浩	コウ おおきい ひろい	いさむ はる ひろ ひろし ゆたか	多い、豊か。おおらかな心の持ち主に成長するよう、願いを込めて	浩毅 15 こうき 浩作 7 こうさく 隆 11 浩 たかひろ 浩志 7 ひろし 浩昌 8 ひろまさ
10 貢	コウ ク みつぐ	すすむ つぐ みつ みつぎ	捧げる、すすめる。慈しみの心にも通じる、スマートな印象の字	貢一郎 1 9 こういちろう 貢介 4 こうすけ 貢太 4 こうた 貢 みつぐ 貢彦 9 みつひこ
10 人 倖	コウ さいわい	さ さち ゆき	古風な雰囲気を備えた字。多くの愛情に恵まれる好人物に	倖一 1 こういち 倖史 5 こうし 倖大 3 こうだい 倖明 8 こうめい 倖雄 12 さちお
10 高	コウ たかい たか たかまる たかめる	あきら うえ すけ たかし たけ	優れている、立派な。上昇志向に満ちた、雄々しさを感じさせる	高毅 15 こうき 高平 5 こうへい 高明 8 たかあき 高矢 5 たかや 正 5 高 まさたか

★新人名漢字

画数・漢字	音訓	名乗り	おもな意味	名前例
10 耕	コウ たがやす	おさむ つとむ やす	努める、励む。物事の土台を大切に、懸命な努力を重ねる意味も	耕貴12 こうき / 耕朔10 こうさく / 耕助7 こうすけ / 耕太4 こうた / 晴12耕 せいこう
人 10 紘	コウ ひも	つな ひろ ひろし ゆたか	つなぐ。大きい。果てしなく続くことを表す、縁起のよい字	紘一1 こういち / 紘朔10 こうさく / 紘盛11 こうせい / 紘樹16 ひろき / 紘也3 ひろや
10 剛	ゴウ	かた たかし たけし つよし	鍛えられた刃物から。果敢、強い意志など男らしさの象徴にも	剛毅15 ごうき / 剛留10 ごうる / 剛 つよし / 剛志7 つよし / 勇9剛 ゆうごう
人 10 紗	サ シャ うすぎぬ	すず たえ	しなやかな強さと繊細な感性を備えた、気品を感じさせる名前に	逸11紗 いっさ / 一1紗 かずさ / 紗季8雄12 さきお / 紗門8 さもん / 真10紗彦9 まさひこ
10 索	サク	もと	綱。求める。強い探究心をもち、自分の信じる道を着実に歩む子に	耕10索 こうさく / 索治8 さくじ / 索太4郎9 さくたろう / 索哉9 さくや / 勇9索 ゆうさく
人 10 朔	サク ついたち	きた はじめ もと	ついたち。月が一周して元の位置に戻ったさま。ロマンを秘めた字	健11朔 けんさく / 朔太4郎9 さくたろう / 心4朔 しんさく / 大3朔 だいさく / 祐9朔 ゆうさく
10 時	ジ とき	これ ちか はる ゆき よし より	適当な時機。季節。未来へと続く無限の可能性を感じさせる字	晃10時 こうじ / 沙7時 さとき / 時央5 ときお / 時哉9 ときや / 悠11時 ゆうじ
10 修	シュウ シュ おさめる おさまる	あつむ おさ おさむ のり まさ やす	目標に向かってまじめに努力できる、向上心に富んだ子にと願って	修武8 おさむ / 修一1 しゅういち / 修吾7 しゅうご / 修造10 しゅうぞう / 修兵7 しゅうへい
人 10 隼	シュン ジュン はやぶさ	とし はや はやし はやと	鋭さを感じさせる字で、勇猛で機敏な人のたとえにも用いられる	隼 しゅん / 隼一1郎9 じゅんいちろう / 隼太4郎9 しゅんたろう / 隼矢5 しゅんや / 隼人2 はやと
人 10 峻	シュン スン たかい きびしい	たか たかし ちか とし みち みね	そびえ立つ山に似て、一目置かれる超然とした大人物のイメージに	峻一1 しゅんいち / 峻吾7 しゅんご / 峻介4 しゅんすけ / 峻太4郎9 しゅんたろう / 仲7峻 のぶとし

画数・漢字	音訓	名乗り	おもな意味	名前例
10 純	ジュン	あつ きよし すなお すみ まこと よし	穏やかな人柄で周囲に惑わされない、清く澄んだ心の持ち主に	純一（1）じゅんいち 純治（8）じゅんじ 純平（5）じゅんぺい 純哉（9）じゅんや 真（10）純 ますみ
10 祥	ショウ	あきら さき さち ただ やす よし	喜びの兆しなども意味する、縁起のよい字。優雅な印象の名前に	祥一（1）しょういち 祥吾（7）しょうご 祥太（4）しょうた 祥太郎（4・9）しょうたろう 祥馬（10）しょうま
10 将	ショウ	すけ すすむ ただし まさ もち ゆき	率いる。助ける。決断力や行動力にあふれた、リーダー格の子に	将司（5）しょうじ 将介（4）しょうすけ 大（3）将 ひろまさ 将夫（4）まさお 将人（2）まさと
人 10 秦	シン ジン	はた	もとは生長が早い植物を表す。中国の偉大な王朝名として有名	秦一（1）しんいち 秦吾（7）しんご 秦輔（14）しんすけ 秦太郎（4・9）しんたろう 秦矢（5）しんや
人 10 晋	シン すすむ	あき くに ゆき	2本の矢が進む様子から、勢いを秘める字。前向きで積極的な子に	晋次（6）しんじ 晋輔（14）しんすけ 晋太郎（4・9）しんたろう 晋哉（9）しんや 晋 すすむ
10 真	シン ま	さだ さね ただ なお まこと まさ	本物、純粋な。正しい、立派な。あらゆる肯定的な意味に満ちた字	真一（1）しんいち 真吾（7）しんご 真作（7）しんさく 拓（8）真 たくま 涼（11）真 りょうま
人★ 10 訊	ジン シン シュン たずねる とう		たずねる、問いただす。どんな状況下でも正義感を貫ける子に	訊一（1）しんいち 訊吾（7）しんご 訊朔（10）しんさく 訊太郎（4・9）しんたろう 訊吾（7）とうご
10 粋	スイ	きよ ただ	混じりけがない。さっぱりした気立てを表す、風流と称される字	粋志（7）きよし 粋人（2）きよと 粋信（9）きよのぶ 粋晴（12）きよはる 粋彦（9）きよひこ
人★ 10 閃	セン ひらめく	さま ひかる みつ	刹那のきらめきは、集約された強い力そのもの。鋭い感性も期待	閃一（1）せんいち 閃太郎（4・9）せんたろう 閃斗（4）せんと 閃之介（3・4）せんのすけ 閃也（3）せんや
10 素	ソ ス	しろ しろし すなお はじめ もと	ありのまま。素直で飾らない、まっすぐな心の持ち主にと願って	素 すなお 素直（8）すなお 素羅（19）そら 素雄（12）もとお 素彦（9）もとひこ

★新人名漢字

名前例	おもな意味	名乗り	音訓	画数・漢字
耕(10)造 こうぞう 信(9)造 しんぞう 創(12)造 そうぞう 泰(10)造 たいぞう 勇(9)造 ゆうぞう	物事を仕上げる。至り極める。優れた創造力と責任感を備えた子に	いたる き なり み はじめ	ゾウ つくる	10 造
泰我(7) たいが 泰介(4) たいすけ 泰平(5) たいへい 泰男(7) やすお 泰彦(9) やすひこ	大きい、広い。ゆったりと、何事にも動じない大人物を思わせる	とおる ひろ ひろし やす やすし よし	タイ	10 泰
啄 たく 啄於(8) たくお 啄斗(4) たくと 啄馬(10) たくま 啄巳(3) たくみ	つつく。こつこつと力を積み重ね、目標を達成するさまに通じる		タク ついばむ	人 10 啄
致 いたる 致流(10) いたる 致羽(6)矢(5) ちはや 致平(5) ちへい 那(7)致 なち	場所や時間、奥底など目標に届くさまを示す、成功を期待させる字	いたる おき とも むね ゆき よし	チ いたす	10 致
通吾(7) とおご 通留(10) とおる 尚(8)通 なおゆき 通雄(12) みちお 通彦(9) みちひこ	常に前進しようと努力を怠らない、筋道の通った言動のできる子に	とお なお みち ひらく ゆき	ツウ ツ とおる とおす かよう	10 通
挺次(6) ちょうじ 挺太(4) ちょうた 挺一(1) ていいち 挺一(1)郎(9) ていいちろう 挺吾(7) ていご	ぬきんでる。傑出した能力に加え、ひたむきな心のあり方も示す字	ただ なお もち	テイ チョウ ジョウ ぬきんでる ぬく	人 ★ 10 挺
虎(8)哲 こてつ 哲 さとる 哲慈(13) てつじ 哲矢(5) てつや 哲朗(10) てつろう	賢い。深い見識を誇り、人のために活躍できる裁量のある人に	あき あきら さとし さとる のり よし	テツ	10 哲
威(9)展 たけのぶ 展馬(10) てんま 展明(8) のぶあき 展博(12) のぶひろ 展人(2) ひろと	発達、成長するといった、未来への広がりを感じさせる字	のぶ ひろ	テン	10 展
透一(1) とういち 透吾(7) とうご 透留(10) とうる 透 とおる 光(6)透 みつゆき	純粋で、けがれのない心を象徴する、きれいなイメージの字	すき とおる ゆき	トウ すく すかす すける	10 透
興(16)桐 おきひさ 桐矢(5) きりや 桐悟(10) とうご 桐樹(16) ひさき 由(5)桐 よしとう	まっすぐな木目が、実直なイメージに。和風のりりしさをもつ字	ひさ	トウ ドウ きり	人 10 桐

画数・漢字	音訓	名乗り	おもな意味	名前例
10 桃	トウ もも		花、実、種子とも古来活用される果樹。人から親しまれる子に	桃一郎（1・9）とういちろう 桃騎（18）とうき 桃吾（7）とうご 桃哉（9）とうや 桃太郎（4・9）ももたろう
10 能	ノウ	たか とう のり むね やす よし	できる。期待や信頼に応えて力を発揮するような、底力のある子に	能亜（7）のあ 実能（8）みのり 能明（8）よしあき 能彦（9）よしひこ 能寛（13）よしひろ
10 馬	バ うま ま	たけし め	サラブレッドの颯爽としたイメージから、生き生きと快活な子に	郁馬（9）いくま 琢馬（11）たくま 飛雄馬（9・12）ひゅうま 雄馬（12）ゆうま 龍馬（16）りょうま
10 敏	ビン	あきら さと さとし とし ゆき よし	すばやい。何事も手際よくこなしていく才知を期待して	敏騎（18）としき 敏彦（9）としひこ 敏幸（8）としゆき 敏郎（9）としろう 呂敏（7）ろびん
10 勉	ベン	いさ かつ すすむ たけ つとむ ます	コツコツと努力を積み重ね、大きな成果に恵まれるように願って	勉俊（9）かつとし 勉彦（9）かつひこ 勉雄（12）たけお 勉 つとむ 勉夢（13）つとむ
人★ 10 峯	ホウ みね	お たか たかし ね	厳しさと優しさを兼ね備えた大自然のイメージが、大成に通じる	志峯（7）しほう 高峯（10）たかみね 峯輝（15）みねき 峯斗（4）みねと 峯也（3）みねや
10 峰	ホウ みね	たか たかし ね	悠然とそびえ立つ姿にあやかり、厳しく優しい、懐の深い大人物に	峰雄（12）たかお 峰志（7）たかし 峰男（7）みねお 峰登（12）みねと 峰彦（9）みねひこ
10 容	ヨウ	おさ ひろ ひろし まさ やす よし	もとは大きな家を示す。人を受け入れる度量と、広い心の持ち主に	晃容（10）あきひろ 容一（1）よういち 容輔（14）ようすけ 容太郎（4・9）ようたろう 容平（5）ようへい
人 10 莉	リ	まり	茉莉、ジャスミン。芳香のように人を和ませる好漢にと願って	魁莉（14）かいり 真莉央（10・5）まりお 悠莉（11）ゆうり 莉一（1）りいち 莉丞（6）りすけ
人★ 10 浬	リ かいり のっと		海上の距離単位、海里。雄大なスケールと、旅情を感じさせる字	浬 かいり 魁浬（14）かいり 勇浬（9）ゆうり 浬輝（15）りき 浬玖斗（7・4）りくと

★新人名漢字

画数・漢字	音訓	名乗り	おもな意味	名前例
10 人★ 哩	リ マイル		強い意志を胸に旅するような、希望に満ちた若者をイメージさせる	優(17)哩 ゆうり / 哩一(1) りいち / 哩貴(12)也(3) りきや / 哩玖(7) りく / 哩純(10) りずむ
10 竜	リュウ たつ	かみ とおる めぐむ りょう	英雄豪傑、優れた人のたとえ。勇ましく雄々しい印象の名前に	竜紀(9) たつのり / 竜也(3) たつや / 竜毅(15) りゅうき / 竜之(3)介(4) りゅうのすけ / 竜平(5) りゅうへい
10 留	リュウ ル とめる とまる	と とめ ひさ	久しい、緩やかといった意味ももつ。穏やかな安定感を与える字	光(6)留 ひかる / 飛(9)留 ひりゅう / 雅(13)留 まさる / 留吾(7) りゅうご / 留珂(9★) るか
10 流	リュウ ル ながれる ながす	しく とも はる	長く延び広がる意味を含む。光や動きに満ち、清涼感を思わせる字	魁(14)流 かいる / 乃(2)流 ないる / 流雅(13) りゅうが / 流斗(4) りゅうと / 流磨(16) りゅうま
10 人 凌	リョウ しのぐ		困難を乗り越える。優位に立つ。心身ともに強靭であるよう願って	凌 りょう / 凌介(4) りょうすけ / 凌太(4)郎(9) りょうたろう / 凌斗(4) りょうと / 凌平(5) りょうへい
10 倫	リン	おさむ とし とも のり みち もと	秩序。人の道。人を敬い、道徳を重んじる高潔な精神を備えた人に	裕(12)倫 ひろみち / 正(5)倫 まさみち / 真(10)倫 まりん / 倫彦(9) みちひこ / 倫太(4)朗(10) りんたろう
10 連	レン つらなる つらねる つれる	つぎ つら まさ やす	続く。仲間。人との関わり合いを表す字で、個性的な名前になる	連之(3) つらゆき / 連 れん / 連汰(7) れんた / 連太(4)郎(9) れんたろう / 連哉(9) れんや
10 浪	ロウ	なみ	水の流れるさま。清らかで自由な精神性にも通じる。古風な印象も	悦(10)浪 えつろう / 竜(10)浪 たつろう / 浪夫(4) なみお / 浪輝(15) なみき / 浪彦(9) なみひこ
10 人★ 狼	ロウ おおかみ		冷静で敏捷、勇猛なたとえともされ、クールな新感覚の名前に	一(1)狼 いちろう / 狼 うるふ / 士(3)狼 しろう / 征(8)志(7)狼 せいしろう / 天(4)狼 てんろう
10 朗	ロウ ほがらか	あき あきら お さえ とき ほがら	すっきりと晴れた空のように、さわやかで快活な男の子のイメージ	朗紀(9) あきのり / 朗 あきら / 吾(7)朗 ごろう / 裕(12)太(4)朗 ゆうたろう / 亮(9)太(4)朗 りょうたろう

画数・漢字	音訓	名乗り	おもな意味	名前例
人★ 11 庵	アン オウ いおり	いお	文人、茶人の雅号にも用いられる、日本文化の粋を感じさせる字	庵悟10 あんご 唯11庵 いあん 庵 いおり 庵理11 いおり 頼16庵 らいあん
人 11 惟	イ ユイ おもう これ	あり ただ のぶ よし	よく考える。分別があり、自らの考えをもって行動できる子に	珈9★惟 かい 惟彦9 ただひこ 惟文4 ただふみ 惟我7 ゆいが 惟人2 ゆいと
11 逸	イツ	すぐる とし はや まさ ます やす	速い。するりと抜け出る。枠を超え、傑出している様子も表す	逸輝15 いつき 逸平5 いっぺい 逸巳3 いつみ 逸 すぐる 逸太4 はやた
人★ 11 凰	オウ コウ おおとり		神の使いとされる鳥、鳳凰。格調高く、縁起のよい名前に	凰一1郎9 おういちろう 凰輝15 こうき 凰志7 こうし 凰児7 こうじ 凰亮9 こうすけ
11 乾	カン かわく かわかす	いぬい かみ けん すすむ たけし つとむ	もとは太陽が高く昇る様子。明るい天から、強さや剛健さに通じる	乾一1 かんいち 乾介4 かんすけ 乾平5 かんぺい 乾太4郎9 けんたろう 乾斗4 けんと
人★ 11 菅	カン ケン かや すげ	すが	柔軟でありつつ強い植物の力にあやかり、芯の強い子にと願って	菅 かん 菅一1 かんいち 菅悟10 かんご 菅祐9 かんすけ 菅太4 かんた
11 規	キ	ただ ちか なり のり み もと	決まり。正す。年少者の模範となる、優れた指導力を備えた先達に	淳11規 あつき 只5規 ただちか 智12規 ともみ 巳3規哉9 みきや 元4規 もとのり
人★ 11 埼	キ さき	ぎ さい	海や湖を望む岬。風を受けて悠然と立つ、雄々しい大器を思わせる	埼一1 きいち 埼一1郎9 きいちろう 埼琉11 きりゅう 埼汰7郎9 さいたろう 真10埼 まさき
11 基	キ もと もとい	のり はじむ はじめ	土台。日々の積み重ねを大切にする、堅実な努力家のイメージ	直8基 なおき 基央5 もとお 基起10 もとき 基彦9 もとひこ 龍16基 りゅうき
11 菊	キク	あき ひ	華やかさと落ちつきを併せもつ、和風情趣に満ちた名前に	菊彦9 あきひこ 菊之3丈3 きくのじょう 菊乃2助7 きくのすけ 菊也3 きくや 菊哉9 きくや

★新人名漢字

画数・漢字	音訓	名乗り	おもな意味	名前例
11 球	キュウ たま	まり	丸い美玉。欠けるところのない形から、完璧や安定のたとえにも	威球 9 いまり 球児 7 きゅうじ 球人 2 きゅうと 球緒 14 たまお 璃球 15 りきゅう
11 教	キョウ おしえる おそわる	かず かた たか のり みち ゆき	向上心をもち、得た知識を人にも分け与えられる、大人物にと願って	教悟 10 きょうご 教介 4 きょうすけ 教太郎 4 9 きょうたろう 教一 1 のりかず 秀教 7 ひでのり
11 郷	キョウ ゴウ	あき あきら さと のり	ノスタルジックな雰囲気をもつ字。郷土愛を忘れない人にと願って	郷一 1 きょういち 郷介 4 きょうすけ 郷平 5 きょうへい 郷太 4 ごうた 郷士 3 さとし
11 強	キョウ ゴウ つよい つよまる つよめる しいる	あつ かつ こわ たけ つとむ つよし	肉体的、能力など、あらゆる分野で力があるさまを表す	強一郎 1 9 きょういちろう 強平 5 きょうへい 強毅 15 ごうき 強司 5 たけし 強志 7 つよし
人 11 菫	キン ギン すみれ		広く親しまれる花。高貴な色名でもあり、文学的な印象の名前に	菫一 1 きんいち 菫雅 13 ぎんが 菫吾 7 きんご 菫而 6★ ぎんじ 菫哉 9 きんや
11 啓	ケイ	あき さとし のり ひろ ひろし ひろむ	指導する意味をもつ。後進から慕われる知性と人柄とを望んで	啓一 1 けいいち 啓士 3 けいし 啓助 7 けいすけ 啓斗 4 けいと 啓成 6 ひろなり
11 渓	ケイ	たに	谷川。涼やかなイメージをもつ字。水の流れは、豊かさにも通じる	渓胡 9 けいご 渓治 8 けいじ 渓介 4 けいすけ 渓汰 7 けいた 渓斗 4 けいと
11 経	ケイ キョウ へる	おさむ つね のぶ のり ふる	筋道、道理。まっすぐで、ひたむきな心の持ち主に育つように	経一 1 けいいち 経悟 10 けいご 経志 7 けいし 経介 4 けいすけ 経弥 8 つねや
11 蛍	ケイ ほたる		夏の景物として古来愛され、勤勉さや真摯な生き方を象徴する	蛍一郎 1 9 けいいちろう 蛍吾 7 けいご 蛍二郎 2 9 けいじろう 蛍汰 7 けいた 蛍 ほたる
11 健	ケン すこやか	かつ たけ たけし つよ とし やす	元気で明るい男の子のイメージと直接結びつく、好感度の高い字	健一 1 けんいち 健吾 7 けんご 健作 7 けんさく 健太 4 けんた 健哉 9 けんや

名前例	おもな意味	名乗り	音訓	画数・漢字
牽一(1) けんいち 牽汰(7) けんた 牽太郎(4・9) けんたろう 牽人(2) けんと 牽也(3) けんや	前方へ引く。多くの人を魅了し、正しく導くリーダーシップを期待	くる とき とし ひき ひた	ケン ひく	人★ 11 牽
珂絃(9★) かいと 絃一郎(1・9) げんいちろう 絃希(7) げんき 絃太(4) げんた 絃哉(9) げんや	楽器の糸、弦。ぴんと張り詰めたりりしさと、優美さを併せもつ	お つる ふさ	ゲン いと	人 11 絃
舷 げん 舷起(10) げんき 舷児(7) けんじ 舷汰(7) げんた 舷也(3) けんや	船のへり。水の流れに沿うような、自然体の魅力を備えた人に		ゲン ケン ふなばた	人★ 11 舷
梧市(5) ごいち 梧郎(9) ごろう 慎梧(13) しんご 大梧(3) だいご 悠梧(11) ゆうご	青桐、家具や琴の材となる。しっかりと安定したイメージをもつ字		ゴ あおぎり	人 11 梧
康士郎(3・9) こうしろう 康介(4) こうすけ 康平(5) こうへい 康夫(4) やすお 康志(7) やすし	健やか。安定した様子を表す字。落ちついた印象の名前になる	しず ひろ みち やす やすし よし	コウ	11 康
皐士(3) こうし 皐祐 こうすけ 皐太(4) こうた 皐大(3) こうだい 皐 さつき	沢、岸。もとは白い光の差す台地。明るい、高い、広がる意味も	さつき すすむ たか	コウ	人 11 皐
梗介(4) きょうすけ 梗太(4) きょうた 梗平(5) きょうへい 梗一(1) こういち 梗太郎(4・9) こうたろう	芯が硬いこと。強い信念に支えられた偉丈夫のイメージを秘めた字	たけし つよし なお	コウ キョウ	人★ 11 梗
彩人(2) あやと 彩彦(9) あやひこ 彩一(1) さいいち 彩治(8) さいじ 彩太郎(4・9) さいたろう	広く才能を示し、多くの人を引きつける魅力的な人物を思わせる	あや いろ さ たみ	サイ いろどる	11 彩
砦一(1) さいいち 砦治(8) さいじ 砦星(9) さいせい 砦太郎(4・9) さいたろう 砦登(12) さいと	大切なものを守るために築く、基本となる要素を示す。堅実な子に		サイ とりで	人★ 11 砦
梓 あずさ 一梓 かずし 光梓(6) こうし 梓郎(9) しろう 匡梓(6) まさし	建築木工材として重宝される樹木。極めて有能な人材に通じる		シ あずさ	人 11 梓

★新人名漢字

漢字から考える

11画

画数・漢字	音訓	名乗り	おもな意味	名前例
11 授	ジュ さずける さずかる	さずく	人に多くのものを与え、また得られるものも多い子にと願って	授 さずく 授庵★ じゅあん 授一 じゅいち 授礼 じゅらい 泰授 たいじゅ
11 習	シュウ ならう	しげ	何度も繰り返して身につけること。継続は力なり、を表す字	習一郎 しゅういちろう 習朔 しゅうさく 習慈 しゅうじ 習杜 しゅうと 習平 しゅうへい
11 人 脩	シュウ ユウ ほじし ながい	おさむ すけ なお のぶ はる もろ	整える、正す。古風な字体が、勤勉な努力家の姿をイメージさせる	脩一 しゅういち 脩吾 しゅうご 脩平 しゅうへい 脩貴 ゆうき 脩哉 ゆうや
11 淑	シュク	きよ きよし すえ すみ とし よし	澄んだ水の様子から、善良の意味に。清廉な心をもつよう願って	正淑 まさとし 淑明 よしあき 淑克 よしかつ 淑輝 よしき 淑彦 よしひこ
11 人 淳	ジュン すなお	あつ あつし きよ きよし ただし まこと	情に厚いこと。豊か。思いやりがあり、人に潤いを与えられる子に	淳 あつし 淳弘 あつひろ 淳一 じゅんいち 淳平 じゅんぺい 淳也 じゅんや
11 人 惇	ジュン トン あつい	あつ あつし すなお とし まこと	どっしりと落ちついているさま。穏やかで誠実な人柄を表す	惇央 あつお 惇士 あつし 惇一 じゅんいち 惇之介 じゅんのすけ 惇哉 としや
11 章	ショウ	あき あきら あや き たか ふみ	明らか。物事の秩序や、節目ごとのけじめを重んじる意味に通じる	章 あきら 章伍 しょうご 隆章 たかあき 啓章 ひろあき 文章 ふみあき
11 渉	ショウ	さだ たか ただ わたり わたる	広く見聞きする。一歩一歩確実に、学びながら進む様子を表す	渉一 しょういち 渉吾 しょうご 渉司 しょうじ 渉太 しょうた 渉 わたる
11 人 捷	ショウ かつ	さとし すぐる とし はや まさる	すみやか。賢い。行動力を伴った意志の強さ、俊敏さを感じさせる	捷也 かつや 捷一 しょういち 捷吾 しょうご 捷真 しょうま 正捷 まさとし
11 人 菖	ショウ しょうぶ	あやめ	菖蒲、芳香があり邪気をはらうとされる。健やかな成長を願って	菖一郎 しょういちろう 菖治 しょうじ 菖介 しょうすけ 菖汰 しょうた 菖平 しょうへい

画数・漢字	音訓	名乗り	おもな意味	名前例
人 11 笙	ショウ ソウ		複数の竹管が響き合って深い音色を奏でる楽器。協調性の象徴にも	笙一 1 しょういち 笙太 4 しょうた 笙吾 7 そうご 笙亮 9 そうすけ 笙平 5 そうへい
11 唱	ショウ となえる	うた となう	もとは明白にものを言うこと。自分の意見をしっかりもった子に	唱哉 9 うたや 唱一 1 しょういち 唱悟 10 しょうご 唱亮 9 しょうすけ 唱太郎 4 9 しょうたろう
11 紳	シン		教養と品格を備えた人。スマートな字体で、しゃれた印象の名前に	紳一郎 1 9 しんいちろう 紳吾 7 しんご 紳作 7 しんさく 紳太朗 4 10 しんたろう 紳也 3 しんや
11 進	シン すすむ すすめる	のぶ みち ゆき	進歩や上達、立身出世を表す字。向上心と自ら進む力とを期待	進一 1 しんいち 進吾 7 しんご 進平 5 しんぺい 進哉 9 しんや 進 すすむ
11 深	シン ふかい ふかまる ふかめる	とお ふか ふかし み	優れている。こまやか。充分。実力と自信を伴う謙虚さを秘める	深治 8 しんじ 深志 7 ふかし 13 雅深 まさみ 13 睦深 むつみ 8 佳深 よしみ
人 11 彗	スイ セイ ケイ エ ほうき	さと さとし	彗星のロマンに満ちたイメージと、スケールの大きさを秘める字	彗路 13 けいじ 彗夢 13 けいむ 彗輝 15 さとき 彗実 8 さとみ 彗映 9 せいえい
11 崇	スウ	かた し そう たか たかし	荘厳な山の姿から、人々に敬われ、信頼される大人物のイメージ	崇 たかし 崇士 3 たかし 崇弘 5 たかひろ 崇雅 13 たかまさ 崇弥 8 たかや
11 清	セイ ショウ きよい きよまる きよめる	きよ きよし さや しん すが すみ	きれいな水のように清廉潔白で、穏やかな人となるよう願って	清志 7 きよし 清晴 12 きよはる 清彦 9 きよひこ 清太郎 4 9 せいたろう 清流 10 せいる
11 盛	セイ ジョウ もる さかる さかん	さかり さかし しげ たけ みつ もり	栄える。何事にも積極的に取り組む、エネルギーを感じさせる字	盛一 1 せいいち 盛司 5 せいじ 盛介 4 せいすけ 10 泰盛 たいせい 盛夫 4 もりお
11 雪	セツ ゆき	きよ きよし きよむ そそぐ	白くきれいな様子から、けがれのない清らかな心の象徴ともされる	雪成 6 きよなり 雪雄 12 ゆきお 雪斗 4 ゆきと 雪彦 9 ゆきひこ 雪矢 5 ゆきや

★新人名漢字

漢字から考える

11画

名前例	おもな意味	名乗り	音訓	画数・漢字
爽輝 15 さわき　爽介 4 そうすけ　爽汰 7 そうた　爽平 5 そうへい　爽哉 9 そうや	すっきりしている。快活でさわやかな、だれからも好かれる子に	あきら さ さや さわ	ソウ さわやか	人 11 爽
曽一 1 そういち　曽吾 7 そうご　曽介 4 そうすけ　曽弥 8 そうや　曽羅 19 そら	増やす。世代が重なる、ひいては子孫繁栄を表す、縁起のよい字	かつ そ つね なり ます	ソウ ゾウ かつて すなわち なんぞ	人★ 11 曽
新舵 13 あらた　瑛舵 12 えいた　舵 かじ　舵斗 4 かじと　佐 7 舵夫 4 さだお	行く手を誤らないように導くもののたとえともなる、奥深い字		ダ タ かじ	人★ 11 舵
琢慈 13 たくじ　琢斗 4 たくと　琢馬 10 たくま　琢巳 3 たくみ　琢朗 10 たくろう	磨く、励む。目標に向かって努力する、強い意志を備えた子に	あや たか みがく	タク	人 11 琢
逞真 10 たくま　逞武 8 たくむ　逞一 1 郎 9 ていいちろう　逞造 10 ていぞう　逞彦 9 ゆきひこ	明るく元気な男の子をイメージさせる字。魁偉となることを願って	たくま とし ゆき ゆた よし	テイ たくましい	人★ 11 逞
星 9 都 せいと　真 10 古 5 都 まこと　雅 13 都 まさくに　光 6 都 みつと　悠 11 都 ゆうと	首府。人や文化が集結する地を表し、華やかな印象を与える	いち くに さと ひろ	ト ツ みやこ	11 都
陶一 1 とういち　陶吾 7 とうご　陶次 6 とうじ　陶益 10 とうます　陶章 11 よしあき	焼きもの。導き教える。打ち解ける。文化的で奥深い意味をもつ	す すえ よし	トウ	11 陶
鎧 18★ 兜 かいと　兜 かぶと　兜呉 7 とうご　兜也 3 とうや　勇 9 兜 ゆうと	大事に臨む心構えなど、精神性にもたとえられる存在感のある字		トウ ト かぶと	人★ 11 兜
萄吉 6 とうきち　萄吾 7 とうご　萄司 5 とうじ　萄真 10 とうま　萄也 3 とうや	葡萄。広く愛される房状の実は、豊かさや子孫繁栄の象徴にも		ドウ トウ	人★ 11 萄
世 5 梛 せな　大 3 梛 だいな　梛沖 7 なおき　梛音 9 なおと　梛也 3 なぎや	もとは、しなやかな木を表す字。神社の境内に多く植えられる		ナ ダ なぎ	人★ 11 梛

画数・漢字	音訓	名乗り	おもな意味	名前例
11 絆 人★	ハン バン きずな ほだし ほだす		人との縁を大切に約束を守り、信頼に応えられる誠実さを願って	絆 きずな／絆須 はんす／絆蔵 はんぞう／絆里 ばんり／誉絆 よはん
11 彪 人	ヒョウ ヒュウ あや	あきら あや たけ たけし つよし とら	鮮やかにうねった虎の縞模様から。俊敏で優雅なイメージをもつ字	彪斗 あやと／彪彦 とらひこ／彪牙 ひゅうが／彪真 ひゅうま／彪悟 ひょうご
11 彬 人	ヒン そなわる	あき あきら あや しげ もり よし	整う。鮮やか。外観と内容が、ともに充実している様子を表す	彬 あきら／彬斗 あやと／斉彬 なりあき／雅彬 まさあき／佳彬 よしあき
11 逢 人★	ホウ あう むかえる	あい	多くの出会いと、豊かな人間関係を願って。雰囲気のある名前に	逢一郎 あいいちろう／逢雅 あいが／逢斗 あいと／逢祐 ほうすけ／逢星 ほうせい
11 望	ボウ モウ のぞむ	のぞみ み もち	願い。名声。夢や希望、ロマンに満ち、多くの可能性を感じさせる	希望 きぼう／望巳 のぞみ／望 のぞむ／望武 のぞむ／望弦 みつる
11 麻	マ あさ	お ぬさ	心身ともに柔軟性に富んだ、自然な強さを感じさせる名前になる	麻杜 あさと／伊玖麻 いくま／麻佐輝 まさき／麻琉久 まるく／勇麻 ゆうま
11 務	ム つとめる	かね ちか つとむ つよ なか みち	励む、働く。何事にもまじめに取り組む、誠実な人柄を期待して	勇務 いさむ／沙務 さむ／務 つとむ／杜務 とむ／広務 ひろむ
11 猛	モウ	たか たけ たけお たけき たけし たける	強い。いざというとき頼りになる、勇猛果敢な豪傑のイメージ	猛晃 たかあき／猛文 たかふみ／猛史 たけし／猛琉 たける／義猛 よしたけ
11 野	ヤ の	とお なお ぬ ひろ	ありのまま。自然と親しみ、のびのび成長する元気な子を思わせる	凱野 がいや／広野 こうや／宏野 こうや／雄野 ゆうや／緑野 ろくや
11 埜 人★	ヤ の	とお なお ひろ	広く延びた野。自由な精神をもち、健やかに育つようにと願って	広埜 こうや／青埜 せいや／拓埜 たくや／柾埜 まさや／埜一 やいち

★新人名漢字

画数・漢字	音訓	名乗り	おもな意味	名前例
11 唯	ユイ イ	ただ	一つ。肯定の意味にも通じる字。魅力的な個性と存在感を期待して	唯司 5 ただし 唯彦 9 ただひこ 唯我 7 ゆいが 唯輝 15 ゆいき 唯悟 10 ゆいご
11 悠	ユウ	ちか ちかし はるか ゆ ひさ ひさし	広大な風景や時の流れを思わせる字。マイペースで大成する子に	悠 はるか 悠一郎 1 9 ゆういちろう 悠我 7 ゆうが 悠而 6★ ゆうじ 悠理 11 ゆうり
11 庸	ヨウ	いさお つね のぶ のり もち やす	変わらない。初志貫徹する強い意志と、平常心をもつよう願って	庸靖 13 つねやす 庸一 1 よういち 庸亮 9 ようすけ 庸太郎 4 9 ようたろう 庸平 5 ようへい
11 理	リ	おさ たか ただ とし まさ みち	道義、悟る、頼もしいという意味ももつ。知性を感じさせる名前に	千理 3 せんり 理士 3 まさし 理寛 13 みちひろ 雄理 12 ゆうり 理央 5 りお
11 陸	リク	あつし たか たかし みち む むつ	丘、大地。生命力に満ちた、スケールの大きさを感じさせる	大陸 3 たいりく 陸海 9 むつみ 陸 りく 陸人 2 りくと 陸也 3 りくや
11 隆	リュウ	お おき たか たかし なが ゆたか	高く盛り上がる。上昇するエネルギーを表す、縁起のよい字	隆志 7 たかし 隆幸 8 たかゆき 隆吾 7 りゅうご 隆斗 4 りゅうと 隆馬 10 りゅうま
11 人★ 笠	リュウ かさ		古風で静かな雰囲気をもつ字で、ゆったりと構える賢人を思わせる	津笠 9 つかさ 笠一 1 りゅういち 笠悟 10 りゅうご 笠星 9 りゅうせい 笠斗 4 りゅうと
11 人 琉	リュウ ル		瑠璃に通じる玉石。きれいな印象の字体で、新感覚の名前になる	琉成 6 りゅうせい 琉太郎 4 9 りゅうたろう 琉之介 3 4 りゅうのすけ 琉平 5 りゅうへい 琉河 8 るか
11 涼	リョウ すずしい すずむ	あつ すけ すず	清い。冷たい水を思わせるさわやかなイメージで、好感度が高い字	涼也 3 すずや 涼耶 9 すずや 涼一 1 りょういち 涼河 8 りょうが 涼太 4 りょうた
11 人★ 梁	リョウ はし はり やな	たかし むね やね	重鎮のたとえにも。架け橋の意味もあり、国際社会での活躍を期待	梁之介 3 4 はしのすけ 梁男 7 むねお 梁太 4 りょうた 梁平 5 りょうへい 梁真 10 りょうま

画数・漢字	音訓	名乗り	おもな意味	名前例
11 菱 人★	リョウ ひし		水草の名。ひし形の実をつける。和風の趣をもつ、詩的な印象の字	菱一 1 りょういち 菱輔 14 りょうすけ 菱汰 7 りょうた 菱磨 16 りょうま 菱哉 9 りょうや
11 崚 人	リョウ		丘。尾根がくっきりと見えるさま。明るく際立った個性を願って	崚一 1 りょういち 崚樹 16 りょうき 崚太郎 4 9 りょうたろう 崚平 5 りょうへい 崚馬 10 りょうま
11 羚 人★	レイ リョウ かもしか		敏捷性や美しさのたとえにも。印象に残りやすい、個性的な名前に	羚一 1 れいいち 羚治 8 れいじ 羚亮 9 れいすけ 羚太 4 れいた 羚也 3 れいや
12 椅 人★	イ	あづさ よし	寄りかかる木。人から寄せられた信頼に応えられる、度量を願って	椅一郎 1 9 いいちろう 椅咲 9 いさき 椅理也 11 3 いりや 佳椅 8 かい 留椅 10 るい
12 偉	イ えらい	いさむ おおい たけ より	優れている。立派な。盛んな。スケールの大きな偉丈夫を思わせる	偉一郎 1 9 いいちろう 偉吹 7 いぶき 偉志 7 たけし 偉彦 9 たけひこ 留偉 10 るい
12 雲	ウン くも	も ゆく	高くはるかなもの。雨とともに、万物を潤す恵みのたとえにも	出雲 5 いずも 雲海 9 うんかい 辰雲 7 たつも 美雲 9 みくも 雲羅琉 19 11 もらる
12 瑛 人	エイ ヨウ	あき あきら え てる	美しく透明な石。純粋な心と、きらりと光る個性を兼ね備えた人に	瑛 あきら 瑛一 1 えいいち 瑛太郎 4 9 えいたろう 貴瑛 12 たかあき 瑛海 9 てるみ
12 詠	エイ よむ	うた え かぬ かね なが	もとは、ゆったりとした声の流れ。詩的で優雅な印象をもつ字	詠哉 9 うたや 詠一 1 えいいち 詠吾 7 えいご 詠治 8 えいじ 詠太 4 えいた
12 温	オン あたたか あたたかい あたたまる あたためる	あつ あつし のどか はる まさ ゆたか よし	人として大切な、寛大さや優しさを表す。だれからも好かれる子に	温臣 7 あつおみ 温 あつし 温彦 9 あつひこ 温寛 13 あつひろ 温郎 9 あつろう
12 賀	ガ	か しげ のり よし より	祝福や祝い事を意味する縁起のよい字で、格調の高い印象に	賀寿雄 7 12 かずお 賀門 8 がもん 大賀 3 たいが 悠賀 11 ゆうが 賀政 9 よしまさ

★新人名漢字

画数・漢字	音訓	名乗り	おもな意味	名前例
人★ 12 堺	カイ さかい		区域。郷土愛に満ち、その発展に役立つ人材となるよう期待して	堺治(8) かいじ 堺登(12) かいと 堺利(7) かいり 諏(15★)堺 すかい 世(5)堺 せかい
12 開	カイ ひらく ひらける あく あける	さく はる はるき	始める。光が差し込むように、明るく開放的な魅力をもつ先駆者に	開 かい 開人(2) かいと 開斗(4) かいと 開哉(9) かいや 開琉(11) かいる
人 12 凱	ガイ カイ かちどき	たのし とき よし	楽しむ。和やかなさま。勝ちどきの意味ももつ、意気揚々とした字	凱 がい 凱亜(7) がいあ 凱斗(4) かいと 沙(7)凱 さとき 凱也(3) ときや
12 覚	カク おぼえる さます さめる	あき あきら さと さとし ただし よし	感知する、記憶する、悟るなど、鋭い感覚や優れた意識を表す字	覚羅(19) かくら 西(6)覚 さいかく 覚志(7) さとし 信(9)覚 のぶあき 良(7)覚 よしあき
人★ 12 葛	カツ くず かずら つづら	かず かつら かど さち つら	秋の七草。人の精神性にも通じる、しなやかで強靭なつるをもつ	葛樹(16) かつき 葛斗(4) かつと 葛紀(9) かつのり 葛彦(9) かつひこ 葛真(10) かつま
12 敢	カン	いさ いさお いさみ いさむ つよし	思いきって何かを行うさま。実力を伴った勇気と行動力を期待して	敢 かん 敢一(1) かんいち 敢治(8) かんじ 敢太(4) かんた 敢平(5) かんぺい
人★ 12 雁	ガン かり		隊列の正確さから礼儀正しさの象徴ともなる渡り鳥。詩情のある字	雁武(8) かりぶ 雁也(3) かりや 雁之(3)亮(9) がんのすけ 日(4)雁 ひかり 飛(9)雁 ひかり
12 揮	キ		ふるう。指揮や書画を描く意味も。芸術分野のリーダーを思わせる	数(13)揮 かずき 揮一(1) きいち 揮英(8) きえい 冬(5)揮 ふゆき 昌(8)揮 まさき
12 幾	キ いく	おき ちか ちかし のり ふさ	近い。兆し。願う。かすか。律儀で知的な印象を与える名前になる	幾雄(12) いくお 幾馬(10) いくま 幾海(9) いくみ 幾郎(9) いくろう 幾一(1)郎(9) きいちろう
人 12 葵	キ ギ あおい	まもる	すっきりとした品格を感じさせる字。徳川家の紋としても知られる	葵 あおい 葵一(1) きいち 葵一(1)郎(9) きいちろう 直(8)葵 なおき 祐(9)葵 ゆうき

画数・漢字	音訓	名乗り	おもな意味	名前例
人 12 稀	キ ケ まれ		めったにないという意味から、存在感のある重鎮を連想させる字	稀一 1 きいち / 恒稀 9 こうき / 俊稀 9 としき / 帆稀 6 ほまれ / 稀介 4 まれすけ
12 貴	キ たっとい とうとい たっとぶ とうとぶ	あつ あて たか たかし たけ よし	重んじる。もとは、ひときわ大きい宝。スマートな気品が漂う	貴一 1 きいち / 貴史 5 たかし / 貴則 9 たかのり / 英貴 8 ひでき / 雄貴 12 ゆうき
12 喜	キ よろこぶ	のぶ はる ひさ ゆき よし	人に喜びをもたらし、楽しみを分かち合える、広い心をもった子に	喜一 1 きいち / 祐喜 9 ゆうき / 由喜也 5 3 ゆきや / 喜樹 16 よしき / 喜之 3 よしゆき
人 12 喬	キョウ たかい	すけ たか たかし もと のぶ	優れている。こずえのしなった高い木も表し、優美な印象をもつ	喬一 1 きょういち / 喬平 5 きょうへい / 喬也 3 きょうや / 喬志 7 たかし / 喬道 12 たかみち
12 暁	ギョウ あかつき	あき あきら あけ さとし とき とし	日の出のイメージから、明るい希望に満ちた様子を思わせる字	暁斗 4 あきと / 暁彦 9 あきひこ / 暁仁 4 あきひと / 暁 あきら / 暁良 7 あきら
人★ 12 堯	ギョウ たかい	あき のり たか たかし	自ら多くの荷物を担いで運ぶ姿から、気高く、崇高な人を示す字	堯明 8 たかあき / 堯彦 9 たかひこ / 堯元 4 たかもと / 信堯 9 のぶあき / 匡堯 6 まさたか
12 極	キョク ゴク きわめる きわまる きわみ	きわむ きわめ なか のり みち むね	頂点。芯となる強い人格も意味する。どっしりと存在感のある字	極 きわむ / 極夢 13 きわむ / 極宇 6 ごくう / 斗極 4 ときわ / 極光 6 のりみつ
人 12 欽	キン コン つつしむ	うや きん こく ただ ひとし まこと	敬い慎む。深い敬意を示す字。礼節を重んじる良識ある人に	欽一 1 きんいち / 欽吾 7 きんご / 欽次 6 きんじ / 欽太 4 きんた / 欽之介 3 4 きんのすけ
12 景	ケイ	あきら あげ かげ ひろ	もとは日光。明るく雄大な風景を連想させる、落ちつきをもった字	景悟 10 けいご / 景史 5 けいし / 景祐 9 けいすけ / 景斗 4 けいと / 義景 13 よしかげ
12 敬	ケイ うやまう	あき たか たかし のり ゆき よし	慎む。人に敬意を払うとともに、人からも敬われる礼儀正しい人に	敬伍 6 けいご / 敬治 8 けいじ / 敬太 4 けいた / 敬 たかし / 敬史 5 たかふみ

★新人名漢字

画数・漢字	音訓	名乗り	おもな意味	名前例
12 人★ 卿	ケイ、キョウ、きみ、かみ	あき、あきら、のり	宰相。多くの人から信頼され、リーダーシップを発揮できるように	右卿（うきょう）5、卿彦（きみひこ）9、卿吾（きょうご）7、卿太（きょうた）4、卿太郎（きょうたろう）4・9
12 結	ケツ、むすぶ、ゆう、ゆわえる	かた、ひとし、ゆ、ゆい	約束する、実るなどのよい関係や結果、決意の固さを意味する	結（ひとし）、結斗（ゆいと）4、結志（ゆうし）7、結太（ゆうた）4、由結（よしかた）5
12 人 絢	ケン、あや	じゅん	彩り。色を織り重ねた美しい柄のように、深みのある魅力を醸す	絢斗（あやと）4、絢彦（あやひこ）9、絢一（けんいち）1、絢介（けんすけ）4、絢太郎（けんたろう）4・9
12 堅	ケン、かたい	かき、かた、かたし、たか、つよし、み	形態が変わらない意味から、丈夫で、充実していることをも示す	堅一（けんいち）1、堅吾（けんご）7、堅太（けんた）4、堅太郎（けんたろう）4・9、堅也（けんや）3
12 人★ 萱	ケン、かや	ただ、まさ	忘れ草、見ると憂いを忘れるといわれる。人を優しく癒せる子に	萱一（けんいち）1、萱一郎（けんいちろう）1・9、萱吾（けんご）7、萱朔（けんさく）10、萱汰（けんた）7
12 人★ 硯	ケン、ゲン、すずり		墨をする意味から、学芸に励む姿に通じる。品格を感じさせる字	硯貴（げんき）12、硯士郎（けんしろう）3・9、硯慈（けんじ）13、硯太（げんた）4、硯哉（けんや）9
12 人★ 琥	コ	く、こはく、たま	将軍の印。琥珀。権力を象徴する優美な字で、個性的な名前になる	琥太郎（こたろう）4・9、琥鉄（こてつ）13、琥南（こなん）9、琥珀（こはく）9★、竜琥（りゅうこ）10
12 湖	コ、みずうみ	ひろし	自然のさわやかな心地よさにあふれた、新感覚の名前になる	湖城（こじょう）9、湖洲茂（こすも）9・8、湖南（こなん）9、蒼湖（そうご）13、湖（ひろし）
12 人 皓	コウ、しろい	あき、あきら、てる、ひかる、ひろ、ひろし	月が白く光るさまを表し、美しく冴えたイメージをもつ	皓志（こうし）7、皓介（こうすけ）4、皓太（こうた）4、皓平（こうへい）5、雅皓（まさあき）13
12 港	コウ、みなと		多くの人を受け入れ、秩序と安心感とを与える度量を備えた人に	港一郎（こういちろう）1・9、港輔（こうすけ）14、港太（こうた）4、港太郎（こうたろう）4・9、港（みなと）

名前例	おもな意味	名乗り	音訓	画数・漢字
栄策[9] えいさく／光策[6] こうさく／策弥[8] さくや／秀策[7] しゅうさく／湧策[12] ゆうさく	文書。記録する。文官の仕事や、武士のたしなみへと通じる字	かず　つか　もり	サク	12 策
広詞[5] こうし／詞生[5] ふみお／真詞[10] まこと／正詞[5] まさし／実詞[8] みのり	誓う。詩文。文学的な雰囲気をもつ字で、個性的な名前をつくる	こと　なり　のり　ふみ	シ	12 詞
康滋[11] こうじ／滋央[5] しげお／滋彦[9] しげひこ／正滋[5] まさしげ／祐滋[9] ゆうじ	もとは作物を育てる水。周囲の人に潤いを与える、愛情深い人に	あさ　しく　しげ　しげる　ふさ　まさ	ジ	12 滋
集志[7] あつし／集彦[9] あつひこ／集 あつむ／集一郎[1][9] しゅういちろう／集治[8] しゅうじ	まとまって調和する、成し遂げるなど、協調や達成の意味も含む字	あい　い　ため　ち　ちか	シュウ　あつまる　あつめる　つどう	12 集
衆市[5] しゅういち／衆吾[7] しゅうご／衆都[11] しゅうと／衆平[5] しゅうへい／衆哉[9] しゅうや	多い。多数の人への親しみを込めた敬称にも。広く好かれる人に	とも　ひろ　もり　もろ	シュウ　シュ	12 衆
萩市[5] しゅういち／萩一郎[1][9] しゅういちろう／萩杜[7] しゅうと／萩平[5] しゅうへい／萩也[3] しゅうや	秋の七草の一つ。房状の花は豊かな実りに通じ、風情のある名前に		シュウ　はぎ	人 12 萩
竣治[8] しゅんじ／竣輔[14] しゅんすけ／竣太郎[4][9] しゅんたろう／竣平[5] しゅんぺい／竣也[3] しゅんや	すらりと立つ。しっかりしながらも、スマートな印象を与える字		シュン　おわる	人 12 竣
順 じゅん／順一[1] じゅんいち／順次[6] じゅんじ／順太郎[4][9] じゅんたろう／順也[3] のぶや	もとは自然に流れに乗ること。ゆったりとマイペースで進める子に	すなお　のぶ　のり　ゆき　より	ジュン	12 順
閏 じゅん／閏一郎[1][9] じゅんいちろう／閏治[8] じゅんじ／閏平[5] じゅんぺい／閏哉[9] じゅんや	定数から出るもの。天真爛漫、豪放磊落な魅力を誇る、大きな男に	うる	ジュン　うるう	人★ 12 閏
晶敏[10] あきとし／晶 あきら／晶吾[7] しょうご／晶太[4] しょうた／晶志[7] まさし	澄んだ光が、まばゆくきらめく様子から、清らかな魅力を思わせる字	あき　あきら　まさ　まさし　よ　よし	ショウ	12 晶

★新人名漢字

画数・漢字	音訓	名乗り	おもな意味	名前例
12 人 翔	ショウ かける	かさね	大空を飛びまわる鳥のような自由なイメージが好まれ、人気が高い	翔 かける／翔琉 11 かける／翔吾 7 しょうご／翔太 4 しょうた／飛 9 翔 ひしょう
12 勝	ショウ かつ まさる	すぐる とう のり まさ まさる よし	単に勝利を収めるだけでなく、耐え抜いて上に立つ精神性を示す	勝則 9 かつのり／勝矢 5 かつや／勝吾 7 しょうご／勝 まさる／勝留 10 まさる
12 人★ 湘	ショウ ソウ		中国の雄大な川の名から。さわやかな旅情をもつ、現代的な名前に	湘 しょう／湘一 1 しょういち／湘梧 11 しょうご／湘太郎 4 9 しょうたろう／湘也 3 しょうや
12 森	シン もり	しげ しげる	さまざまな生命をはぐくむ温かさと、厳かで静かなイメージをもつ	森明 8 しげあき／森 しげる／森哉 9 しんや／森羅 19 しんら／森雄 12 もりお
12 人★ 犀	セイ サイ シ	かた	どっしりと構えた姿と鋭い牙は、才知に長けた大人物を思わせる	光 6 犀 こうせい／犀一 1 さいいち／犀星 9 さいせい／犀太郎 4 9 さいたろう／犀門 8 さいもん
12 人★ 惺	セイ さとる	さとし	星の光のように、心が澄みきっていること。純真で優しいイメージ	惺志 7 さとし／惺 さとる／惺流 10 さとる／惺吾 7 せいご／惺哉 9 せいや
12 晴	セイ はれる はらす	きよ きよし てる なり はり はる	澄んだ青空のように人を和ませる、さわやかな明るさをもった子に	晴耕 10 せいこう／晴樹 16 はるき／晴彦 9 はるひこ／晴海 9 はるみ／雅 13 晴 まさはる
12 善	ゼン よい	ただし たる よし	立派な。正しい。善良、勤勉、まじめなど、よい要素を包括する字	一 1 善 かずよし／善光 6 ぜんこう／善紀 9 よしき／善斗 4 よしと／善大 3 よしひろ
12 人 惣	ソウ いそがしい	おさむ のぶ ふさ みち みな	すべて。静かな人格者を思わせる字。落ちついた印象の名前になる	惣一 1 そういち／惣悟 10 そうご／惣太郎 4 9 そうたろう／惣平 5 そうへい／惣也 3 のぶや
12 人★ 湊	ソウ あつまる みなと		多くのものが集まる。活気を含みつつ、字体には古風な落ちつきも	湊吾 7 そうご／湊太 4 そうた／湊哉 9 そうや／湊留 10 そうる／湊 みなと

画数・漢字	音訓	名乗り	おもな意味	名前例
12 創	ソウ	ぞう はじめ はじむ	人より一歩先んじる、先見の明をもった時代の先駆者となるように	創一郎(1・9) そういちろう / 創志(7) そうし / 創平(5) そうへい / 創哉(9) そうや / 創 はじめ
12 尊	ソン たっとい とうとい たっとぶ とうとぶ	たか たかし	大切にする。人を敬い、人からも重んじられる、存在感のある子に	尊志(7) たかし / 尊春(9) たかはる / 尊人(2) たかひと / 尊史(5) たかふみ / 尊之(3) たかゆき
人 12 巽	ソン たつみ	ゆく よし	外側が堅固で内側が柔軟なさまを表し、謙虚な姿勢にも通じる	巽 たつみ / 巽信(9) よしのぶ / 巽治(8) よしはる / 巽光(6) よしみつ / 巽之(3) よしゆき
12 達	タツ	いたる たて とおる みち よし	すらすらと理解する、進むの意味ももつ。多分野での活躍を期待して	達央(5) たつお / 達成(6) たつなり / 達彦(9) たつひこ / 達平(5) たっぺい / 達也(3) たつや
人 12 智	チ ちえ	さと さとし さとる とも まさる もと	知恵。賢い。旺盛な知識欲、傑出した思考や能力に恵まれるように	佐智也(7・3) さちや / 智紀(9) さとき / 醍智(16★) だいち / 智瑛(12) ともあき / 智哉(9) ともや
12 朝	チョウ あさ	あした さ とき とも のり はじめ	澄んだ空気に満ち、明るい日差しが差し込む、さわやかなイメージ	朝雄(12) あさお / 朝人(2) あさと / 朝一郎(1・9) ちょういちろう / 朝晴(12) ともはる / 朝彦(9) ともひこ
12 渡	ト わたる わたす	ただ わたり	達する。一歩一歩進み、自ら決めた目標に到達できる子に	渡生雄(5・12) ときお / 渡志也(7・3) としや / 雄渡(12) ゆうと / 来渡(7) らいと / 渡留(10) わたる
12 塔	トウ		もとは梵語の音訳語。まっすぐに高みをめざす向上心に通じる	塔輝(15) とうき / 塔冴(7) とうご / 塔司(5) とうじ / 塔真(10) とうま / 塔矢(5) とうや
人★ 12 董	トウ ショウ ただす	しげ ただ なお のぶ まこと よし	管理し監督する。大切なもの。強い信念をもつ、優れたリーダーに	董雄(12) しげお / 董志(7) ただし / 董吾(7) とうご / 董馬(10) とうま / 董也(3) とうや
12 統	トウ すべる	おさむ つな つね のり むね もと	糸口。すべて。まとめ治める。頭脳明晰なリーダーを思わせる字	統 おさむ / 統一郎(1・9) とういちろう / 統貴(12) とうき / 統吾(7) とうご / 統弥(8) とうや

★新人名漢字

画数・漢字	音訓	名乗り	おもな意味	名前例
12 登	トウ、ト、のぼる	たか、ちか、なる、のり、み、みのる	目標に向かって着実に進む、たゆまぬ努力と向上心を感じさせる字	清(11)登 きよと、登汰(7) とうた、登馬(10) とうま、登 のぼる、雄(12)登 ゆうと
12 等	トウ、ひとしい	しな、たか、とし、とも、ひとし	同じものをそろえて順序を整えること。まじめで几帳面な印象に	等伍(6) とうご、等治(8) とうじ、等弥(8) とうや、等 ひとし、等史(5) ひとし
12 道	ドウ、トウ、みち	おさむ、じ、ち、つな、なおし、ゆき	倫理道徳を踏まえながら、前人未踏の分野の開拓者となるように	正(5)道 まさみち、匡(6)道 まさみち、道生(5) みちお、道成(6) みちなり、道彦(9) みちひこ
12 童	ドウ、わらべ	わか	大きく成長するもの、未来への可能性に満ちた子という意味から	麒(19★)童 きどう、虎(8)童 こどう、獅(13★)童 しどう、童夢(13) どうむ、竜(10)童 りゅうどう
人 12 敦	トン、あつい	あつ、あつし、おさむ、つとむ、つる、のぶ	情の深さ、思いやりの心などを表す字。広く社交性にも通じる	敦 あつし、敦則(9) あつのり、敦宏(7) あつひろ、敦也(3) あつや、敦之(3) あつゆき
12 博	ハク、バク	とおる、ひろ、ひろし、ひろむ	多い。得る。広く世界を見渡す目と、豊富な知識を備えた賢い子に	博騎(18) ひろき、博史(5) ひろし、博太(4)郎(9) ひろたろう、博之(3) ひろゆき、正(5)博 まさひろ
12 富	フ、フウ、とむ、とみ	あつ、あつし、さかえ、と、とよ、ふく	満ち足りる、充実する。穏やかで安定した印象の、縁起のよい字	亜(7)富 あとむ、富雄(12) とみお、富泰(10) とみやす、富夢(13) とむ、富太(4) ふうた
人★ 12 葡	ブ、ホ、ヒ、ビ		葡萄。伸びる茎と房状の実が、子孫繁栄の象徴ともされ好まれる	祥(10)葡 しょうぶ、野(11)葡夫(4) のぶお、葡風(9) ほかぜ、葡澄(15) ほずみ、葡高(10) ほだか
人★ 12 萬	マン、バン、よろず	かず、たか、つむ、ま	あらゆる場面で活躍できる、オールマイティーな能力を期待して	琢(11)萬 たくま、登(12)萬 とうま、萬利(7) ばんり、萬作(7) まんさく、悠(11)萬 ゆうま
12 満	マン、みちる、みたす	ばん、ま、み、みち、みつ、みつる	あらゆる豊かさを表す字。多くの福徳に恵まれるようにと願って	満太(4)郎(9) まんたろう、満彦(9) みちひこ、満 みつる、満留(10) みつる、呂(7)満 ろまん

画数・漢字	音訓	名乗り	おもな意味	名前例
12 人★ 釉	ユウ うわぐすり	つや	陶磁器や漆器の光沢を表す、日本の文化芸術の粋に通じる字	釉葵(12) ゆうき / 釉悟(10) ゆうご / 釉次(6) ゆうじ / 釉平(5) ゆうへい / 釉哉(9) ゆうや
12 裕	ユウ	すけ ひろ ひろし やす ゆ ゆたか	ゆとり。いつも悠然と構えた、寛大な心の持ち主となるように	裕生(5) ひろき / 裕作(7) ゆうさく / 裕次郎(6・9) ゆうじろう / 裕介(4) ゆうすけ / 裕太(4) ゆうた
12 雄	ユウ お おす	かつ たか たけ たけし のり よし	強い。人の上に立つ者の意味もあり、男らしく元気な印象の名前に	隆雄(11) たかお / 昌雄(8) まさお / 雄基(11) ゆうき / 雄大(3) ゆうだい / 雄斗(4) ゆうと
12 遊	ユウ ユ あそぶ	なが ゆき	何事にもとらわれない自由な精神で、万事に楽しみを見出せる人に	遊一(1) ゆういち / 遊介(4) ゆうすけ / 遊太郎(4・9) ゆうたろう / 遊斗(4) ゆうと / 遊也(3) ゆうや
12 陽	ヨウ	あき あきら きよし たか はる ひ	太陽のように明るく周囲を照らし、多くの人を魅了する元気な子に	太陽(4) たいよう / 陽一(1) よういち / 陽光(6) ようこう / 陽介(4) ようすけ / 陽太郎(4・9) ようたろう
12 揚	ヨウ あげる あがる	あき あきら たか のぶ	もとは太陽が明るく威勢よく昇るさま。堂々と世に現れる意味も	揚彦(9) あきひこ / 武揚(8) たけあき / 揚一(1) よういち / 揚介(4) ようすけ / 揚大(3) ようだい
12 葉	ヨウ は	くに すえ たに のぶ ふさ よ	青々と茂る緑のさわやかなイメージ。豊かな生命力の象徴にも	和葉(8) かずは / 葉一(1) よういち / 葉介(4) ようすけ / 葉太(4) ようた / 葉平(5) ようへい
12 人 遥	ヨウ はるか	すみ とお のぶ のり はる みち	遠い。久しい。ゆったりとしたスケールの大きさを感じさせる字	大遥(3) たいよう / 遥基(11) はるき / 遥都(11) はると / 遥行(6) はるゆき / 遥悟(10) ようご
12 人 湧	ヨウ ユウ わく	ゆ	透明な水の清いイメージと、静かにみなぎるエネルギーを秘める	湧希(7) ゆうき / 湧吾(7) ゆうご / 湧太(4) ゆうた / 湧斗(4) ゆうと / 湧平(5) ようへい
12 人 嵐	ラン あらし		山の清らかな風や空気の意味も。激しさとさわやかさを併せもつ字	嵐 あらし / 亜嵐(7) あらん / 嵐生(5) らんせい / 嵐馬(10) らんま / 嵐丸(3) らんまる

★新人名漢字

画数・漢字	音訓	名乗り	おもな意味	名前例
人 12 椋	リョウ むく	くら	椋木。椋鳥。自然にちなんだ、親しみやすい印象の名前に	椋一 1 りょういち 椋治 8 りょうじ 椋祐 9 りょうすけ 椋太 4 りょうた 椋平 5 りょうへい
人 12 琳	リン		澄みきった玉。玉が触れ合う清らかな音。純粋な精神を思わせる	真琳 10 まりん 琳吾 7 りんご 琳太 4 りんた 琳太郎 4 9 りんたろう 琳哉 9 りんや
12 塁	ルイ	かさ たか	砦。重ねる。やがて堅固な城となる、積み重ねを大切にと願って	塁 るい 塁紀 9 るいき 塁冴 7 るいご 塁治 8 るいじ 塁斗 4 るいと
13 愛	アイ	ちか つね なる まな めぐむ よし	優しさや思いやりを端的に表す字。人を愛し、愛される子に	愛一郎 1 9 あいいちろう 愛登 12 まなと 愛也 3 まなや 愛彦 9 よしひこ 愛史 5 よしふみ
人★ 13 葦	イ あし よし		水辺の風情として、古来日本画の題材とされる。趣を感じさせる字	葦平 5 あしへい 一葦 1 いちい 葦月 4 いつき 葦生 5 よしき 葦巳 3 よしみ
13 雅	ガ みやび	つね のり まさ まさし まさる もと	奥ゆかしい。日本古来の美徳を表す字で、高貴な印象を与える	雅輝 15 まさき 雅邦 7 まさくに 雅登 12 まさと 雅彦 9 まさひこ 雅琉 11 まさる
13 楽	ガク ラク たのしい たのしむ	ささ もと よし ら	奏でる。豊かな感性で、多くの人と喜びを分かち合えるよう願って	楽 がく 楽人 2 がくと 楽都 11 がくと 楽洋 9 がくよう 楽太郎 4 9 らくたろう
13 寛	カン	のぶ のり ひろ ひろし もと ゆたか	穏やか。慈しむ。人を受け入れ、包み込む度量の大きさを誇る人に	寛悟 10 かんご 寛治 8 かんじ 寛太 4 かんた 寛 ひろし 佳寛 8 よしひろ
13 幹	カン みき	き たかし まさ み もと より	主要な部分。人から尊敬と信頼を寄せられる、存在感のある人に	幹治 8 かんじ 幹汰 7 かんた 幹央 5 みきお 幹雄 12 みきお 幹也 3 みきや
人 13 暉	キ ひかり	あき あきら てらす てる	四方に広がる光。いつも明るく輝くような、快活な子にと期待して	暉史 5 あきふみ 暉 あきら 暉一 1 きいち 陽暉 12 はるき 正暉 5 まさてる

画数・漢字	音訓	名乗り	おもな意味	名前例
13 義	ギ	あき しげ ただし つとむ とも よし	正しい。道理。人道のために尽くす、男らしい美徳を表す字	明義 8 あきよし 義一 1 ぎいち 義介 4 ぎすけ 泰義 10 やすよし 義紀 9 よしのり
人★ 13 詣	ケイ ゲイ いたる もうでる	ゆき	高い境地に至る。向上心と探究心で、大きな成果が得られるように	詣悟 10 けいご 詣志 7 けいし 詣汰 7 けいた 詣登 12 けいと 詣也 3 ゆきや
13 継	ケイ つぐ	つぎ つね ひで	つなぐ。続ける。多くの大切なものを受け継いでいく人にと願って	継一郎 1 9 けいいちろう 継吾 7 けいご 継次 6 けいじ 継汰 7 けいた 継太郎 4 9 けいたろう
13 源	ゲン みなもと	はじめ もと よし	水の流れ出るもと。物事の発するもと。豊かな生命力に満ちた字	源太 4 げんた 源太郎 4 9 げんたろう 源之祐 3 9 げんのすけ 源紀 9 もとき 源哉 9 もとや
人 13 瑚	コ ゴ		七宝の一つ、珊瑚。大自然の力を秘めた、個性的な名前に	瑚太郎 4 9 こたろう 珊瑚 9★ さんご 真瑚 10 しんご 大瑚 3 だいご 透瑚 10 とうご
13 鼓	コ つづみ		優雅な印象のなかに、奮い立たせる勢いをつけるという意味をもつ	鼓太郎 4 9 こたろう 鼓鉄 13 こてつ 鼓南 9 こなん 鼓也太 3 4 こやた 竜鼓 10 りゅうこ
人★ 13 煌	コウ オウ かがやく きらめく	あき てる	四方に広がる光のように、輝く魅力で多くの人を明るく照らす子に	亜煌 7 あきら 煌一 1 こういち 煌介 4 こうすけ 煌汰 7 こうた 煌太郎 4 9 こうたろう
人★ 13 幌	コウ とばり ほろ	あきら	大切なものを守る勇気と力と知恵、すべてを兼ね備えた賢人に	幌 あきら 幌一 1 こういち 幌策 12 こうさく 幌治 8 こうじ 真幌 10 まほろ
人 13 滉	コウ ひろい	あきら ひろ ひろし	広くて深い水。静かな自信と清く澄んだ心をもつ、穏やかな人に	滉一 1 こういち 滉紀 9 こうき 滉汰 7 こうた 高滉 10 たかひろ 滉史 5 ひろし
13 資	シ	すけ たすく ただ もと よし より	もとで。持ち前。助ける。能力や財力も示す、スマートな印象の字	光資 6 こうすけ 資朗 10 しろう 大資 3 たいし 資紀 9 もとき 雄資 12 ゆうし

★新人名漢字

画数・漢字	音訓	名乗り	おもな意味	名前例
13 嗣	シ	さね、じ、つぎ、つぐ、ひで	受け継ぐ。文化、伝統など親から子へ伝えること、継続を表す	啓嗣(11) けいし 嗣門(8) じもん 嗣朗(10) しろう 嗣寿(7) つぐとし 雅嗣(13) まさつぐ
人★ 13 獅	シ	しし	獅子。ライオン。強く雄々しいリーダーになるよう願って	聡獅(14) さとし 獅童(12) しどう 隆獅(11) たかし 壮獅(6) たけし 紘獅(10) ひろし
人 13 蒔	シ、ジ、うえる、まく		種をまく、植えるという、物事の大切な基本となる行動を意味する	栄蒔(9) えいじ 慎蒔(13) しんじ 蒼蒔(13) そうじ 蒔雄(12) まきお 蒔彦(9) まきひこ
13 慈	ジ、いつくしむ	しげ、しげる、ちか、なり、やす、よし	親心のように、見返りを求めない、無償の愛情を意味する高尚な字	欣慈(8) きんじ 慈英(8) じえい 慈瑛(12) しげあき 慈治(8) しげはる 慈 しげる
人 13 嵩	シュウ、スウ、たかい	す、たか、たかし、たけ	安定感のある字体で、高い山のどっしりした雄大なイメージを持つ	嵩吾(7) しゅうご 嵩明(8) たかあき 嵩臣(7) たかおみ 嵩 たかし 嵩成(6) たかなり
人 13 舜	シュン	きよ、とし、ひとし、みつ、よし	もとはすばやい動作を示す。好機をとらえる、機敏な行動力を期待	舜一(1) しゅんいち 舜朔(10) しゅんさく 舜次(6) しゅんじ 舜太郎(4・9) しゅんたろう 舜平(5) しゅんぺい
13 準	ジュン	とし、のり、ひとし	もとは平らな水面。静かで安定した意味に通じる、スマートな字	準一(1) じゅんいち 準平(5) じゅんぺい 準也(3) じゅんや 準治(8) としはる 準 ひとし
人★ 13 馴	ジュン、シュン、イン・クン、ならす、したがう、なれる	なれ、よし	優れた指導力と、順応性を併せもつ子に。活動的な印象の名前になる	馴 しゅん 馴一(1) じゅんいち 馴介(4) しゅんすけ 馴太郎(4・9) じゅんたろう 馴哉(9) じゅんや
人★ 13 楯	ジュン、シュン、チュン、たて、てすり	たち	攻撃から身を守る武具。力と優しさを兼ね備えた度量の大きな人に	楯一(1) じゅんいち 楯吾(7) しゅんご 楯治(8) じゅんじ 楯之助(3・7) じゅんのすけ 楯矢(5) じゅんや
人 13 詢	ジュン、シュン、はかる、まこと		相談する。人の意見を重んじ、頼りにされる人格者にと願って	詢一(1) じゅんいち 詢治(8) じゅんじ 詢太郎(4・9) じゅんたろう 詢也(3) じゅんや 詢 まこと

画数・漢字	音訓	名乗り	おもな意味	名前例
13 奨	ショウ	すけ すすむ たすく つとむ	褒めて力づける。長所を認めて育てる、優れたリーダーにと願って	奨一(1) しょういち 奨悟(10) しょうご 奨司(5) しょうじ 奨太郎(4・9) しょうたろう 奨 すすむ
13 照	ショウ てる てらす てれる	あき あきら あり とし のぶ みつ	太陽のように明るく、暖炉の火のように暖かく周囲を照らす子に	照英(8) しょうえい 照悟(10) しょうご 唯照(11) ただあき 照晃(10) てるあき 照彦(9) てるひこ
13 新	シン あたらしい あらた にい	あきら あら すすむ ちか はじめ よし	さわやかで力強く、未来への希望や未知の可能性にあふれた字	新 あらた 新一郎(1・9) しんいちろう 新吾(7) しんご 新介(4) しんすけ 新太郎(4・9) しんたろう
13 慎	シン つつしむ	ちか のり まこと みつ よし	思慮深く、謙虚な心を忘れない子に。りりしい印象の名前になる	慎吾(7) しんご 慎汰(7) しんた 慎太郎(4・9) しんたろう 慎平(5) しんぺい 慎 まこと
13 人 瑞	ズイ しるし	ず たま みず	善、美、喜びの前兆を意味する。潤い感を与える、縁起のよい字	瑞輝(15) みずき 瑞樹(16) みずき 瑞人(2) みずと 瑞彦(9) みずひこ 瑞穂(15) みずほ
13 数	スウ ス かず かぞえる	のり ひら	整然とした印象の字。多い、繰り返す、運命など奥深い意味をもつ	数斗(4) かずと 数馬(10) かずま 数也(3) かずや 博数(12) ひろかず 由数(5) よしかず
13 聖	セイ	きよ さとし しょう せ ひじり まさ	知徳が高く、あがめられる人。最も優れている人。清廉な心の象徴	聖澄(15) きよすみ 聖一(1) せいいち 聖悟(10) せいご 聖也(3) せいや 聖羅(19) せいら
13 勢	セイ いきおい	なり	おのずと進んでいく強い力を表す。スピード感のある名前に	勢一(1) せいいち 勢弥(8) せいや 勢羅(19) せいら 勢津男(9・7) せつお 勢那(7) せな
13 人 靖	セイ ジョウ やすんじる	おさむ きよし しず のぶ やす やすし	和らぐ。人や場を自然に和ませる、穏やかで優しい子にと願って	光靖(6) こうせい 靖心(4) せいしん 紀靖(9) のりやす 靖明(8) やすあき 靖之(3) やすゆき
13 誠	セイ まこと	あき しげ たか なり まさ よし	心と言葉の一致。寄せられた信頼に応えられる、誠意と能力を期待	誠一(1) せいいち 照誠(13) てるまさ 誠 まこと 誠恒(9) まさつね 誠人(2) まさと

★新人名漢字

画数・漢字	音訓	名乗り	おもな意味	名前例
13 節	セツ セチ ふし	さだ たか たかし とも のり みさお	区切り。分別があり、礼儀正しくまじめな人物を思わせる字	節夫 4 せつお／節雄 12 せつお／節也 3 せつや／節司 5 たかし／節史 5 たかふみ
13 人★ 楚	ソ ショ いばら しもと すわえ	うばら たか	すっきりしたさま。鋭いトゲは、大切なものを守る力にも通じる	重楚 9 しげたか／楚峰 10 そほう／楚良 7 そら／楚螺 17★ そら／楚嵐 12 そらん
13 人 蒼	ソウ あお	しげる	草の青色。草木の茂っているさま。明るく開けた草原を思わせる字	蒼衣 6 あおい／蒼一郎 1 9 そういちろう／蒼輝 15 そうき／蒼吾 7 そうご／蒼太 4 そうた
13 想	ソウ ソ		考える。イメージ。感性に優れ、思慮深さと計画性を備えた人に	想一 1 そういち／想史 5 そうし／想次 6 そうじ／想介 4 そうすけ／想太 4 そうた
13 滝	たき	たけ よし りょう る ろう	勢いよく流れ落ちる水の強大な力と、豪快な魅力にあやかって	志滝 7 しろう／滝夫 4 たきお／滝紀 9 たきのり／滝弥 8 たきや／滝彦 9 たけひこ
13 人★ 馳	チ ジ タ ダ はせる	とし はやし	軽いフットワークを誇る、行動的な子に。清々しい疾走感のある字	詠馳 12 えいじ／大馳 3 だいち／馳久 3 ちきゅう／馳早 6 ちはや／馳央 5 としお
13 人 禎	テイ チョウ さいわい	さだ さち ただ ただし つぐ よし	めでたい印。天より授かる幸運の意味から、天性の才能にも通じる	禎男 7 さだお／禎一 1 さだかず／禎史 5 さだふみ／禎吾 7 ていご／禎輔 14 ていすけ
13 鉄	テツ	かね きみ とし まがね	鍛えるほど強くなる特質をもち、精神的な強さの象徴ともされる	鉄登 12 かねと／虎鉄 8 こてつ／鉄雄 12 てつお／鉄平 5 てっぺい／鉄也 3 てつや
13 人 稔	ネン ジン みのる	とし なり なる ね み みの	まじめに積み重ねた努力が実を結び、大きな成果を得られるように	稔樹 16 としき／稔彦 9 としひこ／稔哉 9 としや／稔而 6★ ねんじ／稔 みのる
13 福	フク	さき さち とし とみ もと よし	あらゆる幸いを表す縁起のよい字。落ちついた印象の名前に	福哉 9 さちや／福生 5 とみお／福亮 9 とみすけ／福彦 9 とみひこ／福太郎 4 9 ふくたろう

画数・漢字	音訓	名乗り	おもな意味	名前例
13 豊	ホウ ゆたか	あつ と とよ ひろ みのる ゆたか	多くのものに恵まれ、自らも人に幸いをもたらす、心豊かな人に	泰10豊 たいほう／豊国8 とよくに／豊彦9 とよひこ／豊久3 とよひさ／豊 ゆたか
人 13 睦	ボク モク むつぶ むつ	あつし ちか のぶ む むつみ よし	穏やかでだれからも好かれ、多くのよい友人に恵まれるよう願って	睦志7 ちかし／睦夫4 むつお／睦基11 むつき／睦彦9 むつひこ／睦壬4★ むつみ
13 夢	ム ゆめ		大志を胸に飛躍するような、無限の可能性とロマンを感じさせる字	広5夢 ひろむ／夢二2 ゆめじ／夢人2 ゆめと／夢翔12 ゆめと／来7夢 らいむ
13 盟	メイ		誓う。神聖な約束を表す字。信頼に応える誠実な人となるように	盟 めい／盟輝15 めいき／盟斗4 めいと／盟也3 めいや／盟哉9 めいや
人 13 椰	ヤ やし		椰子の木、熱帯産。明るくエネルギッシュな南のイメージをもつ	凱12椰 がいや／夏10椰人2 かやと／友4椰 ともや／史5椰 ふみや／匡6椰 まさや
人★ 13 楢	ユウ シュウ ショウ なら	しゅ ゆ	ドングリの実で親しまれる木。人気の音を生かし、個性的な名前に	楢伍6 しゅうご／楢一1郎9 ゆういちろう／楢治8 ゆうじ／楢亮9 ゆうすけ／楢杜7 ゆうと
13 誉	ヨ ほまれ	しげ たか のり もと やす よし	たたえる。よい評判。名声や立身出世に通じる、縁起のよい字	輝15誉斗4 きよと／秀7誉 ひでよ／誉 ほまれ／誉一1 よいち／誉士3基11 よしき
人 13 蓉	ヨウ	はす	芙蓉。蓮。天上界のものともされる花。格調高い雰囲気をもつ	蓉彦9 はすひこ／蓉一1 よういち／蓉治8 ようじ／蓉太4郎9 ようたろう／蓉平5 ようへい
人 13 瑶	ヨウ たま		もとは美しい玉。輝くような個性や才能に恵まれた、明るい子に	瑶郎9 たまお／瑶一1 よういち／瑶一1郎9 よういちろう／瑶太4郎9 ようたろう／瑶平5 ようへい
人 13 楊	ヨウ やなぎ	やす よ	柳。強風もしなやかに受け流す姿が、柔軟な自然体の強さを醸す	楊一1 よういち／楊司5 ようじ／楊介4 ようすけ／楊太4郎9 ようたろう／楊平5 ようへい

★新人名漢字

名前例	おもな意味	名乗り	音訓	画数・漢字
雷 あずま 雷晏 10 らいあん 雷太 4 らいた 雷斗 4 らいと 雷門 8 らいもん	光や音を発する強大なエネルギーと、男性的な威厳を秘めた字	あずま	ライ かみなり	13 雷
6 匡稜 まさかど 稜一 1 りょういち 稜生 5 りょうき 稜亮 9 りょうすけ 稜太 4 りょうた	2つの面が成す直線。けじめのよさや正しさ、たくましさに通じる	いず すみ たか たる	リョウ ロウ かど	人 13 稜
鈴夫 4 すずお 鈴彦 9 すずひこ 鈴太郎 4 9 りんたろう 鈴玖 7 れいく 鈴児 7 れいじ	澄んだ音色のように、だれからも親しまれ、人の心を和ませる子に	れ	レイ リン すず	13 鈴
7 亜廉 あれん 廉行 6 やすゆき 廉士 3 れんじ 廉太郎 4 9 れんたろう 廉斗 4 れんと	私欲をもたない潔さを意味する、高潔な人格を表す、スマートな字	きよ すが すなお ただし やす ゆき	レン	13 廉
蓮 れん 蓮太 4 れんた 蓮太郎 4 9 れんたろう 蓮斗 4 れんと 蓮也 3 れんや	泥中深く張った根と水上の優美な花は、努力と成果との象徴にも		レン はす	人 13 蓮
16 叡路 えいじ 9 海路 かいろ 5 広路 こうじ 12 創路 そうじ 12 尋路 ひろみち	筋道。正しい。まっすぐで素直、一途な強さを感じさせる名前に	のり みち ゆく	ロ じ	13 路
斡利 7 あつとし 斡盛 11 あつもり 斡一 1 かんいち 5 弘斡 ひろあつ 斡流 10 めぐる	太陽や天を表す意味もあり、宇宙のロマンを秘めた名前に	はる まる	アツ ワツ カン めぐる	人★ 14 斡
維新 13 いしん 8 河維 かい 維哉 9 これや 維悦 10 これよし 6 多維良 7 たいら	結びつける。四維として生活を引き締める礼・義・廉・恥を示す	これ しげ すけ たもつ つな ゆき	イ	14 維
歌彦 9 うたひこ 歌哉 9 うたや 歌一 1 かいち 歌一郎 1 9 かいちろう 歌亮 9 かすけ	人に親しまれ、支えや励ましともなる、いつも明るく元気な子に		カ うた うたう	14 歌
榎一 1 かいち 榎一郎 1 9 かいちろう 榎津彦 9 9 かつひこ 榎積 16 かつみ 榎津也 9 3 かつや	多分野で活用される樹木にあやかり、幅広く活躍できるように	え	カ えのき	人★ 14 榎

名前例	おもな意味	名乗り	音訓	画数・漢字
嘉介4 かすけ、嘉門8 かもん、嘉雄12 よしお、嘉孝7 よしたか、嘉浩10 よしひろ	広い分野において喜ばしいこと全般を意味する、縁起のよい字	ひろ よし よしみ	カ よい	人 14 嘉
一1摑 いっかく、摑 かく、摑人2 かくと、摑3之進11 かくのしん、摑也3 かくや	夢や希望、めざしたものを、しっかりと手にできるよう願って		カク つかむ うつ	人★ 14 摑
亜7綺彦9 あきひこ、綺太4 あやた、綺人2 あやと、綺一1郎9 きいちろう、雅13綺 まさき	美しい光沢の絹織物。光の加減で変わる輝きに似た、個性を期待		キ あや	人 14 綺
一1旗 いっき、旗壱7 きいち、旗平5 きへい、大3旗 だいき、勇9旗 ゆうき	力や勢いの象徴とされることも多い。勇壮なイメージの名前になる	たか	キ はた	14 旗
銀斗4 かねと、銀 ぎん、銀河8 ぎんが、銀次6郎9 ぎんじろう、銀太4郎9 ぎんたろう	月光や雪景色にもたとえられる、清く静かな輝きを放つ名前に	かね	ギン	14 銀
一1駆 いっく、駆 かける、駆音9 くおん、駆仁4彦9 くにひこ、舞15駆 まいく	馬を走らせる。さっと行く。害を追い払う。俊敏な動作を表す字		ク かける かる	14 駆
閤一1 こういち、閤史5 こうし、閤治8 こうじ、閤輔14 こうすけ、閤太4 こうた	潜り戸。御殿も意味し、高い身分に通じる。謙虚で賢い貴人に		コウ	人★ 14 閤
在6綱 ありつな、綱一1 こういち、綱毅15 こうき、綱太4 こうた、綱吉6 つなよし	規則。物事の大要。神事に重用され、頼りになるものの象徴にも	つね	コウ つな	14 綱
豪輝15 ごうき、豪太4 ごうた、豪志7 たけし、豪 つよし、有6豪 ゆうごう	勇ましい。心身ともに健全で、勇気あふれる男らしい人にと願って	かつ たけ たけし つよ つよし ひで	ゴウ	14 豪
一1瑳 いっさ、瑳近7 さこん、瑳斗4志7 さとし、瑳平5 さへい、真10瑳彦9 まさひこ	鮮やかな白い玉。白い歯を見せ笑うさま。輝くような魅力に通じる		サ	人 14 瑳

★新人名漢字

画数・漢字	音訓	名乗り	おもな意味	名前例
人★ 14 榊	さかき		古来、神木として枝葉を神前に供える木。高貴なイメージをもつ	榊 さかき 榊貴(12) さかき 榊輝(15) さかき 榊樹(16) さかき 榊騎(18) さかき
人 14 颯	サツ ソウ		さっと吹く風。きびきびした様子。さわやかな新感覚の名前に	颯真(10) さつま 颯 そう 颯輝(15) そうき 颯吾(7) そうご 颯也(3) そうや
人 14 爾	ジ ニ なんじ しかり	あきら じ ちか ちかし み みつる	なんじ、そばに存在する人やものを指す字。そのとおり、しかり	玖(7)爾彦(9) くにひこ 健(11)爾 けんじ 爾郎(9) じろう 蒼(13)爾 そうじ 湧(12)爾 ゆうじ
人★ 14 竪	シュ ジュ たて たつ	なお	まっすぐ立つ。優雅で落ちついた雰囲気をまとった名前に	奏(9)竪 そうじゅ 竪都(11) たつと 竪彦(9) たつひこ 竪哉(9) たつや 竪琉(11) たつる
人★ 14 蔣	ショウ		マコモ。元気づける、励ます意味ももつ。大自然の力を秘める字	蔣一(1) しょういち 蔣毅(15) しょうき 蔣悟(10) しょうご 蔣太(4) しょうた 蔣平(5) しょうへい
14 彰	ショウ	あき あきら あや てる	顕著。はっきりと自分の意見をもった、頭脳明晰な子を思わせる	彰人(2) あきひと 彰史(5) あきふみ 彰吾(7) しょうご 彰太(4)郎(9) しょうたろう 成(6)彰 なりあき
人★ 14 嘗	ショウ ジョウ かつて なめる こころみる	ふる	試す。挑戦し続けることで経験を積み、自らの糧とできるように	嘗一(1)郎(9) しょういちろう 嘗伍(6) しょうご 嘗治(8) しょうじ 嘗太(4) しょうた 嘗磨(16) しょうま
人★ 14 賑	シン すくう にぎわう にぎわす にぎやか	とみ とも	人を楽しませ元気づける、明るく親切な人気者となるよう願って	賑市(5) しんいち 賑悟(10) しんご 賑而(6★) しんじ 賑太(4)郎(9) しんたろう 賑昭(9) ともあき
人 14 槙	シン テン こずえ まき		樹木の先端。生垣や庭木、建築材となる日本特産の樹木名でもある	槙一(1)郎(9) しんいちろう 槙吾(7) しんご 槙之(3)介(4) しんのすけ 槙哉(9) しんや 槙也(3) まきや
14 静	セイ ジョウ しず しずか しずまる しずめる	きよ ちか つぐ やす よし	落ちつきがあり、いつも穏やかで人望の厚い、優しい子にと願って	静夫(4) しずお 静也(3) しずや 静吾(7) せいご 静嗣(13) せいし 静汰(7) せいた

画数・漢字	音訓	名乗り	おもな意味	名前例
14 誓	セイ ちかう	ちか	神聖な印象をもつ字。約束を守る、誠実な人柄を感じさせる名前に	誓一 1 せいいち / 誓士郎 3 9 せいしろう / 誓斗 4 せいと / 唯 11 誓 ただちか / 誓哉 9 ちかや
人 14 聡	ソウ	あき あきら さ さと さとし とし	賢い。明らか。才知が長けているさまを、ストレートに表す字	聡希 7 さとき / 聡 さとる / 聡悟 10 そうご / 聡輔 14 そうすけ / 聡哉 9 そうや
14 総	ソウ	おさ すぶ のぶ ふさ みち	治める。多くの人に慕われ、リーダーシップを発揮できるよう期待	総一郎 1 9 そういちろう / 総吾 7 そうご / 総司 5 そうし / 総介 4 そうすけ / 総太 4 そうた
人★ 14 漕	ソウ こぐ	ぞう	数人で力を合わせて船をこぐ様子から。力強く、協調性を秘めた字	漕一 1 そういち / 漕志 7 そうし / 漕太郎 4 9 そうたろう / 漕平 5 そうへい / 漕哉 9 そうや
人 14 漱	ソウ シュウ すすぐ		口をゆすぐ。大事に臨む前にけがれをはらう、武士のたしなみにも	漱一 1 そういち / 漱一朗 1 10 そういちろう / 漱吾 7 そうご / 漱石 5 そうせき / 漱太 4 そうた
人★ 14 槍	ソウ ショウ やり	ほこ	一本気で鋭い勇者をイメージさせる、武士道精神にも通じる字	槍一郎 1 9 そういちろう / 槍伍 6 そうご / 槍治 8 そうじ / 槍汰 7 そうた / 槍矢 5 そうや
人 14 暢	チョウ のべる	とおる なが のぶ まさ みつ みつる	のびのびとする。和らぐ。ゆったりとマイペースな成長を願って	暢明 8 のぶあき / 暢央 5 のぶお / 暢樹 16 のぶき / 暢人 2 のぶと / 真 10 暢 まさのぶ
人 14 肇	チョウ はじめる	けい こと ただ とし はじめ はつ	常に先駆者であろうとする、前向きで強いエネルギーに満ちた人に	肇治 8 ちょうじ / 肇太 4 ちょうた / 肇 はじめ / 肇男 7 はつお / 肇彦 9 はつひこ
人★ 14 嶋	トウ しま		渡り鳥が休む陸地。受け入れ癒す、器の大きな優しさを秘めた字	嶋雄 12 しまお / 嶋吉朗 6 10 とうきちろう / 嶋吾 7 とうご / 嶋也 3 とうや / 美 9 嶋 みしま
14 徳	トク	あつ さと なる のり やす よし	心や行いが正しく立派なこと。人の模範となる人格者にと願って	徳則 9 とくのり / 徳真 10 とくま / 徳匡 6 とくまさ / 徳男 7 のりお / 徳彦 9 のりひこ

★新人名漢字

画数・漢字	音訓	名乗り	おもな意味	名前例
14 寧	ネイ	さだ しず ね やす やすし	穏やか、安らか。人に安心感を与える、頼りがいのある好人物に	寧人 2 しずと／寧史 5 やすし／寧志 7 やすし／寧則 9 やすのり／寧彦 9 やすひこ
人 14 輔	ホ フ ブ たすける	すけ たすく	人のために喜んで尽力できる子に。安定感のある名前になる	英輔 8 えいすけ／大輔 3 だいすけ／輔 たすく／祐輔 9 ゆうすけ／洋輔 9 ようすけ
人 14 鳳	ホウ おおとり	たか	聖人の兆しとされる想像上の鳥。気高く、神秘的な印象の名前に	輝鳳 15 きほう／鳳志 7 たかし／鳳凰 11★ ほうおう／鳳夢 13 ほうむ／美鳳 9 よしたか
人★ 14 蓬	ホウ よもぎ	しげ	香気があり、若葉は和菓子やもぐさになる。日本文化の漂う字	蓬一 1 ほういち／蓬寿 7 ほうじゅ／蓬祐 9 ほうすけ／蓬星 9 ほうせい／蓬斗 4 ほうと
人★ 14 遙	ヨウ はるか	とお みち のぶ はる すみ のり	長く続くという縁起のよい意味も。スケールの大きな印象の名前に	遙河 8 はるか／遙生 5 はるき／遙一 1 よういち／遙太郎 4 9 ようたろう／遙平 5 ようへい
人 14 瑠	リュウ ル		七宝の一つ、瑠璃玉。深く澄んだ美しい色は、純粋な心の象徴にも	星瑠 9 せいる／光瑠 6 みつる／由瑞瑠 5 13 ゆずる／瑠一郎 1 9 りゅういちろう／瑠偉 12 るい
14 領	リョウ	おさ むね	手に入れる。治める。大切なところ。多くの人を率いるリーダーに	領 りょう／領市 5 りょういち／領路 13 りょうじ／領亮 9 りょうすけ／領汰 7 りょうた
人 14 綾	リョウ あや		美しい絹織物。こまやかな心配りと、柔軟な姿勢を感じさせる字	綾人 2 あやと／綾祐 9 りょうすけ／綾太 4 りょうた／綾太郎 4 9 りょうたろう／綾平 5 りょうへい
14 緑	リョク ロク みどり	つか つな のり	青竹や草の色として、さわやかで生き生きとしたイメージをもつ	湖緑 12 ころく／緑滋 12 ろくじ／緑太郎 4 9 ろくたろう／緑野 11 ろくや／緑朗 10 ろくろう
人★ 14 漣	レン ラン さざなみ	なみ	小さな波。連なって流れるさま。静かで穏やかな風情を感じさせる	漣輝 15 なみき／漣 れん／漣次郎 6 9 れんじろう／漣太郎 4 9 れんたろう／漣哉 9 れんや

画数・漢字	音訓	名乗り	おもな意味	名前例
人★ 15 鞍	アン くら		武士の出陣の土台ともなる、重要な馬具。何事にも慎重な賢人に	鞍吾 7 あんご 鞍治 8 あんじ 伊 6 鞍 いあん 鞍之 3 助 7 くらのすけ 鞍馬 10 くらま
15 鋭	エイ するどい	さとし とき とし はや	刃物がよく切れる、動きがすばやいなど、勢いと冴えを感じさせる字	鋭一 1 えいいち 鋭吉 6 えいきち 鋭悟 10 えいご 鋭介 4 えいすけ 鋭太 4 郎 9 えいたろう
人★ 15 駕	ガ カ しのぐ のる	のり	乗り物を操る。凌ぐ。馬を制御できる、一人前の男の意味にも	駕一 1 郎 9 かいちろう 駕門 8 がもん 大 3 駕 たいが 駕雄 12 のりお 駕彦 9 のりひこ
15 輝	キ かがやく	あきら てる ひかる	華やかさと力強さを併せもつ字で、現代的な雰囲気の名前に	逸 11 輝 いつき 一 1 輝 かずき 輝一 1 郎 9 きいちろう 光 6 輝 こうき 由 5 輝 よしてる
人 15 毅	キ ギ つよい	たけ たけし つよし とし のり よし	意志が固い。思いきりがよい。きっぱりとした男らしさを表す字	毅一 1 ぎいち 毅 たけし 毅紀 9 たけのり 毅志 7 つよし 正 5 毅 まさき
人 15 嬉	キ たのしむ	よし	多くの喜びに恵まれ、人とも分かち合っていけるようにと願って	嬉介 4 きすけ 玄 5 嬉 げんき 大 3 嬉 だいき 貴 12 嬉 たかよし 嬉人 2 よしと
人 15 槻	キ つき		弓の材料となる柔軟な強さにあやかって。きりっとした印象をもつ	槻也 3 つきや 斗 4 志 7 槻 としき 友 4 槻 ともき 尚 8 槻 なおき 広 5 槻 ひろき
人★ 15 畿	キ みやこ	ちか	都に近い領地。やがて都に上るという、強い向上心と努力に通じる	畿一 1 郎 9 きいちろう 利 7 畿 としき 尚 8 畿 なおき 正 5 畿 まさき 悠 11 畿 ゆうき
人★ 15 蕎	キョウ		土を選ばず育つ蕎麦の実にあやかって、強さと健やかな成長を祈願	蕎治 8 きょうじ 蕎介 4 きょうすけ 蕎太 4 きょうた 蕎太 4 郎 9 きょうたろう 蕎平 5 きょうへい
人★ 15 駈	ク かける かる		攻守の意味を併せもつスピード感のある字。個性的な印象の名前に	駈 かける 駈琉 11 かける 駈羽 6 我 7 くうが 駈仁 4 彦 9 くにひこ 歩 8 駈人 2 ほくと

★新人名漢字

画数・漢字	音訓	名乗り	おもな意味	名前例
15 勲	クン	いさ いさお いそ こと つとむ ひろ	功績を賞賛されるだけでなく、努力が実った結果であることも示す	勲 いさお／勲央 5 いさお／勲海 9 いさみ／勲也 3 いさや／勲平 5 くんぺい
15 慶	ケイ	ちか のり みち やす よし	あらゆる吉事、人の喜び事を祝福する意味をもつ、縁起のよい字	慶悟 10 けいご／慶造 10 けいぞう／慶太 4 けいた／慶明 8 よしあき／慶史 5 よしふみ
15 人 慧	ケイ エ さとい	あき あきら さと さとし さとる	賢い。知恵や才能に恵まれる。きらめきを秘めた、現代的な名前に	慧一 1 けいいち／慧吾 7 けいご／慧介 4 けいすけ／慧祐 9 けいすけ／慧士 3 さとし
15 人★ 稽	ケイ かんがえる とどめる	とき のり よし	最敬礼の意味ももつ。礼儀正しく穏やかで、思慮深いイメージ	稽一 1 けいいち／稽伍 6 けいご／稽介 4 けいすけ／稽太 4 けいた／稽斗 4 よしと
15 潔	ケツ いさぎよい	きよ きよし ゆき よし	すがすがしい。純粋でさっぱりした、さわやかな男らしさに通じる	潔 きよし／潔貴 12 きよたか／潔人 2 きよと／潔彦 9 きよひこ／潔仁 4 きよひと
15 人★ 諏	シュ ス ソウ フウ はかる		もとは意見を集めて選び出すこと。思慮深いイメージの個性的な字	久 3 里 7 諏 くりす／諏央 5 すおう／諏海 9 すかい／諏朔 10 すざく／諏晴 12 すばる
15 潤	ジュン うるおう うるおす うるむ	さかえ ひろ ひろし まさる ます みつ	光沢。恵み。心豊かで人を和ませる、優しさに満ちた人を思わせる	潤一 1 じゅんいち／潤平 5 じゅんぺい／潤哉 9 じゅんや／潤悠 11 じゅんゆう／潤 ひろし
15 人 諄	ジュン シュン ねんごろ	あつ いたる さね しげ のぶ まこと	丁寧。礼儀正しく、人への助力を惜しまない人格者となるように	諄大 3 あつひろ／諄一 1 じゅんいち／諄策 12 しゅんさく／諄介 4 しゅんすけ／諄也 3 じゅんや
15 人★ 樟	ショウ くす くすのき		香気のある木にちなみ、香り立つような独特の魅力と大成を期待	樟緒 14 くすお／樟彦 9 くすひこ／樟一 1 郎 9 しょういちろう／樟太 4 しょうた／樟太 4 郎 9 しょうたろう
15 人★ 撰	セン サン ゼン えらぶ	えらむ のぶ	目標を達成する強い意志を秘める。古風な文人を思わせる名前に	撰一 1 せんいち／撰司 5 せんじ／撰多 6 朗 10 せんたろう／撰也 3 せんや／撰希 7 のぶき

画数・漢字	音訓	名乗り	おもな意味	名前例
15 蔵	ゾウ くら	おさむ ただ とし まさ よし	収めること、建物。富の象徴でもあり、落ちつきのある印象をもつ	蔵之介(3・4) くらのすけ / 蔵真(10) くらま / 蔵人(2) くろうど / 才蔵(3) さいぞう / 雄蔵(12) ゆうぞう
15 潮	チョウ しお	うしお	満ち引きする海水。適したとき。雄大な大自然の力にあやかって	潮 うしお / 潮一郎(1・9) ちょういちろう / 潮路(13) ちょうじ / 真潮(10) ましお / 満潮(12) みしお
15 澄	チョウ すむ すます	きよ きよし すみ すめる とおる	透き通って清い。清潔感にあふれ、穏やかで純粋な心を象徴する字	澄斗(4) すみと / 澄彦(9) すみひこ / 澄矢(5) すみや / 直澄(8) なおずみ / 真澄(10) ますみ
15 徹	テツ	あきら いたる とおる ひとし みち ゆき	貫き通す。初志貫徹を身上とする、強い意志と実行力のある子に	一徹(1) いってつ / 徹生(5) てつお / 徹人(2) てつと / 徹也(3) てつや / 徹 とおる
15 範	ハン	すすむ のり	手本、決まり。誠実な印象を与える字。人の模範となるよう願って	孝範(7) たかのり / 範雄(12) のりお / 範斗(4) のりと / 範彦(9) のりひこ / 範路(13) はんじ
15 人★ 幡	ハン ホン マン はた ばん		勇壮な武将の旗印、何かを新しく始めるたとえや勢いの象徴にも	幡州(6) はんす / 幡汰(7) はんた / 幡利(7) ばんり / 幡次郎(6・9) まんじろう / 世幡(5) よはん
15 人★ 磐	バン ハン いわ	いわお	どっしり据わった石のように貫禄のある、度量の大きな好漢に	磐 いわお / 磐男(7) いわお / 磐雄(12) いわお / 磐児(7) はんじ / 磐里(7) ばんり
15 人★ 蕪	ブ ム あれる かぶ かぶら	しげ しげる	無骨な印象を与える字で、古きよき時代の気概ある男を思わせる	伊沙蕪(6・7) いさむ / 祥蕪(10) しょうぶ / 斗蕪(4) とむ / 蕪村(7) ぶそん / 来蕪(7) らいむ
15 摩	マ	きよ なず	磨く。日々の積み重ねを大切に切磋琢磨する、強い向上心を期待	一摩(1) かずま / 琢摩(11) たくま / 天摩(4) てんま / 摩殊(10) まこと / 摩佐史(7・5) まさし
15 人 璃	リ	あき	七宝の一つ、瑠璃玉。きらりと光る個性を感じさせる、りりしい字	璃一(1) りいち / 璃音(9) りおん / 璃輝(15) りき / 璃貴也(12・3) りきや / 璃玖(7) りく

★新人名漢字

画数・漢字	音訓	名乗り	おもな意味	名前例
15 人★ 劉	リュウ ル	のぶ みずち	中国の漢の時代の皇帝の姓。重厚で力強いイメージの名前に	劉 りゅう / 劉一 1 りゅういち / 劉生 5 りゅうせい / 劉太郎 4 9 りゅうたろう / 劉馬 10 りゅうま
15 人 遼	リョウ はるか	とお	はるか彼方の天や大河を指す。スケールの大きなロマンを秘めた字	遼河 8 はるか / 遼介 4 りょうすけ / 遼太 4 りょうた / 遼太郎 4 9 りょうたろう / 遼平 5 りょうへい
15 人 諒	リョウ まこと	あき あさ まさ	思いやりがあることも意味する、さわやかなイメージをもつ字	諒介 4 りょうすけ / 諒太郎 4 9 りょうたろう / 諒平 5 りょうへい / 諒馬 10 りょうま / 諒哉 9 りょうや
15 人 凜	リン さむい		引き締まって隙のない様子。冴えた美しさを感じさせる名前になる	真凜 10 まりん / 凜吾 7 りんご / 凜太 4 りんた / 凜太郎 4 9 りんたろう / 凜哉 9 りんや
15 人★ 凛	リン さむい		りりしくきっぱりとしたさま。さわやかな魅力をもつ。「凜」に同じ	凛 りん / 凛吾 7 りんご / 凛介 4 りんすけ / 凛人 2 りんと / 凛矢 5 りんや
15 人 黎	レイ	たみ	くろがね色。薄暗い。やがて来る朝の光を予感させる、力強い字	黎伍 6 れいご / 黎而 6★ れいじ / 黎登 12 れいと / 黎明 8 れいめい / 黎也 3 れいや
15 論	ロン	とき のり	物事の道理を説く。頭脳明晰で、自分の意見をきちんともった子に	論耶 9 ときや / 論彦 9 のりひこ / 宏論 7 ひろのり / 論 ろん / 論士 3 ろんど
16 緯	イ		織物の横糸。文武両道を示す中国の書では「武」の字とともに用いる	蒼緯 13 あおい / 緯一郎 1 9 いいちろう / 緯央 5 いお / 緯音 9 いおん / 緯久馬 3 10 いくま
16 衛	エイ	え ひろ まもり まもる もり	特に周りにいて防ぎ守ること。強さと潔さ、優しさを思わせる字	衛一 1 えいいち / 衛吾 7 えいご / 衛治 8 えいじ / 衛亮 9 えいすけ / 衛太郎 4 9 えいたろう
16 薫	クン かおる	かおり しげ のぶ ひで ゆき	若葉の香りを漂わせる初夏の風のように、さわやかな子にと願って	薫 かおる / 薫平 5 くんぺい / 薫樹 16 しげき / 薫憲 16 しげのり / 薫彦 9 ゆきひこ

画数・漢字	音訓	名乗り	おもな意味	名前例
16 憲	ケン	あきら かず さだ ただし とし のり	さとい。おきて。清廉な人となりで信望を集め、模範となる人に	憲（けん）、憲一1（けんいち）、憲太郎4・9（けんたろう）、憲弥8（けんや）、忠8憲（ただのり）
16 賢	ケン かしこい	かた さと さとし すぐる たか よし	優れる。富む。知識や才能を財産として、活用する意味に通じる	賢（けん）、賢悟10（けんご）、賢太4（けんた）、賢太郎4・9（けんたろう）、賢志7（さとし）
人★ 16 醐	ゴ コ		醍醐。深い味わい。奥深い意味をもった、格調高い雰囲気の字	英8醐（えいご）、瑛12醐（えいご）、醐太郎4・9（こたろう）、醍16★醐（だいご）、勇9醐（ゆうご）
16 興	コウ キョウ おこる おこす	おき き ふさ とも	盛んになる、奮い立つという勢いを表す字。挑戦を楽しめる子に	興彦9（おきひこ）、興平5（きょうへい）、興一1（こういち）、興生5（こうき）、興太4（こうた）
人★ 16 縞	コウ しま		さらりと涼やかな絹の特性と、和風の情趣を感じさせる名前になる	縞次郎6・9（こうじろう）、縞介4（こうすけ）、縞汰7（こうた）、縞央5（しまお）、美9縞（みしま）
16 樹	ジュ	いつき き しげ たつ みき むら	安定感のある字で、まっすぐに、大きく成長していく姿を象徴する	樹（いつき）、一1樹（かずき）、大3樹（だいき）、樹央5（みきお）、光6樹（みつき）
人★ 16 輯	シュウ あつめる	あつむ むつ	集めて整理する。和らげる。人をまとめる力のある、穏やかな人に	輯（あつむ）、輯一郎1・9（しゅういちろう）、輯吾7（しゅうご）、輯斗4（しゅうと）、輯平5（しゅうへい）
16 親	シン おや したしい したしむ	いたる ちか なる み みる より	もとは身近に接して見ること。自ら行う意味ももつ、奥の深い字	親一1（しんいち）、親吾7（しんご）、親祐9（しんすけ）、親平5（しんぺい）、政9親（まさちか）
16 薪	シン たきぎ		人を温め、光を与えるための燃料。大きな優しさを秘めた名前に	薪一郎1・9（しんいちろう）、薪吉6（しんきち）、薪太4（しんた）、薪也3（しんや）、薪彦9（まきひこ）
人★ 16 醒	セイ ショウ さます さめる	さむる さめ	澄みきった星の光に、心の状態をなぞらえた字。聡明な印象も	醒吾7（しょうご）、醒汰7（しょうた）、醒一1（せいいち）、醒哉9（せいや）、勇9醒（ゆうしょう）

★新人名漢字

画数・漢字	音訓	名乗り	おもな意味	名前例
16 整	セイ / ととのえる / ととのう	おさむ / なり / のぶ / ひとし / まさ / よし	きちんと正すことから、礼儀正しく、まじめで誠実な印象を与える	整一 1 せいいち / 整太郎 4 9 せいたろう / 整也 3 せいや / 整良 7 せいら / 整 ひとし
16 操	ソウ / みさお / あやつる	あや / さお / とる / みさ	巧みにさばく。節操。人を動かす秀でた魅力と能力とを期待して	操悟 10 そうご / 操司 5 そうし / 操介 4 そうすけ / 操太郎 4 9 そうたろう / 操 みさお
16 人★ 醍	ダイ / テイ / タイ		醍醐。最上の教え。物事の本質を見抜ける、確かな目をもつ人に	醍醐 16★ だいご / 醍成 6 たいせい / 醍哉 9 だいや / 醍一 1 ていいち / 裕醍 12 ゆうだい
16 人★ 橙	トウ / チョウ / ゆず / だいだい		「だい（代）」を重ねる音が子孫繁栄に通じ、実は正月の飾りにも	橙吉郎 6 9 とうきちろう / 橙吾 7 とうご / 橙真 10 とうま / 祐橙 9 ゆうと / 橙斗 4 ゆずと
16 篤	トク	あつ / あつし / しげ / すみ	情が深い。人に優しく自分に厳しい、ひたむきな努力家を思わせる	篤 あつし / 篤史 5 あつし / 篤獅 13★ あつし / 篤夢 13 あつむ / 篤真 10 とくま
16 繁	ハン	えだ / しげ / しげる / とし	青々とした草木のエネルギーを感じさせる字。子孫繁栄にも通じる	繁雄 12 しげお / 繁樹 16 しげき / 繁光 6 しげみつ / 繁 しげる / 繁斗 4 はんと
16 磨	マ / みがく	おさむ / きよ	励む、極める。よい友人に囲まれ、切磋琢磨していけるよう願って	育磨 8 いくま / 和磨 8 かずま / 琢磨 11 たくま / 磨琳 12 まりん / 佑磨 7 ゆうま
16 諭	ユ / さとす	さと / さとし / つぐ	どっしりとした威厳を漂わせる字。豊富な知識と指導力を期待	諭史 5 さとし / 諭 さとる / 諭琉 11 さとる / 真諭 10 まさと / 諭吉 6 ゆきち
16 謡	ヨウ / うたい / うたう	うた	謡曲。日本の伝統文化に基づく、古風な趣の漂う名前に	謡也 3 うたや / 謡次 6 ようじ / 謡輔 14 ようすけ / 謡太郎 4 9 ようたろう / 謡平 5 ようへい
16 頼	ライ / たのむ / たのもしい / たよる	のり / よし / より	誠実で人から信頼され、期待に応えられる実力も備えた大人物に	惟頼 11 ただより / 頼彦 9 よりひこ / 頼太 4 らいた / 頼斗 4 らいと / 頼武 8 らいむ

画数・漢字	音訓	名乗り	おもな意味	名前例
人★ 16 蕾	ライ つぼみ		花開く未来をイメージさせる、希望に満ちた字。個性的な名前に	蕾庵11★ らいあん／蕾蔵15 らいぞう／蕾太4 らいた／蕾斗4 らいと／蕾門8 らいもん
人 16 龍	リュウ たつ	しげみ とお とおる とら めぐむ りょう	英雄豪傑、優れた人のたとえにも。重量感が威厳を感じさせる字	翔12龍 しょうりゅう／龍巳3 たつみ／龍也3 たつや／龍吾7 りゅうご／龍馬10 りょうま
人 16 澪	レイ みお	れ	水路の道標。信念をもって人を導く、リーダーシップを期待して	澪一1 れいいち／澪而6★ れいじ／澪都11 れいと／澪央5 れお／呂7澪 ろみお
人 16 蕗	ロ ふき		フキノトウは早春の風物詩として、古来日本画にも多く描かれる	伊6蕗 いぶき／比4蕗7希 ひろき／悠11蕗 ゆうろ／蕗壇16 ろだん／蕗敏10 ろびん
17 環	カン	たま たまき わ	輪形の玉。巡る。輪は調和や円満にも通じ、縁起のよい名前に	環 かん／環一1 かんいち／環介4 かんすけ／環太4 かんた／環騎18 たまき
人★ 17 徽	キ しるし よい	よし	全体を代表する印。優れた統率力を発揮する、魅力的なリーダーに	徽一1郎9 きいちろう／大3徽 だいき／正5徽 まさき／友4徽 ゆうき／徽斗4 よしと
17 謙	ケン	あき かた かぬ かね のり ゆずる	慎む。敬う。礼儀正しい言葉遣いも示す。謙虚で聡明な印象の字	謙 けん／謙悟10 けんご／謙介4 けんすけ／謙太4 けんた／謙哉9 けんや
人★ 17 鍵	ケン かぎ		どんな問題にも積極的に取り組み、解決策を導き出す英気を期待	鍵一1 けんいち／鍵作7 けんさく／鍵太4 けんた／鍵斗4 けんと／鍵也3 けんや
17 厳	ゲン ゴン おごそか きびしい	いず いつ いつき たか つよ よし	堅固で貫禄のある字。強い意志を感じさせる、男らしい名前になる	厳基11 げんき／厳而6★ げんじ／厳太4郎9 げんたろう／厳人2 たかと／厳希7 つよき
人 17 駿	シュン	たかし とし はや はやし	疾走するサラブレッドの姿を思わせる、スピード感にあふれた字	駿亮9 しゅんすけ／駿馬10 しゅんま／駿雄12 はやお／駿人2 はやと／駿斗4 はやと

★新人名漢字

画数・漢字	音訓	名乗り	おもな意味	名前例
17 人★ 篠	ショウ しの	ささ	矢柄や横笛になる細い竹。しなやかな強さと、和風情趣を思わせる	篠介 4 しのすけ、篠一 1 しょういち、篠吾 7 しょうご、篠次 6 しょうじ、篠之助 3 7 しょうのすけ
17 人★ 擢	テキ タク あげる ぬきんでる ぬく		豊かな才能と、人の上に立つ度量とに恵まれるよう期待して	擢人 2 たくと、擢斗 4 たくと、擢巳 3 たくみ、擢武 8 たくむ、擢哉 9 たくや
17 人 瞳	トウ ドウ ひとみ	あきら	夢や希望をしっかりと見つめる、明るく、まっすぐな子を思わせる	虎瞳 8 こどう、獅瞳 13★ しどう、瞳希 7 とうき、瞳治 8 とうじ、瞳夢 13 どうむ
17 優	ユウ やさしい すぐれる	かつ ひろ まさ まさる ゆ ゆたか	人として重要な意味を多く示し、気品も感じさせる人気の字	優 まさる、優一郎 1 9 ゆういちろう、優作 7 ゆうさく、優治 8 ゆうじ、優也 3 ゆうや
17 人★ 輿	ヨ こし	お	みんなで力をそろえるさまを示す。人と協力しつつ努力できる子に	輿一 1 よいち、輿志夫 7 4 よしお、輿司貴 5 12 よしき、輿範 15 よはん、輿力 2 よりき
17 翼	ヨク つばさ	すけ たすく	自由なイメージに、強さと優しさも併せもつ字。かばう意味も	瑛翼 12 えいすけ、大翼 3 だいすけ、翼 つばさ、飛翼 9 ひよく、悠翼 11 ゆうすけ
17 人 瞭	リョウ あきらか	あき あきら	はっきりしている。明るい瞳。希望にあふれた聡明な子を思わせる	紘瞭 10 ひろあき、瞭吾 7 りょうご、瞭亮 9 りょうすけ、瞭太 4 りょうた、瞭太郎 4 9 りょうたろう
17 人 嶺	レイ リョウ みね	ね	悠然とそびえ立つ山のように、雄々しくたくましい子となるように	嶺央 5 みねお、嶺晴 12 みねはる、嶺彦 9 みねひこ、嶺雪 11 みねゆき、嶺祐 9 りょうすけ
18 人★ 鎧	ガイ カイ よろい		武装すること。事に備え、日日精進を重ねる武士の精神にも通じる	鎧亜 7 がいあ、鎧斗 4 かいと、鎧矢 5 かいや、鎧琉 11 かいる、栖鎧 10★ すかい
18 騎	キ	のり	馬に乗る。りりしく勇壮な印象をもつ、新感覚の名前に	一騎 1 かずき、大騎 3 だいき、浩騎 10 ひろき、正騎 5 まさき、雄騎 12 ゆうき

画数・漢字	音訓	名乗り	おもな意味	名前例
18 顕	ケン	あき あきら たか てる	現れる。目立つ。衆目を集める、優れた才能に恵まれるように	顕史 5 あきふみ / 顕祐 9 けんすけ / 顕斗 4 けんと / 顕弥 8 けんや / 12 貴顕 たかあき
18 瞬	シュン またたく		星の光を思わせる、ロマンのある字。極めて機敏なイメージももつ	瞬 しゅん / 瞬治 8 しゅんじ / 瞬介 4 しゅんすけ / 瞬平 5 しゅんぺい / 瞬哉 9 しゅんや
人 18 穣	ジョウ ゆたか	おさむ しげ みの みのる ゆたか	努力を重ねて多くの成果を得るとともに、人に実りをもたらす子に	穣彦 9 しげひこ / 穣治 8 じょうじ / 穣太郎 4 9 じょうたろう / 穣 みのる / 穣留 10 みのる
人★ 18 櫂	トウ タク テキ かい	かじ	自ら原動力となって物事を推し進められる、頭脳明晰なリーダーに	櫂 かい / 櫂人 2 かいと / 櫂哉 9 たくや / 櫂一 1 とういち / 櫂吾 7 とうご
18 曜	ヨウ	あき あきら てる	光。輝く天体の総称でもある。スケールの大きな魅力を願って	曜一 1 よういち / 曜治 8 ようじ / 曜亮 9 ようすけ / 曜太郎 4 9 ようたろう / 曜平 5 ようへい
人 18 燿	ヨウ かがやく	あき あきら てる	もとは火の光が高く輝くさま。仁や徳など、人間的な輝きも示す字	燿 あきら / 燿一 1 よういち / 燿造 10 ようぞう / 燿太 4 ようた / 燿太郎 4 9 ようたろう
人 18 藍	ラン あい		藍草。深く美しい青が、穏やかさと、人としての奥行きを思わせる	藍一朗 1 10 あいいちろう / 藍吾 7 あいご / 藍人 2 あいと / 藍太郎 4 9 らんたろう / 藍真 10 らんま
人★ 19 麒	ギ キ	あき あきら	麒麟。聖人や英才のたとえともされる。高尚な印象を与える名前に	麒一 1 ぎいち / 麒平 5 きへい / 麒麟 24 きりん / 9 俊麒 としき / 9 祐麒 ゆうき
人★ 19 繋	ケイ かける つなぐ	つぐ つな	人との縁を大切に、長く信頼関係を守っていける誠実さを期待して	繋一郎 1 9 けいいちろう / 繋伍 6 けいご / 繋司 5 けいし / 8 武繋 たけつな / 5 正繋 まさつな
19 識	シキ	さと つね のり	見分ける。悟る。心や考えについて示す字で、知的な印象の名前に	識司 5 さとし / 識正 5 つねまさ / 4 仁識 にしき / 識人 2 のりと / 識英 8 のりひで

★新人名漢字

画数・漢字	音訓	名乗り	おもな意味	名前例
人★ 19 蹴	シュウ シュク ける	け	目標に足をつける。急いで行く。若々しい動きと勢いのある字	亜蹴 あしゅう 蹴太 しゅうた 蹴斗 しゅうと 蹴真 しゅうま 舞蹴 まいける
19 瀬	せ		激しい急流。大自然の力強さと、爽快なイメージを併せもつ字	瀬南 せな 瀬良 せら 隆瀬 たかせ 早瀬 はやせ 浩瀬 ひろせ
人★ 19 寵	チョウ	うつくし よし	もとは龍を飼う意味から、大切にかわいがること。愛情豊かな子に	寵一郎 ちょういちろう 寵児 ちょうじ 寵治 ちょうじ 寵介 ちょうすけ 寵匡 よしまさ
19 羅	ラ	つら	網。薄絹の織物。並ぶ。梵語の音訳として、エキゾチックな印象も	亜希羅 あきら 凱羅 がいら 森羅 しんら 聖羅 せいら 羅門 らもん
19 麗	レイ うるわしい	あきら かず うらら よし より れ	すっきりと整う。華やかな印象を与える字で、人目を引く名前に	麗玖 れいく 麗斗 れいと 麗明 れいめい 麗也 れいや 麗央 れお
人★ 19 瀧	ロウ ル リョウ ソウ リュ たき	たけし よし	激しく流れ落ちる水の勢いと、重厚な落ち着きとを併せもつ字	瀧夫 たきお 瀧而 たきじ 瀧彦 たきひこ 瀧也 たきや 瀧登 よしと
人★ 19 麓	ロク ふもと		長く連なる山すそ。山を守るものの意味にも。深い包容力に通じる	華麓 かろく 麓 ふもと 美麓 みろく 麓真 ろくま 麓矢 ろくや
人 20 巖	ガン いわお	いわ お げん みち みね よし	大きな岩。ゆるぎない自信と実力を備えた、大人物を思わせる	巖 いわお 巖之介 がんのすけ 巖治 げんじ 巖太郎 げんたろう 巖哉 げんや
20 競	キョウ ケイ きそう せる	つよし	よきライバルでもある友人と、楽しみながら切磋琢磨できるように	競吾 きょうご 競一 けいいち 競治 けいじ 競太郎 けいたろう 競 つよし
20 響	キョウ ひびく	おと なり ひび ひびき	四方に広がる音のように、広い分野での活躍を期待させる名前に	響也 おとや 響一 きょういち 響太郎 きょうたろう 響平 きょうへい 響 ひびき

画数・漢字	音訓	名乗り	おもな意味	名前例
20 人 馨	ケイ キョウ かおる	か かおり かおる きよ よし	もとは遠くまで届く強い香り。傑出した個性と名声を期待して	馨 かおる / 馨太郎 4 9 きょうたろう / 馨平 5 きょうへい / 馨介 4 けいすけ / 馨太 4 けいた
20 護	ゴ	さね まもる もり	人の痛みに敏感な、強さと優しさを兼ね備えた男らしい子に	護郎 9 ごろう / 秀護 7 しゅうご / 壮護 6 そうご / 大護 3 だいご / 護広 5 もりひろ
20 譲	ジョウ ゆずる	うや せん のり まさ よし	深い自信に支えられた謙譲の精神で、物事を冷静に観察できる人に	譲治 8 じょうじ / 譲次 6 じょうじ / 譲太郎 4 9 じょうたろう / 譲 ゆずる / 譲流 10 ゆずる
20 人 耀	ヨウ かがやく	あき あきら てる	もとは火の明るさ。きらりと光る個性と温もりを秘めた名前に	耀人 2 あきと / 大耀 3 たいよう / 耀生 5 てるお / 耀久 3 てるひさ / 耀一 1 よういち
21 人★ 轟	ゴウ コウ とどろき とどろく		力強く、重量感に満ちた字。印象に残りやすい、個性的な名前に	轟 ごう / 轟一郎 1 9 ごういちろう / 轟士郎 3 9 ごうしろう / 轟介 4 ごうすけ / 轟太 4 ごうた
22 人★ 鷗	オウ ク かもめ		大空を舞う姿にちなみ、自由な精神をもってのびのび育つように	鷗一郎 1 9 おういちろう / 鷗外 5 おうがい / 鷗凱 12 おうがい / 鷗希 7 おうき / 鷗亮 9 おうすけ
22 人★ 饗	キョウ あえ うける もてなす	こう	明るく社交的で、多くの人を引きつける魅力の持ち主にと願って	饗一郎 1 9 きょういちろう / 饗悟 10 きょうご / 饗太 4 きょうた / 饗平 5 きょうへい / 饗哉 9 きょうや
22 人★ 讃	サン ほめる	ささ すけ とき	助ける。友情に厚く、人のために尽力できる度量の大きな子に	讃 さん / 讃吾 7 さんご / 讃士郎 3 9 さんしろう / 讃太 4 さんた / 讃平 5 さんぺい
23 人★ 鷲	シュウ ジュ わし		獲物を捕らえる強い力と威厳のある姿から、優れた重鎮を思わせる	鷲一郎 1 9 しゅういちろう / 鷲悟 10 しゅうご / 鷲司 5 しゅうじ / 鷲斗 4 しゅうと / 10 真鷲 ましゅう
24 人 鷹	ヨウ オウ たか	まさ	鋭い感覚で機をとらえ、敏捷に行動する、瞬発力を秘めた名前に	鷹央 5 たかお / 鷹志 たかし / 鷹広 5 たかひろ / 鷹也 3 たかや / 鷹一 1 よういち

★新人名漢字

人気漢字一覧

人気名前のランキングでも上位に見られる、流行の音をもつ字や、スマートで現代的なイメージの字など、時代を反映した人気の高い漢字を集めてみました。個性的な名前となるよう、組み合わせる字を工夫してください。

漢字	画数
人	2
大	3
也	3
之	3
士	3
太	4
斗	4
介	4
仁	4
心	4
友	4
天	4
生	5
平	5
央	5
矢	5
叶	5
史	5
光	6
成	6
羽	6
匠	6
芯	7★
希	7
汰	7
佑	7
志	7
吾	7
秀	7
枇	8★
杷	8★
拓	8
和	8
空	8
弥	8
幸	8
直	8
歩	8
侑	8
怜	8

虎 8
珀 9 ★
海 9
哉 9
祐 9
勇 9
音 9
亮 9
星 9
春 9

柊 9
紀 9
俊 9
洸 9
桔 10 ★
真 10
航 10
凌 10
隼 10
馬 10

晃 10
将 10
泰 10
竜 10
悟 10
梗 11 ★
悠 11
琉 11
陸 11
康 11

涼 11
隆 11
啓 11
翔 12
陽 12
貴 12
晴 12
智 12
裕 12
遥 12

瑛 12
夢 13
雅 13
聖 13
蒼 13
誠 13
蓮 13
楓 13
颯 14
輔 14

凜 15
凛 15 ★
輝 15
諒 15
樹 16
龍 16
磨 16
優 17
駿 17
翼 17

★新人名漢字

イメージから引く漢字

ここでは、名づけに活用しやすい好ましい漢字を、イメージごとに分け、画数とともに紹介します。未知の可能性を秘めた赤ちゃんの名前にふさわしい1字を探しながら、さまざまなイメージをふくらませてみましょう。

春

光 6　芽 8　若 8　青 8　春 9
柳 9　草 9　桜 10　萌 11　温 12
陽 12　新 13　緑 14　輝 15　霞 17

夏

帆 6　茂 8　波 8　青 8　昊 8★
草 9　南 9　海 9　夏 10　渚 11
涼 11　蛍 11　陽 12　雷 13　潮 15

秋

月 4　快 7　実 8　紅 9　秋 9
桔 10★　栗 10　梗 11★　菊 11　萩 12
楓 13　稲 14　澄 15　穂 15　穣 18

冬

冬 5　白 5　正 5　氷 5　冴 7
柑 9★　柊 9　梅 10　雪 11　新 13
聖 13　睦 13　詣 13★　銀 14　凛 15★

気象

雷13	雫11★	氷5
霜17	涼11	光6
霞17	晴12	雨8
霧19	雲12	虹9
露21	嵐12	雪11

風

翔12	音9	凪6
鳶14★	通10	迅6
颯14	爽11	吹7
舞15	野11	風9
薫16	嵐12	飛9

光

暉13	閃10★	光6
輝15	晄10★	明8
燿18	晶12	昭9
曜18	照13	映9
耀20	煌13★	晃10

山と大地

陸11	林8	土3
森12	峯10★	石5
登12	峰10	地6
嶺17	渓11	杜7
麓19★	野11	岳8

川や水辺

湧12	池6	川3
湖12	沢7	水4
滝13	河8	汀5
瀧19★	泉9	江6
瀬19	流10	舟6

海

舷11★	砂9	汐6
舵11★	珊9★	帆6
渚11	海9	舟6
瑚13	浜10	凪6
潮15	航10	波8

★新人名漢字

植物

緑 14	芽 8	木 4
種 14	草 9	水 4
穂 15	根 10	枝 8
蕾 16★	葉 12	茎 8
樹 16	幹 13	苗 8

鳥

鶴 21	鳳 14	羽 6
鷗 22★	燕 16★	凰 11★
鷲 23★	鴨 16★	雀 11★
鷺 24★	翼 17	雁 12★
鷹 24	鶏 19	鳩 13

動物

鹿 11	竜 10	羊 6
獅 13★	馬 10	辰 7
駒 15	彪 11	兎 7★
龍 16	寅 11	虎 8
麒 19★	羚 11★	狼 10★

ファッション

維 14	紐 10★	布 5
綿 14	紡 10	糸 6
縞 16★	紬 11	衣 6
繭 18	絹 13	染 9
織 18	綾 13	紗 10

色彩

蒼 13	茜 9	白 5
翠 14	茶 9	朱 6
緑 14	黄 11	赤 7
緋 14	黒 11	青 8
碧 14	紫 12	紅 9

樹木

楊 13	桜 10	杉 7
樺 14	椋 12	柊 9
槙 14	楓 13	桐 10
榎 14★	椰 13	桂 10
檎 17★	楢 13★	桧 10★

平和

結 12	協 8	円 4
愛 13	架 9	平 5
衛 16	絆 11★	安 6
穏 16	望 11	希 7
繋 19★	許 11	和 8

世界

唐 10	亜 7	中 4
球 11	邦 7	世 5
韓 18★	欧 8	伊 6
蘭 19	英 8	印 6
露 21	界 9	米 6

天空宇宙

星 9	宙 8	久 3
昴 9	空 8	月 4
悠 11	昊 8★	光 6
陽 12	夜 8	宇 6
遥 12	恒 9	地 6

スポーツ

登 12	剣 10	走 7
跳 13	拳 10	泳 8
駆 14	速 10	岳 8
鞠 17	毬 11	飛 9
蹴 19★	球 11	柔 9

理数

極 12	図 7	化 4
測 12	径 8	火 4
数 13	科 9	医 7
算 14	計 9	何 7
線 15	理 11	究 7

音楽

鼓 13	唱 11	曲 6
楽 13	笙 11	弦 8
歌 14	琴 12	奏 9
謡 16	弾 12	律 9
響 20	揮 12	音 9

★新人名漢字

止め字一覧

止め字とは、名前を締めくくる文字のことで、「晴斗」の「斗」、「悠太」の「太」などのことです。男の子で人気がある止め字は「太」「輝」「樹」などですが、平凡な名前を避けるには、同音で違う漢字を使うことをおすすめします。

あき
旭6 明8 亮9 秋9 昭9 映9 晃10 彬11 章11 爽11 陽12 晶12 暁12 彰14 鑑23

いち
一1 市5 壱7

お
士3 夫4 央5 生5 巨5 男7 於8 郎9 朗10 雄12 緒14

おみ
臣7

が
牙4★ 我7 芽8 俄9★ 賀12 雅13 駕15★

かず
一1 寿7 和8 員10 量12 数13

き
己3 木4 生5 伎6 気6 希7 来7 岐7 季8 祈8 其8★ 祁8★ 紀9 城9 軌9 祇9★ 起10 基11 規11 黄11 寄11 埼11★ 貴12 喜12 幾12 葵12 揮12 稀12 期12 幹13 暉13 熙14 箕14★ 旗14 輝15 嬉15 槻15 畿15★ 器15 機16 樹16 磯17 徽17★ 麒19★

きち
吉6

くに
之3 邦7 国8 洲9 郡10 晋10 都11

ご
五4 午4 伍6 吾7 悟10 梧11 瑚13 醐16★ 檎17★ 護20

さく
作7 咲9 索10 朔10 策12

し
士3 四5 史5 司5 仔5★ 至6 此6★ 志7 孜7★ 祉8 思9 姿9 柿9★ 砥10★ 偲11 梓11 視11 詞12 斯12★ 資13 獅13★ 誌14

じ
二2 司5 次6 而6★ 児7 治8 滋12 路13 慈13 蒔13 爾14

しげ
成6 茂8 重9 栄9 盛11 滋12 慈13 繁16

すけ
介4 左5 右5 丞6 助7 佑7 佐7 甫7 典8 祐9 亮9 相9 資13 輔14

ぞう
三3 造10 蔵15

止め字一覧

読み	漢字（画数）
た	大3　太4　多6　汰7　舵11★
だい	大3　太4　代5　醍16★
たか	考6　孝7　尚8　尭8　高10　峻10　挙10　崇11　教11　隆11　貴12　敬12　尊12　喬12　嵩13　賢16　鷹24
たけ	丈3　竹6　武8　岳8　建9　威9　剛10　健11　猛11　豪14　毅15
つぐ	二2　次6　貢10　嗣13　継13
てる	光6　明8　映9　瑛12　晴12　暉13　照13　輝15　耀20
と	人2　十2　斗4　杜7　音9　途10　徒10　砥10★　都11　兜11★　登12
とし	年6　寿7　利7　季8　俊9　敏10　淑11　理11　歳13　稔13　聡14
とも	友4　共6　伴7　具8　知8　茂8　供8　朋8　倫10　朝12　智12
なり	也3　成6　斉8　就12　業13
のぶ	允4　伸7　述8　延8　叙9　信9　宣9　展10　暢14

読み	漢字（画数）
のり	典8　法8　則9　宣9　紀9　訓10　矩10　規11　教11　範15　憲16
はる	明8　治8　青8　春9　張11　晴12　陽12　温12　遥12　榛14　遙14★
ひこ	人2　彦9
ひさ	久3　永5　玖7　寿7　尚8　常11　悠11
ひで	秀7　英8　栄9
ひと	人2　士3　仁4　史5
ひろ	大3　広5　央5　弘5　汎6★　宏7　拡8　拓8　洋9　恢9★　浩10　紘10　展10　啓11　博12　裕12　皓12　尋12
ぶ	武8　歩8　部11　菩11★　輔14　舞15
ふみ	文4　史5　典8　書10　章11
へい	平5　兵7　並8　併8
ほ	帆6　甫7　秀7　歩8　保9　浦10　葡12★　蒲13★　輔14　穂15

★新人名漢字

ま
万 3　茉 8　真 10　馬 10　麻 11　満 12　摩 15　磨 16

み
三 3　巳 3　己 3　水 4　史 5　生 5　未 5　見 7　臣 7　実 8　弥 8
美 9　海 9　洋 9　深 11　視 11　箕 14★　魅 15

みち
径 8　迪 8　通 10　途 10　倫 10　理 11　道 12　路 13

みつ
三 3　光 6　充 6　密 11　満 12　蜜 14★

む
六 4　牟 6★　武 8　務 11　夢 13　蕪 15★　霧 19

もん
文 4　門 8　紋 10

や
八 2　也 3　矢 5　冶 7　弥 8　夜 8　哉 9　耶 9　野 11　埜 11★　椰 13

やす
安 6　保 9　泰 10　恭 10　庸 11　康 11　靖 13　寧 14

ゆき
之 3　行 6　如 6　往 8　幸 8　征 8　雪 11

よし
允 4　由 5　可 5　巧 5　好 6　吉 6　快 7　良 7　芳 7　尚 8　佳 8
宣 9　美 9　祥 10　能 10　喜 12　嘉 14　慶 15　儀 15

り
吏 6　利 7　里 7　李 7　莉 10　浬 10★　哩 10★　理 11　梨 11　璃 15

ろう
労 7　郎 9　朗 10　狼 ★10

いちろう
一 1 郎 9
一 1 朗 10
一 1 狼 ★10

じろう
二 2 郎 9
二 2 朗 10
次 6 郎 9
次 6 朗 10

たろう
太 4 郎 9
太 4 朗 10

のすけ
乃 2 介 4
之 3 介 4
之 3 助 7
之 3 輔 14

漢字から考える さまざまなアプローチ

当てる漢字で名前のイメージはぐっと変わってきます。ここでは、漢字のもつさまざまな表情にスポットを当て、いろいろな観点から用例を集めてみました。字面にこだわりたいとき、発想を転換したいときなどに、ぜひ参考にしてください。

漢字1字の名前

スピード感にあふれ、シャープな印象を与える1字名には、人気名前も多くあります。新鮮で個性的な名前をと考えるなら、新人名漢字がおすすめ。漢字のもつイメージが強調されるので、姓とのバランスも大切に。

漢字	画数	読み
了	2	りょう、あきら
元	4	げん、はじめ
仁	4	じん、ひとし
允	4	まこと、じょう
功	5	こう、いさお
司	5	つかさ
令	5	れい
礼	5	れい
圭	6	けい
匠	6	しょう、たくみ
尽	6	じん
迅	6	じん、とし
托	6★	たく
団	6	だん
宋	7★	そう
甫	7	はじめ、よし
佑	7	ゆう、たすく
歩	8	あゆむ、すすむ

漢字	画数	読み
到	8	いたる
英	8	えい・ひで
函	8★	かん・すすむ
弦	8	げん
昂	8	こう・たかし
昊	8★	こう・そら
庚	8★	こう
周	8	しゅう・ちかし
宗	8	しゅう・たかし
尚	8	しょう・ひさし
空	8	そら・たかし
宙	8	そら・ひろし
岳	8	たかし・がく
拓	8	たく・ひろし
欣	8	やすし・よし
和	8	やまと・かず
侑	8	ゆう・たすく
怜	8	れい・さとし
映	9	あきら・えい
海	9	うみ・かい
廻	9★	かい
洸	9	こう・ひかる
恒	9	こう・わたる
洲	9	しゅう
柊	9	しゅう
威	9	たけし
信	9	まこと・しん
宥	9	ゆう

★新人名漢字

漢字	画数	読み
亮	9	りょう
晄	10★	あきら こう
桧	10★	かい
航	10	こう わたる
紘	10	こう
貢	10	こう みつぐ
剛	10	ごう つよし
峻	10	しゅん
祥	10	しょう
託	10	たく
宰	10	つかさ しょう
隼	10	はやと じゅん
莫	10★	ばく さだむ
倭	10	やまと
留	10	りゅう
竜	10	りゅう
凌	10	りょう
彬	11	あきら
庵	11★	いおり
蛍	11	けい
牽	11★	けん とし
絃	11	げん
舷	11★	げん
渉	11	しょう わたる
捷	11	しょう
逸	11	すぐる
皐	11	すすむ
曽	11★	そう

漢字	画数	読み
唯	11	ゆい
理	11	まこと　おさむ
望	11	のぞむ
逞	11★	てい　たくま
琢	11	たく
崇	11	たかし
梁	11★	りょう　たかし
陵	11	りょう
涼	11	りょう
徠	11★	らい　きたる
庸	11	よう
悠	11	はるか　ゆう
硯	12★	けん　あきら
萱	12★	けん
敬	12	けい　さとし
卿	12★	きょう　あきら
開	12	かい　はるき
羚	11★	れい
翔	12	しょう　かける
湘	12★	しょう
閏	12★	じゅん　うるう
惺	12★	さとる　せい
達	12	たつ　いたる
董	12★	ただし
喬	12	たかし　きょう
貴	12	たかし
創	12	そう　はじめ
尋	12	じん　ひろし

★新人名漢字

漢字	画数	読み
塁	12	るい
新	13	あらた しん
煌	13★	こう あきら
慎	13	しん まこと
傑	13	すぐる たかし
資	13	たすく よし
馳	13★	はせる
睦	13	むつみ のぶ
葦	13★	よし
雷	13	らい あずま
溜	13★	りゅう
煉	13★	れん
榊	14★	さかき
蒋	14★	しょう
槍	14★	そう
輔	14	たすく
寧	14	やすし ねい
練	14	れん
漣	14★	れん
勲	15	いさお
蕎	15★	きょう
慧	15	けい さとる
潤	15	じゅん みつる
樟	15★	しょう
徹	15	てつ とおる
諒	15	りょう まさし
遼	15	りょう
篤	16	あつし

漢字	画数	読み
樹	16	いつき たつき
叡	16	えい
衛	16	えい まもる
賢	16	けん さとる
縞	16★	こう
諭	16	さとし
錠	16	じょう
龍	16	りゅう とおる
錬	16	れん
厳	17	いつき げん
檜	17★	かい
鍵	17★	けん
壕	17★	ごう
駿	17	しゅん たかし
礁	17	しょう
嶺	17	りょう
擢	17★	たく
檀	17	だん
顕	18	あきら けん
櫂	18★	かい
鎧	18★	かい
臨	18	のぞむ
蹴	19★	しゅう
簾	19★	れん
耀	20	あきら てる
響	20	ひびき きょう
鷲	23★	しゅう

★新人名漢字

漢字3字の名前

男の子の名前としては新鮮で、個性的な印象となる3字名。自由な発想で漢字を組み合わせられることもあり、オリジナリティーに富んだ名前が多い一方、伝統的な止め字を用いた、日本男児の名前もつくれます。

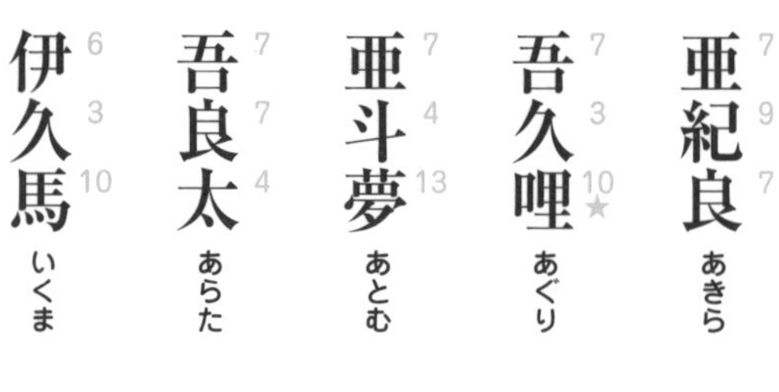

- 亜紀良（7 9 7）あきら
- 吾久哩（7 3 10★）あぐり
- 亜斗夢（7 4 13）あとむ
- 吾良太（7 7 4）あらた
- 伊久馬（6 3 10）いくま

- 唯久海（11 3 9）いくみ
- 威佐武（9 7 8）いさむ
- 宇海音（6 9 9）うみね
- 栄都史（9 11 5）えつし
- 恵琉雲（10 11 12）えるも

- 緒斗彦（14 4 9）おとひこ
- 我唯亜（7 11 7）がいあ
- 珂唯人（9★ 11 2）かいと
- 雅久人（13 3 2）がくと
- 貴世志（12 5 7）きよし

- 玖仁也（7 4 3）くにや
- 健次郎（11 6 9）けんじろう
- 功一郎（5 1 9）こういちろう

- 煌之輔（13★ 3 14）こうのすけ
- 虎太郎（8 4 9）こたろう
- 瑳和希（14 8 7）さわき
- 駿一郎（17 1 9）しゅんいちろう
- 隼太郎（10 4 9）しゅんたろう

名前	画数	読み
淳之介	11・3・4	じゅんのすけ
翔太郎	12・4・9	しょうたろう
晨之介	11・3・4	しんのすけ
星一朗	9・1・10	せいいちろう
湊★太郎	12・4・9	そうたろう
太伊地	4・6・6	たいち
多玖実	6・7・8	たくみ
大空也	3・8・3	たくや
太久朗	4・3・10	たくろう
多慶史	6・15・5	たけし
汰圭留	7・6・10	たける
竜飛呂	10・9・7	たつひろ
智加良	12・5・7	ちから
津十夢	9・2・13	つとむ
哲太郎	10・4・9	てつたろう
登仁央	12・4・5	とにお
友千翔	4・3・12	ともちか
奈津記	8・9・10	なつき
仁喜多	4・12・6	にきた
羽琉来	6・11・7	はるく
波留登	8・10・12	はると
比早志	4・6・7	ひさし
日出海	4・5・9	ひでみ
風美也	9・9・3	ふみや
真佐臣	10・7・7	まさおみ
雅比古	13・4・5	まさひこ
未知可	5・8・5	みちか
美勇士	9・9・3	みゆうじ
耶麻斗	9・11・4	やまと
裕一郎	12・1・9	ゆういちろう
由紀夫	5・9・4	ゆきお
有多可	6・6・5	ゆたか
陽太郎	12・4・9	ようたろう
利輝矢	7・15・5	りきや
龍之介	16・3・4	りゅうのすけ
礼央那	5・5・7	れおな
路志生	13・7・5	ろしお

★新人名漢字

やさしい漢字の名前

ここでは小学校低学年で習う漢字だけを使ってつくった名前を紹介します。本人が、早い時期から名前を漢字で書けるというだけでなく、外国人にも比較的わかりやすいという利点があります。

名前	画数	読み
秋生	9・5	あきお
明広	8・5	あきひろ
朝人	12・2	あさと
東	8	あずま
一心	1・4	いっしん
右京	5・8	うきょう
楽人	13・2	がくと
数馬	13・10	かずま
一海	1・9	かずみ
活高	9・10	かつたか
公大	4・3	きみひろ
雪人	11・2	きよと
国友	8・4	くにとも
計多	9・6	けいた
元気	4・6	げんき
考二	6・2	こうじ
光多	6・6	こうた
広大	5・3	こうだい
左近	5・7	さこん
理	11	さとし
新太	13・4	しんた
星一	9・1	せいいち
星矢	9・5	せいや

名前	画数	読み
草太	9・4	そうた
大作	3・7	だいさく
大地	3・6	だいち
高広	10・5	たかひろ
多来海	6・7・9	たくみ
多聞	6・14	たもん
天馬	4・10	てんま
冬馬	5・10	とうま
友一	4・1	ともかず
知地	8・6	ともじ
直人	8・2	なおと
長光	8・6	ながみつ
夏生	10・5	なつき
早人	6・2	はやと
春長	9・8	はるなが
晴行	12・6	はるゆき
光	6	ひかる
日出男	4・5・7	ひでお
大海	3・9	ひろみ
文秋	4・9	ふみあき
文生	4・5	ふみお
冬刀	5・2	ふゆと
北人	5・2	ほくと
正高	5・10	まさたか
正年	5・6	まさとし
正広	5・5	まさひろ
正通	5・10	まさみち
学	8	まなぶ
道明	12・8	みちあき
光国	6・8	みつくに
元春	4・9	もとはる
元矢	4・5	もとや
八雲	2・12	やくも
曜一	18・1	よういち
力丸	2・3	りきまる
力矢	2・5	りきや
立馬	5・10	りゅうま

★新人名漢字

兄弟の名前

共通項のある名前は、兄弟の絆を強く意識させ、ほほえましいもの。また、独創的でユニークな名前ともなります。子どもを複数もちたいという希望があるなら、第1子の名前から意識して、考えておきましょう。

三人兄弟

名前（画数）	読み
克7 也3	かつや
芳7 己3	よしき
心4 吾7	しんご
秀7 峰10	ひでたけ
稜13 也3	りょうや
嶺17 登12	みねと
大3 海9	ひろみ
航10 平5	こうへい
洋9 介4	ようすけ
駿17 介4	しゅんすけ
将10 騎18	まさき
亜7 駆14 里7	あぐり
龍16 一1	りゅういち
麒19★ 童12	きどう
彪11 吾7	ひょうご
走7 多6	そうた
球11 磨16	きゅうま
塁12 人2	るいと
大3 地6	だいち
海9 星9	かいせい
宙8 矢5	ちゅうや
太4 一1 朗10	たいちろう
鼓13 二2 朗10	こじろう
奏9 三3 朗10	そうざぶろう

二人兄弟

兄	読み	弟	読み
篤16 也3	あつや	実8 徳14	みのり
健11 一1	けんいち	康11 二2	こうじ
琉11 真10	りゅうま	瑛12 司5	えいじ
舵11★ 一1	たいち	漕14★ 太4	そうた
英8 悟10	えいご	知8 輝15	ともき
一1 成6	いっせい	功5 二2	こうじ
憲16 一1	けんいち	法8 嗣13	のりつぐ
瑞13 己3	みずき	祥10 吾7	しょうご
礼5 文4	れぶん あやとも	摩15 周8	ましゅう きよちか
知8	さとし	新13	あらた
拓8 海9	たくみ	耕10 埜11★	こうや
空8 我7	くうが	大3 河8	たいが
竜10 太4	りゅうた	隼10 平5	じゅんぺい
健11 竜10	けんりゅう	獅13★ 光6	しこう
舷11★ 人2	げんと	航10 司5	こうじ
光6 河8	こうが	海9 輝15	かいき
亜7 嵐12	あらん	雷13 人2	らいと
礼5 恩10	れおん	泰10 我7	たいが

★新人名漢字

当て字の名前

外国語の音に漢字を当てるなど、独自の読ませ方をする名前を集めてみました。名前においては、漢字の読ませ方は自由ですが、ひねりすぎないよう注意しましょう。センスの光る名前が理想的です。

名前	画数	読み
大地	3・6	ああす
芸術	7・11	ああと
汎	6★	あまね
青嵐	8・12	あらし
十月	2・4	おくと
地球	6・11	がいあ
囲	7	かこみ
晴天	12・4	からり
水晶	4・12	くりす
緑夢	14・13	ぐりむ
東風	8・9	ここち
宇宙	6・8	こすも
綱	14	ざいる
南方	9・4	さざん
秋風	9・9	さやか
天	4	しえる
六月	4・4	じゅん
泳	8	すいむ
大空	3・8	すかい
帆走	6・7	せいる
航海	10・9	せいる
心	4	そうる

名前	画数	読み
宙	8	そら
青空	8・8	そら
太陽	4・12	それいゆ
創	12	つくる
明日	8・4	ともろお
夢	13	どりむ
久遠	3・13	とわ
永遠	5・13	とわ
騎士	18・3	ないと
間	12	なかば
秋雲	9・12	ながれ
新	13	のい
聖夜	13・8	のえる
朝日	12・4	のぼる
響音	20・9	はあも
一番	1・12	はじめ
電人	13・2	はやし
光人	6・2	はやと
山響	3・20	ひびき
人間	2・12	ひゅうま
天	4	へぶん
希望	7・11	ほおぷ
洋梨	9・11	ぽわれ
平和	5・8	まもる
自然	6・12	まもる
海	9	まりん
霧	19	みすと
穂	15	みのり
美音児	9・9・7	みゅうじ
世界	5・9	もんど
律動	9・11	りずむ
叙情詩	9・11・13	りりく
湖	12	れいく
獅童	13★・12	れお
葡萄	12★・11★	れざん
路人	13・2	ろうど
円舞	4・15	ろんど

★新人名漢字

COLUMN

お宮参り

その土地を守る氏神様に、赤ちゃんの誕生を報告し、成長を見守ってもらえるように祈る儀式です。男の子は31日目にお参りするのが一般的ですが、地方によっても異なるので、ママや赤ちゃんの体調も考えて、生後1か月前後の天候のよい日を選ぶとよいでしょう。

当日は、父方の祖母が赤ちゃんを抱き、そのあとに母親が従います。これには、産後のママに対する気遣いと、赤ちゃんの誕生をおばあちゃんもいっしょに喜ぶ、といった意味があるとされています。現在は、両親と赤ちゃんだけ、両家の祖父母も付き添うなど、参拝の形も自由になってきています。

お祝い着は、母方の実家が贈るのが習わしです。黒か紺地に松や鷹などの模様が入った五つ紋の着物が正式で、白の内着を着せた上から掛けます。付き添いの祖母と母親は、無地の紋付か訪問着、付け下げなど、準礼装の着物がよいでしょう。ただし、今はレンタルを利用したり、ベビードレスや新しい服で行ったりすることも多くなりました。その場合は、付き添いの人もスーツにするなど、赤ちゃんとのバランスを考えて服装を整えましょう。

参拝は、そろって合掌し祈願するだけでもよいのですが、予約しておけば祝詞（のりと）やお祓（はら）いも受けられます。謝礼は神社の決まりに従いますが、5千円～1万円が一般的な目安です。のしつき、蝶結びの水引のご祝儀袋に、「御玉串料（おたまぐしりょう）」または「御初穂料（おはつほりょう）」の文字と赤ちゃんの名前を書き、きれいなお札を入れて用意します。

第6章

夢を託す こだわりの名前

名前の由来を話してあげよう

名前の由来を知ることで、自信や誇りをもてるような、すてきな名前を贈ってあげましょう。

自分の名前への興味は成長の証でもある

パパやママが赤ちゃんの幸せを願い、「よい名前を」と懸命に考えるのも、名前がその子のアイデンティティーの一部となる、大切なものだからこそです。成長した子が、未来を見つめて将来の夢を語るように、現在の自分を支える過去にも興味をもち、自分の名前について聞きたがるのも、ごく自然なことといえます。名前の由来をたずねる子どもの瞳は、明るく輝いているはずです。期待に満ちたその瞳に、応えられるよう、すてきな名前を贈ってあげましょう。

名前の由来も名づけのよいヒントに

名前に用いた漢字の意味や成り立ちから説明したり、その名前に込めた親の願いを聞かせたり…、子どもの名前について話すにも、いろいろな方法があります。しっかりした由来は、子どもがパパとママの愛情を感じられる端的な要因となり、自分の名前に誇りをもつことにもつながります。

また、その子の人となりを表す話題の糸口ともなります。子ども自身の社会生活のなかで、そして、将来海外で自己紹介するときなどにも、大いに役立ってくれるでしょう。

優れた古典や思想、科学や数学といった学術の分野、ロマンあふれる自然界、スポーツなどの用語にも名づけのヒントは見出せます。

本章では、イメージや将来像などから発想する、由来にこだわった名前の具体的な例を紹介していますので、参考にしてください。

名づけのエピソードは愛情のメッセージ

名前の由来に加えて、あれこれと頭を悩ませて名前を考えたり、何冊も本を読んだりしたパパとママの名づけのエピソードも、話してあげましょう。とても楽しい家族のひとときとなるに違いありません。

パパの名前から1字もらった場合などには、おじいちゃんやおばあちゃんの出番ともなります。何世代にもわたる、名前の由来を聞けるかもしれません。

たったひとつ選び抜いて贈った名前の由来とともに語る、こうした奮闘記は、その子をどんなに大切に思っているかを自然に伝える、愛情に満ちたメッセージでもあるのです。

由来にこだわる

古典や古代思想、神話はもちろん、自然界も科学技術も、ある意味では歴史が積み重ねられてできたもの、長い伝統によって培われてきたものです。そんな秘められた歴史ロマンと伝統とを感じさせる、名前の例を紹介します。

日本の古典から

真秀呂 まほろ
10 7 7

古事記

倭(やまと)は国のまほろば　たたなづく青垣(あをがき)　山隠(ごも)れる倭(やまと)しうるはし（中巻　倭建命）

古事記・日本書紀をはじめ、各風土記に登場する日本神話の英雄ヤマトタケルノミコトの辞世の歌。東征半ばで最期の地となった伊吹山で、故郷の大和の国をしのんで歌ったもの。「まほろば」は「優れたよいところ」の意味

天飛 あまと
4 9

万葉集

天飛ぶや　雁を使(つかひ)に　得てしかも　奈良の都に　言告(ことつ)げ遣(や)らむ（巻一五　三六七六　遣新羅使）

「天飛ぶや」は「雁」の枕詞。「大空を飛ぶ雁でも使いとして手に入れたいものだ。奈良の都の人に言伝をしてやろうに」という歌。大空をめぐるような、スケールの大きな男の子にと願って

由来にこだわる

中国の古代思想から

滝音 たきね

13 9

千載和歌集

滝の音は　絶へて久しく　なりぬれど　名こそ流れて　なほ聞こへけれ（雑上　一〇三五　大納言公任）

文・和歌・管弦の才を備えた藤原公任の歌。「滝は涸れて、もう音は聞こえないけれど、その名声は今も語り継がれている」という歌。後世にまで語り継がれるような大人物にと願って

青龍 せいりゅう

8 16

中国古代の守護神

東の青龍、西の白虎、南の朱雀、北の玄武（四神は中国古代に信じられた空想動物で、東西南北の守護神）

四神は太陽の動きから色で表され、日が登る東は青、正午に太陽が来る南は赤。人生に当てはめると「青龍」は青春時代、「朱雀」は鳳凰を意味し、燃え上がるエネルギーにあふれる働き盛りの時代に当たる

朱雀 すざく

6 11★

篤志 あつし

16 7

論語

子夏曰わく、博く学びて篤く志し、切に問いて近く思う。仁其の中に在り、と。（第一九　子張）

子夏が言うには「仁に志す者は、まず博く学ばなければならない。そして、志すところを厚くして、心を凝集させなければならない」。学問を志す人に、「博学・篤志・切問・近思」を心がけるように説いたもの

仁至 ひとし

4 6

論語

子曰わく、仁遠からんや。我仁を欲すれば、斯に仁至る、と。（第七　述而）

孔子が言うには「人間は真心をもちたいと思えば、雑作なくもつことができる。人間は誰でも真心をもっているのだから」。孔子は性善説を唱えた。環境によって左右されることなく善の道を志す人に

克己 かつみ

7 3

論語

顔淵仁を問う。子曰わく、己に克ちて礼を復むを仁と為す。（第一二　顔淵）

顔淵が、仁とはどういうことかと孔子に聞いたところ、「己にうち克ち、礼に従った行動をとることが仁である」と答えた。「克己復礼（こっきふくれい）」の言葉はここから出ている

★新人名漢字

故事成語から

泰斗　やすと

10 4

唐書

泰山北斗　たいざんほくと（泰山は中国山東省にある五岳のひとつ。北斗は北斗七星）（韓愈伝・賛）

学問・芸術の分野でだれもが尊敬する優れた人のこと。泰山は、秦の始皇帝が天下統一を天に報告する儀式を行った聖山。北斗は暦と方位を示すことから万物の根源とされた。唐の時代に大学者とあがめられた韓愈（かんゆ）が、没後も「泰山北斗のごとし」とたとえられたのが語源。略して「泰斗（たいと）」という

剛毅　ごうき

10 15

論語

剛毅木訥　ごうきぼくとつ（剛毅は毅然とした態度。木訥は口数が少ないこと）（子路）

意志がしっかりしていて、飾り気がなく、口数の少ない人。「剛毅木訥は仁に近し」と出典にあり、意志がしっかりしていて飾り気がない素朴な人間こそ、孔子が理想とした生き方＝「仁」に近い人でないか、といっている

行雲　ゆくも

6 12

謝民師推官に与うる書

行雲流水　こううんりゅうすい（行く雲と流れる水。無理のない自然のままの流れ）

宋の詩人・蘇軾（そしょく）が、友人の謝民師に宛てた手紙で、「あなたの詩や文章は、行雲流水のごとく、形式にとらわれずに自然に表現されている」と、その文章を評したときの言葉。そこから、「あるがままの生き方、自然な姿勢」を表す言葉となった

森羅　しんら

12 19

四字熟語

森羅万象　しんらばんしょう（宇宙のあらゆる存在や現象）

「森羅」は森の樹木が果てしなく生い茂るさま。「羅」は連なるの意味で、限りなくどこまでも続く状態。万象は、すべての形あるもののこと

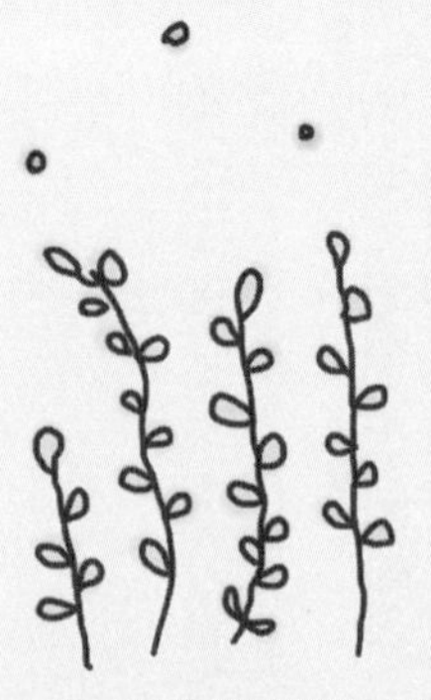

仏教用語から

那由多（7 5 6） なゆた

古代の算術

那由多・那由他（梵語で大きな数の呼び名。十の六十乗のこと）

数の桁を一、十、百、千、万、億と進めていくと、十の十二乗の兆までしか実際には使われないが、これよりさらに大きな単位が、十の六十乗の「那由多」。仏教で、世界の広がりのような大きさを表すときの言葉。古くからインドの仏典にあり、江戸時代の『塵劫記』で、初めて日本に紹介された

神話の世界から

凱亜（12 7） がいあ

ギリシャ神話

ガイア【Gaia】（ギリシャ神話の大地の女神。大地母神）

「ガイア」が大地の女神であることから、「地球」という意味にも使われる。これからの時代を生きていく子どもに、「地球の未来を委ねる」というメッセージを込めて

科学用語から

吾留真（7 10 10） あるま

天文宇宙

アルマ計画【ALMA】（南米チリに設置した、巨大なハイテク電波望遠鏡で深宇宙を探査する、国際大型プロジェクト）

日本・北米・欧州の天文台が共同で、電波望遠鏡を設置し、光では見えない宇宙の「暗黒」を観測する計画。この望遠鏡の解像力は、すばる望遠鏡やハッブル宇宙望遠鏡の10倍に相当する。場所はアンデス山脈にある、標高五千メートルのアタカマ砂漠。２０１２年から本格運用を予定。「ALMA」は、この望遠鏡名の略で、スペイン語の「心、精神、魂」を示す言葉でもある

来夢（7 13） らいむ

物質名

ライム【lime】（酸化カルシウム、石灰）

映画で有名な『ライムライト』は、昔の舞台照明に使われた強烈な白色の「石灰光」のこと。転じて「舞台の中心、注目の的」の意味に使われる。また、ライムには柑橘類の果樹の意味もある

★新人名漢字

自然界から

神威　かむい

神[9]威[9]

山岳名

神威岳（北海道日高支庁と十勝支庁の間にある標高1601メートルの山）

ほかにも「神威岳」と名のつく山は北海道にいくつもある。「カムイ」とは、アイヌ語で「神」の意味。日高山脈の中で、ひときわ神々しく悠然とそびえ立つその姿に、人となりを重ねて

穂高　ほだか

穂[15]高[10]

山岳名

穂高連峰（長野県安曇郡穂高町。最高峰の奥穂高岳を盟主に、北穂高、涸沢、前穂高、西穂高、明神が連なる）

奥穂高岳は、中部山岳国立公園にそびえる標高3190メートル（日本第三位）の山。山頂からの大パノラマ、可憐な高山植物などが、登山者のあこがれとなっている。黒い岩肌に雪渓を輝かせて立つ雄々しい姿を、成長する子どものかがみに

竜飛　りゅうと

竜[10]飛[9]

岬名

竜飛崎　（青森県東津軽郡三厩村。津軽半島最北端の岬）

風の強い竜飛（たっぴ）崎には、風力発電と青函トンネルの「竜飛海底駅」があることで知られている。また、三厩（みんまや）村には源義経が三頭の竜馬を授かったとされる場所があり、義経伝説が伝えられている。伝説の義経は、この三頭の竜馬に乗って竜飛崎から北海道に渡り、逃げ延びたとされている

江留雲　えるも

江[6]留[10]雲[12]

気象

セント・エルモの火（激しい雷雨の夜などに、大海原を航海する舟のマストや高い山に現れる青い火。一種の発光放電現象）

イタリアの聖エルモ寺によく現れるので、この名がつけられた。聖エルモとは聖エラスムスのことで、300年頃のキリスト教の殉教者。この現象が現れると嵐がやむことから、ギリシャ・ローマ時代より船乗りの守護神ともされていた

数学用語から

有6 **冴**7 あるご

古代の算術

アルゴリズム【algorithm】（日本では「算法」という。紀元前3世紀の「ユークリッドの互除法」が最も古い）

「問題の解を求める手段」の意味。語源は代数の国アラビアの、9世紀の数学者、アル・コワリズミから。その後コンピュータの時代になり、その「命令（算法）手順」として用いられるようになる

スポーツ用語から

蹴19★ **人**2 しゅうと

サッカー

シュート【shoot】（サッカーやバスケットボールなどで、ゴールにボールを入れようとすること）

目標を定めて、ひたすらボールを「蹴る」ことに集中。ゴールネットをゆらすことを夢見るサッカー少年の、ひたむきさを表現して

捷11 **人**2 しょうと

卓球

ショート【short】（卓球台に近く構えて、相手の球を早く打ち返す打法）

狭いコートでの敏捷な動きを身につける必要がある卓球は、小さいときからの厳しい練習が必要な競技。「捷」は「戦いに勝つ、すばやい」という意味をもつ漢字。将来の活躍を期待して

英8 **斗**4 えいと

ボート

エイト【eight】（ボートで、8人の漕ぎ手と1人の舵手がチームを組み、速さを競う競技）

英国のテムズ川で行われる伝統のオックスフォード対ケンブリッジの大学対抗レースは、1900年からオリンピック種目になっている。個々の漕力に加え、チームワークが最も重要視される競技。優れた能力をもち、周囲との調和を大切にする人になるように

★新人名漢字

イメージから考える

「こんな男の子になってほしい！」という両親の願いを託した名前例。そのイメージとマッチした漢字を組み合わせて、現代的な名前から、クラシカルな響きをもつ名前まで、84例を挙げてみました。

元気はつらつ

心身ともに健康で、いつも明るく好奇心旺盛な子に

名前	画数	読み	説明
元富	4・12	げんと	健康に恵まれ、元気あふれる充実した日々であるように
壮生	6・5	そうせい	心身ともに健康で、生きる喜びに満ちた人生にと願って
昊太	8★・4	こうた	明るく高い夏空のような、元気あふれる子に
旺輝	8・15	おうき	エネルギッシュな、まぶしいほどの活躍を期待して

さわやかな

すっきり晴れた青空を、吹き抜ける涼風のような印象を与える人に

名前	画数	読み	説明
清矢	11・5	せいや	行動にスピード感と清々しさを感じさせる子に
爽太	11・4	そうた	快活で颯爽とした、だれからも好かれる男の子に
晴空	12・8	はるく	すっきりと晴れた大空のように、人の心も明るくする子に
涼真	11・10	りょうま	純粋で涼やかなまなざしをもった子にと祈って

かっこいい

身体能力抜群、心優しく友だち思い。だれからも好かれる男の子に

名前	画数	読み	説明
大麒	3・19★	ひろき	強運に恵まれ、スケールの大きな人物に成長するように
駿埜	17・11★	しゅんや	野を駆ける駿馬のような、スピード感をもった子に
将騎	10・18	まさき	勇気あふれる男らしい人物にと願って
湘冴	12★・7	しょうご	判断力、行動力に優れた、さわやかな印象の子に

シャープな

物事の核心を瞬時に見極める、鋭いアンテナをもった人に

画数	名前	読み	説明
9・7	研吾	けんご	常に知性と感性を研ぎすませて、真実を見極める子に
10・4	隼太	しゅんた	しっかりした判断で、すばやく行動できる子に
17・5	駿生	はやお	身体能力に優れ、瞬時の判断で正しく行動できる子に
17・4	瞭太	りょうた	はっきりとした自分の意志をもち、物事に当たる人に

輝くような

太陽や月、宝石の輝きのように、個性的な光を放つ存在に

画数	名前	読み	説明
13★・14	煌旗	こうき	多くの人を引き寄せる統率力が光る人物に
11・16	琉磨	りゅうま	もって生まれた長所をさらに磨き、輝く未来をその手に
6・7	光希	みつき	いつも心に希望の光を抱き、前進していける子に
1・12	一皓	いっこう	月の輝きを思わせる、知的で潔い人物に

果敢な

どんな場面でもあきらめず、勇気をもって立ち向かう子に

画数	名前	読み	説明
8・13★	昂獅	たけし	獅子のようにたくましく、目標めざして突き進む子に
9・10	勇起	ゆうき	いざというとき躊躇せずに行動できる、勇気ある人に
13・18	聖騎	まさき	清い心で困難に立ち向かう勇気と信念をもった人物に
14・7★	豪孜	ごうし	心身ともに強健で仕事に励み、人生を開拓していける子に

まっすぐな

何があっても自分を信じ、正しい道を歩んでいける人にと願って

画数	名前	読み	説明
1・10	一真	かずま	ただ一つの真実を求めて立ち向かう、正義感のある子に
10・5	純矢	じゅんや	何事にもまっすぐ向き合う、純粋な子に
9・12	柾貴	まさき	どんな場面でも、まっすぐ生きることを大事にできる人に
8・3	直己	なおき	常に自分に正直に向かい合い、正しい判断のできる子に

勢いのある

日頃の実力と瞬発力を生かし、何事も成功に導ける人に

画数	名前	読み	説明
11・9	隆星	りゅうせい	上昇するエネルギーにあふれ、いつか輝く星をつかむ子に
13・15	雷輝	らいき	稲妻のような力強いパワーで夢に向かって突き進む子に
15・10	毅竜	きりゅう	困難を突破し、力強く正しい道を進める人に
11・13	逸勢	はやせ	物事に対してすばやく反応し、適切な行動をとれる子に

優れた

能力を生かし、努力とパワーで立派な仕事ができる人に

画数	名前	読み	説明
17・7	優希	ゆうき	常に人に対する思いやりと、未来への希望を忘れない子に
9・4	俊介	しゅんすけ	心身ともに優れ、物事に機敏に対応できる力を備えた子に
10・8	能尚	よしひさ	正確に任務をこなし、着実に物事を成す力をもった子に
16・7	磨秀	ましゅう	才能を磨き、学ぶことを怠らない謙虚な姿勢をもった子に

★新人名漢字

忍耐強い

あきらめずに立ち向かうことで、道を切り開いていける人に

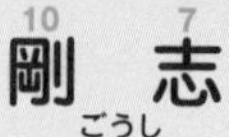

- **剛志**（ごうし）10・7　一度決めたことは、最後まで強い意志で貫く潔い人物に

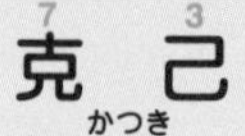

- **克己**（かつき）7・3　自分に打ち勝つ、強い心をもった人になるよう願って

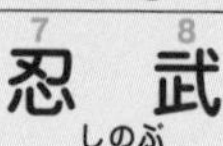

- **忍武**（しのぶ）7・8　どんなことにも耐え忍ぶ、強い精神力のある子に

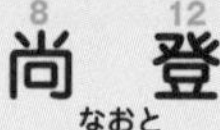

- **尚登**（なおと）8・12　山に登るように、目標に向かって努力できる子に

パワフルな

熱い心で物事に当たり、持続させる力を備えた人に

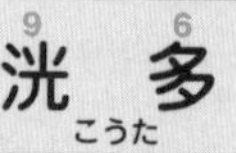

- **洸多**（こうた）9・6　勢いよく湧き出る水のように、あふれるパワーで活躍を

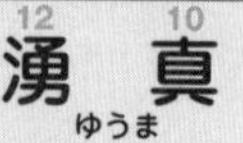

- **湧真**（ゆうま）12・10　湧き上がる真の力で、社会に貢献する大人物に
- **拓洋**（たくみ）8・9　大洋を開拓するような気概とエネルギーを秘めた子に

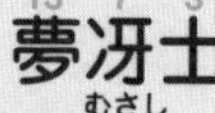

- **夢冴士**（むさし）13・7・3　シャープな感性と手腕で、夢に向かって挑み続ける子に

リーダー的な

実力とともに、信頼性と人間的魅力をもつ人に

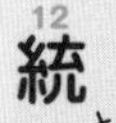
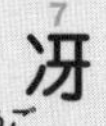

- **統冴**（とうご）12・7　人をまとめる優れた統率力を備えた人に

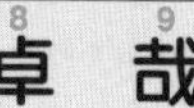
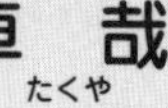

- **卓哉**（たくや）8・9　人に勝る知恵と勇気と品格を備えた、力強い指導者に

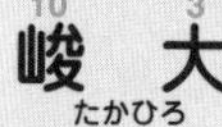

- **峻大**（たかひろ）10・3　そびえ立つ山のように、気高い信念をもって進む人に

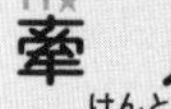
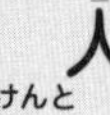

- **牽人**（けんと）11★・2　魅力ある人柄で、多くの人をまとめ導く存在に

誠実な

約束を守り、だれからも信頼される実直な人に

- **誓良**（ちから）14・7　約束を守り、多くの人から信頼される誠実な人物に

- **達義**（たつよし）12・13　正しい道を歩み、人のために尽くす人物となるように
- **誠昭**（まさあき）13・9　常に行動と言葉が一致した、信頼のおける潔い人物に

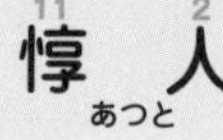

- **惇人**（あつと）11・2　常に真心を尽くして人に接する、心温かい人に

スケールの大きい

広い心で物事をとらえ、長い目で実現していける人に

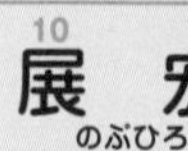

- **展宏**（のぶひろ）10・7　高い志をもって、広い世界の扉を開いていく子に
- **正海**（まさみ）5・9　広い海のような心で、誠を尽くす人に

- **尋宙**（ひろおき）12・8　宇宙に飛び出すような、大きな夢をもった子に

- **遙人**（はると）14★・2　遥かな海を越えて、大きくはばたく人物にと期待して

勤勉な

学業に仕事に、いつも熱心に励むことで、充実した毎日を送れるように

- **脩真**（しゅうま）11・10　目標を見すえて着実に努力を重ねていける、勤勉な人に
- **拓磨**（たくま）8・16　いつも自分を磨き、新しい分野を開拓していける人に
- **励功**（れいく）7・5　一つのことに熱心に励み、大きな成果を出せる人に

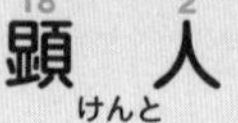

- **顕人**（けんと）18・2　研究に励み、未知の事物を明らかにしていく人に

親しみやすい

明るく寛容で、人と人とをつなぐ役割を果たせる人に

名前	画数	読み	意味
篤朗	16・10	あつろう	いつも朗らかで、誠実な人に成長するよう願って
佑介	7・4	ゆうすけ	優しい心をもち、人を助けることのできる人に
昌汎	8・6★	まさひろ	太陽が大地を照らすように、だれにも優しく接する子に
大和	3・8	やまと	日本に伝わるよい伝統を心に秘めた、優しい子に

頼りがいのある

誠実で人からの信望が厚く、いつも堂々と構えている人に

名前	画数	読み	意味
恒実	9・8	つねみ	いつも信頼を寄せられ、その期待に応えられる誠実な子に
泰樹	10・16	たいじゅ	大きな木のように、人の心を優しく包む存在にと願って
理丈	11・3	みちたけ	知的であるとともに人情に厚く、しっかりした人に
頼安	16・6	らいあん	いつも心穏やかで、人から信頼される人物に

澄んだ心の

自分の心に正直に、素直に物事をとらえることのできる人に

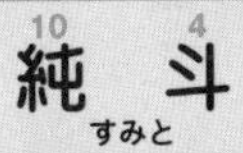

名前	画数	読み	意味
純斗	10・4	すみと	偽りのない心で物事を判断する子にと願って
瑛良	12・7	あきら	澄んだ心の中に、キラリと個性が光る子に
惺也	12★・3	せいや	澄みきった心で物事を見つめる、落ちついた子に
聖倫	13・10	まさみち	清廉な心で、まちがいを正していける人物に

思いやりのある

想像力が豊かで、他人の痛みのわかる心温かい人に

名前	画数	読み	意味
敦裕	12・12	あつひろ	情深く寛大な心をもつ人物に成長するよう願って
諒児	15・7	りょうじ	人情に厚く、さわやかで優しい子になるように
寛喜	13・12	ひろき	深い思いやりの心をもつ、器の大きな人物にと期待して
久仁実	3・4・8	くにみ	人を思いやり、長くよい人間関係を築いていける人に

風雅な

詩歌・文芸・芸術に広い知識と理解をもち、奥深い気品の漂う人に

名前	画数	読み	意味
郁磨	9・16	いくま	知識と感性を磨いて、将来は文化の担い手となって
彬光	11・6	あきみつ	整然とした杉林に差し込む光のように、すっきりと美しく
紳梧	11・11	しんご	梧(アオギリ)は吉祥の木。品格と教養のある人にと願って
智典	12・8	とものり	賢く礼儀正しく、道徳心のある人となるよう期待して

穏やかな

落ちついて人の話を聞き、そばにいるだけでだれもが安心できるような人に

名前	画数	読み	意味
悠吾	11・7	ゆうご	落ちついて自分のなすべき仕事を着実に達成する子に
広杜	5・7	ひろと	森のように、静かで深い包容力を備えた人物にと願って
陽都	12・11	はると	温かい心で、社会に貢献できる人となるように
暢宏	14・7	のぶひろ	広くゆったりとした心で、人を包み込めるような人に

★新人名漢字

将来像から考える

将来はこんなふうに活躍してほしい！　あこがれの職業に就いたわが子の姿をイメージして、その仕事に託された心・技・体を漢字に織り込んだ名前45例を挙げました。

野球選手

投げる、打つ、走る、…。野球少年の夢は大リーグへ

画数	名前	読み	意味
10★ 11 7	哩惟我	りいが	遥か海を越え、大リーガーになる夢を実現できる子に
11 10	球真	きゅうま	一球一球に野球への情熱を込めて練習に励む子に
12 12	塁登	るいと	必ず塁に出るような、すばやさと力強さを備えた子に

サッカー選手

ワールドカップ出場が夢でなくなる時代に

画数	名前	読み	意味
19★ 10	蹴真	しゅうま	真の目標に向かって、心を込めてシュートできる子に
17 3	駿也	しゅんや	駿足を生かしてチームに貢献できるように
10★ 7	挺児	ていじ	ぬきんでる力と技で、ゴールをめざせる子に

パイロット

操縦席から大空を眺める夢は果てしなく

画数	名前	読み	意味
12 5	翔矢	しょうや	天翔るロマンとスピード感に満ちた子に
8★ 9	昊軌	こうき	明るい夏空を悠然と横切る、航空機のような大人物に
10 3	航大	こうだい	大空を自由に渡る夢がいつか実現するように

医師

常に患者に誠意を尽くし、心身ともに救える存在に

名前	画数	読み	意味
英慈	8・13	えいじ	医術に優れ、慈しみ深い人に成長するように
聡仁	14・4	あきひと	才知に恵まれ医術に優れても、仁の心を忘れずに
至	6	いたる	最良の医療をめざし、常に研究を重ねる人に

宇宙飛行士

宇宙で活躍することも夢ではない将来に向けて

名前	画数	読み	意味
緯宙	16・8	いそら	宇宙を縦横に飛ぶ夢が叶う日が来ることを祈って
斡士	14★・3	あつし	北斗七星が北極星を回る意の「斡」。星に願いを込めて
宇響	6・20	うきょう	未知の空間で活躍する喜びが天空に響きわたるように

弁護士

真実を引き出し、人々の権利と幸福を守る存在に

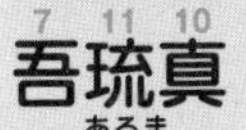

名前	画数	読み	意味
吾琉真	7・11・10	あるま	心の琉（宝石）を大切に、深く真実を見つめられる人に
訊介	10★・4	しんすけ	真実を引き出し、人に幸福をもたらせるように
公明	4・8	きみあき	人の権利を公平に守る役割を果たせるように

博士

長く険しい道を経て、やがて大きな真実をつかむ人に

名前	画数	読み	意味
秀峯	7・10★	ひでたか	研究を極め、その道の最高峰になることを祈って
極	12	きわむ	自分の選んだ分野を深く極め、人類の役に立つように
知樹	8・16	ともき	旺盛な知識欲で研究し、実り多き大樹となるように

建築家

環境や使う人が、真に求める場を創造できる存在に

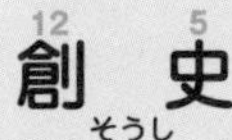

名前	画数	読み	意味
創史	12・5	そうし	建築の世界に、新風を起こす存在となることを祈って
築久	16・3	きずく	努力して、後世に残る建築を残せる人となるように
宏靖	7・13	ひろやす	「宏」は奥行きのある家。住む人の心やすらぐ空間を

教師

地球の未来を託す子どもたちを、健やかに育てられる人物に

名前	画数	読み	意味
匡汎	6・6★	ただひろ	救い助ける気持ちにあふれ、正しい道を広める人に
諄	15	じゅん	丁寧に教え諭す心で、子どもたちに慕われる教師に
倫範	10・15	みちのり	人の道を教え、自らも模範となる人物に

★新人名漢字

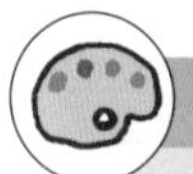

アーティスト

心に潤いと感動を与える作品を、生み出せる人に

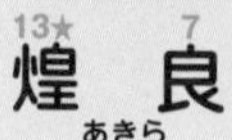

画数	名前	読み	説明
13★ 7	煌 良	あきら	輝くような魅力的な作品で、人に感動を与える存在に
15★ 15	播 璃	ばんり	宝石のように光る作品で、人の心にアートの種を
10 12	真 稀	まさき	独創的な作風で、人々を魅了する存在に

エンジニア

生活から産業まで、その技術力で力強く支える人に

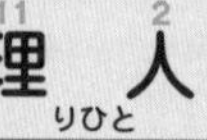

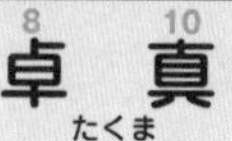

画数	名前	読み	説明
11 2	理 人	りひと	理系の能力を生かし、人に役立つ技術を開発する人に
8 10	卓 真	たくま	卓越した技術で、真に価値あるものを生み出す人に
8 11★	拓 埜	たくや	常に、より優れた新しい技術を開発する人に

作　家

時代をつかみ、リードする、輝かしい存在に

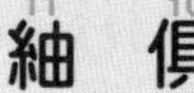

画数	名前	読み	説明
12	創	はじめ	常に新しい発想で充実した創作活動ができる人に
11 10★	紬 倶	つむぐ	言葉を紡ぎ、すばらしい世界をつくり出せる人に
15★ 12	撰 晶	のぶあき	水晶のように澄んだ、数々の言葉を操れる人に

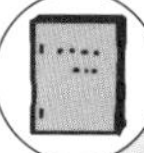

俳　優

輝く魅力で、人々に喜びを届けられる存在に

画数	名前	読み	説明
7	伶	りょう	才能に恵まれ、広く活躍する人となるように
7 16	吾 錬	あれん	心と体を練り上げ、人を引きつける存在に
15 15	璃 輝	りき	成長とともに、表現力の輝きが増すように

職　人

伝統を守り、人々にその魅力を伝えられる人に

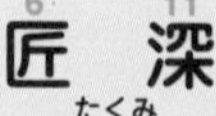

画数	名前	読み	説明
6 11	匠 深	たくみ	技術に磨きをかけ、将来は匠(たくみ)と呼ばれる人に
9 7	研 冴	けんご	研ぎ極めたシャープな技で後世に残る仕事を
8 10★	尚 砥	なおと	修得した技を、常に高めていける人に

ミュージシャン

国境を越えて、世界を駆けめぐる音楽を

画数	名前	読み	説明
10 8	真 弦	まいと	心に響く美しい音楽を生み出す人に
11 9	琉 音	りゅうと	古楽器リュートのような心落ちつく調べを奏でる人に
13 2	楽 人	らくと	音楽の喜びをみんなと分かち合える人に

第7章

画数から考える

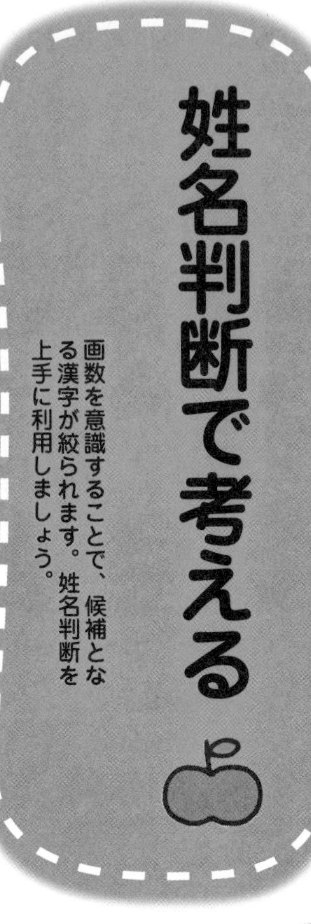

姓名判断で考える

画数を意識することで、候補となる漢字が絞られます。姓名判断を上手に利用しましょう。

姓名判断と画数

姓名判断というと、「名前の画数によってその人の運勢を占うもの」と思われがちです。「大切な赤ちゃんのために、幸運を運んでくれる名前に…」と願うのはごく自然なことですが、姓名判断の利用価値は、それだけではありません。

姓名判断では、姓に合わせて名前の画数を割り出していくため、漢字・ひらがな・カタカナという膨大な数の候補となる文字から、名づけに適したものを絞り込むことができるのです。

姓によって、名前の文字や組み合わせに制限が生まれるということは、逆にいえば、個人では思いつくのが難しかった名前をつくれる可能性が高いということです。姓名判断や画数は、実はとても有用な、名づけの基本テクニックともいえるのです。

画数の数え方

漢字には、旧字や新字、俗字といったものがあり、画数の数え方も姓名判断の流派によって異なります。本書では、以下の2点を前提として、画数について述べていきます。

①名前は公認の字体で

名前に使用できる漢字は、常用漢字と人名用漢字だけですが、この中には旧字や俗字も多く含まれています。「亞（旧字体）」「國（旧字体）」「桧（俗字）」などがそうです。

2004年に人名用漢字が大幅に追加され、その中にも俗字や異体字をもつものが多く含まれていました。ある意味で、従来の漢字の秩序が崩れてしまった感もありますが、「公式な文字」であることは間違いないので、画数についてもそのままの字体で数えることとします。

②姓は日常使用している字体で

常用漢字や人名用漢字に含まれない文字も、姓には使われています。また、「斉藤」「斎藤」「齋藤」のように、複数の表記をもつ姓や、「檜山」「桧山」といった正字と俗字、両方の表記が見られる姓もあります。

画数は、使用頻度が高ければ高いほど、その人に強く作用すると考えられます。普段書いている姓の文字の画数を、数えてください。

旧字体漢字の扱いについて

新人名用漢字の見直しのほか2004年には戸籍法施行規則の改正により「人名用漢字許容字体（旧字体205字）」の枠も取り外されました。従来は、「旧字体で教育を受けた世代がいる間は、例外的に使用を認める」というスタンスでしたが、旧字体もまた常用漢字や人名用漢字と同様の扱いになったということです。これにより「恵」と「惠」、「真」と「眞」といった新字体と旧字体とを分ける意味も失われたといえるでしょう。

名前の画数については、あくまでも「公認の文字」の「字体どおりの画数を数える」ことが原則です。旧字体の中には、パソコンなどで入力する際、正しく表示されないものも少なくありません。これらの漢字の画数を数えるには、法務省発表による字体や本書を参考にして、計算してください。

また、なじみの深い漢字でも、「くさかんむり」や「しんにゅう」のように、画数の数え方に複数のケースがある部首をもつものもあります。本書では、あくまで字体どおりの画数を数える、という考え方で計算していますので、さまざまな考え方を混同しないよう注意してください。

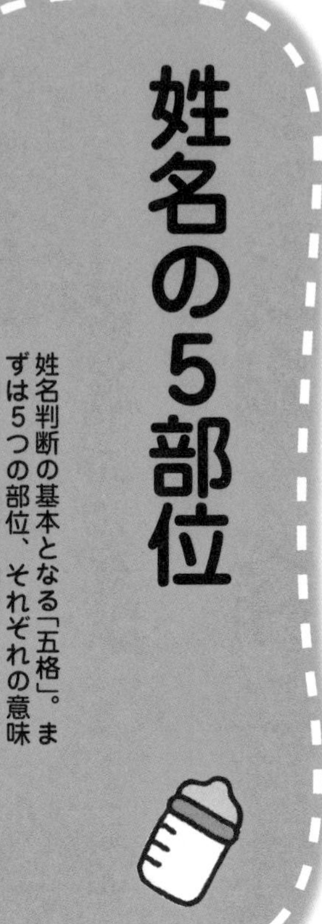

姓名の5部位

姓名判断の基本となる「五格」。まずは5つの部位、それぞれの意味を知るところから始めましょう。

5つの部位

姓名判断では、姓名を「天格」「人格」「地格」「外格」「総格」からなる5つの部位に分けて考えます。これらを五格と呼び、その部位ごとの合計画数によって、運勢を判断します。「五格」には、それぞれ意味があります。次ページに例とともにまとめましたので、ご参照ください。

ただし、五格の中でも、姓の合計画数である「天格」は運勢に直接作用することはなく、吉凶を判断する要素とはなりません。実際に使われるのは、ほかの4つの部位となります。このうち「人格」と「総格」については、多くの姓名判断の流派で同じ考え方をしています。それだけ重視されている部位だといえ、名づけの際にも優先して考えたいところです。

「五格すべてが吉数となる名前をつけたい」と思うのも親心ですが、かなりの難題です。重要な「人格」と「総画」に的を絞ったり、子どもの個人性を重視して、「地格」を中心に考えていくのも一法です。

「どうしても五格を吉数に」とこだわるあまり、時間がかかりすぎて期限内に名前が決まらなかったり、パパやママの希望やセンスからかけ離れた、不本意な名づけとなってしまったりしては本末転倒です。優先する部位を決めて考えるなど、姓名判断を上手に取り入れるようにしましょう。

五格の基本とは

姓名判断では、漢字一つひとつの画数に吉凶があるわけではありません。姓名を「五格」という5つの部位に分け、その部位ごとの合計画数によって見ていきます。五格とは、以下に挙げた要素をいいます。

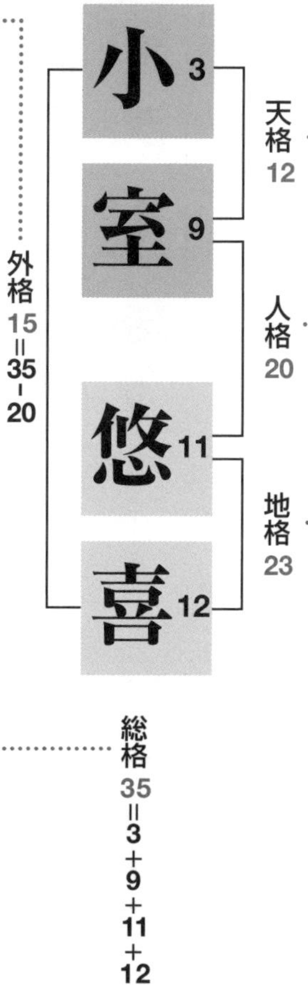

小 3
室 9
悠 11
喜 12

天格 12
人格 20
地格 23
外格 15＝35－20
総格 35＝3＋9＋11＋12

天格
姓の合計画数
生まれつきの天運を表しますが、姓名判断では、その人の資質を伸ばしていくためのものと考えられており、判断材料には用いいません

人格
姓の最後の文字と、名の最初の文字の合計画数
性格・才能などを表し、一生を通じての運勢に影響します

地格
名の合計画数
主として出生時から中年期に至るまでの運勢を司ります

外格
総格から人格を引いた画数
対外関係に作用し、「人格」を補う働きをもちます。外格が「0」になる場合には、人格の数で代用します

総格
姓名の合計画数
一生の運勢に影響するとともに、中年期以降の社会運を司ります

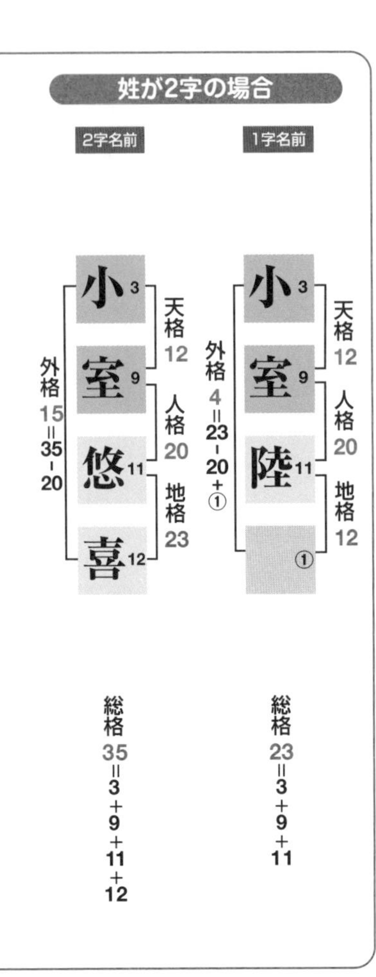

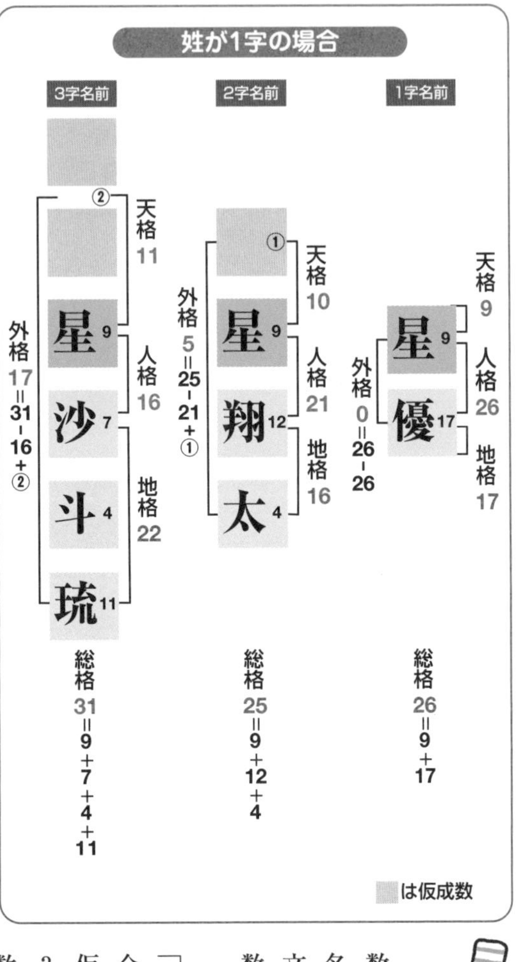

「仮成数」について

五格の数え方は、姓と名の文字数によって変わってきます。姓と名の文字数が違う場合には、多い文字数から少ない文字数を引いた数値「仮成数」を出して数えます。

1字姓の例で見てみましょう。「星翔太」は1字姓と2字名の組み合わせなので、2－1＝1となり、仮成数は①です。「星沙斗琉」なら3字名なので、3－1＝2で、仮成数は②となります。こうして出した仮成数を、文字数の少ないほう（この場合は、姓）に加えて計算します。

2字姓や3字姓についても、その計算方法を具体的な例とともに、上の表に示してあります。次ページの「五格の考え方」と合わせて、参考にしてください。

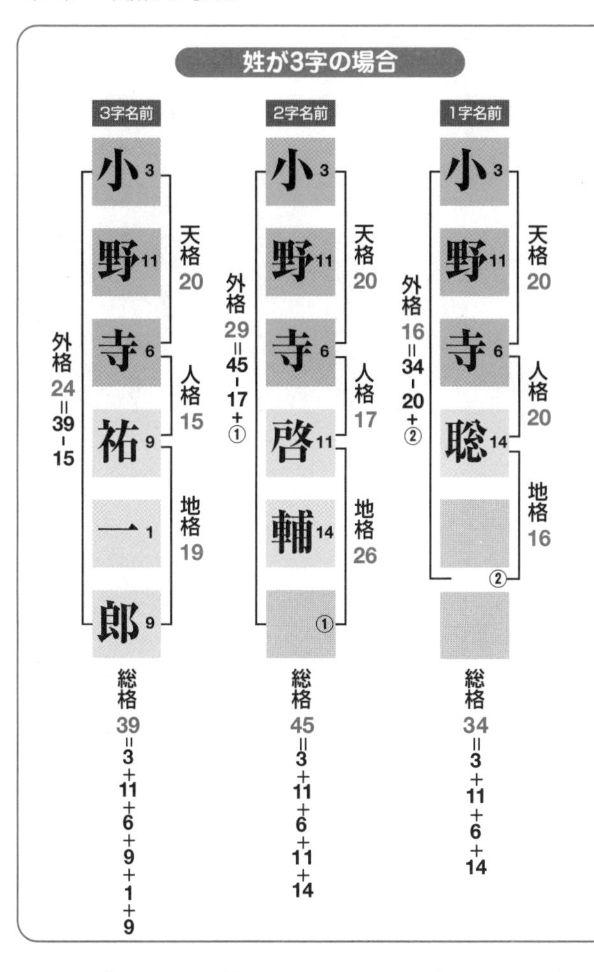

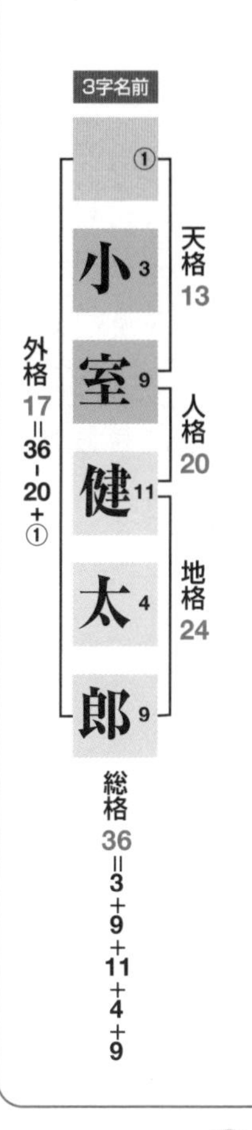

五格の考え方

●**天格**…姓を構成する文字の合計画数。「1字姓2字名」や、「2字姓3字名」のように、姓よりも名の文字数が多い場合には、「仮成数」を加えて計算します。

●**人格**…姓の最後の1字と、名の最初の1字の、2文字の合計画数です。

●**地格**…名を構成する文字の合計画数。「2字姓1字名」や、「3字姓2字名」のように、名よりも姓の文字数が多い場合には、「仮成数」を加えて計算します。

●**外格**…総格から人格を引いた数。姓と名の文字数が異なる場合、「仮成数」を加えて計算します。

●**総格**…姓名を構成する、すべての文字の合計画数です。仮成数は用いません。

画数による運勢

人格・地格・外格・総格の数理（画数）を、以下に当てはめて見ていきます。数理は1に始まり、81に終わります。男の子の場合、本質を表す人格と、総合運を表す総格にウエイトをおいて考えるとよいでしょう。

◎ 吉の画数
○ 半吉の画数
△ あまりすすめられない画数

1画 ◎
恵まれた強運の持ち主

すべてがプラスに働き、将来は成功間違いなし。1は最大の吉数で、11、21、31、41など1のつく画数には、共通して幸運に恵まれるパワーが宿っています。行動力と積極性で成功します。

2画 △
心労の多い人生かも

意志の弱さが裏目に出て、せっかくのチャンスを逃すおそれあり。内向的で、孤独を愛する傾向がありますが、積極的で愛嬌たっぷりの女性と結婚することで、人間関係がよくなります。

3画 ◎

順風満帆の幸せな人生

人の和を大事にする人格者。周囲からの信頼も厚く、リーダーになる素質があります。出世街道まっしぐらの幸運な人生を送りますが、完璧主義のきらいがあり、心の葛藤もありそう。

4画 △
望みが高すぎる理想主義者

自分勝手で短気なところがあり、仕事や人間関係でつまずくことも。理想が高くて努力が報われない、損な運気ですが、愛情をもって育てれば、頼りがいのある人物になる可能性も。

5画 ◎

頼りがいのあるタフガイ

温厚な人柄で、上司や同僚、部下からも頼りにされる存在に。自立心が強く、一代で財を築くエネルギッシュな面がある一方、恵まれた環境で育つと平凡な人生に終わることも。

6画 ◎

幸運を導く自然体の成功者

天与の恵みを一身に受け、あるがままに生きていくだけで幸運に恵まれます。上司からの引き立てや抜擢などのチャンスがあり、成功と繁栄への道が開かれています。

7画 ◎

パワフルな個性で勝利者に

困難を克服する強い意志や決断力をもった行動派。独立心旺盛で、努力家でもありますが、頑固な面がアダとなることも。人の話を聞く謙虚さを身につければ、繁栄が続きます。

8画 ◎

知力と忍耐力で大成功

強い意志と確かな知性で物事に取り組み、最後には大きな成功を収めます。頑固な面もありますが、持ち前の忍耐力で上司の信頼も厚く、同僚、部下からも慕われます。

9画 △

ツキに恵まれない気分屋

エネルギッシュで活動的な半面、熱しやすく冷めやすいため、仕事面での成功は難しそう。地道な仕事より、芸能界などの水商売的なものが合っているでしょう。家庭運は期待薄。

10画 △

障害や失敗の多い人生

不遇な運気の持ち主ですが、がまん強さは天下一品。思いがけない力を発揮して、大成功を収める可能性も。被害妄想が強いので、意識的にプラス思考への転換を図ると好転する可能性あり。

11画

天与の恵みで斜陽を再興

無限の可能性を秘めた強力な吉数。温和ななかに強い意志を秘め、傾きかけた家運やビジネスを復興するパワーをもっています。人望も厚く、富と名声はもちろん、結婚運もバッチリ。

12画 自己過信から孤独な人生に

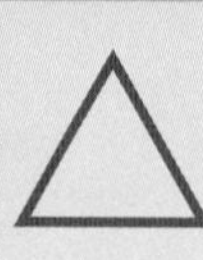

見栄を張って分不相応なことに手を出すと、挫折することに。無理をせず、主役を引き立てる脇役に徹したほうが力を発揮できるでしょう。消化器系の病気に要注意。

13画 願望を達成する情熱家

天与の才能に恵まれた吉数。たぐいまれな積極性と冷静な判断力で成功を手にします。炎のような激しい性格ですが、思いやりある寛容な態度で接すれば、友人や同僚にも恵まれます。

14画 苦労が報われない人生

労多くして功の少ない運気で、世の中への不平不満がたまりやすい傾向あり。ただし、その反骨精神をバネに、反体制運動の闘士や新聞記者などとして活躍する可能性も。遭難に要注意。

15画 出世街道まっしぐら

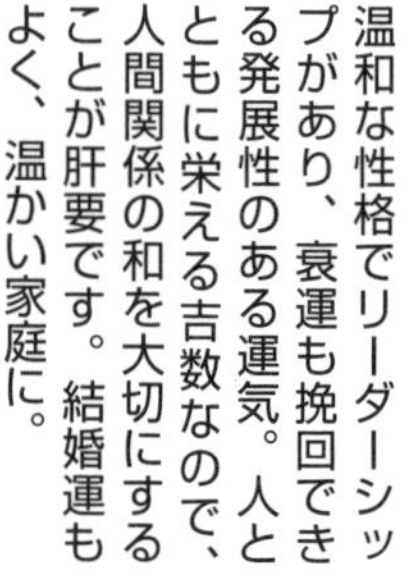

目上の人や同僚、部下からの信望を一身に集めて、願望を達成できる大吉数。周囲の人々の引き立てで、名誉と財力の両方を手にすることができます。健康的ですが、消化器系には要注意。

16画 人望の厚い上り坂の人生

温和な性格でリーダーシップがあり、衰運も挽回できる発展性のある運気。人とともに栄える吉数なので、人間関係の和を大切にすることが肝要です。結婚運もよく、温かい家庭に。

17画 初志貫徹の潔い人生

意志力と実行力で困難をものともせず、成功を収めるでしょう。ただし、意志が強すぎて、他人から反感を買うおそれがあります。人間関係の和合に配慮すれば、さらに飛躍する可能性も。

18画 信念を貫く強運の持ち主

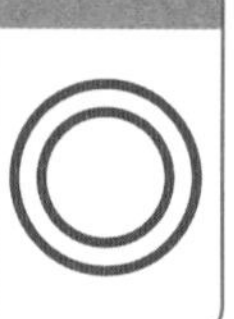

成功を勝ち取る知力、実行力があり、苦労を重ねるほど、幸運をつかむチャンスに恵まれます。自我が強すぎる傾向があり、他人に恨まれる可能性も。人との和合を心がけることが大切。

19画 △
コインの裏表のような人生
優れた才能をもち、成功する運気があるものの、予期しない障害で不成功に終わる可能性も。物事に固執しない長所を生かし、言動に一貫性をもたせるようにすれば、運気が上向くでしょう。

20画 △
努力が報われない苦労性
仕事で力を出そうとしても、なかなか芽が出ないタイプ。大望は抱かずに、コツコツと地道な人生を歩むのが無難。予期しない災難にあったり、大病に見舞われる可能性も。

21画

努力が実る大器晩成型
温和な性格で人望も厚く、試練を乗り越えて名声と財力を手に入れます。独立心旺盛な気質を生かし、自営の経営者や自由業を選ぶ道も。サラリーマンになるなら、安定した大企業が吉。

22画 △
辛抱強さが身を助ける
なかなか思いどおりにいかず、無気力になりがち。大成は望めないものの、持ち前の粘り強さをウリに努力すれば、必ず報われます。親しい人との別離で孤独な境遇に陥ることも。

23画 ◎
一代で財を成す大吉運
運気に勢いがあり、逆境にあっても、生まれもったパワーで乗り越え、一代にして地位と財産を築きます。人を引きつける魅力がある半面、短気なところがあり、誤解が生じることも。

24画

理想を実現できる行動派
頭脳明晰で協調性もあり、紆余曲折があっても大成するタイプ。自分の信念があり、理想を貫く力量があります。ゼロからスタートするほうが成功の確率も高いでしょう。対人関係は良好です。

25画

人望を集めれば大願成就
豊かな才能と感性に恵まれた強運数。そのぶん個性が強く、傲慢さとなって人を遠ざけることも。順応性を養い、人との和合に努めれば、大業を成せる運勢の持ち主です。

26画 変幻自在の不思議な運気

冷静で理性に富んでいるかと思えば、アッと驚く行動に出て、思いがけない力を発揮したり…。大成功を収めるか、波に乗り損ねて失敗するか、両極端の運気で、波乱に富む生涯となりそう。

27画 猪突猛進の自信家に

自信過剰で虚栄心が強いため、中身がおろそかになりがち。才能と意志の強さをもちあわせているので、精神修養に努めれば、道が開けます。若いうちに土台をつくれば、晩年は安泰に。

28画 嵐のような激しい人生

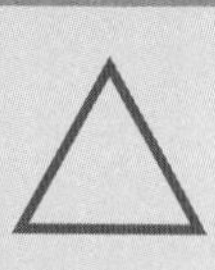

成功と没落の可能性をもつ極端な運気。思いがけない災難や配偶者との生別・死別にあうおそれあり。荒波の多い人生ですが、歴史に残る大物になる暗示も。体が弱いので、病気に注意。

29画 虚栄心を抑えれば成功

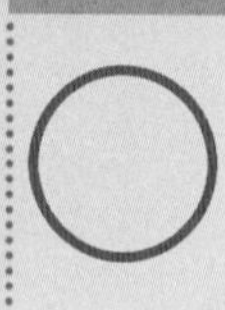

知力・気力ともに充実し、成功を暗示する画数ですが、才能を過信して失敗することも。他人への思いやりを忘れず、ひとつのことに専念すれば、幸運に恵まれるでしょう。

30画 運命を開拓する力量あり

波乱の人生を暗示する画数ですが、試練を克服する力量があり、対応いかんによっては成功の道も。野心家で、一攫千金の可能性もあり。家業を継ぐよりは、独立するほうが向いています。

31画 誠実さが身上の果報者

知・仁・勇の三徳を備えた吉祥運をもつ、理性的で知力のある行動派。誠実な人柄で人望も厚く、着実に成功への道を歩みます。晩年は、地位、財力、名誉に恵まれた大吉運となります。

32画 人間味あふれる強運ボーイ

人間性に富んだ包容力のある吉祥運。宝くじが当たる、コンクールで入賞するといった運のよさもあり、すべてにおいて幸運に恵まれます。仕事運はもちろん、結婚運も良好です。

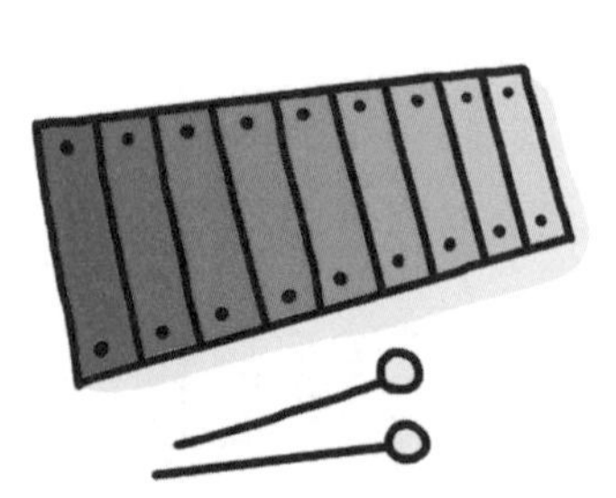

33画 ◎
仕事一筋の立身出世の人
権威・才知・勇気を兼ね備えた大吉運。炎のような気迫と豊かな才能で手腕を発揮し、成功を収めます。ただし、あまり自信過剰になると人間関係が悪くなり、衰運を招くので注意。

34画

複雑で生きにくい性格
自分の行動と社会との歯車が合わず、イライラすることに。苦労が実らないことから、自暴自棄になりがち。趣味や生きがいを見つけることで、精神の安定を図りましょう。

35画

温厚で洗練された芸術家
温厚寛大な性格で、洗練された処世術をもち、知らず知らずのうちに成功するタイプ。ビジネスの世界でも成功しますが、とくに文筆、芸術、技能関係で伸びる可能性があります。

36画
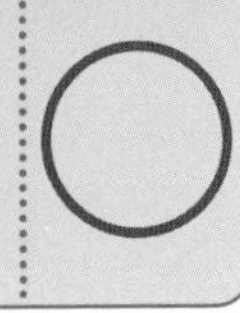

世の荒波に抗（あらが）う一匹狼
大勢でつるむより、独力で行動を起こすタイプ。義理人情に厚く、自分を顧みずに渦中に飛び込み、かえって波乱を生むことも。周囲に頼るより、独力で勝負するほうが道が開けるでしょう。

37画 ◎
実りの多い人生をゲット
誠実さと勤勉さに加え、頭脳明晰で判断力があり、難局を乗り越えて成功します。柔軟性と寛大さを身につければ、さらに運気が向上し、一生繁栄します。結婚運も吉。

38画
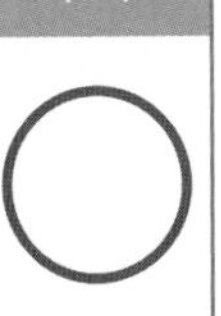

一芸に秀でる才能あり
芸術や特殊技能に成功の道があります。権力や富には縁がありませんが、ひとつのことに専念することで自分の力を発揮できます。意志の弱さを克服すれば、成功も夢ではありません。

39画 ◎
生命力の強さが運を呼ぶ
困難を乗り越えた先にあるのは、富と名声。生まれながらに備わっているパワフルな生命力と頭脳、人徳で、どんな荒波にも屈することなく、目標に到達します。ただし、対人関係には要注意。

40画 △
自信過剰を慎むこと
頭の回転が速く、聡明ですが、協調性のなさがアダとなり、波乱の多い人生に。人との和合を大事にすれば運気も向上し、いざというとき味方になってくれる存在もできるでしょう。

41画

名実ともに栄光をゲット
性格が穏やかで頭の回転も速く、上司からの信頼も厚いので順調に出世します。30歳前後には大きな仕事を成し遂げ、注目されるでしょう。良縁にも恵まれて、晩年も幸せに。

42画 ○
多芸多才の器用貧乏
生まれもった器用さを生かした仕事を選ぶと吉。職人、芸術家、学者、技師、各種研究家などで成功する可能性があります。ただし、あれもこれもと手を出すと失敗することに。

43画 △
異性関係にレッドカード
才知に優れているものの、異性におぼれて成功のチャンスを逃すおそれあり。人生に対して強い意志をもって事に当たれば、運気も向上します。しっかりした友人をもつことが肝心。

44画 △
波乱時に力を発する運気
混乱した時代に力を発揮するタイプで、英雄や大芸術家になる可能性あり。ただし、ほとんどの場合は運がなく、チャンスに恵まれません。野心をもたず、堅実に暮らすことが大切です。

45画

神に導かれて栄光を手に
温厚な人柄ですが、いざというときには毅然とした態度で物事に当たり、成功を収めます。数々の困難が栄光への糧となり、最後には地位や財産、名誉を手に入れることができます。

46画

詰めを怠ると不運を招く
才能はあるものの、悪条件が重なって実力を発揮できません。まれに大成功を収めることもありますが、悲運に終わる可能性も。野心をもたずにサポート役に徹したほうが無難。

47画　子孫代々続く繁栄

すべてが好転する大吉運。ビジネスに必要な判断力や勘のよさをもち、堂々とした貫禄で人望も厚く、平穏安泰な人生となります。結婚運もよく、子孫末裔まで繁栄が続くでしょう。

48画　知的な名参謀役

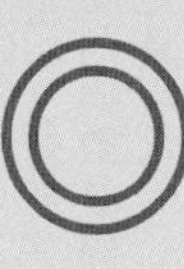

頭脳明晰で良識があり、周りからの尊敬を集めるタイプ。自ずと成功に導かれる運気ですが、トップに立つより参謀役やブレーンとして脇を固めるほうが適任。過労からくる病気に注意。

49画　一発逆転のギャンブラー

吉凶が表裏一体となっている画数。気性が激しく、自信過剰な面があるため、浮き沈みの激しい人生となるおそれあり。運を天に任せるような投機性のある職業が向いているかも。

50画　有終の美を大切に

内向的な性格ですが、何かのきっかけで一念発起し、大きな転機となることも。ただし、挫折しやすい半吉数なので、最後まで気を抜かないことが大切。失敗しない策も念入りに。

51画　若いうちの苦労が財産

運が向いてきたかと思うと落とし穴に落ちてしまうなど、波乱の多い人生ですが、若いうちに土台を築き、30歳ぐらいで次のステップへ進めるよう準備すれば、成功する可能性もあります。

52画　才能豊かなパイオニア

好奇心旺盛でチャレンジ精神にあふれ、困難をものともせずに邁進できる大吉運。独創的な発想力を生かし、実業家や発明家、作家、画家、投機家、デザイナーなどをめざすと成功します。

53画　繊細な心をもつ苦労人

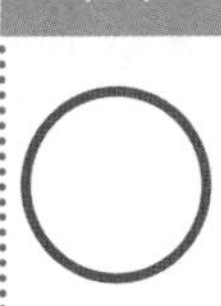

外見と内面が大きく異なる相反する運気の持ち主で、快活に見えても心の中は複雑で、悩みが多かったりします。そのぶん気分にムラがあり、誤解されやすいので注意が必要。

54画 

対人関係でトラブルの暗示

ネクラなところがあり、仕事運もイマイチ。苦労する運気ですが、技術者として成功する可能性あり。独立するよりは、組織の中で働くほうが安定します。何事も人との和を大切に。

55画 

考えすぎが失敗のもと

落ちつきある態度とは裏腹に、神経質で消極的。あれこれ考えすぎてチャンスを逃してしまうなど、不安定な運気です。軽率な言動に注意して、人から信頼されることが肝要です。

56画 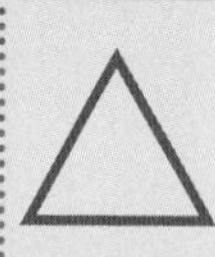

身の丈にあった人生を

意志が弱い半面、名声にあこがれる気持ちが強く、実力以上のことを考えて失敗しがち。プライドは捨てて、自分にできることを忍耐強く実行することが大切。晩年に苦労する暗示あり。

57画 ◎

時流に乗って大躍進を

的確な判断力と忍耐力を兼ね備え、どんな職業でも完成度の高い仕事ができます。若い時期に大きな試練や壁にぶつかりますが、晩年には名実ともに幸運な人生を手に入れるでしょう。

58画 ◎

波乱を乗り越え成功へ

変化の多い人生ですが、人並み以上の努力家で、困難を乗り越えるパワーをもっています。失敗ののちに大成功する場合が多く、中年以降は安定した人生となります。

59画 △

苦労続きの人生に

気力や忍耐力に乏しいため、困難にぶつかると押しつぶされてしまいがち。苦労して手に入れた財産や地位、愛情などを失う可能性も。粘り強く物事に取り組む姿勢が大切です。

60画 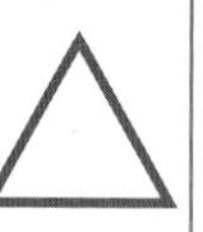

労多く功の少ない人生に

内向的で気力もあまりなく、どうしても後ろ向きになりがち。自ら苦労を背負い込むことに。成功は望めそうにありませんが、気持ちを前向きにするだけでも、運は味方についてくれます。

61画 才気ぶると自ら不運に

才能と積極性を備えていますが、自信過剰で他人を見下すようなところがあります。そのため、人間関係では協力を得られず孤立することに。謙虚さと協調性を身につけましょう。

62画 二面性の不安定な人生

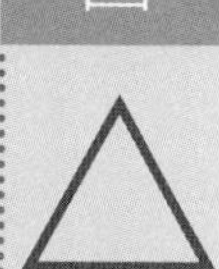

人生の半分は幸運に、半分は不運に見舞われそうな運気。温厚かと思えば激高したりと、二面性のある性格で、家庭内も不安定に。感情をコントロールできるようになることが大切。

63画 すくすく伸びる隆盛運

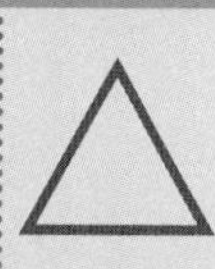

誠実な人柄で好感度バツグン。自立心旺盛で周囲からの引き立てもあり、仕事も順調。すべてにおいて成功を収めます。円満で理想的な家庭を築き、幸福な生涯となるでしょう。

64画 逆境にあいやすい運気

予期しない災難にあう可能性があり、悲しい結果に終わることも。内向的で嫉妬深い性格が災いして、周囲からの援助が得られません。プラス思考で人と接し、信頼を得ることが大切。

65画 大業を成し遂げる幸運者

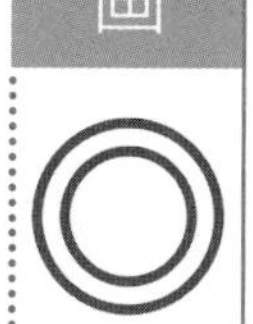

富貴と名声、健康、長寿に恵まれた大吉数。人の上に立つ器量をもち、周りの人から尊敬される人格者に。すべてが思いどおりに運び、家庭運にも恵まれた幸せな晩年となるでしょう。

66画 苦労の絶えない忍耐人生

野心家で遠大な夢をもちますが、失敗ばかりで悲観的に。とくに中年以降は苦労が絶えません。忍耐強く努力することで運も上向きに。身内との縁が薄く、不安定な生活になりそう。

67画 前途洋々の出世運

頭脳明晰で柔軟性があり、組織の中にあって頭角を現し、順調に昇進します。強い意志をもっているので、ゼロから出発しても成功するでしょう。結婚運もよく、幸せな家庭を築けます。

68画

天賦の才で夢を実現

思慮深さと創造性、強い意志の持ち主。努力を惜しまず、壁にぶつかっても独力で人生を切り開き、目的を達成します。発明や発見の才があり、学問や文芸で力を発揮します。

69画

欲張らない生き方を

引っ込み思案で、物事に積極的に取り組むのが苦手。大業を成すことより、大きな組織で安定した生活をするほうが平穏な人生を送れます。金運は弱いので、ギャンブルは禁物。

70画

受難の多いつらい人生

消極的で頑固な面があり、なかなか人に理解されません。仕事上でも孤立しがちで、周りからの支援がなく、意固地になりがち。家族との別離や病気など、不運が続きます。

71画

○

野心はもたないほうが無難

才能はありますが、人をまとめる能力に欠けるため、組織での出世は難しそう。大望を抱いても成功する可能性は薄く、苦労するばかりなので、地道に仕事をこなすほうがよさそうです。

72画

○

一芸に秀でた才能あり

両極端な運命の持ち主ですが、気弱さがネックとなって成功する可能性は薄そうです。手先の器用さを生かし、伝統的な仕事や職人的な仕事に専念すると、道が開けます。

73画

○

晩年に向かって運気が向上

若いうちは下積みで苦労しますが、人生の後半で報われることに。誠実で楽天的なところが人に好かれ、中年以降は人望も集まって仕事も成功。家庭運にも恵まれます。

74画

覇気のなさが不運のもと

自分の運命を切り開く気概がないのに、虚勢を張るところがあり、人望を得られません。災難にあっても周りからの助けがなく、孤立無援に。自分の行いを省みることが大切です。

75画

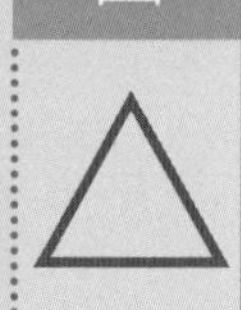

野心を抱くと波乱の人生に

運命を切り開くだけのエネルギーはありませんが、身を慎んでいれば平穏でしょう。現状に不満を抱いて、大きなことに挑戦すると凶運を招きます。平穏無事をよしとしましょう。

76画

協調性のなさがアダに

どちらかというとネクラで人との交流が苦手。協調性がないうえに強情な面があり、人との争いも多くなりがち。仕事も計画性のなさから失敗することに。調和のない人生となりそう。

77画

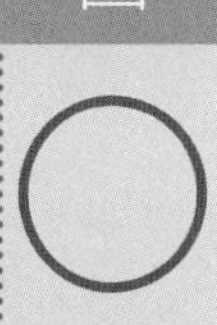

決断次第で運命も分かれる

吉凶相半ばする運命ですが、決めるのは自分です。心の余裕と計画性、先を見通す力を養えば、幸運をつかめるでしょう。20歳前後と40歳前後に運命の転機が訪れます。

78画

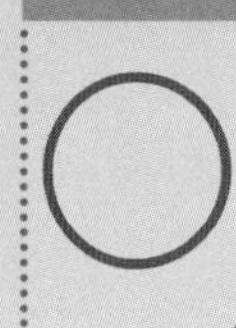

才能を生かせない性格

天与の才能がありながら、積極性に欠け、せっかくのチャンスを逃すことに。壁にぶつかると簡単にあきらめる傾向もあり、なかなか安定しない人生です。配偶者にはネアカで活発な女性を。

79画

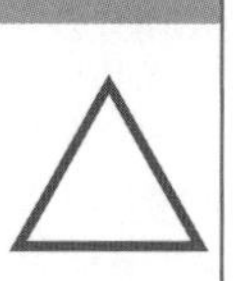

安定しない生涯に

臆病で優柔不断、実行力にも乏しいので、チャンスがあってもモノにすることができません。能動的に物事に取り組むことが大切。水商売などで力を発揮することも。健康には恵まれます。

80画

社会生活に向かない性格

思いやりに欠け、不平不満の多い性格。積極性もあまりなく、仕事もうまくいきません。競争の激しい社会生活は避け、自分の趣味を生かせるような環境がベスト。孤独な人生の暗示。

81画

◎

たぐいまれな成功者に

「9」と「9」の交錯がここで終わり、初めの「1」に戻るので、1画と同じ霊運をもちます。どんな職業に就いても成功間違いなし。家庭運もよく、幸せな人生となるでしょう。

「姓別 吉数リスト」と「画数別 名前リスト」の使い方

●姓別 吉数リスト
(374～399ページ)

姓の画数の組み合わせ ……… 3・6
(例は3画・6画)

姓の例 ……… 大江 大竹 大西 川合 久米 小池
代表的なものを例に挙げました

姓の画数と例	3・6 大江 大竹 大西 川合 久米 小池
1字名前	なし
2字名前	1・5 2・4 1・14 2・13 5・10 7・8 10・5 11・4 12・3 1・15 2・14 11・5 12・4 1・22 2・21 5・18 9・14 10・13 11・12 15・8 18・5 19・4 9・15 10・14 11・13 12・12 19・5
3字名前	2・(4) 1・(14) 2・(13) 2・(14) 5・(11) 9・(14) 10・(13) 11・(12) 12・(11) 5・(19) 7・(17) 10・(14) 11・(13) 12・(12) 15・(9) 15・(17) 18・(21)

1字名前の……… 吉数

2字名前の……… 吉数
(合計画数の少ないものから順に並んでいます)

3字名前の……… 吉数
( )内は下の2文字を合計したものです。(7)であれば、「1画・6画」でも「2画・5画」でも、合計が7になればOKです

●画数別 名前リスト
(400～431ページ)

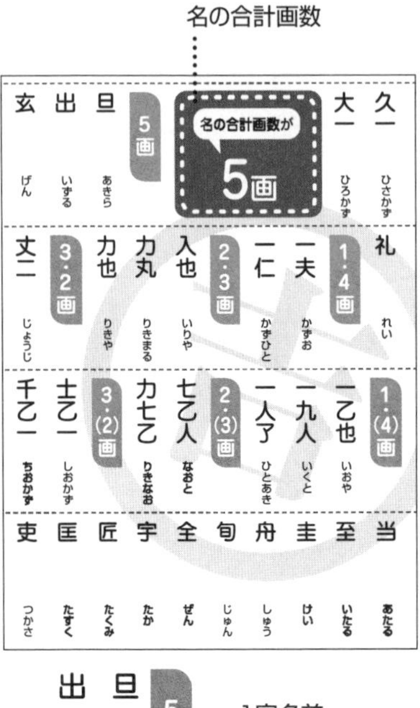

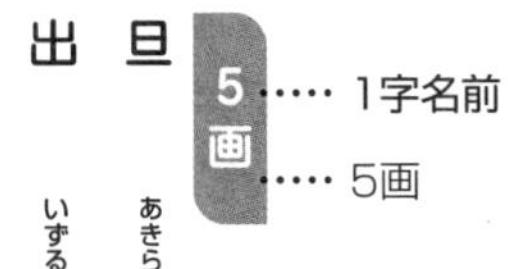

七乙人 なおと
力七乙 りきなお
2・(3)画 ……… 3字名前
……… 2画・合計で3画

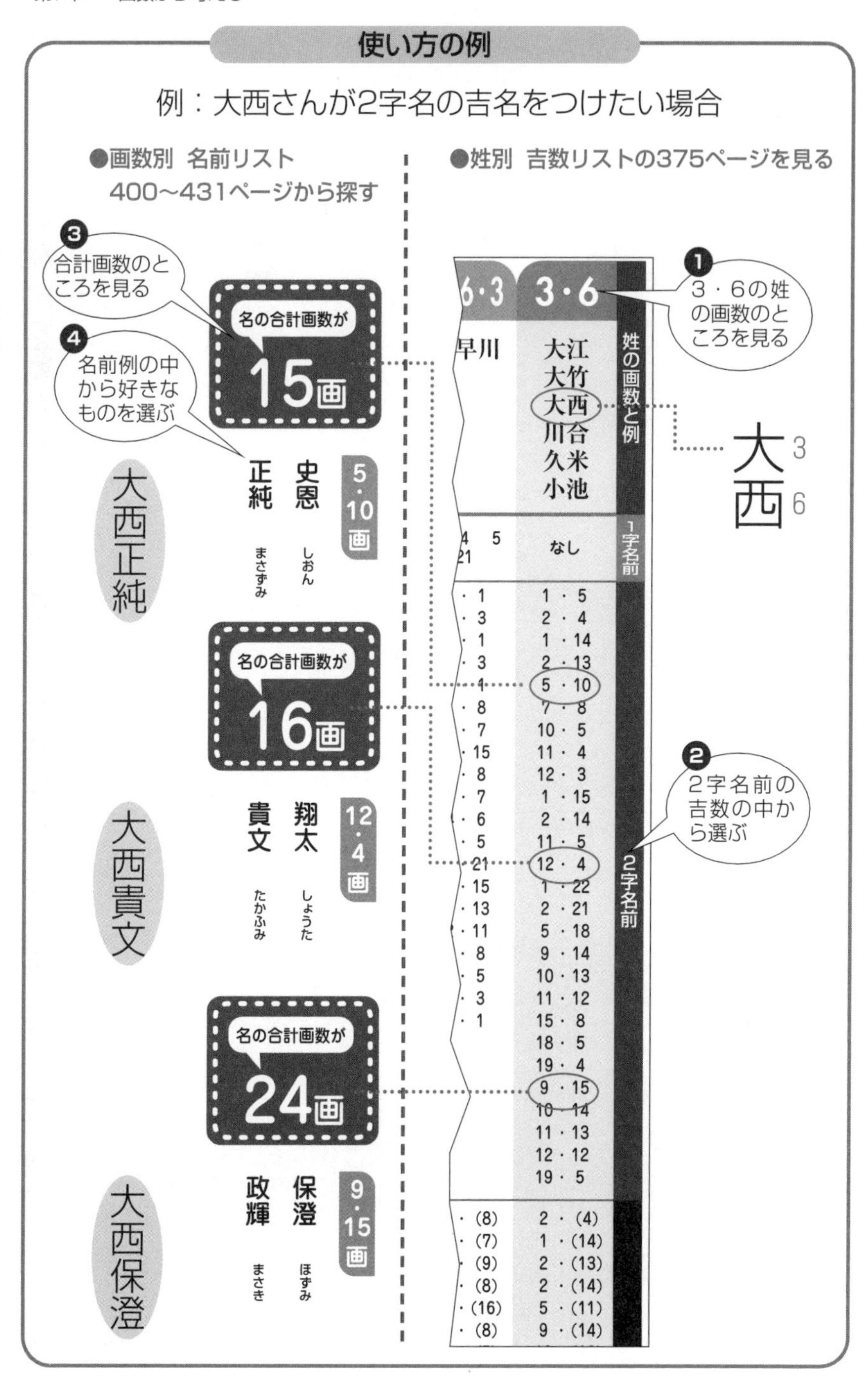

使い方の例
例：大西さんが2字名の吉名をつけたい場合
●画数別 名前リスト
400～431ページから探す
●姓別 吉数リストの375ページを見る
❸ 合計画数のところを見る
❹ 名前例の中から好きなものを選ぶ
❶ 3・6の姓の画数のところを見る
❷ 2字名前の吉数の中から選ぶ
名の合計画数が 15画
5・10画
史恩 しおん
正純 まさずみ
大西正純
名の合計画数が 16画
12・4画
翔太 しょうた
貴文 たかふみ
大西貴文
名の合計画数が 24画
9・15画
保澄 ほずみ
政輝 まさき
大西保澄
6・3
3・6
姓の画数と例
早川
大江
大竹
大西
川合
久米
小池
大 3
西 6
1字名前
なし
2字名前
1・5
2・4
1・14
2・13
5・10
7・8
10・5
11・4
12・3
1・15
2・14
11・5
12・4
1・22
2・21
5・18
9・14
10・13
11・12
15・8
18・5
19・4
9・15
10・14
11・13
12・12
19・5
2・(4)
1・(14)
2・(13)
2・(14)
5・(11)
9・(14)

	3·5·4	3·5	3·4	3·3·9	3·3	2·10	2·4	1·10
姓の画数と例	小田切	上田 大石 大田 川田 山本 山田	大井 大内 大友 川井 川内 土井	大久保 川久保 小久保	及川 大川 小川 川口 山口 山下	入倉 二宮	八木	一宮
1字名前	なし	なし	なし	6 9 16 22	なし	5 6 23	2 7 12 17	なし
2字名前	2・2 1・4 3・2 2・4 4・2 3・9 4・8 4・16 11・9 12・8 13・7 14・6 1・22 7・16 9・14 11・12 14・9 17・6 19・4 21・2	3・2 1・12 10・3 11・2 1・14 2・13 3・12 10・5 11・4 12・3 13・2 1・15 2・14 3・13 11・5 12・4 13・3 1・22 10・13 11・12 20・3 10・14 11・13 20・4 3・22 10・15 11・14	1・5 2・4 3・3 4・2 1・15 2・14 3・13 4・12 11・5 12・4 13・3 14・2 2・15 12・5 2・22 9・15 11・13 12・12 14・10 19・5 21・3 3・22 4・21 11・14 12・13 13・12 21・4	2・8 4・6 6・10 7・9 8・8 6・11 7・10 8・9 9・8 16・1 2・18 4・16 12・8 14・6 16・4 4・18 6・16 8・14 12・10 14・8 16・6 6・18 7・17 8・16 14・10 15・9 16・8	5・2 8・3 2・13 3・12 5・10 10・5 12・3 13・2 2・15 3・14 4・13 5・12 12・5 13・4 14・3 15・2 3・15 4・14 5・13 13・5 14・4 15・3 3・22 4・21 5・20 10・15 12・13	1・4 1・5 3・3 5・1 5・6 6・5 7・4 8・3 7・6 8・5 5・16 6・15 7・14 8・13 15・6 1・22 7・16 8・15 14・9 22・1 3・22 6・19 11・14 14・11 21・4 22・3	4・3 7・4 1・14 2・13 4・11 9・6 11・4 12・3 14・1 1・16 2・15 3・14 4・13 11・6 12・5 13・4 14・3 2・16 3・15 4・14 12・6 13・5 14・4 2・23 3・22 4・21 9・16	1・4 3・2 1・5 1・6 3・4 5・2 1・12 3・10 6・7 7・6 8・5 11・2 1・20 5・16 6・15 7・14 11・10 14・7 15・6 1・23 7・17 8・16 14・10 22・2
3字名前	4・(7) 3・(10) 4・(9) 4・(17) 12・(9) 13・(8) 14・(7) 7・(16) 13・(10) 14・(9) 2・(23) 9・(16) 9・(24) 17・(16) 20・(13) 19・(16) 20・(15)	2・(3) 3・(2) 6・(7) 2・(13) 3・(12) 6・(9) 2・(14) 3・(13) 6・(17) 13・(11) 6・(19) 11・(14) 12・(13) 13・(12) 16・(9) 10・(21) 16・(17)	2・(4) 3・(3) 4・(2) 1・(7) 2・(14) 3・(13) 4・(12) 11・(7) 11・(13) 12・(12) 4・(21) 11・(14) 12・(13) 13・(12) 14・(11) 11・(21) 12・(20)	7・(9) 9・(7) 6・(11) 7・(10) 8・(9) 6・(12) 7・(11) 8・(10) 9・(9) 6・(18) 7・(17) 12・(12) 14・(10) 15・(9) 14・(18) 15・(17) 7・(26)	3・(2) 3・(4) 2・(13) 3・(12) 4・(11) 3・(14) 4・(21) 5・(20) 12・(13) 13・(12) 14・(11) 12・(21) 13・(20) 22・(11) 14・(21) 15・(20) 22・(13)	1・(12) 3・(10) 5・(8) 3・(18) 11・(10) 13・(8) 3・(20) 5・(18) 11・(12) 13・(10) 15・(8) 5・(20) 11・(14) 15・(10) 11・(22) 13・(20) 15・(18)	2・(3) 3・(2) 2・(5) 1・(14) 2・(13) 3・(12) 2・(15) 3・(22) 4・(21) 11・(14) 12・(13) 13・(12) 11・(22) 12・(21) 21・(12) 13・(22) 14・(21)	1・(4) 1・(5) 3・(3) 8・(5) 5・(16) 6・(15) 7・(14) 8・(13) 3・(21) 5・(19) 8・(16) 11・(13) 13・(11) 15・(9) 14・(23) 15・(22) 21・(16)

	3·9·5	3·9	3·8·10	3·8·5	3·8	3·7	3·6·3	3·6
姓の画数と例	久保田	大泉 久保 小泉 小畑 土屋 山城	大河原 小河原 小松原	大和田 小和田	上松 大坪 大沼 小林 小松 山岸	上杉 上村 大沢 大谷 川村 三谷	小早川	大江 大竹 大西 川合 久米 小池
1字名前	なし	なし	3　11　14	1　16　19	なし	なし	3　4　5 13　21	なし
2字名前	1・3 2・2 1・5 2・12 3・11 6・8 10・4 11・3 12・2 3・12 10・5 11・4 12・3 13・2 6・10 8・8 11・5 10・12 11・11 12・10 20・2 2・22 6・18 12・12 13・11 16・8 20・4	2・3 2・4 4・2 6・5 7・4 8・3 9・2 8・5 9・4 6・15 7・14 8・13 9・12 16・5 2・21 8・15 9・14 15・8 4・21 7・18 12・13 15・10 22・3 23・2	1・3 3・1 1・9 1・11 3・9 6・6 11・1 1・13 3・11 5・9 8・6 11・3 13・1 7・9 11・5 13・3 15・1 1・19 8・12 11・9 14・6 1・23 3・21 11・13 13・11 21・3 23・1	1・4 2・3 1・6 2・5 3・4 2・13 3・12 10・5 11・4 12・3 3・13 10・6 11・5 12・4 13・3 6・11 8・9 11・6 12・5 13・4 16・1 2・21 10・13 11・12 18・5 19・4 20・3	3・2 3・3 3・4 5・2 3・10 5・8 8・5 9・4 10・3 3・18 7・14 8・13 9・12 13・8 16・5 17・4 3・21 9・15 10・14 16・8	1・4 1・5 4・2 4・3 8・3 9・2 9・4 10・3 11・2 1・14 10・5 11・4 8・13 9・12 11・10 16・5 17・4 18・3 1・22 8・15 9・14 10・13 11・12 18・5 4・21 10・15 11・14	3・1 2・3 4・1 3・3 5・1 4・8 5・7 5・15 12・8 13・7 14・6 15・5 2・21 8・15 10・13 12・11 15・8 18・5 20・3 22・1	1・5 2・4 1・14 2・13 5・10 7・8 10・5 11・4 12・3 1・15 2・14 11・5 12・4 1・22 2・21 5・18 9・14 10・13 11・12 15・8 18・5 19・4 9・15 10・14 11・13 12・12 19・5
3字名前	1・(5) 2・(4) 3・(3) 1・(6) 2・(13) 3・(12) 10・(5) 3・(13) 10・(6) 12・(6) 11・(13) 11・(20) 12・(19) 18・(13) 19・(12) 10・(25) 12・(23)	2・(11) 4・(9) 6・(7) 2・(19) 4・(17) 12・(9) 14・(7) 2・(21) 4・(19) 6・(17) 12・(11) 14・(9) 6・(19) 12・(13) 16・(9) 12・(21) 14・(19)	1・(10) 5・(6) 6・(5) 7・(4) 3・(13) 6・(10) 5・(13) 6・(12) 8・(10) 11・(7) 3・(21) 11・(13) 14・(10) 5・(26) 7・(24) 11・(20)	3・(5) 1・(14) 2・(13) 3・(12) 8・(7) 10・(5) 2・(14) 3・(13) 10・(6) 3・(14) 10・(7) 11・(6) 8・(13) 10・(13) 11・(12) 3・(22) 11・(14)	3・(2) 3・(3) 3・(4) 7・(14) 8・(13) 9・(12) 10・(11) 3・(21) 5・(19) 7・(17) 10・(14) 13・(11) 15・(9) 16・(21) 17・(20) 23・(14)	4・(7) 4・(9) 6・(7) 4・(11) 6・(9) 4・(17) 14・(7) 4・(19) 6・(17) 9・(14) 14・(9) 4・(21) 6・(19) 14・(11) 16・(9) 14・(17) 17・(14)	3・(8) 4・(7) 4・(9) 5・(8) 5・(16) 13・(8) 14・(7) 8・(15) 15・(8) 3・(22) 10・(15) 13・(12) 10・(23) 18・(15) 21・(12) 20・(15) 21・(14)	2・(4) 1・(14) 2・(13) 2・(14) 5・(11) 9・(14) 10・(13) 11・(12) 12・(11) 5・(19) 7・(17) 10・(14) 11・(13) 12・(12) 15・(9) 15・(17) 18・(21)

名前例は400～431ページ参照

	3・10	3・10・3	3・11	3・11・6	3・12	3・13	3・14	3・15
姓の画数と例	上原 大宮 小倉 小原 川島 小島	小宮山	上野 大崎 小野 川崎 小堀 山崎	小野寺	大賀 大隈 小椋 川越 小森 千葉	大園 大滝 大溝 川路 山路	大熊 大関 川端 小暮 小関 山際	大蔵 大槻 小幡 三輪
1字名前	なし	5 15 21	なし	1 5 11 15 19	なし	なし	なし	なし
2字名前	1・2 1・4 3・2 3・5 5・3 6・2 1・10 3・8 6・5 7・4 8・3 3・15 5・13 6・12 8・10 13・5 14・4 15・3 3・21 6・18 11・13 14・10 21・3 22・2	2・3 3・2 4・1 3・4 4・3 5・2 4・11 5・10 12・3 13・2 14・1 5・11 12・4 13・3 14・2 15・1 13・4 14・3 15・2 2・21 4・19 5・18 12・11 13・10 20・3 21・2 22・1	2・15 4・13 5・12 7・10 12・5 13・4 14・3 4・14 5・13 6・12 10・8 13・5 14・4 13・8 2・21 5・18 10・13 13・10 20・3 21・2 4・21 5・20 10・15 12・13 13・12 20・5 21・4	1・3 2・2 2・3 2・10 9・3 10・2 11・1 5・10 7・8 9・6 12・3 1・16 7・10 9・8 11・6 15・2	3・3 4・2 3・5 4・4 5・3 6・2 3・13 4・12 6・10 11・5 12・4 13・3 3・14 4・13 5・12 13・4 3・15 4・14 5・13 6・12 13・5 3・21 4・20 9・15 11・13 12・12 19・5	2・13 3・12 5・10 10・5 11・4 12・3 2・14 3・13 4・12 11・5 12・4 2・15 3・14 4・13 5・12 12・5 8・13 11・10 18・3 19・2 2・21 3・20 8・15 10・13 11・12 18・5 19・4	1・5 2・4 3・3 4・2 2・5 3・5 1・14 2・13 3・12 7・8 10・5 11・4 1・15 2・14 3・13 4・12 11・5 3・15 4・14 10・8 2・22 3・21 4・20 9・15 10・14 11・13 21・3	1・2 1・4 2・3 3・2 1・5 2・4 3・3 1・12 10・3 1・14 2・13 3・12 10・5 6・15 8・13 9・12 16・5 17・4 18・3 1・22 2・21 3・20 8・15 9・14 10・13 18・5 20・3
3字名前	1・(4) 5・(13) 6・(12) 3・(21) 5・(19) 7・(17) 11・(13) 13・(11) 15・(9) 11・(21) 13・(19) 15・(17) 21・(11) 14・(21) 15・(20) 21・(14) 22・(13)	4・(4) 5・(3) 3・(12) 4・(11) 5・(10) 10・(5) 4・(12) 5・(11) 5・(12) 10・(11) 3・(20) 12・(11) 13・(10) 3・(22) 5・(20) 13・(12) 14・(11)	6・(12) 7・(11) 2・(19) 10・(11) 12・(9) 2・(21) 4・(19) 10・(13) 12・(11) 14・(9) 4・(21) 5・(20) 6・(19) 12・(13) 13・(12) 14・(11) 10・(21)	1・(4) 2・(3) 7・(4) 2・(11) 5・(10) 7・(10) 10・(7) 2・(19) 10・(11) 11・(10) 12・(9) 2・(23) 7・(18) 15・(10) 7・(25) 9・(23) 15・(17)	5・(11) 3・(14) 4・(13) 5・(12) 6・(11) 4・(14) 5・(13) 6・(12) 3・(21) 4・(20) 11・(13) 12・(12) 13・(11) 11・(21) 12・(20) 19・(13) 20・(12)	2・(3) 3・(2) 3・(4) 2・(13) 3・(12) 4・(11) 2・(14) 3・(13) 4・(12) 5・(11) 3・(14) 2・(21) 3・(20) 12・(11) 4・(21) 5・(20) 12・(13)	2・(4) 3・(3) 4・(2) 1・(7) 1・(14) 2・(13) 3・(12) 4・(11) 2・(14) 3・(13) 4・(12) 11・(7) 7・(17) 10・(14) 11・(13) 21・(14) 23・(12)	2・(3) 3・(2) 2・(4) 3・(3) 6・(7) 2・(13) 3・(12) 6・(9) 6・(11) 8・(9) 10・(7) 8・(13) 9・(12) 10・(11) 2・(21) 6・(17) 9・(14)

	4・5	4・4	4・3	4・2・12	3・19	3・18	3・17	3・16
姓の画数と例	今田 井本 内田 太田 片平 木田	井手 井戸 今井 木内 木戸 木元	井上 今川 木下 中川 中山 水口	五十嵐	大瀬 川瀬 山瀬	大藤 大藪 大類 工藤 小藤	大磯 小磯 小嶺 川鍋	大館 大橋 小橋 丸橋 土橋 三橋
1字名前	2　6　12 16	7　17	4　10　14	3　5　6 13　19　21 23	なし	なし	なし	なし
2字名前	2・4 3・3 3・4 6・1 2・13 3・12 6・9 8・7 11・4 12・3 13・2 2・14 3・13 12・4 13・3 2・21 3・20 6・17 10・13 11・12 12・11 16・7 19・4 20・3 3・21 10・14 11・13	4・1 1・7 1・12 2・11 11・2 12・1 1・14 2・13 3・12 4・11 11・4 12・3 13・2 14・1 2・14 3・13 4・12 12・4 13・3 14・2 2・21 11・12 12・11 21・2 11・13 12・12 21・3	2・4 3・3 4・2 5・1 2・14 3・13 4・12 5・11 12・4 13・3 14・2 15・1 3・14 13・4 3・21 12・12 13・11 15・9 21・3 22・2 4・21 5・20 8・17 12・13 13・12 14・11 22・3	4・1 5・1 3・4 6・1 3・11 4・10 5・9 6・8 13・1 1・14 4・11 5・10 6・9 9・6 11・4 1・16 3・14 6・11 9・8 11・6 13・4 5・18 6・17 9・14 12・11 13・10 19・4	6・5 5・8 2・13 5・10 12・3 13・2 2・15 4・13 5・12 12・5 13・4 14・3 2・21 5・18 13・10 18・5 20・3 4・21 5・20 12・13 13・12 20・5 22・3	3・8 6・5 7・4 3・13 6・10 13・3 14・2 3・15 5・13 6・12 13・5 14・4 15・3 3・21 6・18 14・10 19・5 21・3	1・2 1・4 1・10 6・5 7・4 8・3 1・12 8・5 1・14 7・8 4・13 7・10 14・3 15・2 1・20 6・15 7・14 8・13 16・5 18・3 4・21 7・18 15・10 20・5 22・3	1・4 2・3 1・5 2・4 1・12 5・8 8・5 9・4 1・15 2・14 8・8 5・13 8・10 15・3 16・2
3字名前	3・(3) 2・(13) 3・(12) 3・(13) 6・(10) 10・(6) 11・(12) 12・(11) 13・(10) 6・(18) 8・(16) 11・(13) 12・(12) 13・(11) 16・(8) 6・(26) 16・(16)	3・(2) 7・(6) 3・(12) 4・(11) 7・(8) 3・(13) 4・(12) 7・(16) 7・(18) 12・(13) 13・(12) 14・(11) 12・(19) 13・(18) 19・(12) 7・(26) 17・(16)	3・(3) 4・(2) 2・(6) 3・(13) 4・(12) 5・(11) 2・(16) 5・(13) 10・(8) 12・(6) 12・(12) 13・(11) 5・(20) 12・(13) 13・(12) 14・(11) 15・(10)	3・(2) 4・(2) 3・(10) 4・(9) 3・(12) 4・(11) 5・(10) 6・(9) 5・(12) 4・(17) 6・(15) 9・(12) 11・(10) 12・(9) 4・(19) 12・(11) 13・(10)	2・(9) 4・(7) 2・(11) 4・(9) 6・(7) 2・(13) 6・(9) 2・(21) 4・(19) 6・(17) 12・(11) 14・(9) 6・(19) 12・(13) 13・(12) 16・(9) 16・(19)	7・(4) 3・(13) 5・(11) 7・(9) 5・(13) 6・(12) 7・(11) 3・(21) 5・(19) 7・(17) 13・(11) 15・(9) 14・(17) 17・(14) 19・(12)	4・(7) 7・(4) 4・(9) 6・(7) 4・(11) 6・(9) 8・(9) 4・(17) 7・(14) 8・(13) 14・(7) 4・(21) 6・(19) 8・(17) 14・(11) 16・(9) 15・(17)	1・(4) 2・(3) 2・(4) 1・(12) 2・(11) 2・(14) 5・(11) 7・(9) 9・(7) 5・(13) 7・(11) 9・(9) 16・(17) 19・(14) 21・(12)

名前例は400〜431ページ参照

姓の画数	4・13	4・12	4・11	4・10	4・9	4・8	4・7	4・6
姓の画数と例	犬飼 中園 中溝 日置	犬塚 木場 戸塚 中塚 中森 水落	今野 内野 木崎 木曽 中野 日野	井原 片倉 木島 中島 中根 中原	今泉 今津 木津 中津 中畑 仁科	天沼 今岡 片岡 中居 中岡 中林	今尾 今村 井村 内村 木村 水谷	今西 中地 中西 丹羽 日向 日吉
1字名前	4 20 22	5 23	2 6 10 20 22	7 23	2 4 12 22	5 23	4 6 10 14	5 7 15
2字名前	2・4 3・3 4・2 5・1 3・4 4・4 5・3 2・13 3・12 4・11 8・7 11・4 12・3 2・14 3・13 4・12 5・11 12・4 4・14 11・7 3・21 4・20 5・19 10・14 11・13 12・12 22・2	1・14 3・12 4・11 6・9 11・4 12・3 13・2 3・13 4・12 5・11 12・4 13・3 3・14 4・13 5・12 6・11 13・4 1・20 9・12 12・9 19・2 20・1 3・20 4・19 9・14 11・12 12・11	5・1 4・4 5・3 6・2 7・1 2・14 4・12 5・11 7・9 12・4 13・3 14・2 4・13 5・12 6・11 14・3 4・14 5・13 6・12 7・11 14・4 4・20 5・19 10・14 12・12 13・11 20・4	1・2 3・14 5・12 14・3 15・2 5・13 6・12 7・11 11・7 14・4 15・3 1・20 7・14 8・13 14・7 3・20 6・17 11・12 14・9 21・2 22・1 5・20 6・19 8・17 11・14 21・4 22・3	2・1 2・3 4・1 4・4 6・2 7・1 2・9 4・7 7・4 8・3 9・2 4・14 6・12 7・11 9・9 14・4 15・3 16・2 4・20 7・17 12・12 15・9 22・2 23・1	3・2 3・3 5・1 7・4 8・3 9・2 10・1 9・4 10・3 7・14 8・13 9・12 10・11 17・4 3・20 9・14 10・13 16・7 5・20 8・17 13・12 16・9 23・2	1・4 4・1 4・2 4・3 6・1 1・12 4・9 6・7 9・4 10・3 11・2 1・20 4・17 8・13 9・12 10・11 14・7 17・4 18・3 4・20 10・14 11・13 17・7	1・4 2・3 2・4 5・1 9・2 10・1 1・12 2・11 9・4 1・14 2・13 11・4 12・3 7・14 9・12 10・11 17・4 19・2 2・21 9・14 10・13 11・12 12・11 19・4 5・20 11・14 12・13
3字名前	3・(3) 4・(2) 2・(6) 5・(3) 2・(13) 3・(12) 4・(11) 5・(10) 3・(13) 4・(12) 5・(11) 2・(16) 5・(13) 8・(10) 12・(6) 12・(12) 22・(13)	3・(2) 4・(3) 3・(12) 4・(11) 5・(10) 3・(13) 4・(12) 5・(11) 6・(10) 4・(13) 9・(8) 3・(20) 4・(19) 13・(10) 5・(20) 6・(19) 13・(12)	6・(10) 4・(13) 5・(12) 6・(11) 7・(10) 5・(13) 6・(12) 7・(11) 4・(20) 5・(19) 12・(12) 13・(11) 14・(10) 12・(20) 13・(19) 20・(12) 21・(11)	6・(12) 7・(11) 8・(10) 3・(18) 11・(10) 13・(8) 3・(20) 5・(18) 11・(12) 13・(10) 15・(8) 5・(20) 6・(19) 7・(18) 13・(12) 14・(11) 15・(10)	2・(3) 7・(11) 8・(10) 12・(6) 4・(20) 6・(18) 8・(16) 12・(12) 14・(10) 16・(8) 6・(26) 12・(20) 14・(18) 16・(16) 16・(19) 22・(13) 23・(12)	5・(6) 3・(10) 5・(8) 7・(6) 3・(18) 5・(16) 13・(8) 3・(20) 5・(18) 7・(16) 13・(10) 15・(8) 7・(18) 13・(12) 7・(26) 13・(20) 15・(18)	4・(2) 1・(6) 4・(3) 1・(12) 8・(13) 9・(12) 10・(11) 11・(10) 4・(20) 6・(18) 8・(16) 11・(13) 14・(10) 16・(8) 11・(26) 17・(20) 18・(19)	5・(6) 5・(8) 7・(6) 5・(10) 7・(8) 5・(16) 5・(18) 7・(16) 10・(13) 15・(8) 5・(20) 7・(18) 15・(10) 5・(26) 15・(16) 18・(13) 15・(20)

5・6	5・5	5・4	5・3	5	4・18	4・16	4・14	
加地 末次 末吉 古池 古庄 本多	石田 市田 北田 田辺 永田 平本	石井 立木 田中 玉井 玉木 平井	石川 加山 北上 田口 立川 平山	北 平	井藤 木藤 五藤 内藤	中橋 水橋 元橋	井熊 井関 今関 木暮 日暮 比嘉	姓の画数と例
2 5 7 10 12	6	2 4 7 12 14	5 10 15	1 3 6 8 11 13 16 18	15 17 23	5 15 17	7 17 23	1字名前
2・3 5・1 1・6 5・2 1・12 2・11 5・8 7・6 10・3 11・2 12・1 1・20 2・19 5・16 9・12 10・11 11・10 15・6 18・3 19・2 5・19 11・13 12・12 18・6	2・1 2・3 3・2 3・3 1・6 2・6 6・2 3・8 8・3 2・11 3・10 11・2 2・13 3・12 12・3 13・2 3・18 8・13 13・8 18・3 19・2 3・20 10・13 13・10 6・19 12・13 13・12	3・3 4・2 7・1 2・13 3・12 4・11 7・8 9・6 12・3 13・2 14・1 3・13 4・12 13・3 14・2 3・20 4・19 7・16 11・12 12・11 13・10 17・6 20・3 21・2 4・20 11・13 12・12	4・1 2・6 2・11 3・10 12・1 2・13 3・12 4・11 5・10 12・3 13・2 14・1 3・13 4・12 5・11 13・3 14・2 15・1 3・20 12・11 13・10 22・1 12・12 13・11 22・2 5・20 12・13	1・2 1・5 2・4 1・7 2・6 3・5 6・2 6・5 1・12 3・10 6・7 8・5 11・2 1・15 2・14 6・10 10・6 11・5 12・4 1・17 2・16 3・15 6・12 8・10 11・7 12・6 13・5	7・4 6・7 3・12 6・9 13・2 14・1 3・14 5・12 6・11 13・4 14・3 15・2 3・20 6・17 14・9 19・4 21・2 5・20 6・19 13・12 14・11 21・4 23・2	1・4 2・3 2・9 7・4 8・3 9・2 1・12 2・11 9・4 1・14 2・13 8・7 5・12 8・9 15・2 16・1 1・20 2・19 7・14 8・13 9・12 17・4 19・2 5・20 8・17 16・9 21・4	1・2 2・1 1・4 2・3 3・2 4・1 2・4 3・3 4・2 1・12 2・11 9・4 10・3 11・2 1・14 2・13 3・12 4・11 11・4 3・14 10・7 7・14 9・12 10・11 2・21 11・12 21・2	2字名前
1・(5) 2・(5) 1・(12) 2・(11) 2・(19) 9・(12) 10・(11) 11・(10) 12・(9) 5・(19) 7・(17) 9・(15) 12・(12) 15・(9) 11・(26) 12・(25) 18・(19)	6・(5) 1・(12) 6・(7) 8・(5) 6・(9) 8・(7) 6・(15) 6・(17) 8・(15) 11・(12) 6・(19) 8・(17) 16・(9) 6・(25) 16・(15) 19・(12) 18・(17)	4・(2) 3・(12) 4・(11) 1・(15) 4・(12) 7・(9) 4・(19) 11・(12) 12・(11) 7・(17) 9・(15) 12・(12) 13・(11) 14・(10) 7・(25) 13・(19) 17・(15)	8・(5) 4・(11) 5・(10) 8・(7) 4・(12) 5・(11) 5・(12) 8・(9) 10・(7) 8・(15) 12・(11) 8・(17) 14・(11) 15・(10) 8・(25) 18・(15) 21・(12)	1・(5) 2・(4) 3・(3) 3・(5) 2・(9) 6・(5) 8・(5) 1・(15) 2・(14) 3・(13) 10・(6) 2・(16) 3・(15) 12・(6) 10・(22) 11・(21) 13・(19)	3・(8) 5・(6) 3・(10) 5・(8) 7・(6) 3・(12) 7・(8) 3・(20) 5・(18) 7・(16) 13・(10) 15・(8) 7・(18) 13・(12) 14・(11) 17・(18) 23・(12)	2・(3) 1・(10) 5・(6) 5・(8) 7・(6) 5・(10) 7・(8) 9・(6) 5・(12) 7・(10) 5・(16) 8・(13) 9・(12) 5・(20) 7・(18) 15・(10) 16・(16)	2・(3) 3・(2) 3・(3) 4・(2) 2・(11) 3・(10) 7・(6) 3・(12) 4・(11) 7・(8) 11・(6) 2・(19) 3・(18) 9・(12) 10・(11) 11・(10) 7・(16)	3字名前

名前例は400〜431ページ参照

5・15	5・14	5・12	5・11	5・10	5・9	5・8	5・7	
田幡	石関 石綿 古関 田熊 田端 本領	石塚 石森 甲斐 加賀 平塚 本間	石黒 石崎 石野 占部 北野 本郷	石原 市原 加納 田原 長島 永原	石垣 石神 氷室 布施 古畑 本城	石岡 北岡 末松 平岩 平岡 平沼	石坂 市村 北沢 北村 田村 平尾	姓の画数と例
17	2 4	4 6 20	2 5 7	6 22	2 4 7 23	5 10	4 6	1字名前
2・3 3・2 3・8 8・3 9・2 10・1 1・12 2・11 3・10 10・3 2・13 3・12 9・6 1・16 6・11 9・8 16・1 1・20 2・19 3・18 8・13 9・12 10・11 18・3 6・19 17・8 22・3	2・3 3・2 4・1 3・3 4・2 1・12 2・11 3・10 7・6 10・3 11・2 3・13 4・12 10・6 2・16 7・11 10・8 17・1	3・3 4・2 5・1 4・3 5・2 5・3 6・2 3・12 4・11 5・10 9・6 12・3 13・2 3・13 4・12 5・11 6・10 13・3 5・13 6・12 12・6 4・20 5・19 6・18 11・13 13・11 23・1	2・13 4・11 5・10 7・8 12・3 13・2 14・1 4・12 5・11 6・10 13・3 14・2 4・13 5・12 6・11 7・10 14・3 2・19 10・11 13・8 20・1 4・19 5・18 10・13 12・11 13・10 20・3	3・3 5・1 5・3 6・2 7・1 3・13 5・11 6・10 8・8 13・3 14・2 15・1 5・12 6・11 7・10 15・2 5・13 6・12 7・11 8・10 15・3 5・19 6・18 11・13 13・11 14・10 21・3	2・1 8・3 9・2 4・13 6・11 7・10 9・8 14・3 2・16 6・12 7・11 8・10 12・6 15・3 2・19 8・13 15・6 4・19 7・16 12・11 15・8 22・1 6・19 7・18 12・13 22・3 23・2	3・2 5・3 7・1 3・8 5・6 8・3 9・2 10・1 5・13 7・11 8・10 10・8 15・3 16・2 17・1 5・19 8・16 13・11 16・8 23・1	1・2 4・1 4・2 1・10 8・3 9・2 10・1 1・12 10・3 11・2 1・20 8・13 9・12 10・11 11・10 18・3 4・19 10・13 11・12 17・6 6・19 9・16 14・11 17・8	2字名前
2・(9) 6・(5) 1・(12) 6・(7) 8・(5) 6・(9) 8・(7) 10・(5) 6・(15) 9・(12) 10・(11) 6・(19) 8・(17) 10・(15) 16・(9) 6・(26) 17・(15)	3・(2) 1・(5) 4・(2) 1・(12) 2・(11) 3・(10) 4・(9) 1・(15) 4・(12) 7・(9) 9・(7) 3・(15) 7・(11) 9・(9) 11・(7) 7・(26) 18・(15)	4・(2) 3・(5) 3・(12) 4・(11) 5・(10) 6・(9) 4・(12) 5・(11) 6・(10) 3・(15) 11・(7) 5・(19) 6・(18) 12・(12) 13・(11) 12・(19) 23・(12)	4・(11) 5・(10) 6・(9) 4・(12) 5・(11) 6・(10) 7・(9) 5・(12) 6・(11) 10・(7) 4・(17) 4・(19) 5・(18) 14・(9) 6・(19) 7・(18) 14・(11)	7・(9) 5・(12) 6・(11) 7・(10) 8・(9) 6・(12) 7・(11) 8・(10) 5・(19) 6・(18) 13・(11) 14・(10) 15・(9) 13・(19) 14・(18) 21・(11) 14・(19)	7・(11) 8・(10) 9・(9) 2・(19) 4・(17) 12・(9) 14・(7) 4・(19) 6・(17) 12・(11) 14・(9) 6・(19) 7・(18) 8・(17) 14・(11) 15・(10) 16・(9)	3・(2) 7・(11) 8・(10) 9・(9) 5・(19) 7・(17) 9・(15) 13・(11) 15・(9) 7・(25) 13・(19) 15・(17) 17・(15) 9・(26) 10・(25) 17・(18) 23・(12)	6・(5) 4・(9) 6・(7) 8・(5) 4・(17) 6・(15) 14・(7) 4・(19) 6・(17) 8・(15) 14・(9) 8・(17) 14・(11) 8・(25) 14・(19) 16・(17) 18・(15)	3字名前

	6・5・3	6・5	6・4	6・3	6	5・19	5・18	5・16
姓の画数と例	宇田川	池田 江田 江本 庄司 吉田 吉本	池内 伊丹 糸井 竹内 西井 安井	有川 池上 江川 江口 竹下 西川	旭 池 芝 仲 西 向	市瀬 加瀬 広瀬	加藤	石橋 市橋 古館 古橋 本橋
1字名前	3　4　21	2　6　10 12　20	7　14	2　4　12 14　15　22	1　5　7 11　15　17 18	なし	14	2　16
2字名前	3・1 2・5 3・4 4・3 4・6 5・5 4・13 5・12 8・9 12・5 13・4 14・3 2・21 3・20 4・19 10・13 12・11 14・9 18・5 20・3 22・1	3・2 1・5 2・5 6・1 1・12 2・11 3・10 6・7 8・5 11・2 12・1 2・19 3・18 6・15 10・11 11・10 12・9 16・5 19・2 20・1 6・18 12・12 13・11 19・5	3・2 4・1 4・2 2・5 3・5 2・9 4・7 9・2 2・11 3・10 4・9 3・12 4・11 13・2 14・1 2・19 3・18 4・17 9・12 11・10 12・9 14・7 19・2 4・19 7・18 13・12 14・11	4・2 5・1 3・5 3・12 4・11 5・10 8・7 10・5 13・2 14・1 4・12 5・11 14・2 15・1 4・19 5・18 8・15 12・11 13・10 14・9 18・5 21・2 22・1 5・19 12・12 13・11 14・10	1・4 5・6 7・4 9・2 1・14 5・10 9・6 10・5 11・4 1・16 2・15 5・12 7・10 10・7 11・6 12・5 15・2 1・17 2・16 11・7 12・6 2・23 5・20 9・16 10・15 11・14 19・6	5・6 2・11 5・8 12・1 2・13 12・3 13・2 5・12 6・11 14・3 2・19 5・16 13・8 18・3 4・19 5・18 12・11 13・10 22・1 4・20 5・19 6・18 12・12 13・11 14・10 16・8 22・2	6・2 7・1 3・13 5・11 6・10 13・3 14・2 15・1 5・13 6・12 7・11 15・3 17・1 5・19 6・18 13・11 14・10 21・3 23・1 5・20 6・19 7・18 13・12 14・11 15・10 17・8 23・2	1・2 2・1 1・10 5・6 8・3 9・2 5・11 8・8 15・1 2・16 5・13 7・11 8・10 15・3 16・2 17・1 5・19 8・16 16・8 21・3 23・1
3字名前	10・(7) 4・(14) 5・(13) 8・(13) 2・(21) 3・(20) 10・(13) 13・(10) 3・(22) 12・(13) 13・(12) 10・(21) 18・(13) 12・(21) 13・(20) 20・(13) 21・(12)	2・(4) 1・(6) 3・(4) 2・(11) 3・(10) 3・(18) 10・(11) 11・(10) 12・(9) 13・(8) 6・(18) 8・(16) 10・(14) 13・(11) 16・(8) 11・(26) 12・(25)	7・(4) 2・(11) 7・(6) 7・(8) 9・(6) 7・(14) 7・(16) 9・(14) 12・(11) 7・(18) 9・(16) 7・(24) 17・(14) 20・(11) 9・(26) 17・(18) 19・(16)	4・(11) 5・(10) 5・(11) 8・(8) 10・(6) 12・(11) 13・(10) 8・(16) 10・(14) 13・(11) 14・(10) 15・(9) 8・(24) 14・(18) 15・(17) 18・(14) 21・(11)	1・(4) 2・(3) 1・(14) 2・(13) 9・(6) 10・(5) 9・(9) 2・(23) 9・(16) 10・(15) 11・(14) 12・(13) 10・(23) 19・(14) 12・(23) 19・(16) 18・(21)	4・(11) 5・(10) 6・(9) 6・(11) 2・(19) 4・(17) 12・(9) 14・(7) 4・(19) 5・(18) 6・(17) 12・(11) 13・(10) 14・(9) 5・(19) 6・(18) 12・(12)	3・(5) 5・(11) 6・(10) 7・(9) 3・(15) 6・(12) 7・(11) 5・(19) 6・(18) 7・(17) 13・(11) 14・(10) 15・(9) 6・(19) 7・(18) 13・(12) 14・(11)	1・(10) 2・(9) 1・(15) 5・(11) 7・(9) 9・(7) 7・(11) 8・(10) 9・(9) 5・(19) 7・(17) 9・(15) 15・(9) 5・(26) 16・(15) 19・(12)

名前例は400～431ページ参照

	6・12・10	6・12	6・11	6・10	6・9	6・8	6・7	6・6
姓の画数と例	伊集院	安達 有賀 江間 江森 宅間 西塚	安部 宇野 江崎 西郷 竹野 吉崎	安倍 有馬 池原 寺島 名倉 西脇	会津 安彦 池畑 西海 西垣 米津	伊東 寺岡 仲松 名取 西岡 吉岡	有村 池沢 池谷 竹村 寺尾 伏見	有吉 安西 江守 寺西 吉池 吉江
1字名前	なし	5 6 23	4 6 7 14 20 22	5 7 15 23	2 6 16 22	7 10 17 23	4 10	5 12
2字名前	1・4 3・2 1・6 3・4 5・2 1・16 3・14 5・12 11・6 13・4 15・2 6・14 7・13 8・12 14・6 15・5 6・18 8・16 11・13 22・2	3・2 4・1 4・2 5・1 5・2 3・10 4・9 6・7 11・2 12・1 3・12 4・11 5・10 6・9 13・2 5・12 6・11 12・5 3・18 4・17 6・15 9・12 11・10 12・9 19・2 4・19 13・10	4・2 5・1 2・5 5・2 6・1 6・2 7・1 4・11 5・10 6・9 10・5 13・2 14・1 4・12 5・11 6・10 7・9 14・2 6・12 7・11 13・5 5・19 6・18 7・17 12・12 13・11 14・10	3・12 5・10 6・9 8・7 13・2 14・1 5・11 6・10 7・9 14・2 15・1 5・12 6・11 7・10 8・9 15・2 3・18 11・10 14・7 5・18 6・17 11・12 13・10 14・9 21・2 22・1 6・19	2・1 4・2 6・2 7・1 4・12 6・10 7・9 9・7 14・2 15・1 6・11 7・10 8・9 16・1 6・12 7・11 8・10 9・9 16・2 6・18 7・17 9・15 12・12 14・10 15・9 22・2 23・1	9・2 5・12 7・10 8・9 10・7 15・2 16・1 3・15 7・11 8・10 9・9 13・5 16・2 3・18 9・12 10・11 16・5 5・18 8・15 13・10 16・7 7・18 8・17 10・15 13・12 15・10 23・2	1・2 4・1 1・7 6・2 1・10 4・7 6・5 9・2 10・1 1・17 6・12 8・10 9・9 11・7 16・2 17・1 6・18 9・15 14・10 17・7	1・2 2・1 1・5 5・1 1・10 2・9 9・2 10・1 1・12 2・11 11・2 12・1 2・19 9・12 10・11 11・10 12・9 19・2 5・18 11・12 12・11 18・5 7・18 10・15 15・10 18・7
3字名前	1・(6) 5・(6) 6・(5) 6・(7) 7・(6) 8・(5) 3・(14) 11・(6) 3・(21) 5・(19) 7・(17) 11・(13)	3・(10) 5・(8) 4・(11) 5・(10) 6・(9) 9・(6) 6・(11) 9・(8) 11・(6) 3・(18) 4・(17) 11・(10) 12・(9) 13・(8) 5・(18) 9・(14) 12・(11)	2・(6) 4・(4) 4・(11) 5・(10) 6・(9) 7・(8) 2・(14) 5・(11) 6・(10) 7・(9) 10・(6) 2・(16) 4・(14) 7・(11) 13・(11) 14・(10) 5・(26)	5・(10) 6・(9) 7・(8) 5・(11) 6・(10) 7・(9) 8・(8) 6・(11) 7・(10) 13・(8) 5・(18) 6・(17) 15・(8) 7・(18) 8・(17) 15・(10) 5・(26)	7・(9) 8・(8) 6・(11) 7・(10) 8・(9) 9・(8) 7・(11) 8・(10) 9・(9) 6・(18) 7・(17) 14・(10) 15・(9) 16・(8) 14・(18) 15・(17) 7・(26)	8・(10) 9・(9) 10・(8) 3・(18) 5・(16) 13・(8) 5・(18) 7・(16) 13・(10) 15・(8) 7・(18) 8・(17) 9・(16) 15・(10) 16・(9) 5・(26) 13・(18)	4・(4) 4・(14) 9・(9) 10・(8) 6・(18) 8・(16) 10・(14) 14・(10) 16・(8) 6・(26) 8・(24) 14・(18) 16・(16) 18・(14) 9・(26) 10・(25) 18・(17)	7・(4) 5・(8) 7・(6) 5・(16) 7・(14) 5・(18) 7・(16) 9・(14) 15・(8) 9・(16) 15・(10) 7・(26) 9・(24) 15・(18) 17・(16) 19・(14) 9・(26)

	7・3・4	7・3	7	6・19	6・18	6・16	6・14	6・13
姓の画数と例	佐々井 佐々木	芥川 尾上 坂口 佐川 杉山 辰巳	沖 坂 沢 角 谷 伴	成瀬 早瀬 安瀬	安藤 伊藤 江藤	安積 池橋 竹橋 寺橋	池端 江端	安楽 伊勢 有働 竹腰
1字名前	なし	5 14 15 22	1 6 8 11 16 17 18	6 12 14 16 20 22	7 15 17 23	2 15 17 23	4 17	2 4 5 12 20 22
2字名前	2・2 1・6 2・5 3・4 3・7 4・6 3・14 4・13 7・10 11・6 12・5 13・4 1・22 2・21 3・20 9・14 11・12 13・10 17・6 19・4 21・2	2・1 4・1 2・4 5・1 3・4 4・4 3・8 5・6 3・10 5・8 4・11 5・10 14・1 3・18 4・17 5・16 12・9 13・8 15・6 5・18 12・11 13・10 14・9 15・8 8・17 14・11 15・10	1・5 4・4 6・2 4・7 6・5 1・15 4・12 6・10 9・7 10・6 11・5 10・7 11・6 6・12 8・10 11・7 14・4 16・2 4・20 8・16 9・15 18・6 8・17 9・16 10・15 11・14 18・7	4・2 5・1 2・5 5・2 6・1 6・2 4・12 5・11 6・10 14・2 4・19 5・18 6・17 12・11 13・10 14・9 16・7 18・5 22・1	3・5 6・2 6・5 3・10 6・7 3・12 5・10 6・9 13・2 14・1 7・10 15・2 3・18 6・15 14・7 5・18 6・17 13・10 14・9 5・19 6・18 7・17 13・11 14・10 15・9 17・7 23・1	1・2 2・1 1・10 2・9 9・2 1・12 2・11 8・5 5・10 8・7 2・15 5・12 7・10 8・9 15・2 16・1 5・18 8・15 16・7 21・2 7・18 8・17 15・10 16・9 23・2	3・2 4・1 2・9 4・7 9・2 10・1 2・11 3・10 4・9 11・2 3・12 4・11 10・5 2・15 7・10 10・7 2・19 3・18 4・17 9・12 10・11 11・10 19・2 7・18 10・15 18・7 23・2	3・2 4・1 4・2 5・1 2・11 3・10 4・9 8・5 11・2 12・1 4・12 5・11 11・5 3・15 8・10 11・7
3字名前	4・(7) 3・(14) 12・(6) 7・(14) 2・(21) 9・(14) 12・(11) 2・(23) 11・(14) 12・(13) 9・(22) 17・(14) 20・(11) 11・(22) 12・(21) 19・(14) 20・(13)	4・(7) 3・(10) 8・(5) 8・(7) 10・(5) 5・(16) 8・(13) 8・(15) 10・(13) 13・(10) 8・(17) 10・(15) 8・(23) 18・(13) 10・(25) 18・(17) 20・(15)	1・(5) 1・(15) 10・(6) 4・(13) 6・(11) 8・(9) 11・(6) 4・(14) 9・(9) 8・(16) 4・(21) 6・(19) 10・(15) 11・(14) 14・(11) 16・(9) 10・(22)	2・(4) 2・(6) 4・(4) 2・(14) 5・(11) 6・(10) 5・(18) 6・(17) 12・(11) 13・(10) 14・(9) 6・(26) 14・(18) 16・(16) 18・(14)	7・(6) 5・(10) 6・(9) 7・(8) 7・(10) 3・(18) 5・(16) 13・(8) 5・(18) 6・(17) 7・(16) 13・(10) 14・(9) 15・(8) 6・(18) 7・(17) 13・(11)	5・(6) 7・(4) 5・(8) 7・(6) 5・(10) 9・(6) 5・(18) 7・(16) 9・(14) 15・(8) 7・(18) 8・(17) 9・(16) 15・(10) 16・(9) 9・(26) 19・(16)	7・(4) 2・(11) 7・(6) 7・(8) 9・(6) 3・(14) 7・(10) 9・(8) 11・(6) 3・(18) 4・(17) 7・(14) 10・(11) 7・(18) 9・(16) 7・(25) 18・(14)	2・(4) 2・(11) 3・(10) 4・(9) 5・(8) 2・(14) 5・(11) 8・(8) 10・(6) 2・(16) 4・(14) 8・(10) 10・(8) 12・(6) 8・(25) 19・(14) 22・(11)

名前例は400～431ページ参照

	7·10	7·9	7·8	7·7	7·6	7·5	7·4	7·3·12
姓の画数と例	折原 辛島 児島 坂倉 佐原 杉原	赤津 赤星 坂巻 更科 花柳	赤沼 赤松 杉岡 杉林 花岡 別府	赤坂 尾沢 志村 谷沢 花形 村尾	赤池 坂西 佐竹 沢地 住吉 谷地	足立 児玉 坂田 沢田 杉本 角田	坂井 坂元 沢井 杉戸 花井 村井	佐久間
1字名前	6 7 14 15 22	2 7 15 16 23	10 16 17	4 10 17	2 5 10 12	6 12 20	2 4 7 12 14 20	なし
2字名前	5・1 1・6 3・4 6・1 7・1 1・14 5・10 6・9 7・8 11・4 14・1 5・11 6・10 7・9 8・8 15・1 1・17 7・11 8・10 14・4 6・18 7・17 8・16 13・11 14・10 15・9 23・1	4・11 6・9 7・8 9・6 14・1 6・10 7・9 8・8 15・1 6・11 7・10 8・9 9・8 16・1 4・17 12・9 15・6 6・17 7・16 12・11 14・9 15・8 22・1 7・18 8・17 9・16 14・11	5・1 7・1 5・11 7・9 8・8 10・6 15・1 3・14 7・10 8・9 9・8 13・4 16・1 7・11 8・10 9・9 10・8 17・1 7・17 8・16 10・14 13・11 15・9 16・8 23・1	6・1 6・11 8・9 9・8 11・6 16・1 1・17 4・14 8・10 9・9 10・8 14・4 17・1 4・17 10・11 11・10 17・4 6・17 9・14 14・9 17・6 8・17 9・16 11・14 14・11 16・9 17・8	2・1 1・4 2・6 7・1 1・10 2・9 5・6 7・4 10・1 1・17 2・16 7・11 9・9 10・8 12・6 17・1 7・17 10・14 15・9 18・6	2・1 1・4 2・4 1・10 2・9 3・8 10・1 2・11 3・10 12・1 3・18 10・11 11・10 12・9 13・8 20・1 6・17 12・11 13・10 19・4 8・17 11・14 16・9 19・6	1・4 4・1 2・4 1・6 3・4 2・11 3・10 4・9 7・6 9・4 12・1 3・18 4・17 7・14 11・10 12・9 13・8 17・4 20・1 7・17 13・11 14・10 20・4	3・7 4・6 5・5 6・4 1・14 3・12 5・10 9・6 11・4 13・2 3・14 4・13 5・12 11・6 12・5 13・4 1・22 3・20 9・14 11・12 13・10 19・4 21・2
3字名前	5・(3) 5・(10) 6・(9) 7・(8) 8・(7) 6・(10) 7・(9) 8・(8) 3・(15) 5・(13) 8・(10) 11・(7) 8・(16) 11・(13) 14・(10) 15・(9) 14・(17)	6・(9) 7・(8) 8・(7) 6・(10) 7・(9) 8・(8) 9・(7) 7・(10) 6・(17) 7・(16) 15・(8) 8・(17) 9・(16) 15・(10) 16・(9) 14・(17) 15・(16)	8・(8) 9・(7) 7・(10) 8・(9) 9・(8) 10・(7) 8・(10) 9・(9) 10・(8) 7・(17) 8・(16) 15・(9) 16・(8) 15・(17) 16・(16) 8・(25) 16・(17)	8・(10) 9・(9) 10・(8) 11・(7) 4・(17) 6・(15) 14・(7) 6・(17) 8・(15) 14・(9) 8・(17) 9・(16) 10・(15) 16・(9) 6・(25) 14・(17) 16・(15)	5・(3) 2・(9) 5・(13) 10・(8) 11・(7) 7・(17) 9・(15) 11・(13) 15・(9) 7・(25) 15・(17) 17・(15) 19・(13) 10・(25) 11・(24) 12・(23) 19・(16)	6・(5) 6・(7) 8・(5) 6・(15) 8・(13) 6・(17) 8・(15) 10・(13) 10・(15) 16・(9) 8・(25) 10・(23) 16・(17) 18・(15) 20・(13) 10・(25) 11・(24)	3・(3) 2・(5) 4・(3) 3・(10) 4・(9) 4・(17) 11・(10) 12・(9) 13・(8) 14・(7) 7・(17) 9・(15) 11・(13) 14・(10) 12・(25) 13・(24) 14・(23)	3・(8) 4・(7) 5・(6) 5・(8) 6・(7) 1・(14) 9・(6) 4・(13) 6・(11) 11・(6) 9・(14) 12・(11) 11・(14) 12・(13) 12・(23) 20・(15) 21・(14)

姓の画数と例	8	7・19	7・18	7・16	7・15	7・12	7・11	7・10・3
姓の画数と例	東 岡 岸 所 林 牧	貝瀬 佐瀬 村瀬	近藤 佐藤 志鎌 谷藤 兵藤	村橋 杉橋	沢幡 志摩 花輪	赤塚 坂間 佐賀 志賀 杉森 花塚	沖野 尾崎 坂崎 佐野 杉崎 村野	吾孫子 利根川
1字名前	3 5 7 8 13 15 16 17 23	5 6 22	6 7 14 23	2 16	2 10 17	4 5 6 12 20	5 6 7 14	なし
2字名前	3・2 3・10 7・6 8・5 3・12 5・10 9・6 10・5 13・2 9・7 10・6 5・12 10・7 3・20 7・16 8・15 13・10 16・7 7・17 8・16 10・14 17・7 3・22 9・16 10・15 13・12 23・2	4・1 2・4 5・1 6・1 2・9 5・6 2・11 4・9 5・8 12・1 4・11 5・10 6・9 14・1 4・17 5・16 12・9 13・8 20・1	5・1 3・4 6・1 7・1 5・11 6・10 7・9 15・1 5・18 6・17 7・16 13・10 14・9 15・8 17・6 19・4	2・6 7・1 2・14 5・11 7・9 8・8 15・1 1・17 2・16 7・11 8・10 9・9 17・1 7・17 8・16 15・9 16・8 23・1 7・18 8・17 9・16 15・10 16・9 17・8 19・6 21・4	2・1 1・10 2・9 3・8 10・1 2・11 3・10 9・4 1・14 6・9 9・6 1・16 3・14 6・11 8・9 9・8 16・1 6・17 9・14 17・6 22・1 8・17 9・16 16・9 17・8	1・4 4・1 5・1 3・10 4・9 5・8 9・4 12・1 5・11 6・10 12・4 1・17 4・14 9・9 12・6	4・1 5・1 2・11 4・9 5・8 7・6 12・1 4・11 5・10 6・9 7・8 14・1 6・11 7・10 13・4 4・17 5・16 7・14 10・11 12・9 13・8 20・1 5・18 6・17 7・16 12・11 14・9	2・3 5・7 2・13 8・7 10・5 12・3 2・15 3・14 4・13 10・7 12・5 14・3
3字名前	9・(6) 10・(5) 3・(13) 10・(6) 8・(9) 7・(16) 8・(15) 3・(21) 5・(19) 8・(16) 9・(15) 13・(11) 3・(22) 9・(16) 10・(15) 8・(23) 9・(22)	2・(9) 4・(7) 4・(9) 5・(8) 6・(7) 2・(13) 5・(10) 6・(9) 4・(17) 5・(16) 6・(15) 12・(9) 13・(8) 14・(7) 6・(25) 14・(17) 16・(15)	3・(3) 3・(5) 5・(3) 3・(13) 6・(10) 7・(9) 6・(17) 7・(16) 13・(10) 14・(9) 15・(8) 7・(25) 15・(17) 17・(15) 19・(13)	5・(3) 7・(9) 8・(8) 9・(7) 2・(16) 5・(13) 8・(10) 9・(9) 7・(17) 8・(16) 9・(15) 15・(9) 16・(8) 8・(17) 9・(16) 15・(10) 16・(9)	6・(5) 6・(7) 8・(5) 6・(9) 8・(7) 10・(5) 2・(15) 8・(9) 10・(7) 6・(17) 8・(15) 10・(13) 8・(17) 10・(15) 16・(9) 10・(25) 20・(15)	1・(5) 3・(3) 3・(10) 4・(9) 5・(8) 6・(7) 1・(15) 3・(13) 6・(10) 9・(7) 3・(15) 5・(13) 9・(9) 11・(7) 9・(24) 20・(13)	5・(8) 6・(7) 2・(13) 6・(9) 7・(8) 10・(5) 2・(15) 4・(13) 10・(7) 4・(17) 5・(16) 6・(15) 12・(9) 13・(8) 6・(17) 7・(16) 10・(13)	5・(6) 5・(8) 8・(7) 10・(7) 5・(16) 13・(8) 14・(7) 3・(22) 5・(20) 10・(15) 8・(24) 10・(22) 12・(20) 14・(18) 18・(14) 13・(24) 15・(22)

名前例は400～431ページ参照

	8・9	8・8	8・7・3	8・7	8・6	8・5	8・4	8・3
姓の画数と例	青柳 和泉 金城 河津 長屋 若狭	岩波 岡林 国松 長岡 坂東 松岡	長谷川	岩村 岡谷 金沢 河村 長尾 松坂	岡安 河合 河西 国安 国吉 長江	岩永 岡田 岡本 河田 松永 松本	岩井 金井 国分 斉木 坪内 松井	青山 阿川 金子 河上 岸川 東山
1字名前	なし	なし	3 5 13 14 15 21	なし	なし	なし	なし	なし
2字名前	2・5 4・3 2・13 6・9 7・8 8・7 12・3 6・10 7・9 8・8 9・7 2・16 8・10 9・9 15・3 7・17 8・16 9・15 14・10 15・9 16・8	5・10 7・8 8・7 10・5 7・9 8・8 9・7 7・10 8・9 9・8 10・7 5・16 8・13 13・8 16・5 7・16 8・15 10・13 13・10 15・8 16・7 8・17 9・16 10・15 15・10 16・9 17・8	3・2 4・1 4・2 5・1 2・5 5・2 5・9 12・2 13・1 8・7 10・5 13・2 14・1 2・15 8・9 10・7 12・5 15・2 2・21 4・19 8・15 14・9 15・8 18・5 21・2 22・1	1・5 1・7 1・15 6・10 8・8 9・7 11・5 1・16 4・13 8・9 9・8 10・7 14・3 1・17 8・10 9・9 10・8 11・7 1・23 8・16 9・15 11・13 14・10 16・8 17・7	2・5 2・9 2・15 7・10 9・8 10・7 12・5 2・16 5・13 9・9 10・8 11・7 15・3 5・16 11・10 12・9 18・3 7・16 10・13 15・8 18・5 9・16 10・15 12・13 15・10 17・8 18・7	2・3 1・7 3・5 1・10 2・9 3・8 6・5 8・3 1・17 2・16 3・15 8・10 10・8 11・7 13・5 1・23 8・16 11・13 16・8 19・5	2・3 1・5 3・3 1・10 2・9 3・8 4・7 3・10 4・9 4・17 11・10 12・9 13・8 14・7 7・16 13・10 14・9 20・3 2・23 9・16 12・13 17・8 20・5	2・3 3・3 2・5 4・3 3・10 4・9 5・8 8・5 10・3 4・17 5・16 8・13 12・9 13・8 14・7 18・3 8・16 14・10 15・9 21・3
3字名前	6・(9) 7・(8) 8・(7) 9・(6) 7・(9) 8・(8) 9・(7) 6・(12) 9・(9) 2・(22) 8・(16) 9・(15) 12・(12) 15・(9) 16・(8) 7・(24) 9・(26)	7・(8) 8・(7) 9・(6) 7・(9) 8・(8) 9・(7) 10・(6) 8・(9) 5・(16) 7・(14) 9・(12) 7・(16) 8・(15) 3・(22) 9・(16) 10・(15) 5・(26)	2・(3) 3・(2) 3・(3) 4・(2) 3・(10) 5・(10) 8・(9) 3・(18) 4・(17) 5・(16) 12・(9) 13・(8) 3・(20) 5・(18) 13・(10) 14・(9) 15・(8)	9・(7) 10・(6) 8・(9) 9・(8) 10・(7) 11・(6) 9・(9) 10・(8) 11・(7) 8・(16) 9・(15) 16・(8) 6・(26) 16・(16) 17・(15) 9・(24) 17・(16)	2・(16) 9・(9) 10・(8) 11・(7) 12・(6) 5・(16) 7・(14) 7・(16) 9・(14) 15・(8) 2・(23) 9・(16) 10・(15) 11・(14) 5・(26) 7・(24) 15・(16)	1・(4) 2・(22) 8・(16) 10・(14) 12・(12) 16・(8) 6・(26) 8・(24) 10・(22) 16・(16) 18・(14) 20・(12) 11・(24) 12・(23) 13・(22) 19・(16) 20・(15)	7・(4) 7・(6) 7・(14) 9・(12) 7・(16) 9・(14) 11・(12) 2・(23) 11・(14) 7・(26) 9・(24) 11・(22) 17・(16) 19・(14) 21・(12) 11・(24) 12・(23)	3・(4) 4・(9) 5・(8) 5・(16) 12・(9) 13・(8) 14・(7) 2・(22) 8・(16) 10・(14) 12・(12) 15・(9) 13・(24) 14・(23) 15・(22) 21・(16) 22・(15)

姓の画数と例	9	8・19	8・18	8・16	8・14	8・12	8・11	8・10
姓の画数と例	泉 城 畑 星 南 柳	岩瀬 長瀬 若瀬	阿藤 斉藤 松藤 武藤	板橋 松橋	岩熊 長嶋 松嶋	阿曾 岩淵 岩間 金森 若葉 若森	阿部 板野 岩崎 岡部 河野 服部	青島 雨宮 板倉 河原 長島 松原
1字名前	6　7　8 15　16　23	なし	なし	なし	なし	なし	なし	なし
2字名前	2・4 4・2 2・5 2・6 4・4 6・2 8・7 9・6 2・14 4・12 6・10 9・7 12・4 14・2 6・17 7・16 8・15 9・14 16・7 2・22 4・20 7・17 8・16 9・15 12・12 14・10 22・2	2・3 5・3 2・16 5・13 13・5 4・17 5・16 6・15 12・9 13・8 14・7 16・5 18・3 2・23 12・13 16・9 18・7 20・5 22・3	3・3 3・8 6・5 3・10 5・8 6・7 5・10 6・9 7・8 5・16 6・15 13・8 14・7	5・3 8・3 5・8 8・5 2・13 5・10 7・8 8・7 2・15 7・10 8・9 9・8 5・16 8・13 16・5 7・16 8・15 15・8 16・7 7・17 8・16 9・15 15・9 16・8 17・7 19・5 21・3	1・10 2・9 3・8 4・7 3・10 4・9 10・3 2・13 7・8 10・5 1・16 2・15 4・13 7・10 9・8 10・7 7・16 10・13 18・5 2・23 9・16 10・15 17・8 18・7	1・10 3・8 4・7 6・5 3・10 4・9 5・8 6・7 5・10 6・9 12・3 1・16 4・13 9・8 12・5 4・17 5・16 6・15 11・10 12・9 13・8 9・16 12・13 20・5	2・3 4・9 5・8 6・7 10・3 6・10 7・9 13・3 2・16 5・13 10・8 13・5	1・5 3・3 3・10 5・8 6・7 8・5 5・10 6・9 7・8 8・7 1・16 7・10 8・9 14・3 5・16 6・15 8・13 11・10 13・8 14・7 6・17 7・16 8・15 13・10 14・9 15・8
3字名前	2・(4) 2・(13) 4・(11) 9・(6) 2・(14) 2・(21) 4・(19) 7・(16) 8・(15) 9・(14) 12・(11) 14・(9) 2・(22) 8・(16) 9・(15) 15・(9) 9・(23)	2・(4) 4・(2) 2・(6) 4・(4) 2・(16) 4・(14) 6・(12) 12・(6) 5・(16) 6・(15) 12・(9) 13・(8) 14・(7) 2・(23) 13・(12) 16・(9)	3・(8) 5・(6) 5・(8) 6・(7) 7・(6) 3・(12) 6・(9) 7・(8) 5・(16) 6・(15) 7・(14) 13・(8) 14・(7) 5・(26) 7・(24) 15・(16) 17・(14)	5・(8) 7・(6) 1・(14) 7・(8) 8・(7) 9・(6) 2・(15) 9・(8) 5・(16) 7・(14) 7・(16) 8・(15) 9・(14) 15・(8) 8・(16) 9・(15) 15・(9)	7・(4) 1・(12) 7・(6) 1・(14) 7・(8) 9・(8) 10・(7) 11・(6) 7・(16) 9・(14) 11・(12) 2・(23) 9・(16) 10・(15) 11・(14) 11・(24) 21・(14)	1・(4) 1・(12) 4・(9) 5・(8) 6・(7) 1・(14) 3・(12) 9・(6) 5・(12) 5・(16) 9・(12) 12・(9) 13・(8) 9・(16) 11・(14) 9・(23) 20・(12)	4・(2) 4・(9) 5・(8) 6・(7) 7・(6) 2・(14) 4・(12) 7・(9) 10・(6) 2・(16) 4・(14) 6・(12) 10・(8) 12・(6) 7・(26) 10・(23) 21・(12)	1・(4) 1・(12) 1・(14) 3・(12) 6・(9) 7・(8) 8・(7) 3・(14) 5・(12) 8・(9) 5・(16) 6・(15) 7・(14) 7・(16) 8・(15) 11・(12) 14・(9)

名前例は400～431ページ参照

9・10	9・9	9・8	9・7	9・6	9・5	9・4	9・3	
秋庭 浅原 神原 春原 星島 前原	浅海 浅香 神津 草柳 神保 前畑	浅岡 浅沼 信岡 室岡 柳岡 柳沼	相沢 泉谷 柿沢 神村 染谷 津坂	秋吉 秋好 香西 春名 星名 室伏	秋田 柿本 神永 神田 荘司 柳生	秋月 荒井 垣内 柏木 春日 畑中	秋山 荒川 香山 砂川 洞口 皆川	姓の画数と例
なし	なし	なし	なし	なし	なし	なし	なし	1字名前
1・4 3・2 1・12 5・8 6・7 7・6 11・2 1・15 7・9 8・8 14・2 3・15 6・12 11・7 14・4	2・4 4・2 4・9 6・7 7・6 9・4 6・9 7・8 8・7 9・6 2・15 8・9 9・8 15・2 6・15 7・14 9・12 12・9 14・7 15・6 7・16 8・15 9・14 14・9 15・8 16・7	3・4 5・2 3・12 7・8 8・7 9・6 13・2 7・9 8・8 9・7 10・6 3・15 9・9 10・8 16・2 8・16 9・15 10・14 15・9 16・8 17・7	1・7 1・14 6・9 8・7 9・6 11・4 1・15 8・8 9・7 10・6 1・16 8・9 9・8 10・7 11・6 6・15 14・7 17・4 8・15 9・14 14・9 16・7 17・6 9・16 10・15 11・14 16・9	2・4 1・7 2・6 1・15 2・14 7・9 9・7 10・6 12・4 1・16 2・15 9・8 10・7 11・6 15・2 2・16 9・9 10・8 11・7 12・6 1・23 2・22 9・15 10・14 15・9 17・7 18・6	1・2 3・8 3・14 8・9 10・7 11・6 13・4 2・16 3・15 6・12 10・8 11・7 12・6 6・15 12・9 13・8 19・2 1・22 8・15 11・12 16・7 19・4 3・22 10・15 11・14 13・12 16・9	1・2 1・4 3・2 1・7 2・6 4・4 2・9 3・8 4・7 7・4 9・2 2・16 3・15 4・14 9・9 11・7 12・6 14・4 1・23 2・22 9・15 12・12 17・7 20・4	3・2 2・4 4・2 2・9 3・8 4・7 5・6 4・9 5・8 5・16 12・9 13・8 14・7 15・6 8・15 14・9 15・8 21・2 2・23 3・22 10・15 13・12 18・7 21・4	2字名前
1・(5) 3・(3) 5・(8) 6・(7) 7・(6) 8・(5) 1・(15) 3・(13) 5・(11) 8・(8) 3・(15) 5・(13) 7・(11) 11・(7) 8・(25) 11・(22) 22・(11)	2・(3) 2・(11) 2・(13) 4・(11) 7・(8) 8・(7) 9・(6) 2・(15) 4・(13) 6・(11) 6・(15) 7・(14) 8・(13) 14・(7) 2・(21) 8・(15) 12・(11)	7・(8) 8・(7) 9・(6) 10・(5) 8・(8) 9・(7) 10・(6) 7・(11) 10・(8) 9・(15) 10・(14) 13・(11) 16・(8) 8・(23) 9・(22) 10・(21) 10・(25)	1・(14) 8・(7) 9・(6) 10・(5) 1・(15) 8・(8) 9・(7) 10・(6) 9・(8) 6・(15) 8・(13) 8・(15) 9・(14) 10・(13) 10・(15) 11・(14) 14・(11)	2・(14) 9・(7) 10・(6) 2・(15) 9・(8) 10・(7) 11・(6) 10・(8) 11・(7) 12・(6) 9・(15) 10・(14) 7・(25) 17・(15) 18・(14) 10・(23) 18・(15)	11・(6) 3・(15) 10・(8) 11・(7) 12・(6) 6・(15) 8・(13) 8・(15) 10・(13) 2・(23) 3・(22) 10・(15) 11・(14) 12・(13) 6・(25) 8・(23) 16・(15)	2・(3) 3・(15) 4・(14) 7・(11) 2・(22) 3・(21) 9・(15) 11・(13) 7・(25) 9・(23) 17・(15) 19・(13) 21・(11) 12・(23) 13・(22) 14・(21) 21・(14)	8・(5) 8・(13) 10・(11) 2・(21) 8・(15) 10・(13) 12・(11) 2・(23) 3・(22) 12・(13) 8・(25) 10・(23) 12・(21) 18・(15) 20・(13) 22・(11) 12・(23)	3字名前

	10・5	10・4	10・3	10	9・18	9・16	9・12	9・11
姓の画数と例	恩田 桐生 倉田 倉本 夏目 浜田	酒井 桜木 陣内 高井 浜中 速水	浦上 兼子 桐山 高山 浜口 真下	桂 郡 島 秦 浜 原	海藤 後藤 首藤 洲鎌	草薙 美濃 前橋 柳橋	相葉 風間 草場 柘植 南雲 室賀	浅野 柿崎 神崎 狩野 神部 星野
1字名前	2 6 10 16 20	2 4 7 17	2 4 5 10 12 20 22	1 3 5 6 7 8 11 13 15	なし	なし	なし	なし
2字名前	3・3 1・7 2・6 3・5 1・15 2・14 3・13 8・8 10・6 11・5 13・3 2・15 3・14 10・7 11・6 12・5 3・15 10・8 11・7 12・6 13・5 1・23 10・14 11・13 16・8 18・6 19・5	2・1 4・7 4・13 9・8 11・6 12・5 14・3 3・15 4・14 7・11 11・7 12・6 7・14 13・8 14・7 20・1 1・22 2・21 9・14 12・11 17・6 20・3 2・23 3・22 11・14 12・13 17・8	2・1 2・3 4・1 2・6 3・5 5・3 3・8 4・7 5・6 8・3 10・1 3・15 4・14 5・13 10・8 12・6 13・5 15・3 2・22 3・21 10・14 13・11 18・6 21・3	1・2 1・4 3・2 1・5 1・10 1・12 3・10 6・7 11・2 1・14 3・12 11・4 13・2 1・20 11・10 14・7 1・22 3・20 6・17 11・12 13・10 21・2 3・22 11・14 13・12 21・4 23・2	3・2 6・2 3・15 6・12 14・4 5・16 6・15 7・14 13・8 14・7 15・6 17・4 19・2 3・22 13・12 17・8 19・6 21・4 23・2	2・4 1・6 5・2 1・7 2・6 1・15 2・14 7・9 8・8 9・7 1・22 7・16 8・15 9・14 15・8 16・7 17・6 19・4 21・2	1・2 3・8 4・7 5・6 9・2 1・15 4・12 9・7 12・4 3・15 4・14 6・12 9・9 11・7 12・6 1・23 9・15 12・12 20・4	2・9 4・7 5・6 7・4 4・9 5・8 6・7 7・6 6・9 7・8 13・2 2・15 5・12 10・7 13・4 5・16 6・15 7・14 12・9 13・8 14・7 2・23 10・15 13・12 21・4
3字名前	3・(5) 2・(14) 3・(13) 10・(6) 3・(14) 10・(7) 11・(6) 11・(7) 12・(6) 10・(14) 11・(13) 6・(26) 8・(24) 18・(14) 19・(13) 11・(22) 19・(14)	4・(14) 11・(7) 12・(6) 7・(14) 9・(12) 2・(21) 9・(14) 11・(12) 3・(22) 4・(21) 11・(14) 12・(13) 13・(12) 7・(24) 9・(22) 17・(14) 19・(12)	3・(2) 4・(14) 5・(13) 8・(10) 2・(22) 3・(21) 10・(14) 12・(12) 14・(10) 8・(24) 10・(22) 12・(20) 18・(14) 20・(12) 13・(22) 14・(21) 22・(13)	1・(4) 1・(5) 3・(3) 1・(14) 5・(16) 6・(15) 7・(14) 8・(13) 7・(16) 14・(9) 3・(22) 11・(14) 14・(11) 13・(22) 14・(21) 21・(14) 22・(13)	3・(3) 3・(5) 5・(3) 3・(15) 5・(13) 7・(11) 6・(15) 7・(14) 13・(8) 14・(7) 3・(22) 14・(11)	1・(5) 1・(6) 2・(5) 1・(7) 2・(6) 1・(15) 2・(14) 5・(11) 8・(8) 9・(7) 2・(21) 8・(15) 9・(14) 15・(8) 7・(25) 9・(23) 17・(15)	3・(8) 1・(15) 3・(13) 5・(11) 9・(7) 3・(15) 4・(14) 5・(13) 11・(7) 12・(6) 3・(21) 9・(15) 11・(13) 13・(11) 6・(25) 9・(22) 20・(11)	2・(3) 2・(11) 5・(8) 2・(13) 10・(5) 4・(13) 6・(11) 10・(7) 6・(15) 7・(14) 10・(11) 13・(8) 2・(23) 10・(15) 12・(13) 10・(22) 21・(11)

名前例は400～431ページ参照

	10・6	10・7	10・8	10・9	10・10	10・11	10・12	10・13
姓の画数と例	桑名 高安 浜地 浜名 宮地 宮西	梅沢 梅村 梅谷 唐沢 倉沢 高杉	梅林 島岡 高岡 根岸 浜岡 浜松	財津 島津 高城 高柳 根津 宮城	荻原 倉島 栗栖 高倉 高原 宮脇	浦崎 荻野 桑野 高梨 浜崎 宮部	鬼塚 座間 高須 高塚 能登 馬淵	梅園 能勢 宮腰 宮路
1字名前	2 5 7 15 17	4 6 14 16	5 7 15 17 23	2 4 6 12 14 16 22	5 15	2 4 10 12 14 20	23	2 10 12 22
2字名前	1・14 2・13 7・8 9・6 10・5 12・3 1・15 2・14 9・7 10・6 11・5 2・15 9・8 10・7 11・6 12・5 7・14 15・6 18・3 9・14 10・13 15・8 17・6 18・5 2・23 10・15 11・14	1・5 1・6 4・3 6・1 1・7 1・14 4・11 8・7 9・6 10・5 14・1 1・15 8・8 9・7 10・6 11・5 4・14 10・8 11・7 17・1 1・23 9・15 10・14 11・13 16・8 17・7 18・6	3・3 5・1 5・8 7・6 8・5 10・3 7・8 8・7 9・6 10・5 3・14 9・8 10・7 16・1 7・14 8・13 10・11 13・8 15・6 16・5 8・15 9・14 10・13 15・8 16・7 17・6	2・3 4・1 2・11 6・7 7・6 8・5 12・1 2・14 8・8 9・7 15・1 4・14 7・11 12・6 15・3	3・8 5・6 6・5 8・3 5・8 6・7 7・6 8・5 1・14 7・8 8・7 14・1 3・14 6・11 11・6 14・3 6・15 7・14 8・13 13・8 14・7 15・6 3・22 11・14 14・11 22・3	2・1 4・7 5・6 6・5 10・1 2・14 5・11 10・6 13・3 4・14 5・13 7・11 10・8 12・6 13・5 2・22 10・14 13・11 21・3	3・8 4・7 5・6 6・5 5・8 6・7 12・1 1・14 4・11 9・6 12・3 3・14 4・13 6・11 9・8 11・6 12・5 1・22 9・14 12・11 20・3 3・22 4・21 11・14 12・13 19・6 20・5	2・14 3・13 5・11 8・8 10・6 11・5 3・15 4・14 5・13 10・8 11・7 12・6 2・22 3・21 10・14 11・13 18・6 19・5 2・23 3・22 4・21 10・15 11・14 12・13 18・7 19・6 22・3
3字名前	1・(4) 1・(14) 2・(13) 9・(6) 10・(5) 2・(14) 9・(7) 10・(6) 10・(7) 9・(14) 10・(13) 5・(20) 11・(14) 12・(13) 15・(10) 9・(22) 10・(21)	1・(5) 1・(14) 8・(7) 9・(6) 10・(5) 9・(7) 10・(6) 4・(14) 6・(12) 8・(10) 4・(20) 10・(14) 14・(10) 10・(21) 11・(20) 9・(26) 11・(24)	3・(2) 3・(10) 3・(12) 5・(10) 9・(6) 10・(5) 5・(12) 7・(10) 10・(7) 7・(14) 8・(13) 9・(12) 3・(20) 9・(14) 10・(13) 13・(10) 13・(26)	2・(4) 4・(2) 6・(7) 7・(6) 8・(5) 2・(14) 4・(12) 6・(10) 9・(7) 4・(14) 6・(12) 8・(10) 12・(6) 7・(26) 9・(24) 12・(21)	1・(4) 3・(2) 1・(10) 1・(12) 3・(10) 6・(7) 1・(14) 3・(12) 3・(14) 5・(12) 8・(13) 11・(10) 14・(7) 3・(22) 11・(14) 13・(12) 11・(21)	7・(4) 2・(14) 4・(12) 6・(10) 10・(6) 4・(14) 5・(13) 6・(12) 12・(6) 2・(22) 4・(20) 10・(14) 12・(12) 14・(10) 5・(26) 7・(24) 10・(21)	1・(10) 1・(12) 3・(10) 3・(12) 9・(6) 3・(20) 9・(14) 11・(12) 13・(10) 3・(22) 4・(21) 5・(20) 12・(13) 13・(12) 9・(26) 13・(22) 23・(12)	2・(14) 3・(13) 4・(12) 4・(14) 5・(13) 8・(10) 11・(7) 2・(22) 3・(21) 4・(20) 10・(14) 11・(13) 12・(12) 3・(22) 4・(21) 5・(20) 12・(13)

姓の画数と例	10·16	10·17	11	11·3	11·3·7	11·4	11·5	11·6
	鬼頭 倉橋 栗橋 高橋 根橋 馬橋	真鍋	乾 梶 郷 笹 菅 堀	掛川 陰山 亀山 菊川 野口 堀川	野々村	黒木 斎木 笹井 野元 堀内 望月	麻生 掛布 梶田 笹本 野末 深田	菊地 菊池 鳥羽 細江 堀江
1字名前	5　7　15	4　6　14 20	5　6　7 13　21	なし	4　11　14 16	なし	なし	なし
2字名前	2·3 1·5 5·1 1·6 2·5 5·6 8·3 2·11 5·8 7·6 8·5 1·14 2·13 7·8 8·7 9·6 7·14 8·13 15·6 16·5	4·1 1·5 1·7 7·1 4·14 7·11 15·3 6·15 7·14 8·13 14·7 15·6 16·5 18·3 20·1 4·21 14·11 18·7 20·5 22·3	2·4 4·2 2·5 5·2 6·7 7·6 4·17 5·16 6·15 7·14 14·7 2·22 4·20 7·17 10·14 12·12 14·10 20·4 22·2	5·6 3·14 4·13 5·12 10·7 12·5 13·4 15·2 4·14 5·13 8·10 12·6 13·5 14·4 8·13 2·21 3·20 10·13 13·10 18·5 21·2 3·22 4·21 5·20 12·13 13·12 18·7	4·6 8·2 9·1 4·8 6·6 9·3 10·2 11·1 4·10 6·8 8·6 11·3 6·10 8·8 10·6 14·2 4·16 10·10 11·9 14·6 17·3 18·2 4·20 6·18 8·16 14·10 16·8	2·4 4·2 1·7 2·6 3·5 4·4 2·14 3·13 4·12 9·7 11·5 12·4 14·2 3·14 4·13 11·6 12·5 13·4 4·14 11·7 12·6 13·5 14·4 2·22 11·13 12·12 17·7	3·5 1·14 2·13 3·12 8·7 10·5 11·4 13·2 2·14 3·13 10·6 11·5 12·4 3·14 10·7 11·6 12·5 13·4 8·13 16·5 19·2 1·22 10·13 11·12 16·7 18·5 19·4	1·5 2·4 2·5 5·2 1·7 2·6 1·14 2·13 5·10 9·6 10·5 11·4 2·14 9·7 10·6 11·5 12·4 5·13 11·7 12·6 2·22 10·14 11·13 12·12 17·7 18·6 19·5
3字名前	1·(4) 1·(5) 2·(4) 5·(6) 7·(6) 8·(5) 1·(14) 2·(13) 5·(10) 8·(7) 9·(6) 7·(14) 8·(13) 9·(12) 5·(26) 7·(24) 9·(22)	1·(4) 1·(5) 4·(2) 1·(7) 4·(4) 4·(14) 6·(12) 8·(10) 7·(14) 8·(13) 14·(7) 4·(21) 15·(10)	2·(5) 4·(3) 2·(11) 4·(9) 7·(6) 2·(19) 5·(16) 6·(15) 7·(14) 10·(11) 12·(9) 2·(22) 5·(19) 10·(14) 13·(11) 14·(23) 21·(16)	12·(6) 8·(13) 10·(11) 2·(21) 3·(20) 10·(13) 12·(11) 2·(23) 4·(21) 5·(20) 12·(13) 13·(12) 14·(11) 8·(23) 10·(21) 18·(13) 20·(11)	1·(10) 4·(7) 6·(10) 9·(7) 8·(10) 9·(9) 11·(7) 6·(18) 14·(10) 6·(25) 8·(23) 10·(21) 14·(17)	3·(5) 4·(4) 3·(13) 4·(12) 4·(13) 11·(6) 12·(6) 11·(13) 12·(12) 7·(25) 9·(23) 19·(13) 20·(12) 12·(21) 20·(13) 21·(12) 12·(25)	1·(4) 2·(3) 1·(6) 2·(13) 3·(12) 10·(5) 3·(13) 10·(6) 11·(6) 8·(13) 10·(11) 12·(9) 10·(13) 11·(12) 2·(23) 12·(13) 13·(12)	1·(5) 2·(4) 2·(13) 9·(6) 10·(5) 10·(6) 7·(11) 9·(9) 12·(6) 5·(19) 11·(13) 12·(12) 15·(9) 10·(21) 11·(20) 10·(25) 12·(23)

名前例は400〜431ページ参照

	11·7	11·8	11·10	11·11	11·12	11·13	11·18	11·19
姓の画数と例	逸見 魚住 梶田 粕谷 亀谷 清沢	猪俣 亀岡 黒岩 菅沼 常松 盛岡	笠原 梶原 鹿島 清原 菅原 清家	清野 黒野 黒部 紺野 野崎 堀部	笠間 菊間 黒須 鹿間 鳥越 野間	淡路 設楽 鳥飼	斎藤 進藤	清瀬 黒瀬 野瀬 深瀬 梁瀬
1字名前	なし	なし	なし	なし	なし	なし	なし	なし
2字名前	1・4 1・5 4・2 6・7 8・5 9・4 11・2 1・14 8・7 9・6 10・5 11・4 4・13 10・7 11・6 8・13 9・12 11・10 14・7 16・5 17・4 9・14 10・13 11・12 16・7 17・6 18・5	3・2 3・10 7・6 8・5 9・4 3・13 9・7 10・6 5・13 8・10 13・5 16・2	1・2 1・10 5・6 6・5 7・4 3・13 6・10 11・5 14・2 5・13 6・12 8・10 11・7 13・5 14・4 3・21 11・13 14・10 22・2	4・7 5・6 6・5 7・4 6・7 7・6 2・13 5・10 10・5 13・2 4・13 5・12 7・10 10・7 12・5 13・4 2・21 10・13 13・10 21・2 4・21 5・20 12・13 13・12 20・5 21・4	3・13 4・12 6・10 9・7 11・5 12・4 4・14 5・13 6・12 11・7 12・6 13・5 3・21 4・20 11・13 12・12 19・5 20・4 3・22 4・21 5・20 11・14 12・13 13・12 19・6 20・5 23・2	3・10 8・5 11・2 2・13 3・12 8・7 10・5 11・4 5・12 8・13 11・10 19・2 2・21 3・20 10・13 11・12 18・5 19・4 2・22 3・21 10・14 11・13 12・12 18・6 19・5 20・4 22・2	3・5 6・2 3・13 6・10 14・2 5・13 6・12 13・5 14・4 3・20 13・10 17・6 19・4 21・2	2・5 5・2 4・7 5・6 6・5 2・13 5・10 13・2 4・13 5・12 12・5 13・4 4・14 5・13 6・12 12・6 13・5 14・4 16・2
3字名前	1・(4) 1・(5) 4・(9) 4・(11) 6・(9) 9・(6) 10・(5) 4・(13) 6・(11) 8・(9) 11・(6) 8・(13) 9・(12) 10・(11) 4・(19) 10・(13) 14・(9)	3・(3) 7・(6) 8・(5) 3・(13) 5・(11) 7・(9) 10・(6) 5・(13) 7・(11) 9・(9) 8・(25) 10・(23) 13・(20)	5・(6) 6・(5) 7・(4) 3・(13) 5・(11) 7・(9) 5・(13) 6・(12) 7・(11) 3・(21) 5・(19) 11・(13) 13・(11) 15・(9) 6・(25) 8・(23) 11・(20)	2・(9) 2・(11) 4・(9) 4・(11) 10・(5) 2・(21) 4・(19) 10・(13) 12・(11) 14・(9) 4・(21) 5・(20) 6・(19) 12・(13) 14・(11) 10・(25) 14・(21)	3・(13) 4・(12) 5・(11) 5・(13) 6・(12) 9・(9) 12・(6) 3・(21) 4・(20) 5・(19) 11・(13) 12・(12) 13・(11) 4・(21) 5・(20) 6・(19) 13・(12)	5・(3) 2・(11) 8・(5) 2・(13) 3・(12) 4・(11) 10・(5) 4・(13) 5・(12) 8・(13) 10・(11) 2・(21) 3・(20) 10・(13) 11・(12) 12・(11) 3・(21)	3・(3) 3・(5) 5・(3) 3・(13) 5・(11) 7・(9) 5・(13) 6・(12) 7・(11) 3・(20) 14・(9)	2・(3) 2・(5) 4・(3) 2・(9) 5・(6) 6・(5) 2・(13) 4・(11) 6・(9) 4・(13) 5・(12) 6・(11) 5・(13) 6・(12) 12・(6)

	12・9	12・8	12・7	12・6	12・5	12・4	12・3	12
姓の画数と例	植草 森泉 森垣 森屋 湯浅 結城	朝岡 飯沼 勝沼 須長 富岡 森岡	飯尾 植村 奥沢 奥谷 曾我 森谷	落合 勝亦 喜多 喜名 椎名 渡会	飯田 奥田 須永 塚本 森本 渡辺	朝井 奥井 森井 森内 森木 森元	奥山 景山 勝川 森口 森下 湯川	奥 勝 堺 巽 堤 森
1字名前	2 4 12 14 16	5 15 17	4 6 14 16	5 7 15 17	6 16 20	2 7 17	2 10 20 22	1 3 5 6 11 13 21 23
2字名前	2・1 2・9 6・5 7・4 8・3 4・12 7・9 12・4 15・1 6・12 7・11 9・9 12・6 14・4 15・3 4・20 12・12 15・9 23・1	5・6 7・4 8・3 10・1 7・6 8・5 9・4 10・3 3・12 9・6 10・5 5・12 8・9 13・4 16・1 8・13 9・12 10・11 15・6 16・5 17・4 5・20 13・12 16・9	1・4 4・1 1・5 1・12 4・9 8・5 9・4 10・3 4・12 10・6 11・5 6・12 9・9 14・4 17・1	1・4 2・3 1・5 2・4 7・6 9・4 10・3 2・13 9・6 10・5 11・4 12・3 5・12 11・6 12・5 2・19 9・12 10・11 12・9 15・6 17・4 10・13 11・12 12・11 17・6 18・5 19・4	1・5 2・4 3・3 1・6 3・5 2・13 3・12 6・9 10・5 11・4 12・3 3・13 10・6 11・5 12・4 13・3 6・12 12・6 13・5 1・23 3・21 11・13 12・12 13・11 18・6 19・5 20・4	2・13 3・12 4・11 9・6 11・4 12・3 14・1 3・13 4・12 11・5 12・4 13・3 4・13 11・6 12・5 13・4 14・3 9・12 17・4 20・1 2・21 11・12 12・11 17・6 19・4 20・3 2・23	3・3 5・1 2・6 3・5 4・4 5・3 3・13 4・12 5・11 10・6 12・4 13・3 15・1 4・13 5・12 12・5 14・3 5・13 12・6 13・5 14・4 15・3 3・21 12・12 13・11 18・6 20・4	1・2 3・2 4・2 1・10 9・2 1・12 3・10 9・4 11・2 1・20 5・16 9・12 11・10 19・2 1・22 3・20 9・14 11・12 13・10 19・4 21・2 3・22 9・16 13・12 19・6 20・5 23・2
3字名前	6・(5) 7・(4) 4・(12) 6・(10) 8・(8) 6・(12) 7・(11) 8・(10) 2・(22) 4・(20) 6・(18) 12・(12) 14・(10) 16・(8) 7・(24) 9・(22) 12・(19)	3・(2) 3・(8) 3・(10) 5・(8) 8・(5) 3・(12) 5・(10) 3・(18) 9・(12) 10・(11) 13・(8) 3・(22) 5・(20) 7・(18) 13・(12) 15・(10) 13・(19)	1・(4) 1・(5) 4・(2) 1・(12) 8・(5) 4・(12) 6・(10) 8・(8) 6・(12) 8・(10) 10・(8) 9・(24) 11・(22) 14・(19)	1・(4) 2・(3) 1・(5) 2・(4) 5・(8) 5・(10) 7・(8) 10・(5) 5・(12) 2・(19) 9・(12) 10・(11) 11・(10) 5・(18) 11・(12) 12・(11) 15・(8)	1・(5) 2・(4) 3・(3) 3・(12) 10・(5) 6・(10) 8・(10) 10・(8) 6・(18) 12・(12) 13・(11) 16・(8) 11・(20) 12・(19) 13・(18) 11・(24) 13・(22)	1・(4) 2・(3) 3・(2) 2・(5) 3・(12) 4・(11) 4・(12) 7・(10) 11・(10) 11・(12) 12・(11) 13・(10) 3・(22) 13・(12) 14・(11) 11・(20) 12・(19)	4・(2) 3・(5) 4・(4) 5・(3) 4・(12) 5・(11) 5・(12) 2・(22) 12・(12) 13・(11) 8・(24) 10・(22) 20・(12) 21・(11) 13・(20) 21・(12) 22・(11)	4・(9) 12・(9) 4・(19) 9・(14) 12・(11) 3・(22) 4・(21) 6・(19) 9・(16) 12・(13) 11・(22) 12・(21) 19・(14) 20・(13) 13・(22) 19・(16) 20・(15)

名前例は400〜431ページ参照

	13・4	13・3	13	12・18	12・16	12・12	12・11	12・10
姓の画数と例	新井 碓井 鈴木 照井 蓮井 福井	愛川 塩川 滝口 新山 福山 溝口	楠 園	須藤	棚橋 富樫	飯塚 奥間 越智 萱場 椎葉 番場	飯野 奥崎 勝部 萩野 森崎 渡部	朝倉 飯島 蛯原 曾根 森島 森脇
1字名前	なし	なし	3 5 8 11 18	5 7 15 17	5 7 17	23	2 10 12 14 22	15 23
2字名前	1・5 2・4 3・3 4・2 2・5 4・4 3・12 4・11 7・8 11・4 12・3 13・2 4・12 11・5 12・4 13・3 14・2 7・11 13・5 14・4 2・22 4・20 12・12 13・11 14・10 19・5 21・3	4・4 5・3 3・12 4・11 5・10 10・5 12・3 13・2 4・12 5・11 12・4 13・3 14・2 5・12 12・5 13・4 14・3 15・2 10・11 18・3 3・20 12・11 13・10 18・5 20・3 21・2 3・22	3・2 2・6 3・5 4・4 4・7 5・6 2・16 3・15 4・14 8・10 11・7 12・6 2・22 4・20 8・16 10・14 12・12 18・6 19・5 20・4 22・2	3・4 6・1 5・6 6・5 7・4 3・12 6・9 14・1 5・12 6・11 13・4 14・3 5・13 6・12 7・11 13・5 14・4 15・3 17・1	2・1 1・4 2・3 1・6 2・5 2・9 5・6 7・4 8・3 1・12 2・11 7・6 8・5 9・4 5・12 8・9 16・1 1・23 5・19 15・9 19・5 21・3 23・1	1・12 4・9 9・4 12・1 3・12 4・11 9・6 1・20 9・12 12・9 20・1 3・20 4・19 11・12 12・11 19・4 20・3 1・23 3・21 4・20 11・13 12・12 13・11 19・5 20・4 21・3 23・1	7・1 4・12 5・11 7・9 10・6 12・4 13・3 5・13 6・12 7・11 12・6 13・5 14・4 4・20 5・19 12・12 13・11 20・4 21・3 2・23 4・21 5・20 6・19 12・13 14・11 20・5 21・4	5・6 6・5 7・4 8・3 1・12 7・6 8・5 3・12 6・9 11・4 14・1 5・12 6・11 8・9 11・6 13・4 14・3 3・20 11・12 14・9 22・1 5・20 6・19 13・12 14・11 21・4 22・3
3字名前	2・(4) 3・(3) 4・(2) 1・(7) 4・(11) 9・(7) 7・(11) 9・(9) 11・(7) 7・(17) 13・(11) 14・(10) 12・(19) 13・(18) 14・(17) 12・(23) 14・(21)	2・(3) 3・(2) 3・(4) 4・(11) 5・(10) 5・(11) 8・(9) 10・(7) 10・(11) 12・(9) 2・(21) 12・(11) 13・(10) 2・(23) 4・(21) 14・(11) 15・(10)	4・(4) 5・(3) 2・(16) 3・(15) 4・(14) 5・(13) 12・(6) 2・(22) 3・(21) 8・(16) 10・(14) 11・(13) 10・(22) 11・(21) 18・(14) 19・(13) 12・(23)	3・(2) 3・(4) 3・(8) 6・(5) 7・(4) 3・(12) 5・(10) 7・(8) 5・(12) 6・(11) 7・(10) 6・(12) 7・(11)	1・(4) 2・(3) 2・(5) 1・(10) 7・(4) 1・(12) 2・(11) 5・(8) 8・(5) 5・(12) 7・(10) 9・(8) 2・(22) 5・(19) 16・(8)	1・(10) 1・(12) 3・(10) 3・(12) 4・(11) 5・(10) 5・(12) 6・(11) 9・(12) 11・(10) 3・(20) 4・(19) 11・(12) 12・(11) 13・(10) 4・(20) 12・(12)	4・(12) 5・(11) 6・(10) 6・(12) 7・(11) 10・(8) 2・(22) 4・(20) 5・(19) 6・(18) 12・(12) 13・(11) 14・(10) 5・(20) 6・(19) 7・(18) 14・(11)	1・(10) 3・(8) 1・(12) 3・(10) 5・(8) 5・(10) 5・(12) 3・(20) 5・(18) 11・(12) 13・(10) 15・(8) 5・(20) 6・(19) 15・(10) 11・(24) 15・(20)

姓の画数と例	1字名前	2字名前	3字名前
13・5 蒲田 楠本 滝本 豊田 福田 福永	なし	1・2 1・4 2・3 3・2 1・5 2・4 3・3 1・12 10・3 11・2 3・12 10・5 11・4 12・3 13・2 6・11 12・5 13・4 10・11 11・10 13・8 16・5 1・22 11・12 12・11 13・10 20・3	2・(3) 3・(2) 2・(4) 3・(3) 6・(7) 6・(9) 6・(11) 8・(9) 10・(7) 10・(11) 11・(10) 12・(9) 6・(17) 12・(11) 13・(10) 16・(23) 18・(21)
13・7 塩谷 新里 新谷 滝沢 福沢 福村	なし	1・2 1・4 1・10 6・5 8・3 9・2 1・12 8・5 9・4 10・3 11・2 4・11 10・5 11・4 6・11 9・8 14・3 1・20 9・12 10・11 11・10 16・5 17・4 18・3 6・19 14・11 17・8	4・(7) 4・(9) 6・(7) 4・(11) 6・(9) 10・(7) 4・(17) 10・(11) 11・(10) 14・(7) 4・(21) 6・(19) 14・(11) 16・(9) 9・(23) 11・(21) 14・(18)
13・8 新居 殿岡 新妻 蓮沼 福岡 豊岡	なし	3・8 7・4 8・3 9・2 5・11 8・8 13・3 7・11 8・10 10・8 13・5 15・3 16・2 5・19 13・11 16・8	7・(4) 5・(11) 7・(9) 9・(7) 7・(11) 8・(10) 9・(9) 3・(21) 5・(19) 7・(17) 13・(11) 15・(9) 8・(23) 10・(21) 13・(18)
13・10 嵯峨 塩浜 豊島 福家 福島 福留	なし	5・11 6・10 8・8 11・5 13・3 14・2 6・12 7・11 8・10 13・5 14・4 15・3 5・19 6・18 13・11 14・10 21・3 22・2 3・22 5・20 6・19 7・18 13・12 14・11 15・10 21・4 22・3	5・(11) 6・(10) 7・(9) 7・(11) 8・(10) 11・(7) 3・(21) 5・(19) 6・(18) 13・(11) 14・(10) 15・(9) 6・(19) 7・(18) 8・(17) 14・(11) 15・(10)
13・11 塩崎 塩野 園部 遠野 豊崎 新堀	なし	2・11 5・8 10・3 4・11 5・10 10・5 6・11 7・10 12・5 2・19 10・11 13・8 4・19 5・18 12・11 13・10 20・3 21・2 2・22 4・20 5・19 12・12 13・11 14・10 20・4 21・3 22・2	4・(9) 4・(11) 5・(10) 6・(9) 6・(11) 7・(10) 2・(19) 10・(11) 12・(9) 2・(21) 4・(19) 5・(18) 12・(11) 13・(10) 14・(9) 5・(19) 13・(11)
13・18 遠藤 新藤	なし	3・3 3・5 5・3 6・2 5・11 6・10 13・3 14・2 5・12 6・11 7・10 13・4 14・3 15・2 3・18 13・8 17・4 19・2	3・(3) 5・(3) 5・(11) 6・(10) 7・(9) 6・(11) 7・(10) 3・(18) 14・(7)
14 榎 境 榊 嶋 関	1　3　7 11　17　18 21　23	7・4 9・2 1・16 2・15 3・14 11・6 1・17 2・16 3・15 4・14 11・7 7・14 9・12 17・4 19・2 1・22 7・16 9・14 11・12 17・6 18・5 19・4 21・2 2・23 3・22 9・16 10・15	11・(6) 2・(16) 3・(15) 4・(14) 7・(14) 10・(11) 2・(21) 7・(16) 9・(14) 10・(13) 2・(23) 3・(22) 4・(21) 9・(16) 10・(15) 11・(14) 9・(22)
14・3 稲川 熊川 関川 関口 徳山 増山	4　14　15 20　22	2・4 3・3 4・2 5・1 3・4 4・4 5・3 4・11 5・10 8・7 12・3 13・2 14・1 5・11 12・4 13・3 14・2 15・1 8・10 14・4 15・3 3・21 5・19 13・11 14・10 15・9 22・2	3・(3) 4・(2) 2・(6) 5・(10) 2・(16) 8・(10) 10・(8) 12・(6) 2・(22) 4・(20) 8・(16) 14・(10) 5・(26) 13・(18) 14・(17) 13・(22) 15・(20)

名前例は400〜431ページ参照

	15・3	14・12	14・11	14・10	14・9	14・7	14・5	14・4
姓の画数と例	影山 横川 横山	稲富 稲葉 稲場 嘉陽 雑賀	綾部 綾野 熊崎 熊野 境野 綿貫	漆原 熊倉 関根 徳島 増島 箕浦	稲垣 漆畑 関屋 徳重 鳴海	稲見 稲村 熊坂 関沢 種村 増村	稲本 榎本 熊本 嶋田 関本 徳永	稲毛 榎戸 緒方 熊井 増井 綿引
1字名前	5 14 15	5 6	6 7 10 12 14 20 22	7 15 23	2 12 14 16 22	4 10 14 16	2 6 12 16 20	7 14 17
2字名前	2・1 2・3 3・2 4・1 3・3 4・2 5・1 3・10 10・3 12・1 5・10 12・3 13・2 14・1 8・9 4・17 5・16 12・9 13・8 15・6 18・3 3・20 5・18 13・10 14・9 15・8 22・1	1・4 3・2 4・1 3・3 4・2 5・1 3・4 4・3 5・2 6・1 1・10 9・2 3・10 4・9 9・4 11・2 12・1 4・11 5・10 6・9 11・4 12・3 13・2 11・10 12・9 19・2 20・1	2・4 4・2 5・1 4・3 5・2 6・1 4・4 5・3 6・2 7・1 5・11 6・10 7・9 12・4 13・3 14・2 2・21 4・19 5・18 6・17 12・11 13・10 14・9 20・3 21・2 22・1	1・10 3・10 6・7 11・2 5・10 6・9 8・7 11・4 3・18 11・10 14・7 5・18 6・17 13・10 14・9 21・2 22・1 1・23 3・21 5・19 6・18 13・11 14・10 15・9 21・3 22・2 23・1	6・10 7・9 9・7 12・4 14・2 7・11 8・10 9・9 14・4 15・3 16・2 6・18 7・17 14・10 15・9 22・2 23・1 2・23 4・21 6・19 7・18 8・17 14・11 15・10 16・9 22・3 23・2	1・2 1・10 4・7 8・3 9・2 10・1 6・10 9・7 14・2 1・17 8・10 9・9 11・7 14・4 16・2 17・1 1・23 6・18 14・10 17・7	1・4 2・3 3・2 2・4 3・3 2・11 3・10 6・7 10・3 11・2 12・1 6・10 12・4 13・3 1・17 8・10 11・7 16・2	1・2 2・1 1・4 2・3 3・2 4・1 2・4 3・3 4・2 2・11 11・2 12・1 4・11 11・4 12・3 13・2 14・1 7・10 4・17 11・10 12・9 14・7 17・4 19・2 2・21 12・11 21・2
3字名前	4・(2) 5・(8) 8・(5) 8・(7) 10・(5) 2・(15) 8・(9) 10・(7) 2・(19) 4・(17) 5・(16) 12・(9) 13・(8) 14・(7) 8・(15) 14・(9) 15・(8)	3・(2) 3・(3) 4・(2) 4・(3) 3・(10) 4・(9) 5・(8) 5・(10) 6・(9) 9・(6) 3・(18) 4・(17) 5・(16) 11・(10) 12・(9) 13・(8) 5・(26)	4・(2) 4・(3) 2・(6) 5・(3) 6・(10) 7・(9) 10・(6) 5・(18) 6・(17) 7・(16) 13・(10) 14・(9) 6・(26) 10・(22) 12・(20) 14・(18)	5・(8) 5・(10) 6・(9) 7・(8) 7・(10) 8・(9) 3・(18) 11・(10) 13・(8) 3・(20) 5・(18) 6・(17) 13・(10) 14・(9) 15・(8) 6・(18) 14・(10)	6・(10) 7・(9) 8・(10) 9・(9) 12・(6) 2・(22) 4・(20) 6・(18) 7・(17) 8・(16) 14・(10) 15・(9) 16・(8) 7・(18) 8・(17) 9・(16) 16・(9)	1・(10) 6・(10) 8・(8) 10・(6) 8・(10) 9・(9) 10・(8) 4・(20) 6・(18) 8・(16) 14・(10) 16・(8) 9・(22) 11・(20) 14・(17)	2・(3) 3・(2) 3・(3) 3・(10) 6・(10) 8・(8) 10・(6) 2・(16) 8・(10) 10・(8) 12・(6) 11・(22) 13・(20) 16・(17)	3・(2) 3・(3) 4・(2) 7・(6) 7・(8) 9・(6) 7・(10) 9・(8) 11・(6) 4・(17) 11・(10) 12・(9) 13・(8) 7・(16) 13・(10) 14・(9) 17・(22)

	16・5	16・4	16・3	16	15・10	15・7	15・5	15・4
姓の画数と例	鴨田 橋田 繁田 橋田 橋立 橋本	薄井 橋爪	鮎川 鴨川 鴨下 橘川 館山 築山	橘 橋 壇 黛	駒宮 横倉 横島 横浜 輪島	駒形 駒沢 駒村 潮来 横尾 横沢	潮田 蔵田 慶田 駒田 権田 横田	駒井
1字名前	2 10 12 16 20	4 12 17	2 4 5 12 14 20 22	1 5 7 8 15 16 17 21 23	6 7 14 22 23	10 17	12	2 4 12 14 20
2字名前	1・2 2・1 2・9 3・8 6・5 10・1 1・15 8・8 11・5 1・17 2・16 3・15 10・8 11・7 13・5 16・2 1・23 3・21 8・16 16・8 19・5	3・2 4・1 2・9 3・8 4・7 9・2 4・9 11・2 12・1 7・8 13・2 14・1 1・16 2・15 9・8 12・5 2・19 4・17 12・9 13・8 14・7 19・2 20・1 2・23 4・21 9・16 17・8	3・2 4・1 4・2 5・1 4・9 5・8 8・5 12・1 8・8 14・2 15・1 2・16 3・15 10・8 13・5	1・4 1・14 5・10 8・7 9・6 1・15 2・14 9・7 5・12 7・10 5・16 7・14 9・12 15・6 16・5 17・4 19・2 9・14 16・7 17・6 19・4 21・2 2・23 5・20 9・16 19・6 21・4	3・3 5・1 1・6 5・2 6・1 5・3 6・2 7・1 6・10 7・9 8・8 13・3 14・2 15・1 1・22 3・20 5・18 6・17 7・16 13・10 14・9 15・8 21・2 22・1	1・2 1・10 8・3 9・2 10・1 4・9 10・3 11・2 6・9 9・6 14・1 1・16 8・9 9・8 11・6 14・3 16・1 1・22 6・17 14・9 17・6 8・17 9・16 16・9 17・8	2・3 3・2 3・8 8・3 10・1 3・10 10・3 11・2 12・1 6・9 12・3 13・2 1・16 8・9 11・6 16・1 1・20 3・18 11・10 12・9 13・8 18・3 19・2 20・1 3・22 8・17 16・9	2・3 3・2 4・1 3・3 4・2 3・10 4・9 7・6 11・2 12・1 7・9 13・3 14・2 1・17 2・16 9・9 12・6 17・1
3字名前	3・(8) 2・(14) 8・(8) 10・(6) 2・(16) 3・(15) 10・(8) 11・(7) 12・(6) 2・(22) 6・(18) 8・(16) 10・(14) 16・(8) 11・(20) 13・(18) 16・(15)	7・(4) 7・(6) 7・(8) 9・(6) 9・(8) 3・(18) 7・(14) 13・(8) 14・(7) 3・(22) 7・(18) 9・(16) 11・(14) 12・(20) 14・(18) 17・(15) 13・(24)	2・(4) 5・(8) 2・(14) 8・(8) 10・(6) 2・(16) 3・(15) 4・(14) 10・(8) 12・(6) 13・(20) 15・(18) 18・(15)	1・(4) 2・(3) 1・(14) 2・(13) 9・(6) 1・(15) 2・(14) 5・(16) 7・(14) 8・(13) 2・(21) 9・(14) 2・(23) 9・(16) 9・(22) 15・(16) 16・(15)	1・(5) 1・(7) 3・(5) 1・(15) 7・(9) 8・(8) 6・(17) 7・(16) 8・(15) 14・(9) 15・(8) 7・(25) 11・(21) 13・(19) 15・(17)	4・(7) 6・(5) 4・(9) 6・(7) 8・(5) 8・(7) 10・(7) 4・(19) 6・(17) 8・(15) 14・(9) 4・(21) 8・(17) 9・(16) 10・(15) 14・(21) 18・(17)	6・(5) 6・(7) 8・(5) 6・(9) 8・(7) 8・(9) 10・(7) 2・(19) 6・(15) 12・(9) 6・(19) 8・(17) 10・(15) 16・(9) 11・(21) 13・(19) 16・(16)	3・(2) 1・(5) 4・(2) 4・(9) 1・(15) 7・(9) 9・(7) 2・(16) 3・(15) 9・(9) 11・(7) 12・(21) 14・(19) 17・(16)

名前例は400～431ページ参照

18・8	18・7	18・5	18・4	17・11	17・10	17・7	17・5	
鯉沼 難波 藤枝 藤岡 藤沼 藤林	鵜沢 鎌形 藤尾 藤沢 藤谷 藤村	織田 織本 鎌田 藤田 藤本	藤井 藤木 藪内	磯崎 磯野 磯部 鴻巣 霜鳥	鮫島 篠原	磯貝 磯村 磯谷 篠沢	磯田 磯辺 輿石 霜田 鍋田	姓の画数と例
なし	なし	なし	なし	4　5　7 20	5　6　14	17	2　10	1字名前
3・3 5・6 8・3 7・6 8・5 10・3 8・7 9・6 10・5 7・14 8・13 15・6 16・5	1・5 1・6 4・3 1・7 1・15 9・7 10・6 11・5 4・19 6・17 8・15 9・14 10・13 16・7 17・6 18・5	3・5 1・15 2・14 3・13 10・6 11・5 13・3 1・17 3・15 11・7 12・6 13・5 1・23 3・21 10・14 11・13 18・6 19・5 2・23 6・19 8・17 10・15 11・14 12・13 18・7 19・6 20・5	4・7 7・6 1・14 2・13 9・6 12・3 2・15 3・14 4・13 11・6 12・5 14・3 2・21 4・19 9・14 17・6 20・3 2・23 4・21 11・14 12・13 19・6 20・5	2・1 4・1 6・1 4・7 5・6 7・4 10・1 5・8 6・7 7・6 12・1 2・15 10・7 13・4 2・22 4・20 6・18 10・14 20・4	1・4 5・1 1・7 7・1 3・15 11・7 14・4 1・20 3・18 5・16 6・15 7・14 13・8 14・7 15・6 3・22 5・20 7・18 11・14 21・4	4・7 6・7 9・4 8・7 9・6 11・4 14・1 9・8 10・7 11・6 16・1 6・15 14・7 17・4 1・22 8・15 9・14 16・7 17・6 4・20 6・18 8・16 9・15 10・14 16・8 17・7 18・6	2・1 3・8 10・1 6・7 12・1 1・14 8・7 11・4 1・16 2・15 3・14 10・7 11・6 13・4 16・1 1・22 3・20 8・15 16・7 19・4 3・22 10・15 11・14 18・7 19・6	2字名前
5・(6) 7・(4) 7・(6) 8・(5) 3・(12) 9・(6) 10・(5) 3・(18) 5・(16) 7・(14) 8・(13) 9・(12) 5・(26) 9・(22) 13・(18) 15・(16) 17・(14)	1・(5) 4・(2) 1・(6) 4・(4) 4・(12) 10・(6) 9・(14) 10・(13) 11・(12) 6・(26) 10・(22) 14・(18) 16・(16) 18・(14)	3・(5) 2・(14) 3・(13) 10・(6) 2・(16) 6・(12) 12・(6) 2・(22) 6・(18) 8・(16) 10・(14) 11・(13) 12・(12) 3・(22) 11・(14) 12・(13) 13・(12)	7・(4) 1・(12) 7・(6) 1・(14) 2・(13) 3・(20) 7・(16) 9・(14) 11・(12) 7・(18) 9・(16) 11・(14) 12・(13) 13・(12) 9・(26) 17・(18) 21・(14)	2・(3) 2・(5) 4・(3) 4・(7) 5・(6) 6・(5) 6・(7) 7・(6) 2・(15) 4・(13) 10・(7) 5・(19) 7・(17) 10・(14)	1・(5) 3・(3) 1・(7) 3・(5) 5・(3) 3・(15) 5・(13) 11・(7) 6・(15) 7・(14) 8・(13) 14・(7) 6・(19) 8・(17) 11・(14)	6・(5) 6・(7) 8・(5) 1・(14) 8・(7) 9・(6) 10・(5) 10・(7) 11・(6) 4・(17) 6・(15) 14・(7) 4・(19) 6・(17) 8・(15) 9・(14) 9・(15)	6・(5) 6・(7) 8・(5) 1・(14) 10・(5) 6・(17) 8・(15) 10・(13) 2・(23) 6・(19) 8・(17) 10・(15) 11・(14) 12・(13) 12・(23) 16・(19) 20・(15)	3字名前

姓の画数	18・9	18・10	18・11	18・12	19	19・4	19・7	21・4
姓の画数と例	藤城 藤咲 藤巻 藤屋	鎌倉 藤倉 藤島 藤浪 藤原	鵜野 藤掛 藤崎 藤野	鯉淵 額賀 藤塚 藤間 藤森 藪塚	鏡	鏑木 鯨井 瀬戸	瀬尾 瀬良	露木
1字名前	なし	なし	なし	なし	5 6 13 16 18	なし	なし	なし
2字名前	2・3 2・6 4・14 12・6 15・3 2・19 4・17 6・15 7・14 8・13 14・7 15・6 16・5 2・23 4・21 6・19 8・17 12・13 22・3	1・6 5・6 6・5 8・3 6・7 7・6 8・5 3・14 11・6 14・3 1・23 3・21 5・19 7・17 11・13 21・3	2・6 5・3 2・14 10・6 13・3 4・14 5・13 12・6 13・5 2・21 4・19 6・17 10・13 20・3	1・6 4・3 4・7 5・6 6・5 1・14 9・6 12・3 3・14 4・13 11・6 12・5 1・17 3・15 4・14 5・13 11・7 12・6 13・5	2・4 4・2 6・7 2・14 4・12 6・10 12・4 14・2 2・16 4・14 6・12 12・6 13・5 14・4 16・2	4・4 2・14 3・13 4・12 11・5 12・4 14・2 2・16 4・14 12・6 13・5 14・4 2・22 4・20 11・13 12・12 19・5 20・4 3・22 7・18 9・16 11・14 12・13 13・12 19・6 20・5 21・4	1・4 1・5 4・2 1・6 6・5 9・2 1・12 8・5 9・4 11・2 1・14 9・6 10・5 11・4 1・20 8・13 9・12 16・5 17・4	2・4 3・3 4・2 3・4 4・3 4・4 2・14 4・12 12・4 13・3 14・2 3・20 7・16 9・14 11・12 12・11 13・10 19・4 20・3 21・2
3字名前	2・(4) 4・(2) 2・(6) 4・(4) 2・(16) 4・(14) 6・(12) 12・(6) 7・(14) 8・(13) 9・(12) 7・(18) 9・(16) 12・(13)	1・(4) 3・(2) 1・(6) 3・(4) 5・(6) 6・(5) 7・(4) 1・(12) 7・(6) 8・(5) 3・(14) 5・(12) 11・(6) 6・(18) 8・(16) 11・(13)	2・(4) 4・(2) 2・(6) 4・(4) 2・(14) 4・(12) 10・(6) 2・(16) 4・(14) 5・(13) 6・(12) 12・(6) 5・(18) 7・(16) 10・(13)	1・(4) 3・(2) 1・(6) 3・(4) 5・(6) 6・(5) 1・(14) 3・(12) 9・(6) 3・(14) 4・(13) 5・(12) 11・(6) 4・(14) 5・(13) 6・(12) 12・(6)	2・(3) 2・(4) 2・(11) 4・(9) 2・(14) 5・(11) 2・(16) 4・(14) 5・(13) 12・(6) 12・(21) 14・(19) 18・(15) 20・(13) 22・(11)	3・(5) 4・(4) 1・(15) 3・(13) 4・(12) 3・(15) 7・(11) 3・(21) 7・(17) 9・(15) 11・(13) 12・(12) 13・(11) 4・(21) 12・(13) 13・(12) 14・(11)	1・(4) 1・(5) 4・(3) 6・(5) 1・(12) 8・(5) 4・(11) 10・(5) 4・(17) 6・(15) 8・(13) 9・(12) 10・(11) 6・(25) 10・(21) 14・(17) 16・(15)	3・(3) 4・(2) 4・(3) 1・(15) 3・(13) 7・(9) 4・(19) 12・(11) 13・(10) 14・(9) 7・(25) 9・(23) 13・(19) 17・(15) 19・(13) 21・(11)

名前例は400〜431ページ参照

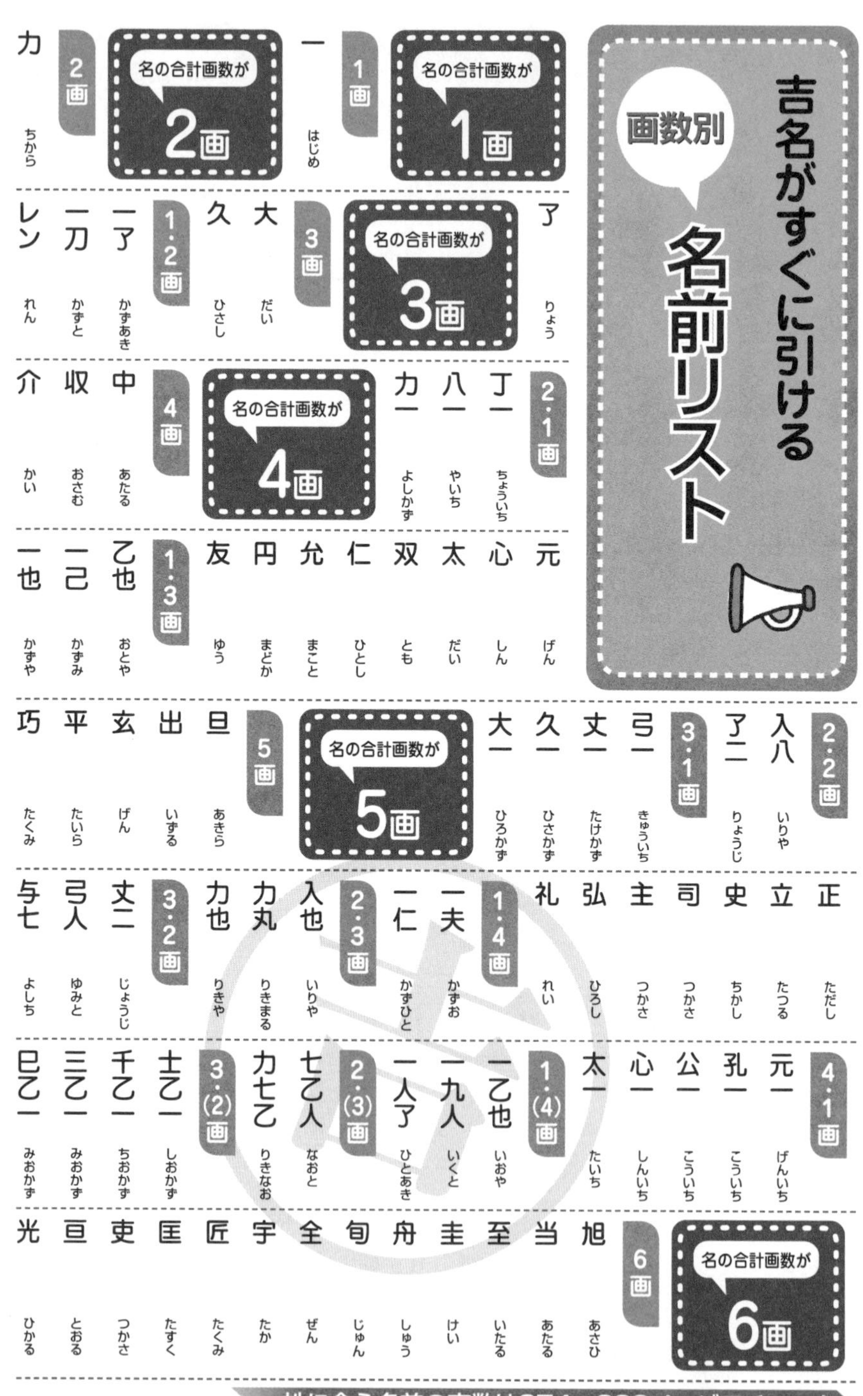

吉名がすぐに引ける 画数別 名前リスト

名の合計画数が1画

1画
- 一 はじめ

名の合計画数が2画

2画
- 力 ちから
- 了 りょう

名の合計画数が3画

3画
- 大 だい
- 久 ひさし

1・2画
- 一了 かずあき
- 一刀 かずと
- レン れん

名の合計画数が4画

2・1画
- 丁一 ちょういち
- 八一 やいち
- 力一 よしかず

4画
- 中 あたる
- 収 おさむ
- 介 かい
- 元 げん
- 心 しん
- 太 だい
- 双 とも
- 仁 ひとし
- 允 まこと
- 円 まどか
- 友 ゆう

1・3画
- 乙也 おとや
- 一己 かずみ
- 一也 かずや

2・2画
- 入八 いりや
- 了二 りょうじ

3・1画
- 弓一 きゅういち
- 丈一 たけかず
- 久一 ひさかず
- 大一 ひろかず

名の合計画数が5画

5画
- 旦 あきら
- 出 いずる
- 玄 げん
- 平 たいら
- 巧 たくみ
- 正 ただし
- 立 たつる
- 史 ちかし
- 司 つかさ
- 主 つかさ
- 弘 ひろし
- 礼 れい

1・4画
- 一夫 かずお
- 一仁 かずひと

2・3画
- 入也 いりや
- 力丸 りきまる
- 力也 りきや

3・2画
- 丈二 じょうじ
- 弓人 ゆみと
- 与七 よしち

4・1画
- 元一 げんいち
- 孔一 こういち
- 公一 こういち
- 心一 しんいち
- 太一 たいち

1・(4)画
- 一乙也 いおや
- 一九人 いくと
- 一人了 ひとあき

2・(3)画
- 七乙人 なおと
- 力七乙 りきなお

3・(2)画
- 士乙一 しおかず
- 千乙一 ちおかず
- 三乙一 みおかず
- 巳乙一 みおかず

名の合計画数が6画

6画
- 旭 あさひ
- 当 あたる
- 至 いたる
- 圭 けい
- 舟 しゅう
- 旬 じゅん
- 全 ぜん
- 宇 たか
- 匠 たくみ
- 匡 たすく
- 吏 つかさ
- 亘 とおる
- 光 ひかる

姓に合う名前の吉数は374〜399ページでチェック

守 まもる
充 みつる
有 ゆう

1・5画
一平 いっぺい
乙平 いっぺい
一史 かずふみ
一正 かずまさ
一矢 かずや

2・4画
乃斗 ないと
力太 りきた

3・3画
丈士 じょうじ
千大 ちひろ

4・2画
元人 げんと
心人 しんと

5・1画
功一 こういち
仙一 せんいち
立一 りゅういち

1・(5)画
一二三 かずふみ
一人士 ひとし

2・(4)画
九二人 くにと
八十力 やそちか

3・(3)画
久二乙 くにお
久二一 くにかず
千乃一 ちのかず

4・(2)画
太乙一 たおかず
日乙一 ひおかず
壬★乙一 みおかず

名の合計画数が 7画

7画
改 あらた
芳 かおる
来 きたる
忍 しのぶ
伸 しん
孝 たかし
努 つとむ
亨 とおる
志 のぞむ
寿 ひさし
均 ひとし
宏 ひろし
励 れい

1・6画
一圭 いっけい
一行 いっこう
一亘 いっこう
一早 かずさ
一成 かずしげ

2・5画
刀矢 とうや
力矢 りきや

3・4画
千斗 せんと
大牙★ たいが
大介 だいすけ
大斗 だいと

4・3画
公大 きみひろ
心大 しんた
仁大 じんだい

中也 ちゅうや
友久 ともひさ
友巳 ともみ
友之 ともゆき
友大 ゆうだい

5・2画
礼人 あやと
功人 なるひと
正人 まさと
由人 ゆいと

6・1画
匡一 きょういち
圭一 けいいち
光一 こういち

1・(6)画
一久大 いくた
一工丸 いくまる
一久也 いくや

2・(5)画
二巳人 ふみと
八乙介 やおすけ

3・(4)画
久二人 くにと
巳九人 みくと

4・(3)画
日乃乙 ひのお
壬★七一 みなかず

名の合計画数が 8画

8画
明 あきら
昂 あきら
東 あずま
歩 あゆむ
周 いたる
到 いたる
治 おさむ
岳 がく
茂 しげる
卓 すぐる
享 すすむ
侑 すすむ
直 すなお
昊★ そら
空 そら
宝 たから
拓 たく
武 たけし
忠 ただし
尚 ひさし
宙 ひろし
学 まなぶ
実 みのる
怜 れい

1・7画
一兵 いっぺい
一臣 かずおみ
一志 かずし
一秀 かずひで

2・6画
力多 りきた
了次 りょうじ

3・5画
千市 せんいち
大史 だいし
万生 まいく

4・4画
王介 おうすけ
公文 くもん
元太 げんた

★新人名漢字

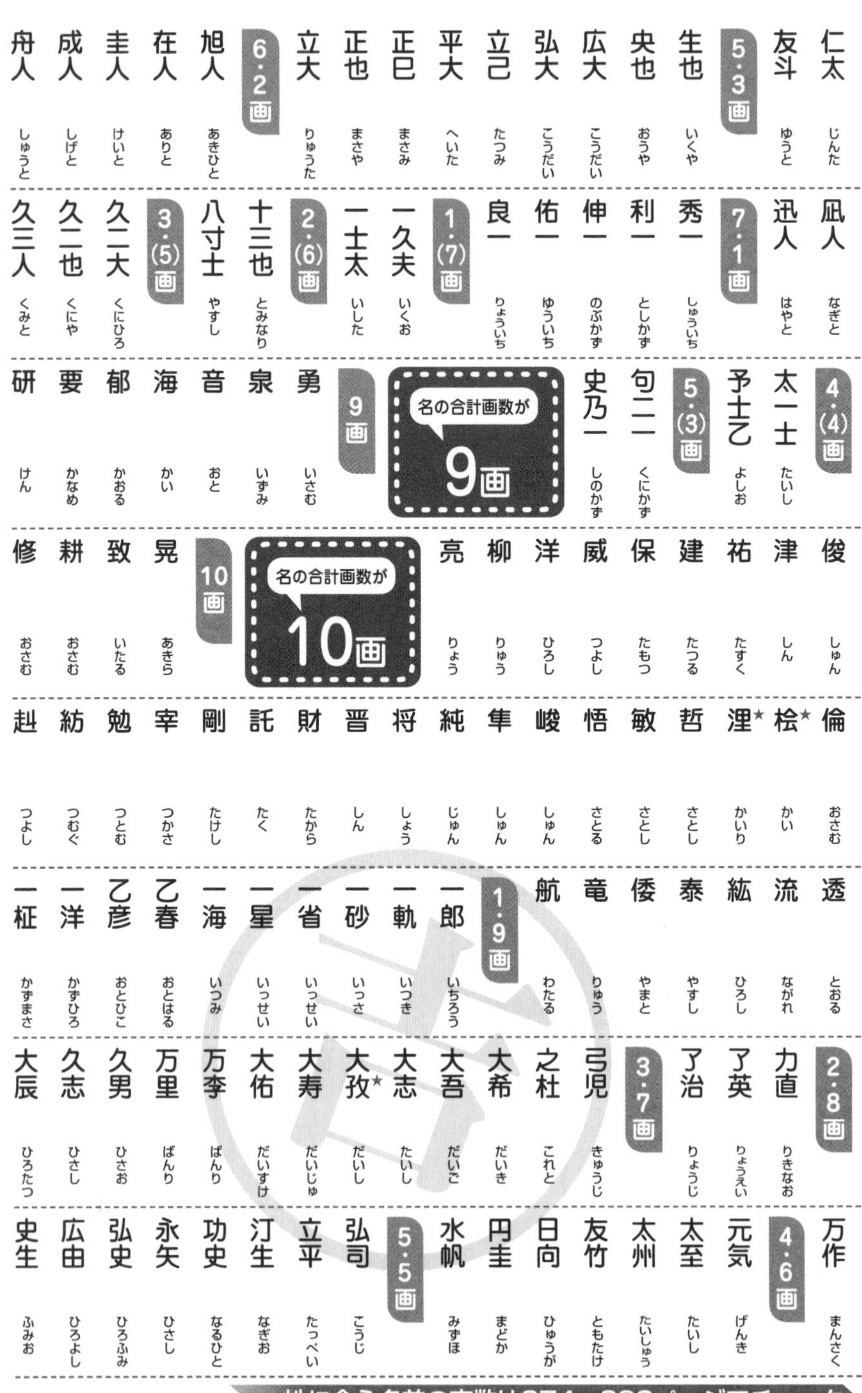

仁太 じんた
友斗 ゆうと

5・3画

生也 いくや
央也 おうや
広大 こうだい
弘大 こうだい
立己 たつみ
平大 へいた
正巳 まさみ
正也 まさや
立大 りゅうた

6・2画

旭人 あきひと
在人 ありと
圭人 けいと
成人 しげと
舟人 しゅうと
凪人 なぎと
迅人 はやと

7・1画

秀一 しゅういち
利一 としかず
伸一 のぶかず
佑一 ゆういち
良一 りょういち

1・(7)画

一久夫 いくお
一士太 いした

2・(6)画

十三也 とみなり
八寸士 やすし

3・(5)画

久二大 くにひろ
久二也 くにや
久三人 くみと

4・(4)画

太一士 たいし
予士乙 よしお

5・(3)画

句二一 くにかず
史乃一 しのかず

名の合計画数が 9画

9画

勇 いさむ
泉 いずみ
音 おと
海 かい
郁 かおる
要 かなめ
研 けん
俊 しゅん
津 しん
祐 たすく
建 たつる
保 たもつ
威 つよし
洋 ひろし
柳 りゅう
亮 りょう

名の合計画数が 10画

10画

晃 あきら
致 いたる
耕 おさむ
修 おさむ
倫 おさむ
桧★ かい
浬★ かいり
哲 さとし
敏 さとし
悟 さとる
峻 しゅん
隼 しゅん
純 じゅん
将 しょう
晋 しん
財 たから
託 たく
剛 たけし
宰 つかさ
勉 つとむ
紡 つむぐ
赳 つよし
透 とおる
流 ながれ
紘 ひろし
泰 やすし
倭 やまと
竜 りゅう
航 わたる

1・9画

一郎 いちろう
一軌 いつき
一砂 いっさ
一省 いっせい
一星 いっせい
一海 いつみ
乙春 おとはる
乙彦 おとひこ
一洋 かずひろ
一柾 かずまさ

2・8画

力直 りきなお
了英 りょうえい
了治 りょうじ

3・7画

弓児 きゅうじ
之杜 これと
大希 だいき
大吾 だいご
大志 たいし
大孜★ だいし
大寿 だいじゅ
大佑 だいすけ
万李 ばんり
万里 ばんり
久男 ひさお
久志 ひさし
大辰 ひろたつ
万作 まんさく

4・6画

元気 げんき
太至 たいし
太州 たいしゅう
友竹 ともたけ
日向 ひゅうが
円圭 まどか
水帆 みずほ

5・5画

弘司 こうじ
立平 たっぺい
汀生 なぎお
功史 なるひと
永矢 ひさし
弘史 ひろふみ
広由 ひろよし
史生 ふみお

姓に合う名前の吉数は374～399ページでチェック

史矢 ふみや
冬生 ふゆき
正央 まさお
立央 りつお
立世 りゅうせい
礼司 れいじ
礼央 れお

6・4画

有文 あもん
行太 いくた
圭月 かづき
此★仁 これひと
旬太 しゅんた
壮介 そうすけ
竹斗 たけと
多文 たもん
兆太 ちょうた
凪斗 なぎと

成斗 なると
匠仁 なるひと
成仁 なるひと
有仁 ゆうじん
有介 ゆうすけ

8・2画

学人 がくと
和人 かずと
国人 くにひと
卓人 たくと
武人 たけと
尚人 なおと
直人 なおと
若人 わかと

9・1画

建一 けんいち
研一 けんいち
柊一 しゅういち

俊一 しゅんいち
省一 しょういち
泉一 せんいち
紀一 のりかず
勇一 ゆういち
亮一 りょういち

名の合計画数が 11画

11画

章 あきら
庵★ いおり
理 おさむ
絆★ きずな
徠★ きたる
清 きよし
健 けん

絃 げん
舷★ げん
郷 ごう
捷 さとし
偲 しのぶ
淳 じゅん
梢 しょう
笙 しょう
逸 すぐる
進 すすむ
隆 たかし
琢 たく
猛 たける
紬 つむぐ
強 つよし
望 のぞむ
深 ふかし
蛍 ほたる

悠 ゆう
脩 ゆう
庸 よう
陸 りく
笠★ りゅう
琉 りゅう
涼 りょう
陵 りょう
羚★ れい
渉 わたる

1・10画

一朗 いちろう
一耕 いっこう
一航 いっこう
一晃 かずあき
一起 かずき
一真 かずま
一馬 かずま

一将 かずまさ
一途 かずみち

2・9画

七海 ななみ
力哉 りきや

3・8画

久治 きゅうじ
久門 くもん
大河 たいが
大周 たいしゅう
大治 だいち
大知 だいち
大岳 ひろたけ
大和 やまと
弓弦 ゆづる

4・7画

井吹 いぶき
井良 いら

公作 こうさく
太我 たいが
太壱 たいち
太杜 だいと
友近 ともちか
友秀 ともひで
仁志 ひとし
文吾 ぶんご
文冴 ぶんご
文兵 ぶんぺい
水甫 みずほ
元男 もとお
元希 もとき
友作 ゆうさく

5・6画

右汐 うしお
永伍 えいご
叶多 かなた

立好 たつよし
弘好 ひろよし
平次 へいじ
平多 へいた
正行 まさゆき
世帆 よはん
礼安 らいあん

6・5画

旭矢 あさや
旬市 しゅんいち
成永 せいえい
多市 たいち
多央 たお
匡史 ただし
光矢 てるや
迅矢 ときや
凪央 なぎお
迅生 はやお

★新人名漢字

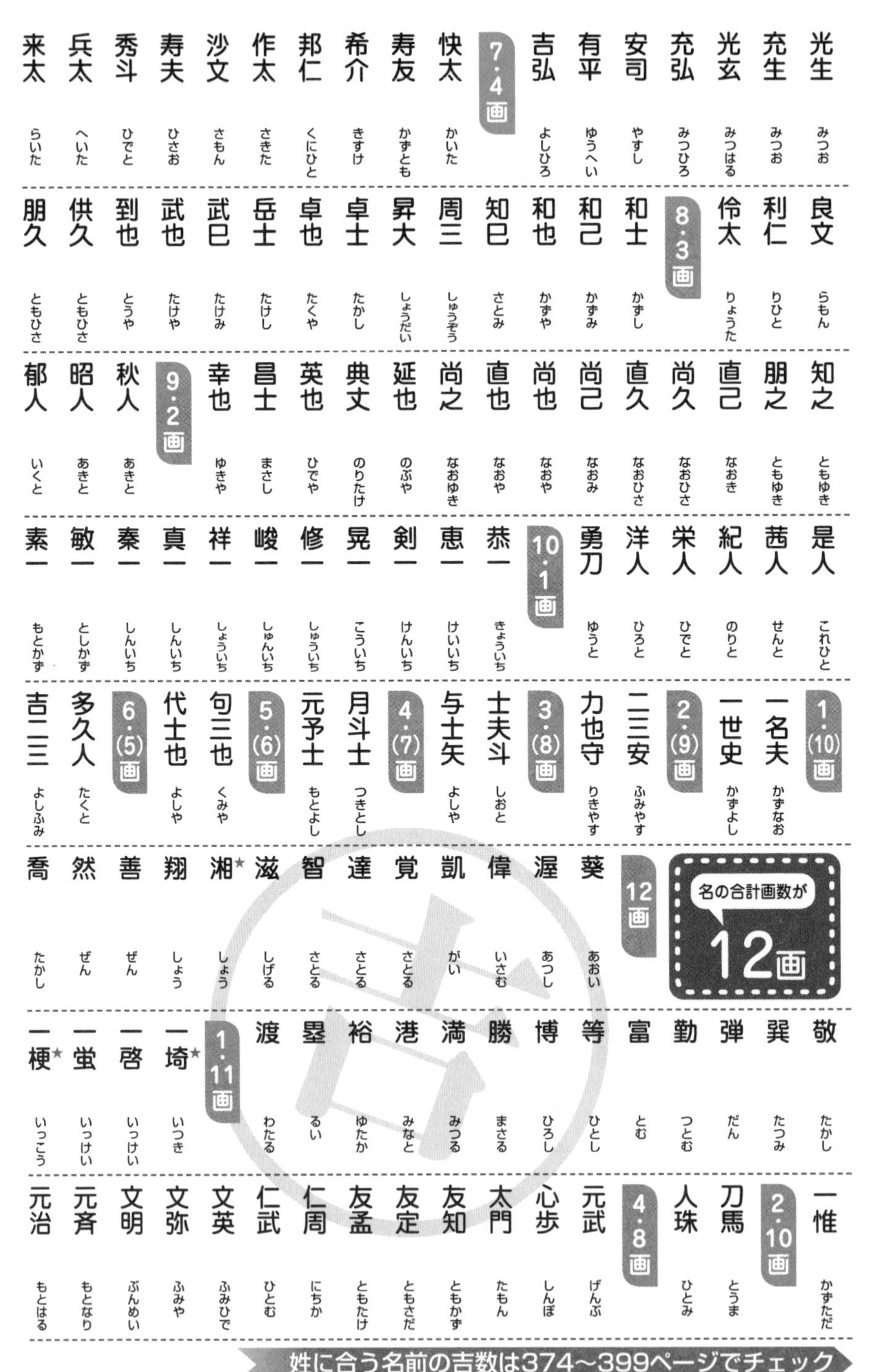

光生　みつお
充生　みつお
光玄　みつはる
充弘　みつひろ
安司　やすし
有平　ゆうへい
吉弘　よしひろ

7・4画

快太　かいた
寿友　かずとも
希介　きすけ
邦仁　くにひと
作太　さきた
沙文　さもん
寿夫　ひさお
秀斗　ひでと
兵太　へいた
来太　らいた
良文　らもん
利仁　りひと
伶太　りょうた

8・3画

和士　かずし
和己　かずみ
和也　かずや
知巳　さとみ
周三　しゅうぞう
昇大　しょうだい
卓士　たかし
卓也　たくや
岳士　たけし
武巳　たけみ
武也　たけや
到也　とうや
供久　ともひさ
朋久　ともひさ
知之　ともゆき
朋之　ともゆき
直己　なおき
尚久　なおひさ
直久　なおひさ
尚己　なおみ
尚也　なおや
直也　なおや
尚之　なおゆき
延也　のぶや
典丈　のりたけ
英也　ひでや
昌士　まさし
幸也　ゆきや

9・2画

秋人　あきと
昭人　あきと
郁人　いくと
是人　これひと
茜人　せんと
紀人　のりと
栄人　ひでと
洋人　ひろと
勇刀　ゆうと

10・1画

恭一　きょういち
恵一　けいいち
剣一　けんいち
晃一　こういち
修一　しゅういち
峻一　しゅんいち
祥一　しょういち
真一　しんいち
秦一　しんいち
敏一　としかず
素一　もとかず

1・(10)画

一名夫　かずなお
一世史　かずよし

2・(9)画

二三安　ふみやす
力也守　りきやす

3・(8)画

士夫斗　しおと
与士矢　よしや

4・(7)画

月斗士　つきとし
元予士　もとよし

5・(6)画

句三也　くみや
代士也　よしや

6・(5)画

多久人　たくと
吉二三　よしふみ

名の合計画数が 12画

12画

葵　あおい
渥　あつし
偉　いさむ
凱　がい
覚　さとる
達　さとる
智　さとる
滋　しげる
湘★　しょう
翔　しょう
善　ぜん
然　ぜん
喬　たかし
敬　たかし
巽　たつみ
弾　だん
勤　つとむ
富　とむ
等　ひとし
博　ひろし
勝　まさる
満　みつる
港　みなと
裕　ゆたか
塁　るい
渡　わたる

1・11画

一埼★　いつき
一啓　いっけい
一蛍　いっけい
一梗★　いっこう
一惟　かずただ

2・10画

刀馬　とうま
人珠　ひとみ

4・8画

元武　げんぶ
心歩　しんぽ
太門　たもん
友知　ともかず
友定　ともさだ
友孟　ともたけ
仁周　にちか
仁武　ひとむ
文英　ふみひで
文弥　ふみや
文明　ぶんめい
元斉　もとなり
元治　もとはる

姓に合う名前の吉数は374～399ページでチェック

友芽　ゆうが
友歩　ゆうほ

5・7画

右近　うこん
永作　えいさく
外亜　がいあ
玄汰　げんた
弘佑　こうすけ
左近　さこん
正吾　しょうご
正志　せいし
世那　せな
仙杜　せんと
立志　たつし
永励　ながれ
平冴　ひょうご
広沖　ひろおき
広利　ひろとし
玄志　ふかし
北杜　ほくと
正臣　まさおみ
未来　みらい
由臣　よしおみ

6・6画

宇汐　うしお
圭次　けいじ
光成　こうせい
舟帆　しゅうほ
壮伍　そうご
光年　みつとし
好成　よししげ

9・3画

厚大　あつひろ
活己　かつみ
研士　けんじ
恒大　こうだい
咲也　さくや
秋也　しゅうや
洵大　じゅんだい
政也　せいや
威士　たけし
建之　たつゆき
俊久　としひさ
俊之　としゆき
宣也　のぶや
信之　のぶゆき
宣之　のぶゆき
紀久　のりひさ
則之　のりゆき
春己　はるき
風大　ふうた
郁也　ふみや
政巳　まさみ
勇士　ゆうし
祐也　ゆうや
律也　りつや

10・2画

晃人　あきひと
訓人　くにひと
剣人　けんと
浩二　こうじ
剛人　ごうと
純人　すみと
哲人　てつと
峰人　みねと

11・1画

健一　けんいち
紳一　しんいち
教一　のりかず
萌一　ほういち
庸一　よういち
隆一　りゅういち

名の合計画数が 13画

13画

雷　あずま
楽　がく
源　げん
聖　さとし
慈　しげる
舜　しゅん
準　じゅん
頌　しょう
慎　しん
新　しん
傑　すぐる
奨　すすむ
禅　ぜん
想　そう
蒼　そう
暖　だん
鉄　てつ
暉　ひかり
誠　まこと
雅　まさる
稔　みのる
睦　むつみ
盟　めい
靖　やすし
豊　ゆたか
廉　れん
蓮　れん

1・12画

一敬　いっけい
一暁　かずあき
一登　かずと

2・11画

一朝　かずとも

力康　りきやす
了梧　りょうご

3・10画

弓馬　きゅうま
士紘　しこう
士朗　しろう
大悟　だいご
大珠　だいじゅ
大致　たいち
丈矩　たけのり
丈真　たけま
万朔　まんさく
夕朔　ゆうさく

4・9画

天祇★　あまぎ
天城　あまぎ
王耶　おうや
公郁　こうか
公祐　こうすけ
太洋　たいよう
太郎　たろう
月哉　つきや
友信　とものぶ
友春　ともはる
友保　ともやす
友郎　ともろう
文紀　ふみのり
文彦　ふみひこ
文哉　ふみや
元春　もとはる

5・8画

市弥　いちや
右京　うきょう
永治　えいじ

★新人名漢字

永門 えいもん
叶芽 かなめ
玄武 げんぶ
広明 こうめい
左門 さもん
広尭 ひろあき
弘承 ひろつぐ
弘武 ひろむ
広幸 ひろゆき
弘征 ひろゆき
史弥 ふみや
正茂 まさしげ
正直 まさなお
正治 まさはる
立於 りつお
立弥 りつや
礼門 れいもん
礼於 れお

6・7画

安吾 あんご
行男 いくお
伊吹 いぶき
伊良 いら
考作 こうさく
朱里 しゅり
旬兵 しゅんぺい
早吾 そうご
竹寿 たけとし
匡伸 ただのぶ
共寿 ともかず
凪男 なぎお
充希 みつき
充寿 みつとし
百壱 もいち
有希 ゆうき
有志 ゆうし
好克 よしかつ
好宏 よしひろ

7・6画

亜舟 あしゅう
亜好 あすき
完伍 かんご
完次 かんじ
孝多 こうた
伶至 さとし
秀伍 しゅうご
伴壮 ともたけ
伸行 のぶゆき
玖至 ひさし
秀充 ひでみつ
杜州 もりす
来安 らいあん
良伍 りょうご
良多 りょうた

8・5画

阿礼 あれい
育生 いくお
英司 えいじ
旺矢 おうや
和史 かずし
欣司 きんじ
欣矢 きんや
佳史 けいし
定広 さだひろ
実央 じつお
周平 しゅうへい
昇平 しょうへい
宗平 そうへい
武弘 たけひろ
周史 ちかし
尚史 なおふみ
直史 なおふみ
尚正 なおまさ
直正 なおまさ
英世 ひでよ
拓史 ひろし
征史 まさし
昌玄 まさはる
宗弘 むねひろ
芽生 めい
茂市 もいち
怜史 れいじ
若央 わかお
若司 わかし
若弘 わかひろ
若史 わかふみ

9・4画

郁太 いくた
海斗 かいと
郁月 かづき
奎介 けいすけ
研介 けんすけ
是仁 これひと
重斗 しげと
秋介 しゅうすけ
柊太 しゅうた
甚太 じんた
政介 せいすけ
星斗 せいと
草太 そうた
威斗 たけと
為友 ためとも
信夫 のぶお
宣夫 のりお
勇斗 はやと
春夫 はるお
洋文 ひろふみ
柾斗 まさと
政仁 まさひと
南斗 みなと
保夫 やすお
勇仁 ゆうじん
祐介 ゆうすけ
洋介 ようすけ
亮介 りょうすけ
亮太 りょうた
玲文 れいもん

10・3画

悦也 えつや
剣也 けんや
剛大 ごうた
高大 こうだい
朔巳 さくみ
悟士 さとし
悟己 さとみ
純大 じゅんだい
隼也 じゅんや
祥大 しょうだい
陣大 じんだい
高也 たかや
哲士 てつし
哲也 てつや
時也 ときや
敏久 としひさ
峻也 としや
浩之 ひろゆき
将士 まさし
将大 まさひろ
将之 まさゆき
通之 みちゆき
素也 もとなり
泰士 やすし
恭之 やすゆき
倫也 りんや

姓に合う名前の吉数は374～399ページでチェック

名の合計画数が 14画

11・2画
- 麻人 あさと
- 惇人 あつと
- 清人 きよと
- 啓二 けいじ
- 健二 けんじ
- 梢二 しょうじ
- 隆人 たかと
- 渚人 なぎと
- 教人 のりと
- 悠二 ゆうじ
- 淑人 よしと
- 徠人★ らいと
- 琉人 りゅうと

12・1画
- 喜一 きいち
- 喬一 きょういち
- 敬一 けいいち
- 智一 ともかず
- 雄一 ゆういち
- 陽一 よういち

1・(12)画
- 一希世 かずきよ
- 一代志 かずよし

2・(11)画
- 乃吏央 のりお
- 力多加 りきたか

3・(10)画
- 也寸志 やすし
- 弓芽人 ゆめと

4・(9)画
- 今日平 きょうへい
- 壬由太★ みゆた

5・(8)画
- 史万央 しまお
- 弘与司 ひろよし

6・(7)画
- 有由人 あゆと
- 帆久斗 ほくと

7・(6)画
- 那三也 なみや
- 里久也 りくや

8・(5)画
- 芽久人 がくと
- 茂刀也 もとや

14画
- 総 おさむ
- 魁 かい
- 駆 かける
- 聡 さとる
- 静 しずか
- 彰 しょう
- 漕★ そう
- 颯 そう
- 輔 たすく
- 肇 はじめ
- 銘 めい
- 瑠 りゅう
- 練 れん

1・13画
- 一路 いちろ
- 一嵯 いっさ
- 一誠 いっせい
- 一慈 かずしげ
- 一義 かずよし
- 一夢 ひとむ

2・12画
- 七雄 ななお
- 力智 りきとも
- 了敬 りょうけい

3・11画
- 之雪 これきよ
- 大都 だいと
- 万笙 ばんしょう
- 万理 ばんり
- 大健 ひろたけ
- 三笠★ みかさ

4・10画
- 太朗 たろう
- 天真 てんま
- 天馬 てんま
- 天流 てんりゅう
- 天竜 てんりゅう
- 友朗 ともろう
- 比敏 ひとし
- 文陛 ぶんぺい
- 友真 ゆうま

5・9画
- 市郎 いちろう
- 且紀 かつのり
- 且郎 かつろう
- 巧哉 こうや
- 広軌 ひろき
- 広郁 ひろふみ
- 弘政 ひろまさ
- 史則 ふみのり
- 平祐 へいすけ
- 正秋 まさあき
- 由哉 ゆうや
- 由秋 よしあき
- 立哉 りつや

6・8画
- 有周 あしゅう
- 有典 ありのり
- 有京 うきょう
- 圭英 きよふさ
- 光河 こうが
- 舟弥 しゅうや
- 守門 しゅもん
- 朱門 しゅもん
- 巡侑 じゅんゆう
- 多於 たお
- 竹実 たけみ
- 年英 としひで
- 年幸 としゆき
- 共実 ともみ
- 西季 にしき
- 弐周 にちか
- 匡延 まさのぶ
- 光拓 みつひろ
- 充実 みつみ
- 吉明 よしあき
- 吉国 よしくに
- 吉幸 よしゆき

8・6画
- 育多 いくた
- 英吉 えいきち
- 英次 えいじ
- 学至 がくし
- 和匡 かずただ
- 佳伍 けいご
- 周多 しゅうた
- 青帆 せいほ
- 武光 たけみつ
- 長至 ちょうじ
- 知行 ともゆき
- 尚行 なおゆき
- 直行 なおゆき
- 延行 のぶゆき
- 治充 はるみつ

★新人名漢字

英匡 ひでただ
英行 ひでゆき
征次 まさつぐ
実圭 みかど

10・4画

恭太 きょうた
訓仁 くにひと
桂太 けいた
拳斗 けんと
兼友 けんゆう
浩介 こうすけ
耕太 こうた
剛太 ごうた
宰文 さいもん
珠文 しゅもん
陣太 じんた
時夫 ときお
敏夫 としお
夏夫 なつお
俳斗 はいど
浩斗 ひろと
紘文 ひろふみ
真斗 まさと
将文 まさふみ
祥友 よしども
莉介 りすけ
竜介 りゅうすけ
竜太 りゅうた
竜斗 りゅうと

11・3画

麻也 あさや
惇也 あつや
逸己 いつみ
偵大 さだひろ
郷之 さとゆき
爽大 さやた
脩也 しゅうや
渉也 しょうや
涼士 すずし
清也 せいや
琢巳 たくみ
紬也 ちゅうや
捷士 としじ
康之 やすゆき
悠大 ゆうだい
陸也 りくや
鹿也 ろくや

12・2画

晶人 あきひと
開人 かいと
滋人 しげと
棲人★ すみと
達人 たつと
凱人 ときひと
温人 はると
晴人 はると
結人 ゆいと
裕人 ゆうと

13・1画

義一 ぎいち
舜一 しゅんいち
奨一 しょういち
楊一 よういち
鈴乙 れお

名の合計画数が15画

15画

勲 いさお
潮 うしお
駈★ かける
潔 きよし
慧 さとし
潤 じゅん
毅 つよし
徹 とおる
劉★ りゅう
遼 りょう
黎 れい

1・14画

一瑳 いっさ
一徳 かずのり

2・13画

人睦 ひとむ
力嗣 りきつぐ

3・12画

万道 かずみち
士道 しどう
大登 だいと
大遥 たいよう
丈博 たけひろ
丈満 たけみつ
万象 ばんしょう
万翔 ばんしょう
久雄 ひさお
大道 ひろみち
大善 ひろよし
万詞 まこと
弓敦 ゆづる

4・11画

友規 とものり
仁陸 ひとむ

5・10画

永真 えいま
叶馬 かなめ
史恩 しおん
史記 しき
正悟 しょうご
立馬 たつま
立留 たつる
冬馬 とうま
弘起 ひろおき
弘剛 ひろたけ
広泰 ひろやす
弘泰 ひろやす
正純 まさずみ
正敏 まさとし
由浩 よしひろ
礼真 れいま
礼恩 れおん

6・9画

有音 ありと
在則 ありのり
有紀 ありのり
在音 あると
行海 いくみ
行哉 いくや
州郎 くにお
圭紀 けいき
圭祐 けいすけ
光祐 こうすけ
旬亮 じゅんすけ
竹彦 たけひこ
壮彦 たけひこ
圭城 たまき
次俊 つぐとし
年昭 としあき
西紀 にしき
帆洲 はんす
充俊 みちとし
光俊 みつとし
光春 みつはる
光彦 みつひこ

姓に合う名前の吉数は374～399ページでチェック

充彦 みつひこ
光海 みつみ
好哉 よしや

7・8画

亜門 あもん
快治 かいじ
克明 かつあき
克典 かつのり
克実 かつみ
究治 きゅうじ
孝治 こうじ
作弥 さくや
里幸 さとゆき
佐武 さむ
作門 さもん
志門 しもん
肖弥 しょうや
伸治 しんじ
孝茂 たかしげ
孝昌 たかまさ
辰典 たつのり
辰実 たつみ
汰門 たもん
利明 としあき
寿和 としかず
利典 としのり
寿治 としはる
寿実 としみ
寿幸 としゆき
伸幸 のぶゆき
秀明 ひであき
秀忠 ひでただ
秀朋 ひでとも
秀征 ひでまさ
秀径 ひでみち
秀弥 ひでや
宏明 ひろあき
希典 まれすけ
杜於 もりお
芳明 よしあき
良明 よしあき
芳茂 よししげ
芳朋 よしとも
良知 よしとも
芳実 よしみ
良門 らもん
里苑 りおん
李門 りもん
励門 れいもん
伶旺 れお
呂季 ろき

8・7画

明男 あきお
侑近 うこん
英作 えいさく
英佑 えいすけ
旺甫 おうすけ
学志 がくし
知冴 かずさ
和秀 かずひで
和良 かずよし
京汰 きょうた
欣吾 きんご
金吾 きんご
空我 くうが
京吾 けいご
京辰 けいたつ
定臣 さだおみ
知希 さとき
茂伸 しげのぶ
実男 じつお
周佐 しゅうすけ
宗汰 しゅうた
宗芳 しゅうほう
昌吾 しょうご
昌佑 しょうすけ
征作 せいさく
卓宏 たかひろ
拓宏 たくひろ
岳見 たけみ
承男 つぐお
季男 ときお
朋男 ともお
朋伸 とものぶ
尚玖 なおひさ
直玖 なおひさ
尚秀 なおひで
直秀 なおひで
波希 なみき
典希 のりき
征臣 まさおみ
昌邦 まさくに
征吾 まさご
昌利 まさとし
昌伸 まさのぶ
昌良 まさよし
明邦 めいほう
佳宏 よしひろ
若志 わかし
若杜 わかと
若宏 わかひろ

9・6画

映帆 あきほ
昭光 あきみつ
按★伍 あんご
映吉 えいきち
栄吉 えいきち
皆伍 かいご
奏多 かなた
建次 けんじ
重行 しげゆき
俊多 しゅんた
星至 せいし
政次 せいじ
星舟 せいしゅう
建至 たつし
挑多 ちょうた
信好 のぶよし
紀行 のりゆき
春光 はるみつ
春安 はるやす
洋旭 ひろあき
洋行 ひろゆき
風多 ふうた
美好 みよし
保光 やすみつ
勇気 ゆうき
勇伍 ゆうご
勇次 ゆうじ
祐多 ゆうた
洋行 ようこう

10・5画

純生 あつお
悦司 えつじ
恭平 きょうへい
訓央 くにお
訓平 くんぺい
兼矢 けんや
晃司 こうじ
剛史 ごうし
浩平 こうへい
耕平 こうへい
朔矢 さくや
倖央 さちお

★新人名漢字

峻平 しゅんぺい
隼平 じゅんぺい
祥永 しょうえい
将平 しょうへい
祥平 しょうへい
将矢 しょうや
秦司 しんじ
純矢 すみや
泰史 たいし
赳央 たけお
赳弘 たけひろ
竜央 たつお
竜広 たつひろ
竜矢 たつや
哲生 てつお
哲功 てつなり
哲平 てっぺい
敏正 としまさ

敏矢 としや
夏生 なつお
浩未 ひろみ
真生 まお
真弘 まさひろ
将矢 まさや
真世 まよ
倫正 みちまさ
素生 もとお
泰生 やすお
竜司 りゅうじ
竜平 りゅうへい
連司 れんじ

11・4画

章斗 あきと
章文 あきふみ
淳夫 あつお
彬太 あやた

強太 きょうた
清太 きよた
啓介 けいすけ
健介 けんすけ
健太 けんた
舷★太 げんた
康介 こうすけ
惟斗 これと
惟仁 これひと
菖介 しょうすけ
晨介 しんすけ
紳太 しんた
旋斗 せんと
爽太 そうた
隆文 たかふみ
猛夫 たけお
渚夫 なぎお
渚斗 なぎと

康夫 やすお
唯斗 ゆいと
徠★太 らいた
理仁 りひと
琉介 りゅうすけ
隆太 りゅうた
涼介 りょうすけ
涼太 りょうた

12・3画

敦也 あつや
勝士 かつし
勝己 かつみ
欽也 きんや
智己 さとみ
滋巳 しげみ
滋之 しげゆき
順士 じゅんじ
絢大 じゅんだい

竣也 しゅんや
翔大 しょうだい
尋大 じんだい
善三 ぜんぞう
尊之 たかゆき
達也 たつや
瑛巳 てるみ
瑛之 てるゆき
塔也 とうや
智久 ともひさ
智巳 ともみ
富巳 とよみ
晴己 はるみ
陽巳 はるみ
温也 はるや
博士 ひろし
裕丈 ひろたけ
博巳 ひろみ

博也 ひろや
雄大 ゆうだい
裕也 ゆうや
陽大 ようた
善也 よしや
琳也 りんや

13・2画

滉人 あきひと
鉄人 てつと
督二 とくじ
雅刀 まさと
聖人 まさひと
夢二 ゆめじ
夢人 ゆめと
雷人 らいと

14・1画

彰一 しょういち
静一 せいいち

暢一 のぶかず

1・(14)画

一玖男 いくお
一亜希 かずあき

2・(13)画

力太郎 りきたろう
了太郎 りょうたろう

3・(12)画

久利生 くりお
千代助 ちよすけ
万里央 まりお
弓利矢 ゆりや

4・(11)画

友一郎 ゆういちろう
予司次 よしじ

5・(10)画

史乃歩 しのぶ
弘之甫 ひろのすけ

6・(9)画

安寿人 あすと
羽矢夫 はやお

7・(8)画

佐久示 さくじ
佑希一 ゆきかず

8・(7)画

享之介 きょうのすけ
波也斗 はやと
征久仁 まさくに

9・(6)画

威久也 いくや
飛斗七 ひとな

10・(5)画

起予一 きよかず
隼人士 はやとし
浩人士 ひろとし
浬★久人 りくと

姓に合う名前の吉数は374〜399ページでチェック

名の合計画数が16画

16画

篤 あつし
樹 いつき
薫 かおる
築 きずく
賢 けん
繁 しげる
醒★ しょう
操 そう
壇 だん
鋼 てつ
融 とおる
錦 にしき
衛 まもる
龍 りゅう
錬 れん

1・15画

一輝 いっき
一慶 いっけい
一慧 いっけい

2・14画

了瑠 さとる

3・13画

大嗣 だいし
大獅★ だいし
大楽 たいら
久義 ひさよし
万誉 まよ
夕雅 ゆうが

4・12画

公裕 きみひろ
日雄 じつお
太智 だいち
太陽 たいよう
太雄 たお
天満 てんま
友貴 ともき
友晴 ともはる
比富 ひとむ
文雄 ふみお
元就 もとなり
友喜 ゆうき

5・11画

功淳 こうじゅん
立規 たつのり
弘隆 ひろたか
弘陸 ひろむ
広野 ひろや
広康 ひろやす
史教 ふみのり
北都 ほくと
正章 まさあき
正崇 まさたか
由都 ゆいと
由紘 ゆづる
由隆 よしたか
礼麻 れいま

6・10画

在真 あるま
圭悟 けいご
圭珠 けいじゅ
光純 こうじゅん
伍朗 ごろう
至高 しこう
此紋★ しもん
朱紋 しゅもん
早朔 そうさく
壮馬 そうま
托将★ たくまさ
多朗 たろう
迅真 はやま
光流 ひかる
正隆 まさたか
有真 ゆうま

7・9画

亜室 あむろ
吾玲 あれい
壱哉 いちや
壱郎 いちろう
佑建 うこん
克紀 かつのり
克彦 かつひこ
君彦 きみひこ
邦海 くにみ
沙亮 さすけ
作祐 さすけ
児栄 じえい
志信 しのぶ
秀保 しゅうほ
志郎 しろう
沢柾 たくまさ
辰俊 たつとし
辰彦 たつひこ
辰耶 たつや
辰郎 たつろう
汰郎 たろう
沖哉 ちゅうや
寿秋 としあき
利春 としはる
寿彦 としひこ
那音 なおと
伸哉 のぶや
秀郎 ひでお
秀海 ひでみ
秀哉 ひでや
宏郎 ひろお
兵亮 へいすけ
希祐 まれすけ
杜彦 もりひこ
芳春 よしはる
芳信 よしのぶ
良哉 よしや
良郎 よしろう
利亮 りすけ
良祐 りょうすけ
良耶 りょうや

8・8画

育実 いくみ
英門 えいもん
和明 かずあき
和茂 かずしげ
和典 かずのり
和英 かずひで
和実 かずみ
和佳 かずよし
空河 くうが
国実 くにみ
弦武 げんぶ
昂河 こうか
幸芽 こうが
周明 しゅうめい
宗明 しゅうめい
昂征 たかゆき
卓治 たくじ
卓実 たくみ
忠弥 ちゅうや
朋和 ともかず
朋定 ともさだ
朋承 ともつぐ
知治 ともはる

★新人名漢字

知英 ともひで
尚英 なおひで
直英 なおひで
尚弥 なおや
典尚 のりひさ
英和 ひでかず
英知 ひでとも
昌茂 まさしげ
昌尚 まさなお
昌英 まさひで
征英 まさひで
昌実 まさみ
昌弥 まさや
昌幸 まさゆき
実於 みつお
佳国 よしくに
佳岳 よしたか
佳英 よしひで
怜於 れお

9・7画

秋芳 あきら
厚玖 あつひさ
厚秀 あつひで
厚芳 あつよし
郁杜 いくと
栄寿 えいじゅ
栄助 えいすけ
海吾 かいご
海児 かいじ
海利 かいり
奏汰 かなた
祇壱★ ぎいち
研吾 けんご
研作 けんさく
洸汰 こうた
咲汰 さきた
貞臣 さだおみ
重孝 しげたか
秋甫 しゅうほ
秋邦 しゅうほう
春汰 しゅんた
俊兵 しゅんぺい
信助 しんすけ
信甫 しんすけ
信兵 しんぺい
星児 せいじ
専壱 せんいち
奏作 そうさく
荘佑 そうすけ
威宏 たけひろ
俊男 としお
俊秀 としひで
宣男 のぶお
宣芳 のぶよし
春来 はるく
春寿 はるひさ
洋希 ひろき
風我 ふうが
風志 ふうし
柾寿 まさとし
政秀 まさひで
政宏 まさひろ
美邦 みくに
南杜 みなと
海来 みらい
保志 やすし
保寿 やすとし
勇助 ゆうすけ
勇兵 ゆうへい
祐甫 ゆうほ
勇利 ゆうり
洋志 ようじ
洋汰 ようた
柳吾 りゅうご
柳兵 りゅうへい
玲甫 れいすけ

10・6画

員成 かずしげ
恵多 けいた
拳吉 けんきち
兼行 けんこう
将伍 しょうご
祥次 しょうじ
祥多 しょうた
真伍 しんご
真多 しんた
真吏 しんり
峰至 たかし
峻至 ちかし
哲成 てつなり
桐吉 とうきち
敏行 としゆき
敏伍 びんご
真先 まさき
将成 まさしげ
真守 まもる
峰宇 みねたか
恭成 やすなり
泰成 やすなり
容光 ようこう

11・5画

逸平 いっぺい
貫司 かんじ
清正 きよまさ
康平 こうへい
爽央 さわお
脩市 しゅういち
脩平 しゅうへい
淳平 じゅんぺい
晨矢 しんや
涼史 すずし
清史 せいし
崇正 たかまさ
隆矢 たかや
琢弘 たくひろ
猛広 たけひろ
惟司 ただし
捺生 なつき
深司 ふかし
麻央 まお
麻世 まよ
雪央 ゆきお
庸平 ようへい
淑矢 よしや
琉平 りゅうへい
隆平 りゅうへい
涼市 りょういち

12・4画

暁夫 あきお
暁斗 あきと
朝日 あさひ
敦斗 あつと
幾斗 いくと
偉心 いしん
瑛介 えいすけ
瑛文 えいもん
雄斗 おと
賀月 かづき
景介 けいすけ
絢介 じゅんすけ
翔太 しょうた
貴文 たかふみ
富夫 とみお
遥斗 はると

姓に合う名前の吉数は374～399ページでチェック

名の合計画数が 17画

博夫 ひろお
満月 みづき
裕介 ゆうすけ
遥水 ようすい
陽水 ようすい
陽太 ようた

13・3画
詩也 うたや
頌大 しょうだい
奨万 しょうま
想也 そうや
稔之 としゆき
稔士 ねんじ
寛大 ひろお
楓士 ふうし
雅巳 まさみ
幹也 みきや
夢士 ゆめじ

14・2画
稜士 りょうじ
碧人 あおと
豪人 ごうと
静人 しずと
誓人 せいと

15・1画
毅一 きいち
儀一 ぎいち
誼一 ぎいち
慧一 けいいち
権一 けんいち
諒一 りょういち

1・(15)画
一汰果 かずたか
一佑其★ かずゆき

2・(14)画
二太朗 つぐたろう

力太朗 りきたろう

3・(13)画
千巴哉 ちはや
三千流 みちる

4・(12)画
斗史邦 としくに
日出男 ひでお
日出寿 ひでかず

5・(11)画
加州司 かずし
加寿文 かずふみ
布実也 ふみや

6・(10)画
安久里 あぐり
伊玖大 いくた
伊寿巳 いずみ
壮一郎 そういちろう
有芽二 ゆめじ

吏一郎 りいちろう

7・(9)画
亜生斗 あおと
亜希人 あきと
吾矢斗 あやと
克比古 かつひこ
作矢太 さやた
芙生太 ふうた
芙史斗 ふじと

8・(8)画
直比斗 なおひと
歩巳矢 ふみや

9・(7)画
海久仁 みくに
柳之介 りゅうのすけ

10・(6)画
剣乃介 けんのすけ
真乃介 しんのすけ

17画
厳 いつき
謙 けん
環 たまき
翼 つばさ
駿 はやお
優 まさる
瞭 りょう

1・16画
一蕗 いちろ
一樹 かずき
一機 かずき
一繁 かずしげ
一憲 かずのり

一磨 かずま

2・15画
乃輝 だいき

3・14画
上総 かずさ
才聞 さいもん
大竪★ だいじゅ
大輔 だいすけ

4・13画
元嗣 げんじ
心慈 しんじ
太雅 たいが
太資 たいし
斗夢 とむ
友嗣 ともつぐ
仁資 ひとし
夫嗣 ふうし
友慈 ゆうじ

5・12画
功貴 いさき
功満 いさみ
甲斐 かい
玄貴 げんき
立勝 たつまさ
主税 ちから
功登 なると
弘達 ひろたつ
正景 まさかげ
正博 まさひろ
正道 まさみち

6・11画
有教 ありのり
此清★ これきよ
成章 しげあき
州都 しゅうと
匡章 まさあき

充張 みつはる
光琉 みつる
有理 ゆうり
好章 よしあき

7・10画
吾修 あしゅう
吾紋 あもん
壱晟 いっせい
佑恭 うきょう
快起 かいき
快修 かいしゅう
快晟 かいせい
快留 かいる
克祥 かつよし
克朗 かつろう
君浩 きみひろ
玖馬 きゅうま
吾朗 ごろう

★新人名漢字

秀峰 しゅうほう
走馬 そうま
汰兼 たかね
孝展 たかのぶ
孝紘 たかひろ
沢朗 たくろう
汰紋 たもん
束紗 つかさ
亜敏 つぐとし
利通 としみち
寿朗 としろう
伸晃 のぶあき
宏竜 ひろたつ
宏貢 ひろつぐ
宏泰 ひろやす
佑祥 ゆうしょう
良将 よしまさ
芳朗 よしろう
来紋 らいもん
里恩 りおん
里紋 りもん
良悟 りょうご

8・9画

明彦 あきひこ
和紀 かずき
和重 かずしげ
和南 かずなみ
和哉 かずや
虎南 こなん
茂昭 しげあき
茂彦 しげひこ
宗政 しゅうせい
岳春 たかはる
昂政 たかまさ
拓政 たくまさ
拓海 たくみ
卓耶 たくや
拓哉 たくや
卓郎 たくろう
拓郎 たくろう
武昭 たけあき
岳彦 たけひこ
忠信 ただのぶ
季彦 ときひこ
直軌 なおき
直音 なおと
尚郁 なおふみ
尚政 なおまさ
尚哉 なおや
直哉 なおや
延昭 のぶあき
治宣 はるのぶ
典哉 ふみや
牧耶 まきや
昌彦 まさひこ
征彦 まさひこ
林耶 りんや
若洋 わかひろ
若郁 わかふみ

9・8画

亮知 あきとも
亮典 あきのり
昭歩 あきほ
郁弥 いくや
勇実 いさみ
音弥 おとや
海周 かいしゅう
活弥 かつや
奎征 けいせい
咲実 さくみ
重明 しげあき
重実 しげみ
柊英 しゅうえい
昭治 しょうじ
荘明 そうめい
荘弥 そうや
建於 たつお
為知 ためとも
為朋 ためとも
映尭 てるあき
映実 てるみ
俊昌 としあき
俊和 としかず
俊尚 としなお
俊治 としはる
俊幸 としゆき
俊征 としゆき
音和 とわ
信明 のぶあき
信和 のぶかず
宣和 のぶかず
信弥 のぶや
則武 のりたけ
紀径 のりみち
春和 はるかず
春弥 はるや
栄実 ひでみ
風河 ふうが
郁典 ふみのり
海門 みかど
美国 みくに
保治 やすじ
保幸 やすゆき
祐弥 ゆうや
亮明 りょうめい

10・7画

恭兵 きょうへい
桂志 けいし
恵寿 けいじゅ
倖作 こうさく
耕作 こうさく
紗近 さこん
修兵 しゅうへい
珠利 しゅり
珠里 じゅり
純吾 じゅんご
純兵 じゅんぺい
晋作 しんさく
秦杜 しんと
晋兵 しんぺい
晋利 しんり
倉佐 そうすけ
素良 そら
泰良 たいら
高志 たかし
剛志 たけし
剛近 たけちか
烈志 つよし
哲杜 てつと
透希 とうき
敏邦 としくに
敏秀 としひで
夏来 なつき
展希 のぶき
浩寿 はるひさ
敏吾 びんご
敏冴 びんご
将臣 まさおみ
将来 まさき
真冴 まさご
真孝 まさたか
将芳 まさよし
通寿 みちとし
途利 みちとし

姓に合う名前の吉数は374〜399ページでチェック

- 峰孝　みねたか
- 恭男　やすお
- 恭希　やすき
- 竜壱　りゅういち
- 竜児　りゅうじ
- 凌甫　りょうすけ

11・6画

- 彬光　あきみつ
- 啓成　けいせい
- 健好　けんこう
- 健多　けんた
- 爽多　さやた
- 爽気　さわき
- 惇伍　じゅんご
- 淳有　じゅんゆう
- 晨帆　しんぼ
- 淑次　すみつぐ
- 隆成　たかしげ
- 崇行　たかゆき
- 健帆　たけほ
- 盛充　たけみつ
- 淑匡　としまさ
- 理行　みちゆき
- 基成　もとなり
- 康成　やすなり
- 庸光　やすみつ

12・5画

- 瑛央　あきお
- 瑛史　あきふみ
- 暁史　あきふみ
- 朝生　あさお
- 渥広　あつひろ
- 敦弘　あつひろ
- 越史　えつじ
- 越矢　えつや
- 喬平　きょうへい
- 敬司　けいじ
- 策矢　さくや
- 智生　さとき
- 智史　さとし
- 翔平　しょうへい
- 創史　そうじ
- 創平　そうへい
- 貴司　たかし
- 達弘　たつひろ
- 朝央　ともお
- 晴央　はるお
- 遥矢　はるや
- 博正　ひろまさ
- 満生　まお
- 満央　みつお
- 結生　ゆいき
- 裕平　ゆうへい
- 遥市　よういち
- 遥史　ようじ
- 葉平　ようへい
- 陽平　ようへい

13・4画

- 楽斗　がくと
- 聖斗　きよと
- 源太　げんた
- 嵯介　さすけ
- 嗣文　しもん
- 詩文　しもん
- 蒼太　そうた
- 滝夫　たきお
- 楓太　ふうた
- 夢斗　ゆめと
- 雷太　らいた
- 雷斗　らいと

14・3画

- 豪士　ごうし
- 聡之　さとし
- 誓也　せいや
- 颯也　そうや
- 槙士　まきし
- 槙也　まきや
- 寧也　やすなり

15・2画

- 潔人　きよと
- 澄人　きよと
- 慶二　けいじ
- 権二　けんじ
- 潤二　じゅんじ
- 澄二　ちょうじ
- 徹人　てつと
- 範人　のりと
- 遼人　りょうと

16・1画

- 賢一　けんいち
- 薪一　しんいち
- 龍一　りゅういち

2・(15)画

- 九里於　くりお
- 二千翔　にちか
- 二千稀　にちき

3・(14)画

- 久二雄　くにお
- 三四郎　さんしろう
- 万亜来　まあく
- 万沙志　まさし

4・(13)画

- 公太郎　こうたろう
- 比早志　ひさし
- 日出直　ひでただ
- 友太郎　ゆうたろう

5・(12)画

- 以利矢　いりや
- 央斗治　おとはる
- 未来矢　みきや

6・(11)画

- 伊武己　いぶき
- 有太伽　ゆたか

7・(10)画

- 孝一郎　こういちろう
- 伸一郎　しんいちろう
- 那央司　なおし

8・(9)画

- 阿寿人　あすと
- 佳寿人　かずと
- 直日出　なおひで
- 延加太　のぶかた
- 歩来人　ほくと

9・(8)画

- 政央巳　まさおみ
- 勇左久　ゆうさく

10・(7)画

- 恭之介　きょうのすけ
- 純之介　じゅんのすけ
- 真己斗　まこと
- 真由人　まゆと
- 容之介　ようのすけ
- 竜之介　りゅうのすけ

11・(6)画

- 惟久也　いくや
- 深夕士　みゆじ

名の合計画数が 18画

18画

- 櫂★　かい
- 顕　けん
- 臨　のぞむ

★新人名漢字

鎮 まもる
穣 みのる
類 るい

1・17画

一磯 かずき
一駿 かずとし

2・16画

乃樹 だいじゅ

3・15画

大器 だいき
大畿★ だいき
大輝 だいき
久輝 ひさてる
夕輝 ゆうき

4・14画

友暢 とものぶ
日嘉 にちか
文徳 ふみのり
文銘 ぶんめい
友輔 ゆうすけ

5・13画

玄路 げんじ
写楽 しゃらく
世楽 せら
冬嗣 とうじ
永遠 とわ
永鈴 ながれ
広継 ひろつぐ
弘靖 ひろやす
平嗣 へいじ
正嗣 まさつぐ
正義 まさよし

6・12画

旭斐 あさひ
安富 あとむ
安嵐 あらん
行登 いくと
宇喬 うきょう
光運 こううん
光雲 こううん
光策 こうさく
光陽 こうよう
成敬 しげたか
舟詠 しゅうえい
壮瑛 そうえい
竹満 たけみつ
竹森 たけもり
年雄 としお
年晴 としはる
凪雄 なぎお
成登 なると
匡敬 まさたか
光雄 みつお
光晴 みつはる
充温 みつはる
光博 みつひろ
守雄 もりお
壮雄 もりお
安晴 やすはる
安満 やすみつ
有賀 ゆうが
有斐 ゆうひ
行雄 ゆきお
吉満 よしみつ

7・11画

亜爽 あさや
佑紺 うこん
克規 かつき
克隆 かつたか
佐紺 さこん
臣梧 しんご
汰脩 たいしゅう
辰麻 たつま
希望 のぞむ
伸康 のぶやす
秀崇 ひでたか
秀規 ひでのり
良清 よしきよ
利基 りき
良麻 りょうま

8・10画

英悟 えいご
和紗 かずさ
和真 かずま
和通 かずみち
佳馬 けいま
茂泰 しげやす
昌悟 しょうご
青竜 せいりゅう
卓紘 たくひろ
拓馬 たくま
武敏 たけとし
武馬 たけま
典真 てんま
到真 とうま
知赳 ともたけ
知展 とものぶ
朋恭 ともやす
尚純 なおずみ
尚栖★ なおずみ
直純 なおずみ
尚将 なおまさ
尚倫 なおみち
典倫 のりみち
治晃 はるあき
治泰 はるやす
英高 ひでたか
英紘 ひでつな
拓途 ひろみち
歩純 ほずみ
昌通 まさみち
明峰 めいほう
佳朗 よしろう
怜恩 れおん
若紘 わかひろ

9・9画

厚則 あつのり
厚哉 あつや
厚郎 あつろう
郁海 いくみ
栄昭 えいしょう
音彦 おとひこ
海紀 かいき
海星 かいせい
活彦 かつひこ
恒星 こうせい
皇耶 こうや
咲郎 さくろう
重紀 しげき
重保 しげやす
洲映 しゅうえい
秋音 しゅうと
俊祐 しゅんすけ
俊哉 しゅんや
星紀 せいき
泉音 せんと
奏亮 そうすけ
威昭 たけあき
威則 たけのり
建彦 たけひこ
建柾 たつまさ
恒彦 つねひこ
俊紀 としのり
俊彦 としひこ

姓に合う名前の吉数は374～399ページでチェック

俊政 としまさ
俊海 としみ
宣保 のぶやす
春彦 はるひこ
春海 はるみ
洋音 ひろと
洋彦 ひろひこ
洸彦 ひろひこ
洋海 ひろみ
星彦 ほしひこ
政重 まさしげ
政宣 まさのぶ
政哉 まさや
南星 みなせ
美勇 みゆう
保彦 やすひこ
勇甚 ゆうじん
美秋 よしあき

美洋 よしひろ
美海 よしみ
律音 りつお
玲音 れおん

10・8画

桜弥 おうや
修武 おさむ
訓実 くにみ
恵典 けいすけ
航河 こうが
航弥 こうや
敏征 さとゆき
紗武 さむ
隼治 じゅんじ
純弥 じゅんや
素直 すなお
泰芽 たいが
高到 たかとう

起征 たつゆき
哲明 てつあき
隼直 としなお
敏実 としみ
敏幸 としゆき
倫周 ともちか
夏旺 なつお
悦明 のぶあき
展和 のぶかず
浩孟 ひろたけ
浩典 ひろのり
真育 まいく
真於 まさお
将治 まさはる
倫征 みちゆき
泰明 やすあき
恭治 やすはる
祥英 よしひで

凌明 りょうめい

11・7画

淳志 あつし
惇寿 あつひさ
惇良 あつよし
彪杜 あやと
庵★冴 あんご
逸冴 いっさ
貫吾 かんご
球児 きゅうじ
清克 きよかつ
清志 きよし
啓壱 けいいち
健吾 けんご
健作 けんさく
郷希 ごうき
郷杜 ごうと
捷兵 しょうへい

深志 しんじ
晨里 しんり
淑杜 すみと
盛吾 せいご
清秀 せいしゅう
清甫 せいほ
爽児 そうじ
爽助 そうすけ
隆良 たから
唯志 ただし
強志 つよし
盛男 もりお
盛寿 もりす
盛良 もりよし
康孝 やすたか
悠杜 ゆうと
琉冴 りゅうご
隆甫 りゅうすけ

菱★助 りょうすけ

12・6画

暁光 あきみつ
晶充 あきみつ
渥好 あつよし
斐多 あやた
瑛次 えいじ
滋考 しげたか
竣伍 しゅんご
絢次 じゅんじ
喬行 たかゆき
塔吉 とうきち
統吉 とうきち
智充 ともあつ
智次 ともつぐ
智行 ともゆき
満吏 ばんり
博次 ひろつぐ

裕充 ひろみち
裕行 ひろゆき
陽光 ようこう
陽次 ようじ
塁伍 るいご

13・5画

蒼以 あおい
楽司 がくし
源司 げんじ
慎司 しんじ
誠司 せいし
蒼平 そうへい
鉄央 てつお
鉄司 てつし
鉄弘 てつひろ
鉄矢 てつや
稔史 ねんじ
誠史 まさし

雅史 まさふみ
雅由 まさよし
幹生 みきお
路央 みちお
靖弘 やすひろ
稚史 わかふみ

14・4画

彰文 あきふみ
魁太 かいた
歌文 かもん
豪斗 ごうと
彰介 しょうすけ
槙介 しんすけ
総介 そうすけ
颯太 そうた
徳夫 とくお
暢斗 のぶと
瑠太 りゅうた

★新人名漢字

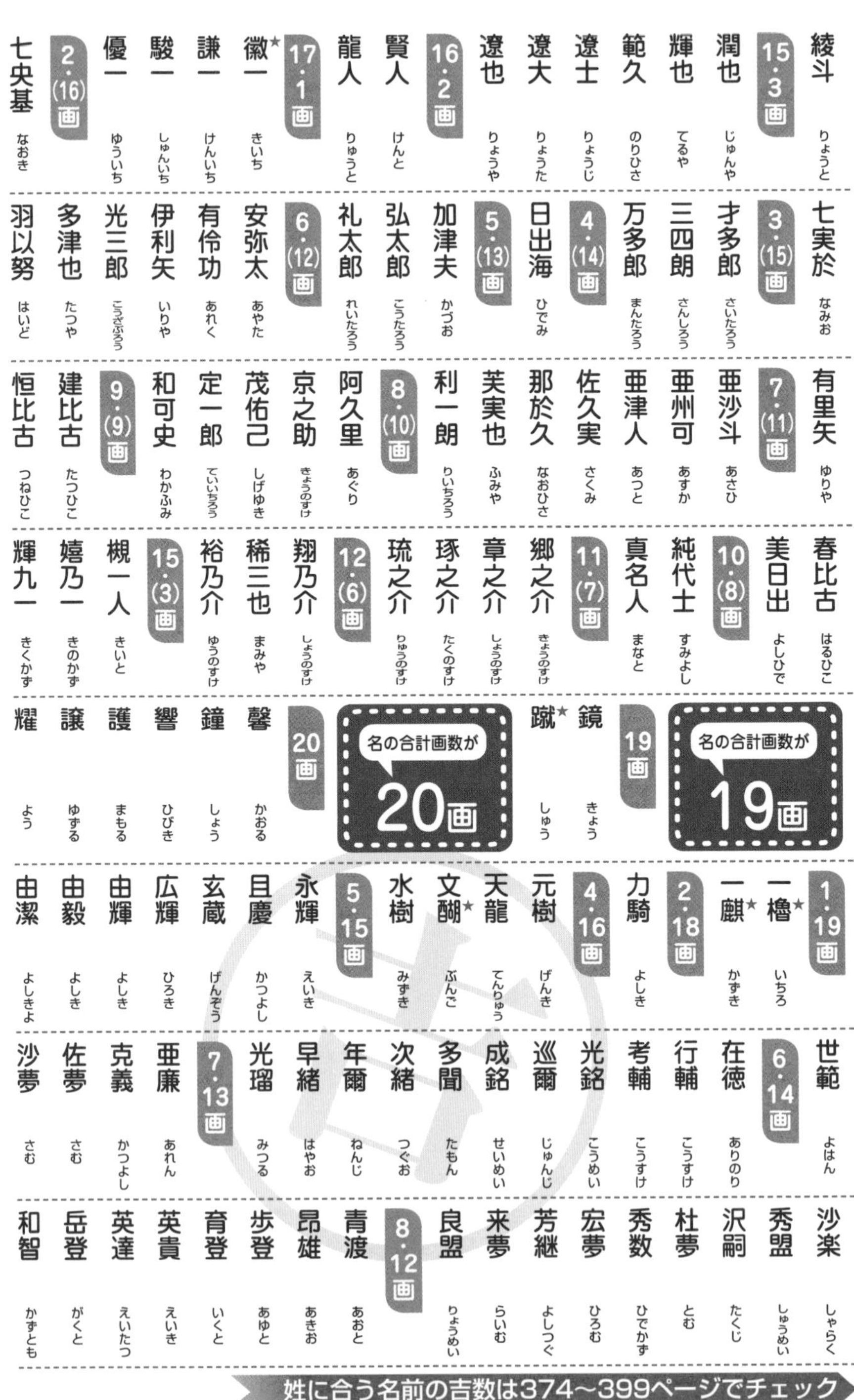

綾斗 りょうと

15・3画

潤也 じゅんや
輝也 てるや
範久 のりひさ
遼士 りょうじ
遼大 りょうた
遼也 りょうや

16・2画

賢人 けんと
龍人 りゅうと

17・1画

徽一★ きいち
謙一 けんいち
駿一 しゅんいち
優一 ゆういち

2・(16)画

七央基 なおき

七実於 なみお

3・(15)画

才多郎 さいたろう
三四朗 さんしろう
万多郎 まんたろう

4・(14)画

日出海 ひでみ

5・(13)画

加津夫 かづお
弘太郎 こうたろう
礼太郎 れいたろう

6・(12)画

安弥太 あやた
有伶功 あれく
伊利矢 いりや
光三郎 こうざぶろう
多津也 たつや
羽以努 はいど

有里矢 ゆりや

7・(11)画

亜沙斗 あさひ
亜州可 あすか
亜津人 あつと
佐久実 さくみ
那於久 なおひさ
芙実也 ふみや
利一朗 りいちろう

8・(10)画

阿久里 あぐり
京之助 きょうのすけ
茂佑己 しげゆき
定一郎 ていいちろう
和可史 わかふみ

9・(9)画

建比古 たつひこ
恒比古 つねひこ

春比古 はるひこ
美日出 よしひで

10・(8)画

純代士 すみよし
真名人 まなと

11・(7)画

郷之介 きょうのすけ
章之介 しょうのすけ
琢之介 たくのすけ
琉之介 りゅうのすけ

12・(6)画

翔乃介 しょうのすけ
稀三也 まみや
裕乃介 ゆうのすけ

15・(3)画

槻一人 きいと
嬉乃一 きのかず
輝九一 きくかず

名の合計画数が 19画

19画

鏡 きょう
蹴★ しゅう

名の合計画数が 20画

20画

馨 かおる
鐘 しょう
響 ひびき
護 まもる
譲 ゆずる
耀 よう

1・19画

一櫓★ いちろ
一麒★ かずき

2・18画

力騎 よしき

4・16画

元樹 げんき
天龍 てんりゅう
文醐★ ぶんご
水樹 みずき

5・15画

永輝 えいき
且慶 かつよし
玄蔵 げんぞう
広輝 ひろき
由輝 よしき
由毅 よしき
由潔 よしきよ

世範 よはん

6・14画

在徳 ありのり
行輔 こうすけ
考輔 こうすけ
光銘 こうめい
巡爾 じゅんじ
成銘 せいめい
多聞 たもん
次緒 つぐお
年爾 ねんじ
早緒 はやお
光瑠 みつる

7・13画

亜廉 あれん
克義 かつよし
佐夢 さむ
沙夢 さむ

沙楽 しゃらく
秀盟 しゅうめい
沢嗣 たくじ
杜夢 とむ
秀数 ひでかず
宏夢 ひろむ
芳継 よしつぐ
来夢 らいむ
良盟 りょうめい

8・12画

青渡 あおと
昂雄 あきお
歩登 あゆと
育登 いくと
英貴 えいき
英達 えいたつ
岳登 がくと
和智 かずとも

姓に合う名前の吉数は374～399ページでチェック

国雄 くにお
幸運 こううん
昂雲 こううん
幸禄 こうろく
定尋 さだひろ
茂貴 しげたか
茂晴 しげはる
尚瑛 しょうえい
卓尋 たくひろ
岳暁 たけあき
武雄 たけお
定滋 ていじ
知雄 ともお
朋遥 ともはる
直喜 なおき
尚道 なおみち
直道 なおみち
延雄 のぶお

典暁 のりあき
法登 のりと
治善 はるよし
尚雄 ひさお
英登 ひでと
英満 ひでみ
昌雄 まさお
実裕 みつひろ
若雄 わかお
若渡 わかと

10・10画

朗悦 あきよし
恵造 けいぞう
桂馬 けいま
兼馬 けんま
耕造 こうぞう
桐朗 ごろう
朔朗 さくろう

修造 しゅうぞう
純造 じゅんぞう
将馬 しょうま
秦朔 しんさく
泰修 たいしゅう
峻将 たかまさ
啄真 たくま
啄朗 たくろう
剛浩 たけひろ
剛馬 たけま
剛貢 たけみつ
竜将 たつまさ
哲朗 てつろう
哲浪 てつろう
敏造 としぞう
敏朗 としろう
悦恭 のぶやす
敏悟 びんご

真朗 まさお
将高 まさたか
剛通 まさみち
将倫 まさみち
真修 ましゅう
真純 ますみ
倫敏 みちとし
通敏 みちとし
通将 みちまさ
泰敏 やすとし
恭浩 やすひろ
泰朗 やすろう
竜悟 りゅうご
竜馬 りょうま

11・9画

章彦 あきひこ
爽彦 あきひこ
惇郎 あつお

淳紀 あつのり
惇彦 あつひこ
清彦 きよひこ
啓音 けいと
涼彦 すずひこ
淑耶 すみや
盛亮 せいすけ
隆信 たかのぶ
崇哉 たかや
琢郎 たくろう
健郎 たけお
健彦 たけひこ
健海 たけみ
唯宣 ただのぶ
経彦 つねひこ
常彦 つねひこ
淑紀 としき
捺彦 なつひこ

麻郁 まいく
理宣 みちのぶ
康昭 やすあき
庸昭 やすあき
康俊 やすとし
康則 やすのり
悠亮 ゆうすけ
悠飛 ゆうひ
理音 りおん
陸哉 りくや
理祐 りすけ
琉星 りゅうせい

12・8画

陽朋 あきとも
朝弥 あさや
敦尚 あつひさ
敦英 あつひで
詠弥 うたや

越弥 えつや
賀門 かもん
勤治 きんじ
欽治 きんじ
絢弥 けんや
滋武 じむ
貴弥 たかや
貴幸 たかゆき
敬幸 たかゆき
達明 たつあき
達治 たつじ
達典 たつのり
達法 たつのり
達昌 たつまさ
瑛明 てるあき
瑛征 てるゆき
統弥 とうや
凱弥 ときや

登武 とむ
智定 ともさだ
朝武 ともたけ
智典 とものり
朝治 ともはる
朝尚 ともひさ
智英 ともひで
智幸 ともゆき
富治 とよじ
遥明 はるあき
温佳 はるか
遥和 はるかず
晴季 はるき
温延 はるのぶ
晴尚 はるひさ
博典 ひろのり
裕実 ひろみ
裕武 ひろむ

★新人名漢字

詞弥 ふみや
勝直 まさなお
御門 みかど
道昌 みちまさ
満実 みつみ
雄治 ゆうじ
遥河 ようが
善昌 よしあき

13・7画

蒼杜 あおと
葦良★ いら
寛吾 かんご
聖汰 きよた
禎臣 さだおみ
慈伸 しげのぶ
準冴 じゅんご
準助 じゅんすけ
慎壱 しんいち

慎吾 しんご
新汰 しんた
鈴志 すずし
勢吾 せいご
勢那 せな
勢良 せら
睦良 ちから
鉄兵 てっぺい
督男 とくお
稔玖 としひさ
豊児 とよじ
豊臣 とよみ
雅邦 まさくに
瑞希 みずき
靖児 やすじ
靖利 やすとし
夢杜 ゆめと
義克 よしかつ

雷汰 らいた
路希 ろき

14・6画

彰吉 あきよし
魁気 かいき
魁多 かいた
豪多 ごうた
徳行 のりゆき

15・5画

慧生 あきお
勲平 くんぺい
慶司 けいし
潤平 じゅんぺい
諄平 じゅんぺい
憧平 しょうへい
毅司 たけし
毅矢 たけや
徹司 てつじ

徹功 てつなり
徹広 てつひろ
徹平 てっぺい
慶広 よしひろ
慶末 よしみ
慶由 よしゆき
璃生 りき
諒平 りょうへい
諒矢 りょうや

17・3画

厳己 いつみ
謙也 けんや
優士 ゆうじ

18・2画

櫂刀★ かいとう
顕二 けんじ
顕人 けんと
繭人 まゆと

名の合計画数が 21画

21画

轟★ ごう

1・20画

一耀 いちよう
一護 かずもり

2・19画

入瀬 いりせ

3・18画

士騎 しき
夕騎 ゆうき

4・17画

太翼 たすけ
友徽★ ともき
文駿 ふみとし

文檎★ ぶんご

5・16画

永樹 えいたつ
弘興 ひろおき
広樹 ひろき
冬樹 ふゆき
正樹 まさき
代繁 よはん

6・15画

有慧 あさと
在範 ありのり
圭蔵 けいぞう
全蔵 ぜんぞう
年範 としのり
西輝 にしき
光輝 みつき

7・14画

吾聞 あもん

我駆 がく
伽聞 かもん
君緒 きみお
玖聞 くもん
来聞 くもん
冴輔 さすけ
佐聞 さもん
秀静 しゅうせい
臣輔 しんすけ
汰緒 たお
辰徳 たつのり
利彰 としあき
寿徳 としのり
那綸 ないと
伸嘉 のぶよし
秀綱 ひでつな
秀徳 ひでのり
里駆 りく

伶輔 りょうすけ

8・13画

明義 あきよし
歩夢 あゆむ
和慈 かずしげ
和雅 かずまさ
空雅 くうが
拓路 たくじ
拓夢 たくむ
岳睦 たけちか
到慈 とうじ
季雅 としまさ
朋禎 ともさだ
尚暉 なおき
尚雅 なおまさ
直雅 なおまさ
尚路 なおみち
直路 なおみち

姓に合う名前の吉数は374～399ページでチェック

- 延靖　のぶやす
- 延義　のぶよし
- 典路　のりみち
- 英暉　ひでき
- 英雅　ひでまさ
- 牧詩　まきし
- 征義　まさよし
- 径稔　みちとし
- 若嗣　わかし

9・12画

- 秋朝　あきとも
- 秋満　あきみつ
- 厚登　あつと
- 荒喜　あらき
- 栄達　えいたつ
- 栄満　えいま
- 音温　おとはる
- 音晴　おとはる
- 海渡　かいと
- 是登　これと
- 秋晴　しゅうせい
- 為智　ためとも
- 為朝　ためとも
- 俊道　としみち
- 信登　のぶと
- 春登　はると
- 飛雁★　ひかり
- 栄雄　ひでお
- 栄貴　ひでたか
- 風詞　ふうし
- 風満　ふうま
- 柾景　まさかげ
- 海雄　みゆう
- 保満　やすみつ
- 要裕　ようすけ
- 美博　よしひろ
- 律雄　りつお
- 柳渡　りゅうと
- 玲満　れいま

10・11画

- 剣梧　けんご
- 晃清　こうせい
- 晃庸　こうよう
- 修麻　しゅうま
- 珠理　しゅり
- 准梧　じゅんご
- 純悠　じゅんゆう
- 高彬　たかあき
- 峰雪　たかゆき
- 剛章　たけあき
- 剛盛　たけもり
- 竜琉　たつる
- 哲章　てつあき
- 哲張　てつはる
- 敏章　としあき
- 浩康　ひろやす
- 真淑　まさとし
- 泰隆　やすたか
- 恭雪　やすゆき
- 祥雪　よしゆき

11・10画

- 章倫　あきとも
- 淳浩　あつひろ
- 惟純　いずみ
- 捷馬　かつま
- 啓造　けいぞう
- 啓真　けいま
- 健造　けんぞう
- 康造　こうぞう
- 惟留　これと
- 彩紋　さいもん
- 脩馬　しゅうま
- 淳悟　じゅんご
- 惇馬　じゅんま
- 清朔　せいさく
- 隆浩　たかひろ
- 崇途　たかみち
- 健朗　たけあき
- 健留　たける
- 捷朗　としあき
- 教通　のりみち
- 理敏　みちとし
- 理留　みちる
- 康朗　やすろう
- 悠真　ゆうま
- 涼馬　りょうま

12・9画

- 敦彦　あつひこ
- 詠亮　えいすけ
- 開洲　かいしゅう
- 景紀　かげき
- 勝昭　かつあき
- 勝彦　かつひこ
- 勝海　かつみ
- 勝哉　かつや
- 勝郎　かつろう
- 貴祐　きすけ
- 滋秋　しげあき
- 滋宣　しげのぶ
- 森彦　しげひこ
- 萩亮　しゅうすけ
- 竣亮　しゅんすけ
- 順祐　じゅんすけ
- 絢哉　じゅんや
- 翔祐　しょうすけ
- 晶耶　しょうや
- 翔哉　しょうや
- 惣栄　そうえい
- 創咲　そうさく
- 創哉　そうや
- 喬重　たかしげ
- 貴郁　たかふみ
- 達彦　たつひこ
- 達郎　たつろう
- 瑛彦　てるひこ
- 瑛海　てるみ
- 瑛哉　てるや
- 塔亮　とうすけ
- 朝貞　ともさだ
- 智信　とものぶ
- 智則　とものり
- 智郎　ともろう
- 陽紀　はるき
- 遥彦　はるひこ
- 晴保　はるやす
- 陽柳　ひりゅう
- 裕建　ひろたつ
- 尋彦　ひろひこ
- 博彦　ひろひこ
- 博保　ひろやす
- 稀亮　まれすけ
- 満咲　まんさく
- 道信　みちのぶ
- 満彦　みつひこ
- 満洋　みつひろ
- 雄紀　ゆうき
- 雄亮　ゆうすけ
- 雄飛　ゆうひ
- 雄哉　ゆうや
- 善政　よしまさ

13・8画

- 寛治　かんじ
- 幹治　かんじ
- 源武　げんぶ

★新人名漢字

慈英 じえい
慈治 しげはる
嗣幸 しこう
舜典 しゅんすけ
舜弥 しゅんや
誠英 せいえい
禎治 ていじ
鉄治 てつはる
照弥 てるや
督治 とくじ
稔尚 としなお
稔実 としみ
豊治 とよじ
稔侍 ねんじ
楓季 ふうき
蒔弥 まきや
雅尚 まさなお
愛歩 まなぶ

路幸 みちゆき
睦実 むつみ
盟朋 めいほう
靖斉 やすなり
靖典 やすのり
靖法 やすのり
義明 よしあき
義幸 よしゆき
雷武 らいむ
雷門 らいもん

14・7画

斡秀★ あつひで
維良 いら
魁冴 かいご
魁兵 かいへい
静杜 しずと
槙作 しんさく
誓志 せいし

颯吾 そうご
総作 そうさく
聡甫 そうすけ
颯汰 そうた
綜兵 そうへい
誓良 ちから
徳玖 のりひさ
嘉臣 よしおみ

15・6画

諒充 あきみつ
慶多 けいた
毅守 たけもり
蝶多 ちょうた
徹成 てつなり
範州 はんす
慶次 よしつぐ

16・5画

篤弘 あつひろ

篤矢 あつや
樹市 きいち
錦司 きんじ
薫平 くんぺい
憲司 けんじ
親平 しんぺい
醍司★ だいし
樹生 たつお
磨生 まお
樹矢 みきや
蕗生 ろき

17・4画

謙介 けんすけ
謙太 けんた
壕太★ ごうた
駿介 しゅんすけ
優仁 まさひと
嶺斗 みねと

18・3画

顕大 けんた
鎮万 しずま
騎士 ないと

19・2画

蹴人★ しゅうと
麗二 れいじ

20・1画

馨一 きよかず
耀一 よういち

2・(19)画

七琉実 なるみ
八栄造 やえぞう

3・(18)画

万紀郎 まきお
三津彦 みつひこ

4・(17)画

井寿留 いずる

井汰留 いたる
斗玖真 とくま
比々旗 ひびき
比路斗 ひろと

5・(16)画

以葡木★ いぶき
禾津男★ かづお
加都史 かつし

6・(15)画

伊里弥 いりや
宇太埜★ うたや
圭次郎 けいじろう
帆州海 ほずみ
百合哉 ゆりや

7・(14)画

亜於伊 あおい
亜玖利 あぐり
亜佑杜 あゆと

亜良汰 あらた
亜留斗 あると
来未洋 きみひろ
佐伊門 さいもん
佑基也 ゆきや
里市郎 りいちろう
利津矢 りつや
伶央南 れおな

8・(13)画

阿也留 あやと
於斗彦 おとひこ
和乃理 かずのり

9・(12)画

津可佐 つかさ
春加寿 はるかず
風有多 ふうた
保士彦 ほしひこ
保津巳 ほづみ

美世志 みよし
勇二朗 ゆうじろう
玲央那 れおな

10・(11)画

起志夫 きしお
桂二郎 けいじろう
浩二郎 こうじろう
純一朗 じゅんいちろう
祥一朗 しょういちろう
悌一朗 ていいちろう
真玖仁 まさくに
真那斗 まなと

11・(10)画

章一郎 しょういちろう
紳之佑 しんのすけ
爽一郎 そういちろう
都希也 つきや
麻奈人 まなと

姓に合う名前の吉数は374～399ページでチェック

理希也　りきや
笠之助★　りゅうのすけ

12・(9)画

温日出　あつひで
滋比古　しげひこ
閏之丞★　じゅんのすけ
翔ノ典　しょうのすけ
朝日出　ともひで

13・(8)画

新左久　しんさく
馳可士★　ちかし

14・(7)画

綺世人　きよと
瑳斗也　さとや
遙之介★　ようのすけ

15・(6)画

輝与士　きよし
慧乃介　けいのすけ

16・(5)画

澪三人　れみと
蕗久人　ろくと

18・(3)画

騎乙人　きおと
磨乙人　まおと

名の合計画数が 22画

22画

鷗★　かもめ
穣　じょう

4・18画

元騎　げんき
允騎　みつき

6・16画

有憲　ありのり

行磨　いくま
宇墾　うこん
成樹　しげき
帆積　ほづみ
匡樹　まさき
光樹　みつき
有醍★　ゆうだい

10・12画

恵貴　けいき
耕運　こううん
航遥　こうよう
祥雄　さちお
晟瑛　せいえい
晟登　せいと
高順　たかのぶ
高遥　たかはる
高陽　たかはる
峻道　たかみち
赳渡　たけと
竜晶　たつあき
哲雄　てつお
哲尋　てつひろ
時雄　ときお
敏晴　としはる
敏道　としみち
夏雄　なつお
展登　のぶと
隼雄　はやお
途勝　みちまさ
峰登　みねと
素遥　もとはる
素陽　もとはる
泰暁　やすあき
恭貴　やすたか
泰博　やすひろ
泰裕　やすひろ
祥満　よしみ
凌登　りょうと

11・11画

惟埼★　いさき
蛍清　けいせい
健悠　けんゆう
郷梓　ごうし
強琉　ごうる
菖健　しょうけん
進理　しんり
隆規　たかのり
健盛　たけもり
理清　まさずみ
康爽　やすあき
悠郷　ゆうごう
陸野　りくや
琉麻　りゅうま
琉唯　るい

12・10画

暁貢　あきみつ
敦朗　あつろう
幾馬　いくま
瑛悟　えいご
詠朔　えいさく
瑛祥　えいしょう
翔留　かける
勝高　かつたか
勝馬　かつま
欽悟　きんご
景真　けいま
椎真　しいま
賀恭　しげやす
滋留　しげる
就造　しゅうぞう
萩造　しゅうぞう
萩浦　しゅうほ
就真　しゅうま
循造　じゅんぞう
翔馬　しょうま
詞朗　しろう
然造　ぜんぞう
貴純　たかすみ
達敏　たつとし
達流　たつる
統真　とうま
智泰　ともやす
朝朗　ともろう
遥馬　はるま
遥能　はるよし
満将　ばんしょう
尋起　ひろおき
博敏　ひろとし
裕将　ひろまさ
富起　ふうき
道峻　みちとし
満敏　みつとし
満留　みつる
雄悟　ゆうご
裕剛　ゆうごう
雄馬　ゆうま
喜朗　よしろう

14・8画

聡実　さとみ
聡幸　さとゆき
静佳　しずか
静河　しずか
静弥　しずや
颯明　そうめい
暢明　のぶあき
榛明　はるあき
嘉明　よしあき
嘉昌　よしまさ

★新人名漢字

- 嘉弥　よしや
- 緑弥　ろくや

16・6画

- 賢行　けんこう
- 龍行　たつゆき
- 頼安　らいあん
- 龍伍　りゅうご
- 龍次　りゅうじ

20・2画

- 譲二　じょうじ
- 燿人　てるひと

名の合計画数が 23画

23画

- 巖　げん
- 鷲★　しゅう

1・22画

- 一穰　かずしげ

2・21画

- 乃轟★　だいごう

3・20画

- 大護　だいご
- 大燿　たいよう

4・19画

- 太羅　たいら
- 仁識　にしき
- 水瀬　みなせ

5・18画

- 玄騎　げんき
- 広騎　ひろき
- 正燿　まさてる

6・17画

- 此鴻★　しこう
- 有徽★　ゆうき

7・16画

- 吾錬　あれん
- 克磨　かつま
- 希澪　きみお
- 作壑　さこん
- 志穏　しおん
- 秀衛　しゅうえい
- 秀整　しゅうせい
- 秀憲　ひでのり
- 芳樹　よしき

8・15画

- 旺毅　おうき
- 和範　かずのり
- 幸潤　こうじゅん
- 岳澄　たかすみ
- 拓摩　たくま
- 武穂　たけほ
- 季輝　としき
- 直毅　なおき
- 尚輝　なおき
- 直澄　なおずみ
- 波輝　なみき
- 典輝　のりき
- 英毅　ひでき
- 英輝　ひでき
- 昌影　まさかげ
- 昌澄　まさずみ
- 実毅　みつき
- 実慶　みよし
- 武蔵　むさし
- 佳畿★　よしき

9・14画

- 省輔　せいすけ
- 威誓　たけちか
- 則彰　のりあき
- 栄綱　ひでつな
- 勇豪　ゆうごう
- 洋翠　ようすい
- 亮輔　りょうすけ

10・13画

- 恵嗣　けいし
- 恵慈　けいじ
- 晃雅　こうが
- 航路　こうじ
- 修豊　しゅうほう
- 真路　しんじ
- 純嗣　すみつぐ
- 剛稔　たけとし
- 竜嗣　たつし
- 竜路　たつじ
- 挺★路　ていじ
- 哲資　てつし
- 哲蒔　てつじ
- 敏慈　としじ
- 浩嗣　ひろつぐ
- 浩路　ひろみち
- 浩靖　ひろやす
- 真継　まさつぐ
- 泰路　やすじ
- 祥聖　よしきよ
- 竜勢　りゅうせい

11・12画

- 彬順　あきのり
- 逸貴　いつき
- 清勝　きよかつ
- 盛喜　さかき
- 爽喜　さわき
- 脩瑛　しゅうえい
- 深策　しんさく
- 進登　しんと
- 清葵　せいき
- 清貴　せいき
- 崇暁　たかあき
- 崇貴　たかき
- 崇晴　たかはる
- 琢登　たくと
- 捷登　はやと
- 彪賀　ひゅうが
- 啓詞　ひろふみ
- 毬雄　まりお
- 基雄　もとお
- 基晴　もとはる
- 盛凱　もりよし
- 康滋　やすじ
- 悠策　ゆうさく
- 悠翔　ゆうしょう
- 淑貴　よしき

12・11画

- 敦規　あつのり
- 瑛麻　えいま
- 喜隆　きりゅう
- 智望　さとみ
- 勝健　しょうけん
- 翔梧　しょうご
- 貴章　たかあき
- 貴盛　たかしげ
- 敬淑　たかすみ
- 貴兜★　たかと
- 陽章　はるあき
- 遥都　はると
- 遥望　はるみ
- 博章　ひろあき
- 博康　ひろやす
- 道琉　みちる

13・10画

- 愛悟　あいご
- 幹悟　かんご
- 聖純　きよすみ

姓に合う名前の吉数は374〜399ページでチェック

源造　げんぞう
禎浩　さだひろ
裟紋　さもん
詩航　しこう
頌剣　しょうけん
新悟　しんご
嗣朗　つぐお
鉄浩　てつひろ
鉄朗　てつろう
照晃　てるあき
照倖　てるゆき
歳造　としぞう
稔造　としぞう
雅展　まさのぶ
雅浩　まさひろ
靖晃　やすあき
靖高　やすたか
靖朗　やすろう

義浩　よしひろ
雷晏　らいあん
楽紋　らもん
鈴馬　れいま
鈴紋　れいもん

14・9画

碧泉　あおい
彰彦　あきひこ
綾音　あやと
歌哉　うたや
魁哉　かいや
豪紀　ごうき
静哉　しずや
寧哉　しずや
颯映　そうえい
颯紀　そうき
綜哉　そうや
豪哉　たけや

暢昭　のぶあき
暢紀　のぶき
徳昭　のりあき
嘉宣　よしのぶ
瑠祐　りゅうすけ
緑哉　ろくや

15・8画

諄弥　あつや
澄房　きよふさ
澄承　すみつぐ
澄弥　すみや
毅典　たけのり
槻弥　つきや
徹明　てつあき
輝明　てるあき
輝幸　てるゆき
範幸　のりゆき
穂岳　ほたか

摩周　ましゅう
潤実　ますみ
潤季　みつとし
遼河　りょうが
遼明　りょうめい
凛★弥　りんや

16・7画

衛吾　えいご
叡寿　えいじゅ
衛辰　えいたつ
薫兵　くんぺい
憲作　けんさく
賢作　けんさく
興作　こうさく
親孜★　ちかし
篤児　とくじ
憲寿　のりひさ
磨秀　ましゅう

融吾　ゆうご
龍助　りゅうすけ
龍兵　りゅうへい

17・6画

瞭充　あきよし
謹伍　きんご
謙次　けんじ
優伍　ゆうご

18・5画

鎮矢　しずや
瞬矢　しゅんや
曜平　ようへい

19・4画

蹴★太　しゅうた
蹴★斗　しゅうと
麗文　れいもん

20・3画

響大　きょうた

譲之　よしゆき

21・2画

鶴人　かくと
轟★人　ごうと

22・1画

穣一　じょういち

2・(21)画

七津滋　なつじ
乃樹永　のきなが

3・(20)画

千嵯希　ちさき
巳貴国　みきくに

4・(19)画

太津朗　たつろう
斗玖雄　とくお
巴流哉　はるや
比嗣吏　ひじり
日登志　ひとし

日々樹　ひびき

5・(18)画

未知流　みちる
未世嗣　みよつぐ

6・(17)画

伊寿留　いずる
伊豆留　いずる
伊智矢　いちや
羽詩夫　うしお
光之輔　こうのすけ
多紀於　たきお

7・(16)画

吾央唯　あおい
吾希保　あきほ
亜多留　あたる
亜都史　あつし
希多留　きたる
佐喜太　さきた

見沙郎　みさお
良多朗　りょうたろう

8・(15)画

於沙武　おさむ
庚★次郎　こうじろう
拓ノ輔　たくのすけ
直芙実　なおふみ
茉阿玖　まあく

9・(14)画

音飛乎★　おとひこ
音流牙★　おるご
砂良玖　しゃらく
宣伊知　せんいち

10・(13)画

宰太郎　さいたろう
朔太郎　さくたろう
祥太郎　しょうたろう
晟太郎　せいたろう

★新人名漢字

哲太郎 てつたろう
隼未知 としみち
竜太郎 りゅうたろう
倫太郎 りんたろう

11・(12)画

彩佑司 さゆし
琉以吾 るいご

12・(11)画

敦比呂 あつひろ
創一朗 そういちろう
登玖夫 とくお
富久治 とくじ
葉士芽 はじめ
尋斗志 ひろとし
雄一狼★ ゆういちろう

13・(10)画

葦★早水 いさみ
靖佐久 せいさく

14・(9)画

寛之助 ひろのすけ

暢刀希 のぶとき
嘉二沙 よしふさ

15・(8)画

徹生巳 てつおみ
璃久央 りくお
凛★久由 りくよし

名の合計画数が 24画

1・23画

一驗 かずとし
一巖 かずみね

2・22画

人穣 ひとしげ
力灘★ りきなだ

3・21画

大櫻 たいよう
千鶴 ちかく

4・20画

心護 しんご
友耀 ともあき

5・19画

広麓★ こうろく
世羅 せら
由麒★ よしき

6・18画

有藍 あらん
伊織 いおり
衣織 いおり
早騎 そうき

7・17画

孝謙 こうけん
寿優 としまさ

8・16画

育磨 いくま
英磨 えいま
和繁 かずしげ
和憲 かずのり
和磨 かずま
茂樹 しげき
尚賢 しょうけん
青龍 せいりゅう
拓磨 たくま
武親 たけちか
朋樹 ともき
知親 ともちか
朋親 ともちか
尚樹 なおき
直樹 なおき
並樹 なみき
英樹 ひでき
実頼 みらい
怜磨 れいま

9・15画

海輝 あまぎ
勇輝 いさき
海潮 うしお
栄樟★ えいしょう
建蔵 けんぞう
栄輝 さかき
星輝 せいき
建毅 たつき
紀毅 のりたけ
宣毅 のりたけ
風輝 ふうき
保澄 ほずみ
政輝 まさき
政澄 まさずみ
美槻 みづき
勇穂 ゆうほ

10・14画

悦爾 えつじ
剛瑠 ごうる
修輔 しゅうすけ
純輔 じゅんすけ
高暢 たかのぶ
哲爾 てつじ
真肇 まこと
将暢 まさのぶ
将熙 まさひろ
恭徳 やすのり
容輔 ようすけ

11・13画

逸勢 いっせい
貫路 かんじ
清雅 きよまさ
健新 けんしん
康盟 こうめい
惟聖 これきよ
笙嗣 しょうじ
隆路 たかみち
琢慈 たくじ
琢雅 たくまさ
健寛 たけひろ
淑数 としかず
望夢 のぞむ
彪雅 ひゅうが
望嵩 みかさ
望誉 みよし
悠雅 ゆうが
淑継 よしつぐ

12・12画

朝登 あさと
朝陽 あさや
敦雄 あつお
渥裕 あつひろ
幾雄 いくお
琴滋 きんじ
滋陽 しげはる
惣喜 そうき
惣策 そうさく
尊喜 たかき
敬裕 たかひろ
富雄 とみお
智雄 ともお
智晴 ともはる
晴喜 はるき
陽貴 はるき
陽満 はるみつ
博貴 ひろき
博達 ひろたつ
博登 ひろと
富賀 ふうが

姓に合う名前の吉数は374〜399ページでチェック

勝貴 まさき
勝善 まさよし
満策 まんさく
道雄 みちお
満晴 みつはる
満遥 みつはる
森須 もりす
湧貴 ゆうき
陽賀 ようが
遥喜 ようき
喜勝 よしかつ
喜貴 よしたか
善智 よしとも
喜博 よしひろ

13・11画

数唯 かずただ
詩堂 しどう
舜梧 しゅんご

誠基 せいき
靖野 せいや
嗣淑 つぐとし
雅清 まさずみ
雅隆 まさたか
雅紹 まさつぐ
聖雪 まさゆき
稔理 みのり

14・10画

魁悟 かいご
魁流 かいる
駆紋 くもん
静真 しずま
静馬 しずま
精悟 せいご
精索 せいさく
颯馬 そうま
徳馬 とくま

榛真 はるま
緋流 ひりゅう
聞悟 ぶんご
槙朗 まきお
銘峰 めいほう
寧朗 やすあき

15・9画

諄彦 あつひこ
諄宥 あつひろ
勲紀 いさき
潔彦 きよひこ
潔政 きよまさ
潔柾 きよまさ
慧亮 けいすけ
諄哉 じゅんや
毅俊 たけとし
徹昭 てつあき
徹思 てつし

徹春 てつはる
徹哉 てつや
徹郎 てつろう
輝紀 てるき
輝彦 てるひこ
輝洋 てるみ
璃音 りおん

16・8画

篤英 あつひで
衛治 えいじ
衛門 えいもん
錦弥 きんや
賢治 けんじ
繁治 しげはる
繁幸 しげゆき
樹季 たつとし
樹幸 たつゆき
龍佳 たつよし

憲明 のりあき
憲和 のりかず
憲武 のりたけ
頼武 らいむ
頼門 らいもん

17・7画

謙壱 けんいち
謙吾 けんご
謙作 けんさく
駿汰 しゅんた
駿邦 としくに
優作 ゆうさく
優甫 ゆうすけ
嶺佑 りょうすけ

18・6画

櫂舟★ かいしゅう
顕光 けんこう
穣吏 みのり

19・5画

瀧生★ たきお
麗央 れお
簾司★ れんじ

20・4画

響太 きょうた
馨太 けいた
耀水 ようすい
耀介 ようすけ
耀太 ようた

21・3画

轟士★ ごうし

22・2画

讃二★ さんじ
灘刀★ なだとう

23・1画

驗一 けんいち
鷲一★ しゅういち

2・(22)画

十綺夜 ときや
乃樹光 のきみつ

3・(21)画

丈芭瑠★ たけはる
三綺臣 みきおみ

4・(20)画

比佐詩 ひさし
日出輝 ひでき
水那勢 みなせ

5・(19)画

加津真 かつま
弘登志 ひろとし

6・(18)画

伊知朗 いちろう
羽弥馬 はやま
帆津海 ほづみ
安悠希 やすゆき

7・(17)画

亜寿馬 あずま
亜汰留 あたる
吾斗夢 あとむ
里季耶 りきや

8・(16)画

明日翔 あすか
明日登 あすと
阿須斗 あすと
佳寿則 かずのり
波留安 はるやす
歩多留 ほたる
武嵯士 むさし
茂利洲 もりす
和歌人 わかと

9・(15)画

咲多郎 さくたろう
信多郎 しんたろう

★新人名漢字

風路人 ふじと

10・(14)画

恵都也 えつや
恵太朗 けいたろう
桂太朗 けいたろう
剛太朗 ごうたろう
索太朗 さくたろう
扇太朗 せんたろう
真紀史 まきし
真名歩 まなぶ

11・(13)画

貫太郎 かんたろう
健太郎 けんたろう
郷太郎 ごうたろう
麻奈布 まなぶ
理津夫 りつお

12・(12)画

竣大郎 しゅんたろう
順之祐 じゅんのすけ
博之亮 ひろのすけ

13・(11)画

雅以有 がいあ
禎於巳 さだおみ
新之典 しんのすけ

14・(10)画

嘉寿己 かずみ
緋士利 ひじり
嘉友気 よしゆき

15・(9)画

畿三成★ きみなり
穂史夫 ほしお
穂士成 ほしなり

16・(8)画

龍ノ助 たつのすけ
龍代士 たつよし
穏世士 やすよし

名の合計画数が 25画

2・23画

力驗 りきとし
了鑑 りょうかん

3・22画

久穰 ひさしげ

4・21画

元轟★ げんごう
友轟★ ゆうごう

5・20画

永護 えいご
玄護 げんご
史響 しきょう

6・19画

有蘭 あらん
帆瀬 ほせ

7・18画

亜藍 あらん
宏騎 こうき

8・17画

阿嶺 あれい
昇謙 しょうけん
長嶺 ながれ
延謙 のぶかた
実優 みゆう

9・16画

映樹 えいじゅ
皆樹 かいき
春醐★ しゅんご
星衛 せいえい
信樹 のぶき
紀樹 のりき
勇磨 はやま
春樹 はるき
飛龍 ひりゅう
風樹 ふうき
星樹 ほしき
柾繁 まさしげ
美繁 よししげ
亮衛 りょうえい

10・15画

桂蔵 けいぞう
兼蔵 けんぞう
剛毅 ごうき
耕潤 こうじゅん
晃蔵 こうぞう
竜摩 たつま
桐輝 とうき
夏輝 なつき
真澄 ますみ
素輝 もとき

11・14画

麻緋 あさひ
惟摘 いつみ
捷嘉 かつよし
啓輔 けいすけ
郷瑠 ごうる
脩静 しゅうせい
脩銘 しゅうめい
窓嘉 まどか

12・13画

温寛 あつひろ
敦義 あつよし
開路 かいじ
開誠 かいせい
勝義 かつよし
景詩 けいし
景聖 けいせい
湖楠 こなん
森慈 しんじ
惣資 そうすけ
達義 たつよし
超慈 ちょうじ
登夢 とむ
智継 ともつぐ
朝嗣 ともつぐ
晴数 はるかず
陽靖 はるやす
裕夢 ひろむ
博義 ひろよし
裕嗣 ゆうし
裕資 ゆうし
陽雅 ようが

13・12画

数満 かずみち
源喜 げんき
嗣瑛 じえい
嗣温 しおん
慈貴 しげき
獅童★ しどう
鈴詞 すずし
誠策 せいさく
誠登 せいと
嵩塔 たかとう
鉄晴 てつはる
照喜 てるき
稔滋 としじ
寛道 ひろみち
蒔雄 まきお
雅景 まさかげ
幹雄 みきお
睦雄 むつお
資雄 もとお
靖雄 やすお
夢登 ゆめと

姓に合う名前の吉数は374～399ページでチェック

瑶滋 ようじ
義朝 よしとも

14・11画

魁琉 かいる
駆琉 かける
綺堂 きどう
豪琉 ごうる
寧都 しずと
寧麻 しずま
熙章 てるあき
嘉捷 よしかつ
嘉清 よしきよ

15・10画

鋭起 えいたつ
鋭紋 えいもん
澄純 きよすみ
毅竜 きりゅう
輝流 きりゅう

慶造 けいぞう
慶竜 けいたつ
権真 けんま
潤真 じゅんま
毅紘 たけひろ
徹晃 てつあき
穂純 ほずみ
穂高 ほたか
慶展 よしのぶ
遼真 りょうま
遼馬 りょうま

16・9画

錦耶 きんや
繁信 しげのぶ
繁彦 しげひこ
篤海 しげみ
樹彦 たつひこ
龍洋 たつひろ

樹哉 たつや
築耶 つきや

17・8画

駿治 しゅんじ
駿明 としあき
駿直 としなお
鞠於 まりお

18・7画

藍吾 あいご
織吾 おるご
藤助 とうすけ
曜助 ようすけ
類冴 るいご

19・6画

瀬名 せな
麗伍 れいご

20・5画

響矢 おとや

響平 きょうへい
譲司 じょうじ

21・4画

躍斗 やくと

22・3画

鷗★也 おうや
穣也 じょうや

23・2画

巖二 がんじ
鷲★人 しゅうと

2・(23)画

力佑樹 よしゆき

3・(22)画

己寿穂 みずほ

4・(21)画

仁滋彦 にじひこ
仁智紀 にちき
壬★音雄 みねお

5・(20)画

央作夢 おさむ
可都彦 かつひこ
矢永蔵 やえぞう
由州瑠 ゆずる

6・(19)画

安佐雄 あさお
安良貴 あらき
伊久磨 いくま
江都治 えつじ
多津朗 たつろう
有希雄 ゆきお

7・(18)画

亜惟吾 あいご
亜紀彦 あきひこ
亜貴光 あきみつ
吾武浪 あむろ
吾由睦 あゆむ

那津彦 なつひこ

8・(17)画

尚之輔 しょうのすけ
卓之輔 たくのすけ
実能利 みのり

9・(16)画

茜壱郎 せんいちろう
草壱郎 そういちろう
貞壱郎 ていいちろう
飛可理 ひかり
飛史理 ひじり
飛路士 ひろし
保志紀 ほしき
星比琥★ ほしひこ
保志彦 ほしひこ
玲於奈 れおな

10・(15)画

夏逗★斗 かずと

閃★多郎 せんたろう

11・(14)画

惟太留 いたる
健作玖 けんさく
斎太朗 さいたろう
章太朗 しょうたろう
清太朗 せいたろう
理斐人 りひと

12・(13)画

敢太郎 かんたろう
登実央 とみお
雄太郎 ゆうたろう

13・(12)画

雅久音 がくと
夢作史 むさし

14・(11)画

嘉以有 かいあ
魁一朗 かいいちろう

瑳生成 さきなり
彰一朗 しょういちろう
聡一朗 そういちろう

15・(10)画

潤一郎 じゅんいちろう
醇一郎 じゅんいちろう
璃一郎 りいちろう

16・(9)画

篤比古 あつひこ
龍乃助 りゅうのすけ

18・(7)画

騎由人 きゆと
顕之介 けんのすけ

20・(5)画

馨七也 かなや
耀七巳 てるなみ

22・(3)画

穣七乙 しげなお

★新人名漢字

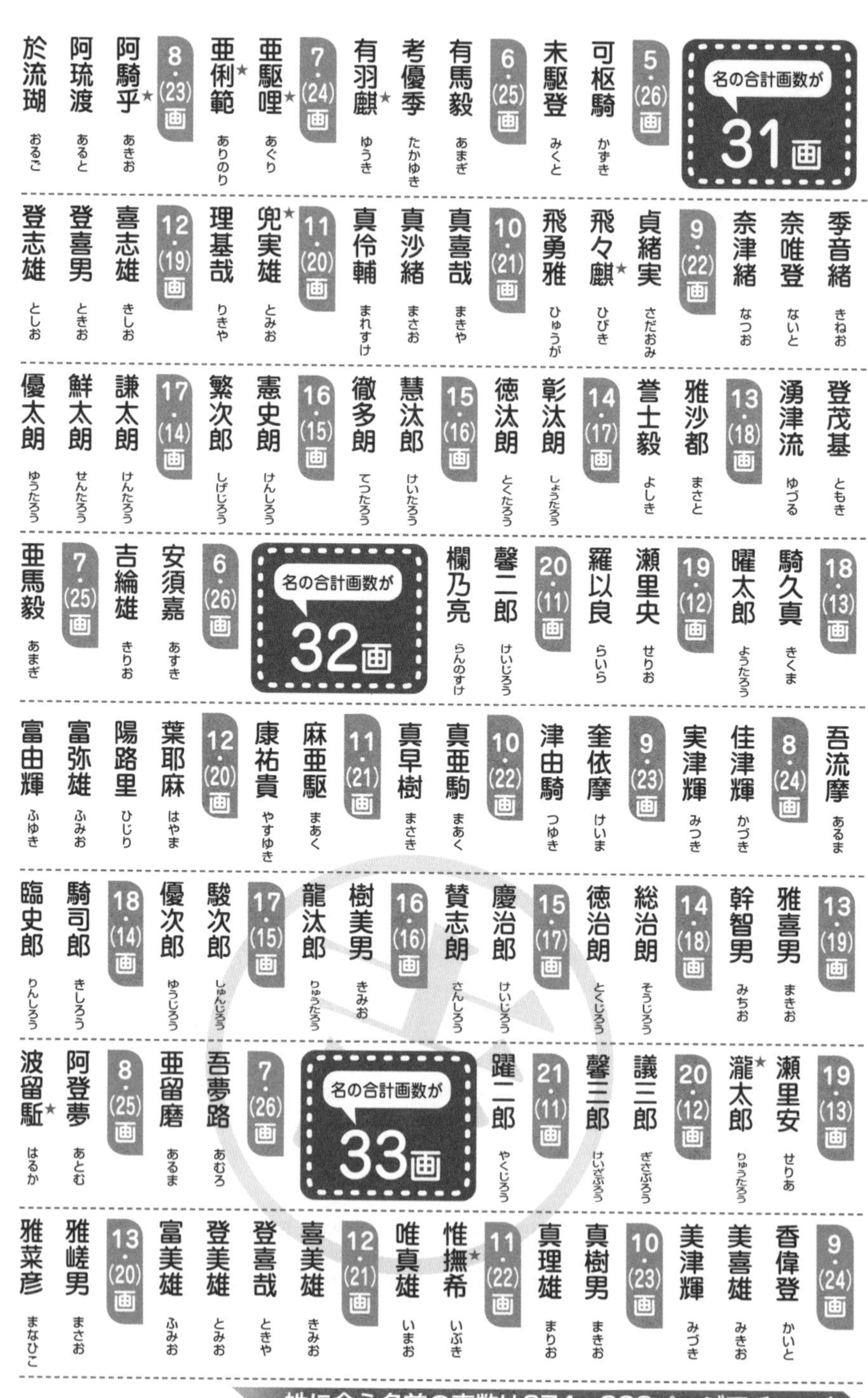

名の合計画数が31画

5・(26)画
- 可枢騎 かずき
- 末駆登 みくと

6・(25)画
- 有馬毅 あまぎ
- 考優季 たかゆき
- 有羽麒★ ゆうき

7・(24)画
- 亜駆哩★ あぐり
- 亜俐範★ ありのり

8・(23)画
- 阿騎乎★ あきお
- 阿琉渡 あると
- 於流瑚 おるご
- 季音緒 きねお
- 奈唯登 ないと
- 奈津緒 なつお

9・(22)画
- 貞緒実 さだおみ
- 飛々麒★ ひびき
- 飛勇雅 ひゅうが

10・(21)画
- 真喜哉 まきや
- 真沙緒 まさお
- 真伶輔 まれすけ

11・(20)画
- 兜実雄★ とみお
- 理基哉 りきや

12・(19)画
- 喜志雄 きしお
- 登喜男 ときお
- 登志雄 としお
- 登茂基 ともき
- 湧津流 ゆづる

13・(18)画
- 雅沙都 まさと
- 誉士毅 よしき

14・(17)画
- 彰汰朗 しょうたろう
- 徳汰朗 とくたろう

15・(16)画
- 慧汰郎 けいたろう
- 徹多朗 てつたろう

16・(15)画
- 憲史朗 けんしろう
- 繁次郎 しげじろう

17・(14)画
- 謙太朗 けんたろう
- 鮮太朗 せんたろう
- 優太朗 ゆうたろう

18・(13)画
- 騎久真 きくま
- 曜太郎 ようたろう

19・(12)画
- 瀬里央 せりお
- 羅以良 らいら

20・(11)画
- 馨二郎 けいじろう
- 欄乃亮 らんのすけ

名の合計画数が32画

6・(26)画
- 安須嘉 あすき
- 吉綸雄 きりお

7・(25)画
- 亜馬毅 あまぎ
- 吾流摩 あるま

8・(24)画
- 佳津輝 かづき
- 実津輝 みつき

9・(23)画
- 奎依摩 けいま
- 津由騎 つゆき

10・(22)画
- 真亜駒 まあく
- 真早樹 まさき

11・(21)画
- 麻亜駆 まあく
- 康祐貴 やすゆき

12・(20)画
- 葉耶麻 はやま
- 陽路里 ひじり
- 富弥雄 ふみお
- 富由輝 ふゆき

13・(19)画
- 雅喜男 まきお
- 幹智男 みちお

14・(18)画
- 総治朗 そうじろう
- 徳治朗 とくじろう

15・(17)画
- 慶治郎 けいじろう
- 賛志朗 さんしろう

16・(16)画
- 樹美男 きみお
- 龍汰郎 りゅうたろう

17・(15)画
- 駿次郎 しゅんじろう
- 優次郎 ゆうじろう

18・(14)画
- 騎司郎 きしろう
- 臨史郎 りんしろう

19・(13)画
- 瀬里安 せりあ
- 瀧太郎★ りゅうたろう

20・(12)画
- 議三郎 ぎさぶろう
- 馨三郎 けいざぶろう

21・(11)画
- 躍二郎 やくじろう

名の合計画数が33画

7・(26)画
- 吾夢路 あむろ
- 亜留磨 あるま

8・(25)画
- 阿登夢 あとむ
- 波留駈★ はるか

9・(24)画
- 香偉登 かいと
- 美喜雄 みきお
- 美津輝 みづき

10・(23)画
- 真樹男 まきお
- 真理雄 まりお

11・(22)画
- 惟撫希★ いぶき
- 唯真雄 いまお

12・(21)画
- 喜美雄 きみお
- 登喜哉 ときや
- 登美雄 とみお
- 富美雄 ふみお

13・(20)画
- 雅嵯男 まさお
- 雅菜彦 まなひこ

姓に合う名前の吉数は374～399ページでチェック

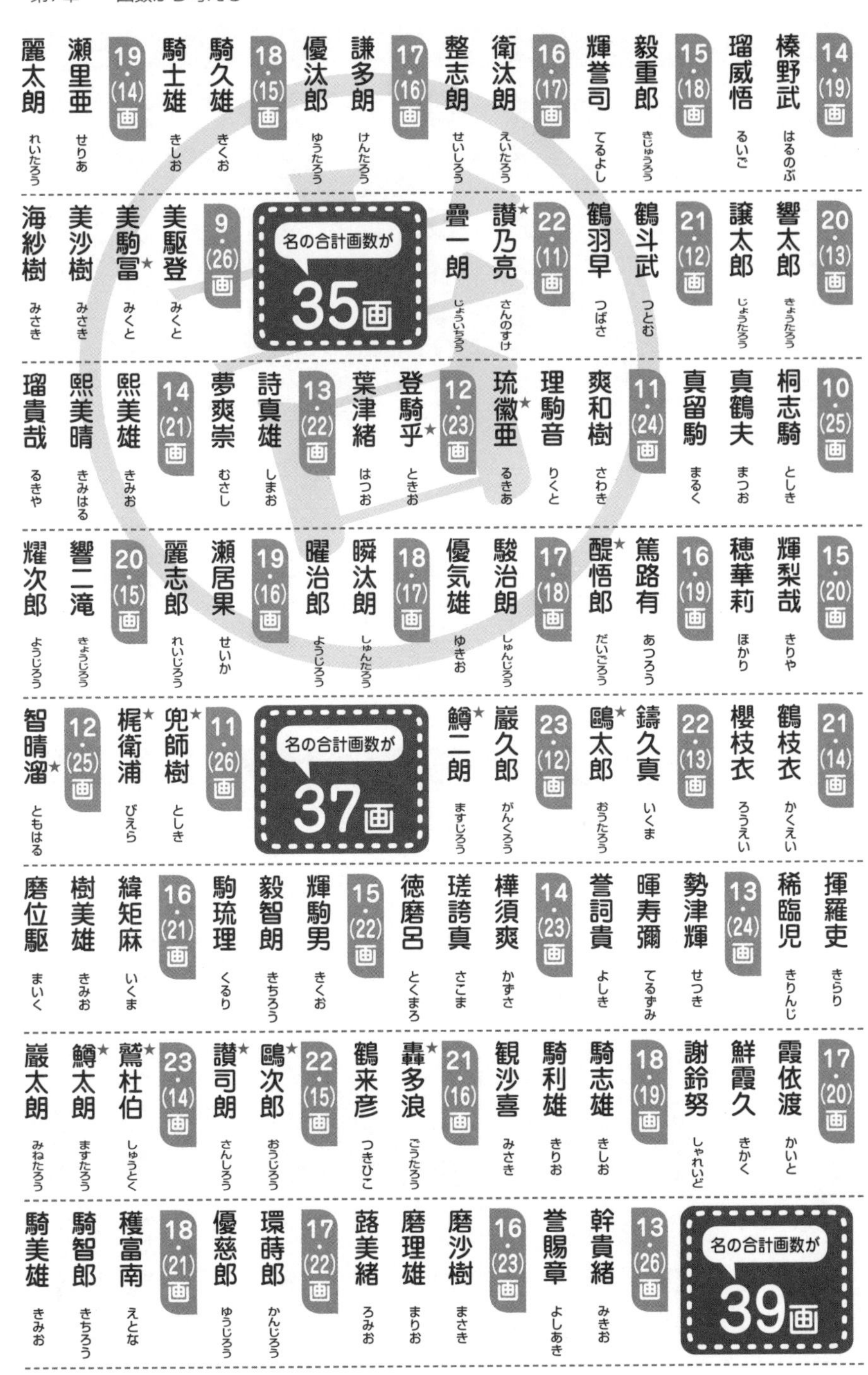

14・(19)画
- 榛野武　はるのぶ
- 瑠威悟　るいご

15・(18)画
- 毅重郎　きじゅうろう
- 輝誉司　てるよし

16・(17)画
- 衛汰朗　えいたろう
- 整志朗　せいしろう

17・(16)画
- 謙多朗　けんたろう
- 優汰郎　ゆうたろう

18・(15)画
- 騎久雄　きくお
- 騎士雄　きしお

19・(14)画
- 瀬里亜　せりあ
- 麗太朗　れいたろう

20・(13)画
- 響太郎　きょうたろう
- 譲太郎　じょうたろう

21・(12)画
- 鶴斗武　つとむ
- 鶴羽早　つばさ

22・(11)画
- 讃★乃亮　さんのすけ
- 疊一朗　じょういちろう

名の合計画数が 35画

9・(26)画
- 美駆登　みくと
- 美駒富★　みくと
- 美沙樹　みさき
- 海紗樹　みさき

10・(25)画
- 桐志騎　としき
- 真鶴夫　まつお
- 真留駒　まるく

11・(24)画
- 爽和樹　さわき
- 理駒音　りくと
- 琉徽★亜　るきあ

12・(23)画
- 登騎乎★　ときお
- 葉津緒　はつお

13・(22)画
- 詩真雄　しまお
- 夢爽崇　むさし

14・(21)画
- 熙美雄　きみお
- 熙美晴　きみはる
- 瑠貴哉　るきや

15・(20)画
- 輝梨哉　きりや
- 穂華莉　ほかり

16・(19)画
- 篤路有　あつろう
- 醍★悟郎　だいごろう

17・(18)画
- 駿治朗　しゅんじろう
- 優気雄　ゆきお

18・(17)画
- 瞬汰朗　しゅんたろう
- 曜治郎　ようじろう

19・(16)画
- 瀬居果　せいか
- 麗志郎　れいじろう

20・(15)画
- 響二滝　きょうじろう
- 耀次郎　ようじろう

21・(14)画
- 鶴枝衣　かくえい
- 櫻枝衣　ろうえい

22・(13)画
- 鑄久真　いくま
- 鷗★太郎　おうたろう

23・(12)画
- 巖久郎　がんくろう
- 鱒★二朗　ますじろう

名の合計画数が 37画

11・(26)画
- 兜★師樹　としき
- 梶★衛浦　びえら

12・(25)画
- 智晴溜★　ともはる
- 揮羅吏　きらり
- 稀臨児　きりんじ

13・(24)画
- 勢津輝　せつき
- 暉寿彌　てるずみ
- 誉詞貴　よしき

14・(23)画
- 樺須爽　かずさ
- 瑳誇真　さこま
- 徳磨呂　とくまろ

15・(22)画
- 輝駒男　きくお
- 毅智朗　きちろう
- 駒琉理　くるり

16・(21)画
- 緯矩麻　いくま
- 樹美雄　きみお
- 磨位駆　まいく

17・(20)画
- 霞依渡　かいと
- 鮮霞久　きかく
- 謝鈴努　しゃれいど

18・(19)画
- 騎志雄　きしお
- 騎利雄　きりお
- 観沙喜　みさき

21・(16)画
- 轟★多浪　ごうたろう
- 鶴来彦　つきひこ

22・(15)画
- 鷗★次郎　おうじろう
- 讃★司朗　さんしろう

23・(14)画
- 鷲★杜伯　しゅうとく
- 鱒★太朗　ますたろう
- 巖太朗　みねたろう

名の合計画数が 39画

13・(26)画
- 幹貴緒　みきお
- 誉賜章　よしあき

16・(23)画
- 磨沙樹　まさき
- 磨理雄　まりお
- 蕗美緒　ろみお

17・(22)画
- 環蒔郎　かんじろう
- 優慈郎　ゆうじろう

18・(21)画
- 穫富南　えとな
- 騎智郎　きちろう
- 騎美雄　きみお

★新人名漢字

ひらがなの画数表

ん	わ	ら	や	ま	は	な	た	さ	か	あ
2	3	3	3	4	4	5	4	3	3	3
゛	ゐ	り		み	ひ	に	ち	し	き	い
2	3	2		3	2	3	3	1	4	2
゜		る	ゆ	む	ふ	ぬ	つ	す	く	う
1		3	3	4	4	4	1	3	1	2
	ゑ	れ		め	へ	ね	て	せ	け	え
	5	3		2	1	4	2	3	3	3
	を	ろ	よ	も	ほ	の	と	そ	こ	お
	4	2	3	3	5	1	2	3	2	4

カタカナの画数表

ン	ワ	ラ	ヤ	マ	ハ	ナ	タ	サ	カ	ア
2	2	2	2	2	2	2	3	3	2	2
゛	ヰ	リ		ミ	ヒ	ニ	チ	シ	キ	イ
2	4	2		3	2	2	3	3	3	2
゜		ル	ユ	ム	フ	ヌ	ツ	ス	ク	ウ
1		2	2	2	1	2	3	2	2	3
	ヱ	レ		メ	ヘ	ネ	テ	セ	ケ	エ
	3	1		2	1	4	3	2	3	3
	ヲ	ロ	ヨ	モ	ホ	ノ	ト	ソ	コ	オ
	3	3	3	3	4	1	2	2	2	3

第8章

知っておきたい決まり事

出生届の出し方

赤ちゃんが生まれたら、必ず「出生届」を提出しましょう。ここでは届け出に関する注意点をまとめました。

届け出期間は2週間

赤ちゃんは、届け出によって初めて戸籍を取得します。日本では、戸籍を得ることで、基本的な権利が憲法により保障されるので、赤ちゃん1人に1枚、決められた期間内に、間違いのないよう届け出てください。

出生届は、赤ちゃんが生まれた日を1日目と数え、14日目が届け出期限となります。たとえば、11月20日に生まれた場合、誕生が午前2時でも、午後11時30分でも、20日が1日目、21日が2日目です。そして、提出期限となる14日目は、12月3日ということになります。

もし、14日目が土・日・祝日や年末年始など、役所の休みに当たった場合は、休み明けの日まで期限が延長されます。出生届は、休日や時間外であっても受け付けてはもらえますが、戸籍担当者が出勤してきてからの審査となるため、記入事項に不備があった場合は再度出向かなくてはなりません。

また、出生届を提出した際に「出生届出済証明書」に捺印してもらわなくてはならないため（次ページ参照）、いずれにせよ再度役所へ行く必要が生じ、二度手間になってしまいます。できるだけ、正規の時間帯に届けるようにしましょう。

出生届を提出するときの注意事項

提出する場所

次のいずれかに提出します。

①赤ちゃんが生まれた地
②親が住民登録をしている地
③父親か母親の本籍地
④父親か母親の滞在地

里帰り出産のママや出張中のパパが届け出る場合にも、その地の役所に届け出れば、居住地の住民基本台帳に記載され、赤ちゃんは両親の戸籍に入ります。

届け出る人

出生届に署名・捺印する「届出義務者」は、その順位が法律によって以下のように定められており、戸籍にも名前が残ります。

第1順位　赤ちゃんの母親、または父親
第2順位　同居している家族
第3順位　出産に立ち会った医師、または助産師
第4順位　そのほか、出産に立ち会った者

（実際に、役所の窓口に提出する人は、だれでもかまいません）

※ただし、次のような場合には、父親ではなく母親が第1順位の届出義務者となります。
①出生前に離婚した場合
②父親が海外に滞在中、長期にわたり出張中、または行方不明の場合
③出生前、または届出期間中に父親が死亡した場合

届け出のとき必要なもの

①出生届

市区町村の役所や出張所のほか、病院や産院にもあり、右半分は出産に立ち会った医師や助産師が記入する「出生証明書」になっています。退院までに記入してもらえるよう、早めにお願いしておきましょう。

②母子健康手帳

出生届を提出したことを証明する「出生届出済証明書」がついています。届け出をしたときに、捺印してもらいましょう。

また、母子健康手帳内か、手帳とともに渡される書類の中に「新生児出生通知書」があります。必要事項を記入して、居住地の保健所宛に送りましょう。送付することによって、赤ちゃんの定期健診や育児相談などの行政サービスを受けられるようになります。

③印鑑

認印でもかまいませんが、朱肉を用いないスタンプタイプの印鑑は使えません。提出前に捺印してあっても、記入事項に誤りがあった場合には訂正印が必要となるため、必ず持参しましょう。

出生届の書き方

出生届は公の書類。不備があっては受理はされません。とくに以下のポイントに注意しましょう。

楷書で、しっかりていねいに書く

いつも書き慣れている住所や自分の名前などは、つい安易に書いてしまいがちですが、普段よりもゆっくりときれいな字で書くように心がけましょう。

とくに、赤ちゃんの名前は、出生届に書かれたものが戸籍の原本に記載されるので、新旧の字体、点の有無などまで、はっきりとわかるように細心の注意を払って記入します。用紙をあらかじめコピーして、練習しておくのもよいでしょう。

出生届の各項目はどう書く？

以下に出生届の項目ごとに注意点を挙げておきますので、参考にしてください。

①父母との続き柄

まず、法的な婚姻関係にある夫婦間に生まれた赤ちゃんなら「嫡出子」、内縁関係のカップルやシングルマザーの場合は「嫡出でない子」の欄をチェックします。このとき「嫡出でない子」としても、父親が認知し、のちに結婚した場合には「嫡出子」とされることもありますが、変更された経緯も記録として戸籍に残ります。

次に、性別の欄をチェックし、前の空欄に第1子であれば「長」と記入します。第1子と同性の第2子は「次」と考えがちですが、「二」と書かなくてはならないので、注意しましょう。

第3子以降も、同性の場合には「三」「四」と順に数字をふりますが、性別が異なる子は、「長」から同様に始めます。たとえば、「女・女・

男・女・男」の順で生まれた場合、「長女・二女・長男・三女・二男」のように、性別ごとの序列になります。

②世帯主

赤ちゃんの親が世帯主なら、「世帯主との続き柄」は「子」となります。夫婦ふたりと子どもの家庭では、通常パパかママが世帯主となりますが、おじいちゃん・おばあちゃんと同居している場合には、祖父母が世帯主であることも多いので、必ず確認しておきましょう。世帯主がおじいちゃん・おばあちゃんの場合には、続き柄は「孫」ではなく「子の子」となるので、注意が必要です。

③本籍地

戸籍の置いてあるところが本籍地です。現住所と異なることを知らずにいる人もわりと多いようです。あらかじめ戸籍謄本や本籍地記載の住民票で確認するか、役所で調べてもらうことを、おすすめします。

「筆頭者の氏名」には、戸籍の筆頭に記載されている人の氏名を書きます。

④年月日は元号で

「父母の生年月日」「同居を始めたとき」の欄の年数は、西暦ではなく「昭和○年」「平成○年」と、元号で記入します。

以上の点に注意して記入したら、書き間違いや記入漏れがないか、次ページの記入例を参考に、よく見直しましょう。

とくに、赤ちゃんの名前は、「ヘン」や「ツクリ」までしっかり確認してください。何か不明な点があるときは、役所に相談するとよいでしょう。

世帯主がおじいちゃん
おばあちゃんの場合、
「世帯主との続き柄」は
「子の子」って
書くんだ
孫
ほー
世帯主

出生届の書き方例

記入の注意

- 鉛筆や消えやすいインクで書かないでください。
- 黒のボールペンまたは黒インクでお願いします。
- 町田市に届けをする場合は1通でけっこうです。
  なお、他の市区町村に届出をする場合は届出先にお問い合わせください。
- 子の名は、常用漢字、人名用漢字、かたかな、ひらがなで書いてください。
- よみかたは、戸籍には記載されません。
  住民票の処理上必要ですから書いてください。
- □には、あてはまるものに☑のようにしるしをつけてください。

届出人の署名欄は届出書をお持ちになる方ではなく、法律上の届出義務者が自署してください。
（第一順位は父または母です。）

筆頭者の氏名には、戸籍のはじめに記載されている人の氏名を書いてください。

子が生まれた日からかぞえて14日以内に、次のいずれかの市区町村長に届け出をしてください。
①子の本籍地 ②届出人の所在地 ③出生地

届け出られた事項は、人口動態調査（統計法に基づく指定統計第5号，厚生労働省所管）にも用いられます。

子の父または母が、まだ戸籍の筆頭者となっていない場合は、新しい戸籍がつくられますので、この欄に希望する本籍を書いてください。

◎ 母子手帳と届出人の印をご持参ください。

◎ 連絡先の記入は忘れないでください。

届出人の連絡先
☎ 自宅 （　　）
勤務先 （　　）

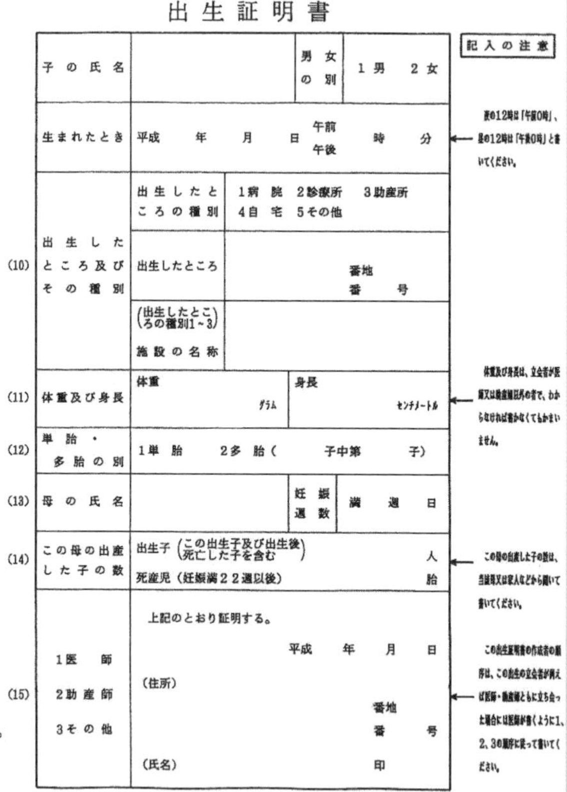

出生証明書

	子の氏名			男女の別	1男　2女
	生まれたとき	平成　年　月　日　午前／午後　時　分			
(10)	出生したところ及びその種別	出生したところの種別	1病院　2診療所　3助産所　4自宅　5その他		
		出生したところ	番地　番　号		
		（出生したところの種別1～3）施設の名称			
(11)	体重及び身長	体重　グラム	身長　センチメートル		
(12)	単胎・多胎の別	1単胎　2多胎（　子中第　子）			
(13)	母の氏名		妊娠週数	満　週　日	
(14)	この母の出産した子の数	出生子（この出生子及び出生後死亡した子を含む）　人			
		死産児（妊娠満22週以後）　胎			
(15)	1医師　2助産師　3その他	上記のとおり証明する。　平成　年　月　日　（住所）　番地　番　号　（氏名）　印			

記入の注意

夜の12時は「午前0時」、昼の12時は「午後0時」と書いてください。

体重及び身長は、立会者が医師又は助産師以外の者で、わからなければ書かなくてもかまいません。

この母の出産した子の数は、当該母又は家人などから聞いて書いてください。

この出生証明書の作成者の順序は、この出生の立会者が例えば医師・助産師ともに立ち会った場合には医師が書くように1、2、3の順序に従って書いてください。

出　生　届

平成 ○ 年 11 月 23 日届出

長　殿

受理 平成　年　月　日 第　号	発送 平成　年　月　日
送付 平成　年　月　日 第　号	長　印

書類調査	戸籍記載	記載調査	調査票	附票	住民票	通知

(1)	生まれた子	子の氏名（よみかた）	たかはし　ゆうと 氏 高橋　名 優斗 父母との続き柄：☑嫡出子　□嫡出でない子（長 ☑男 □女）
(2)		生まれたとき	平成 ○ 年 11 月 20 日　☑午前 □午後 10 時 15 分
(3)		生まれたところ	東京都新宿区信濃町 30 番地 番 号
(4)		住所（住民登録をするところ）	東京都文京区音羽1丁目26 番地 番 号 世帯主の氏名 高橋信明　世帯主との続き柄 子
(5)	生まれた子の父と母	父母の氏名 生年月日（子が生まれたときの年齢）	父 高橋信明　○ 年 5 月 22 日（満 28 歳） 母 高橋由梨子　○ 年 9 月 18 日（満 26 歳）
(6)		本籍（外国人のときは国籍だけを書いてください）	東京都文京区音羽1丁目26 番地 番 筆頭者の氏名 高橋信明
(7)		同居を始めたとき	平成 ○ 年 9 月（結婚式をあげたとき、または、同居を始めたときのうち早いほうを書いてください）
(8)		子が生まれたときの世帯のおもな仕事と	□1. 農業だけまたは農業とその他の仕事を持っている世帯 □2. 自由業・商工業・サービス業等を個人で経営している世帯 ☑3. 企業・個人商店等（官公庁は除く）の常用勤労者世帯で勤め先の従業者数が1人から99人までの世帯（日々または1年未満の契約の雇用者は5） □4. 3にあてはまらない常用勤労者世帯及び会社団体の役員の世帯（日々または1年未満の契約の雇用者は5） □5. 1から4にあてはまらないその他の仕事をしている者のいる世帯 □6. 仕事をしている者のいない世帯
(9)		父母の職業	（国勢調査の年…　年…の4月1日から翌年3月31日までに子が生まれたときだけ書いてください） 父の職業　母の職業
	その他		
	届出人		☑1.父 □1.母 □2.法定代理人（　） □3.同居者 □4.医師 □5.助産婦 □6.その他の立会者 □7.公設所の長
		住所	(4)欄に同じ　番地 番 号
		本籍	(6)欄に同じ　番地 番　筆頭者の氏名 (6)欄に同じ
		署名	高橋信明　印　○ 年 5 月 22 日生

事件簿番号	

こんなときは、どうするの？

名前に関する手続きで、思わぬアクシデントが起こることも。知っておくとあわてずに済む情報です。

届出期限までに名前が決まらなかったら

赤ちゃんの名前の欄に「未定」と書いて期限内に提出し、名前が決まったら「追完届」を出します。この場合、戸籍に名前の届け出が遅れたことが、記録として掲載されます。

病気や事故、自然災害などで届け出が遅れた場合には、「戸籍届出期間経過通知書」を出生届とともに提出しましょう。簡易裁判所に「正当な理由である」と認められれば、「遅れた」ことは記されません。

ただし、「記入に手間取ってしまった」「忙しくて出しにいけなかった」「人に頼んでおいたのに忘れられてしまった」など、自己都合の理由では、正当な理由とは認められません。届出義務者は3万円以下の過料を支払わなくてはならないので、気をつけましょう。

一度届け出た名前は変えられるの？

一度届け出た名前は、原則として変更できません。

戸籍法に「正当な事由によって名前を変更しようとする者は、家庭裁判所の許可を得て、その旨を届け出なければならない」と定められており、この場合、裁判を起こすしかありません。申請しても却下されるケースのほうが多く、それだけ名づけには慎重を期する必要があるということです。「書き間違えた」「画数がいい名前に変えたい」などの理由では、まず変更できません。ただし、「亞」を「亜」にするといった旧字体から新字体への変更、「桧」を「檜」にするといった、俗字から正字への変更は可能です。

海外で出産したら

次の3つの書類を、日本大使館や公使館、領事館に届け出る必要があります。

①出生届
②出産に立ち会った医師による出生証明書、または外国官公庁の発行した出生登録証明書
③②の和訳

①の用紙は、届け出先に備えてあります。提出期限は出生後3か月となっているので、その間に帰国する予定なら、帰国後に国内で届け出てもよいでしょう。

長期滞在の場合は、現地の役所にも届け出ます。国によって必要書類や注意点が異なってきますので、必ず大使館などに確認してください。海外での出産では、とくに赤ちゃんの「国籍」に注意しなくてはなりません。アメリカ・カナダ・ブラジルなど「出生地を国籍とする」国では、出生後3か月を過ぎると、赤ちゃんの日本国籍は失われてしまいます。国籍を維持するためには、出生届の「その他」欄に「日本国籍を留保する」と明記のうえ、「届出人」が署名・捺印して提出する必要があります。

国際結婚も同様で、「国籍留保届」を提出することにより、赤ちゃんは両親の国籍をもちます。どちらの場合も、規定の年齢に達したとき、子どもが自分の意思で国籍を選択することになります。

シングルマザーの場合

赤ちゃんは母親の戸籍に入り、母親の姓を名乗ります。父親が自分の子どもと認めた場合には、「認知届」を父母いずれかの本籍地、または住民票のある地の役所に提出します。認知届が受理されたあとの取り消しは、まず不可能といってよいほど難しくなります。よく話し合ったうえで提出してください。

出産のときにもらえるお金

出産にかかった費用を補ってくれる制度として、「出産育児一時金」と「出産手当金」があります。

「出産育児一時金」について

健康保険加入者であれば、赤ちゃん1人につき一律35万円、双子なら70万円が給付されます。双子以上の場合には、請求用紙に医師により「多産」と記入された証明書が必要です。

父親が社会保険、母親が国民保険に加入している場合には、どちらか一方からのみの給付となります。社会保険なら社会保険事務所か健康保険組合へ、国民保険なら市区町村の役所へ、次の3つを持参して申請してください。期限は、出産した日から2年以内です。

①健康保険証
②母子健康手帳
③印鑑

ただし、社会保険からの給付には、以下の条件があるので注意が必要です。

①退職後、6か月以内の分娩であること
②退職前に、継続して1年以上社会保険に加入していること

また、国民健康保険も、保険料を滞納していると給付されないことがあるので、気をつけましょう。

この「出産育児一時金」は、妊娠85日以上の死産や流産にも適用されます。

給与を補填する「出産手当金」

社会保険の被保険者のために、出産や育児中の給与を保障するものです。あくまでも被保険者本人のみへの保障制度で、配偶者は対象となりませんので、注意してください。

産前42日（多胎妊娠の場合は、産

前98日まで可能）と産後56日の計98日のうち、休暇をとった日数分が対象となり、支給金額は標準報酬日額の3分の2です。申請は、社会保険事務所か健康保険組合へ、本人が次の3つを持参して行います。期限は、出産した日から2年以内となっています。

①健康保険証
②医師か助産師による出生証明書
③印鑑

もし、会社から出産手当金よりも多い金額が支給されるのであれば、給付はされません。支給があっても額が少ない場合は、そのぶんを差し引いた額の給付となります。

被保険者の資格がなくなっても、退社後6か月以内の出産であれば、適用される場合があるので、問い合わせてみるとよいでしょう。

出産育児一時金の手続きの流れ

勤務先や市区町村により多少の違いがありますので、詳しくは直接問い合わせてください。

国民健康保険加入者	社会保険加入者（または被扶養者）
↓	↓
住んでいる市区町村の役所で書類をもらう	勤め先の総務か管轄の社会保険事務所で書類をもらう

↓

産院で提出書類の出産証明欄に記入してもらう。このとき、文書料がかかる場合もある。提出先によっては、市区町村長が証明することもでき、この場合は費用がかからないので、確認するとよい

↓

住んでいる市区町村の役所へ提出	勤め先の総務か、社会保険事務所へ提出。郵送でよい場合もある

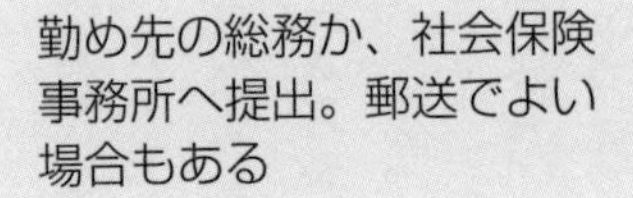

↓

申請後、2週間〜2か月後に指定口座に振り込まれる

健康保険が使えるとき

妊娠・出産にかかった費用でも、保険が適用されるケースがあります。対象となるか確認しましょう。

医療処置が必要な場合保険が適用される

健康保険は、あくまでも病気の治療を対象とするものなので、健診や普通分娩など、医療処置を必要としなかった妊娠や出産には適用されません。何らかのトラブルがあって、治療や投薬が必要となった場合のみ、適用されることになります。

たとえば、「つわり」でも点滴や入院が必要なほど重症な場合には、「重症妊娠悪阻」となり保険が適用されます。ほかに保険の対象となる妊娠中の代表的な症例としては、「子宮頸管無力症」「妊娠高血圧症候群」「切迫流産」「流産」「前期破水」「切迫早産」「早産」などが挙げられます。また、「合併症」や「各種疾患」の場合や、通常は保険の対象にならない超音波検査も、「逆子」「前置胎盤」などの検査では適用されることがあります。

同様に、入院中や出産時に際しても、医療処置が行われれば、保険が適用されます。「止血のための点滴」「微弱陣痛による陣痛促進剤使用」「帝王切開」「吸引分娩」「鉗子分娩」「死産」などのほか、持病のため普通分娩が困難な人に行われる「無痛分娩の麻酔」にも、適用されます。また、赤ちゃんが新生児集中治療室に入った場合にかかった費用も、保険適用の範囲内です。

健康保険がきくかどうかで、退院時に支払う額は大きく変わります。産院の窓口で、あらかじめ確認しておくとよいでしょう。

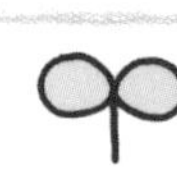

高額療養費の払い戻し制度

保険が適用される症状において、

同じ月内に同じ医療機関に自己負担限度額を超えた医療費を支払った場合には、さらに「高額療養費」の対象となります。これは、いったん全額を自己負担で支払い、あとから組合など健康保険の発行機関に請求して、自己負担限度額の超過分を払い戻してもらう制度です。

自己負担限度額は、収入によって異なり、申請時期は受診日の翌月1日から2年以内と定められているので、注意しましょう。

ほかに、所得税を納めている家庭の1年間の合計医療費が10万円を超えた場合に、申告すると税金が戻ってくる「医療費控除（確定申告）」制度もありますが、出産育児一時金や高額療養費で補填される金額を引いた額での申請となるので、気をつけてください。

出産にかかる費用

健診費	妊娠は病気ではないので、基本的に自費診療になります。健診は初診以降、順調ならば12週までは月に1回、その後は2週間に1回となり、36週を過ぎると1週間に1回になります。1回にかかる費用は病院によって違いますが、4,000円～5,000円くらいです。したがって、出産までに健診費だけで、約70,000円かかることになります。
入院費 分娩費等	出産時にかかる費用は病院によって違います。おおよそ30万円～45万円かかるといわれています。おもな内訳は入院料、分娩費、検査・処置・薬剤料、文書料、材料費、新生児管理保育料などで、それぞれ出産時の状況や赤ちゃんの状態、入院日数などで変わってきます。
出産準備費用	家族が1人増えるわけですから、衣類や家具、寝具など必要なものが出てきます。ベビーベッド、ベビー布団、肌着、洋服、ミルク・ほ乳瓶・消毒グッズ、おむつ、お風呂用品など、すべて新しく買いそろえると、思いのほか出費がかさみます。生後3か月くらいまでの必需品を考えた場合、母乳か粉ミルクか、布おむつか紙おむつかでも違ってきますが、新品でそろえると、10万円前後かかるようです。
その他の出費	出産前後にかかる費用としては、里帰りの交通費、内祝い、出生通知などの費用があります。また、お宮参りの衣装費や会食費、初節句も自分で買いそろえるとなると、ある程度まとまった費用がかかるのを、覚悟しておいたほうがよいでしょう。

出生通知とお礼状

パパやママが思う以上に赤ちゃんを見守ってくれている人は多いもの。感謝の気持ちを素直に伝えて。

書き方と文例

赤ちゃんの誕生は、周囲の人みんなの喜びであり、その成長を祝うイベントも、同様に楽しみとなります。出生通知やお祝いへのお礼状は、いわば赤ちゃんに寄せられた愛情に対する返礼でもあるのです。心を込めて、早めに出しましょう。出生通知は1か月以内、お礼状は品物をいただいてから1週間以内が目安です。

出生通知は、はがきを用いるのが一般的ですが、お礼状は、通常封書で送ります。「時候の挨拶」に続けて、「お祝いをいただいたお礼」を述べ、「お祝いの品に対する具体的な感想やエピソード」、できれば「近況報告」なども添えて、「結びの言葉」とするとよいでしょう。

次ページに文例を挙げましたので、参考にしてください。

◎出生通知の文例

▼「赤ちゃん誕生!」

○年○月○日、身長○cm・体重○kgの元気な男の子が誕生しました。世界に向かって大きくはばたく子にと、「翔（しょう）」と名づけました。よろしくお願いいたします。

▼「はじめまして!『翔（しょう）』です」

誕生した日：○年○月○日　身長：○cm　体重：○kg　待望の息子誕生！　今からキャッチボールの練習に余念がないパパと新米ママに、育児のご指南をお願いします。

▼「新しい家族が増えました」

○年○月○日、身長○cm・体重○kgの男の子が生まれ、にぎやかな毎日となりました。やんちゃ坊主の「翔（しょう）」を、どうぞよろしくお願い申し上げます。

◎出産祝いへのお礼状

▼仲人ご夫妻へ

紅葉の美しい季節となりました。先日は、長男・海斗（かいと）のために過分なお祝いをいただき、まことにありがとうございました。

さっそくお七夜のときに着せる、鮮やかなブルーの服を買わせていただきました。当日、親戚にお披露目しましたところ、「よく似合う」とほめられ、「これも○○様のお心遣いのおかげ」と、とてもうれしく思いました。

海斗がもう少し大きくなりましたら、改めてご挨拶に伺わせていただきます。

どうぞお体を大切に。

まずは取り急ぎ、お礼のみにて失礼いたします。

◎初節句祝いへのお礼状

▼親戚へ

風薫る、さわやかな季節となりました。智哉（ともや）の初節句に当たり、すばらしい武者人形をお贈りいただき、ありがとうございました。智哉も初めて見る勇ましいお人形がすっかり気に入ったようで、ポーズをまねては喜んでいます。一生の宝物として、毎年大切に飾らせていただきます。

お仕事が落ちつきましたら、ぜひ遊びにいらしてください。何のおもてなしもできませんが、親子3人、楽しみにお待ちしています。みなさま、どうぞお元気で。

取り急ぎ書中にて、お礼申し上げます。

●著者
田宮規雄（たみや　のりお）
昭和26年、広島県生まれ。占術研究歴は25年を超え、その守備範囲は広い。現在、中国開運占術学会を主宰、後進の指導にあたる一方、現代的なセンスを生かして名づけにも意欲的に取り組んでいる。日本占術協会会員。
著書に『赤ちゃんのしあわせ名前事典』(ベネッセ)、『21世紀にはばたく赤ちゃんの名前』『21世紀にはばたく男の子の名前』『21世紀にはばたく女の子の名前』『世界にはばたく赤ちゃんの名前』（高橋書店）他がある。命名、吉数リストのデータ・サービス（いずれも有料）なども行っている。
＜連絡先＞
〒116-0013　東京都荒川区西日暮里1-59-23松本ビル3F
TEL 03-5615-3101　ホームページ http://tamiya.chu.jp

執筆協力　柳元順子、大熊祥子、田島　薫、乾みさこ、丸茂千草、横垣久恵、大沼淳子、庄司そのみ、佐久間真弓、土井弘美
本文デザイン　加藤啓子
DTP　阿部五十鈴、加藤啓子、吉村桂子、占部恵子
本文イラスト　ふわふわ。り☆、なるひ、Igloo*dining*、コダイラヒロミ
編集協力　大熊祥子、柳元順子、中山継夫、天満すみ子、岡田志穂、岡田創、丸茂菜摘、田中雄、(株)トプコ　井手晃子、坂井謙介

世界にはばたく
男の子の名前

著　者　田宮規雄
発行者　高橋秀雄
編集者　山本佳津江
印刷所　東京印書館
発行所　**高橋書店**
〒112-0013
東京都文京区音羽1-26-1
電話 03-3943-4525（販売）／03-3943-4529（編集）
FAX 03-3943-6591（販売）／03-3943-5790（編集）
振替 00110-0-350650

ISBN978-4-471-02104-7